INITIATION A LA PRATIQUE
DE LA THÉOLOGIE

Initiation à la pratique de la théologie

publié sous la direction de

Bernard LAURET
et
François REFOULÉ

TOME II : DOGMATIQUE 1

Les Éditions du Cerf
29, bd Latour-Maubourg, Paris
1982

PREMIÈRE PARTIE

ALLIANCE ET RÉVÉLATION : DIEU PARLE

ALLIANCE
ET RÉVÉLATION

par CHRISTIAN DUQUOC

INTRODUCTION

Les développements du premier Tome sur «Connaissances humaines et connaissance de Dieu» dispensent d'une longue introduction à la question aujourd'hui si discutée de la Révélation. Le titre imposé situe dans un contexte non seulement croyant, mais biblique, l'événement d'une communication divine. Il insinue en outre qu'il n'existe de théologie que «confessante», c'est-à-dire affirmative d'un événement «divin» qui s'impose à elle «sans fondement et sans raison» extérieurs. L'explicitation du titre par l'expression «Dieu parle» rappelle un truisme : il n'existe pas de théologie chrétienne sans l'acceptation première d'une communication de Dieu fondée en sa souveraine liberté. Ce ne sont pas les hommes qui font parler Dieu, c'est Dieu qui, parlant, suscite des communautés confessant son Nom. De ce point de vue, le théologien n'a d'existence que par appartenance à la communauté confessante, il est auditeur obéissant de la Parole de Dieu comme tout autre croyant. Il ne suit pas un chemin spécifique qui, par déduction ou détour, lui permettrait d'échapper à un affrontement risqué avec l'initiative de l'Autre, signifiée par la parole prophétique. La grandeur et l'actualité permanentes de la *Dogmatique* de K. Barth est de rappeler qu'aucune théologie chrétienne ne mérite ce nom si elle ne reconnaît ce «sans raison», cette incapacité de déduire à partir de l'horizon humain la communication divine. En terme biblique, cette gratuité est évoquée par l'image de l'alliance. C'est donc sous la mouvance de cette image que la question de la Révélation est ici développée. En voici le mouvement, il s'articule en trois chapitres :

I. Alliance et nomination de Dieu
II. Parole de Dieu
III. Le don et la promesse.

Alliance
et nomination
de Dieu

La notion d'alliance ici étudiée est spécifiquement biblique [1]. Elle se présente en quatre épisodes fondamentaux : l'alliance noachique (Gn 9, 1 ; 10, 32) ; l'alliance abrahamique (Gn 15, 18-19) ; l'alliance mosaïque (Ex 3, 7-10 ; 24, 1-9. 3-8) ; la nouvelle alliance (Mc 14, 24), cette dernière annoncée par Jérémie (Jr 31, 33 ss.) et Ezéchiel (Ez 36, 22-28 ; 16, 60). A chacun de ces épisodes, l'alliance est structurée de façon similaire : Dieu est l'initiateur se choisissant un partenaire, et établissant avec lui un contrat, lequel implique un droit assorti d'une promesse. Aussi la notion d'alliance, en raison de la liberté souveraine de Dieu, n'est-elle pas séparable de celle d'élection (Dt 26, 1-11 : confession de foi israélite de l'initiative divine). L'alliance a donc pour composantes formelles, organiquement liées, trois termes : élection, contrat, promesse. Il faudra plus tard en étoffer le contenu. Ce qu'il faut dès à présent souligner, c'est l'originalité de la « nomination » de Dieu dans ce contexte.

« Dieu parle » affirme le titre de ce début de la Dogmatique. Qui est celui qui parle et que nous nommons « Dieu » ? Le mot « Dieu » est un mot du vocabulaire commun. Les dictionnaires en proposent une définition : « Principe d'explication de l'existence du monde, conçu comme un être personnel, selon des modalités particulières aux croyances, aux religions », lit-on dans le *Petit Robert* [2]. Ce texte est éclairant sur la conception de la démarche communément entreprise pour la reconnaissance de Dieu, et sur la perception non moins

---

1. G. von RAD, *Théologie de l'Ancien Testament*, t. I-II, Genève, 1957, t. I, pp. 118-123 ; P. BEAUCHAMP, *l'Un et l'Autre Testament*, Paris, 1976, pp. 229-275.
2. P. ROBERT, *Dictionnaire alphabétique et analogique de la langue française*, Paris, 1967.

commune des religions comme formes particulières de gestion d'un fonds universel. Selon la définition proposée, la reconnaissance de Dieu est le fruit d'une enquête à but explicatif : il manque au monde un principe qui le soutienne raisonnablement dans son existence ; ce principe, les hommes s'accordent à le nommer « Dieu ». Ils induisent son existence et son essence à partir d'une perception à la fois négative et positive du monde. Ils ne le nomment pas à partir d'une ouverture personnelle à eux faite. Les religions sont des variations secondes sur le thème général de la reconnaissance du Principe.

Or, s'il est une option que récuse la notion d'alliance, c'est que la communauté constituée par elle puisse être une forme de gestion parmi d'autres d'une réalité connue et nommée par ailleurs : dans le cas, à partir du monde. Ce ne sont pas les hommes qui nomment Dieu avant l'alliance, c'est l'alliance qui permet de le nommer. Ce n'est pas comme principe d'explication qu'il se propose partenaire d'un contrat et garant d'une promesse : il entre en communication avec des hommes particuliers, les Hébreux, selon sa souveraine liberté et son bon vouloir. Le monde a peut-être besoin d'un principe d'explication ; la notion d'alliance ni ne l'affirme, ni ne l'infirme. Elle ouvre un autre espace à la nomination de Dieu ; elle déclare : Dieu n'est pas connu antérieurement à la relation qu'il institue par l'alliance. Deux voies s'ouvrent ainsi à la nomination de Dieu, elles ne convergent pas nécessairement. L'une, attentive aux questions posées par notre monde, pose la nécessité d'un principe de ce monde ; l'autre, provoquée par la parole prophétique entre dans le mouvement d'une alliance offerte par Celui qui vient à la rencontre des hommes. L'une reste maîtresse du processus de la recherche, l'autre met en relation avec une liberté « divine », dont on ne sait « ni d'où elle vient, ni où elle va ». Il est impossible de parler de la nomination chrétienne de Dieu sans préciser le statut différentiel et concurrentiel de ces deux voies.

Dès lors qu'il est question de la voie chrétienne, pour en souligner le caractère abrupt, paradoxal et sans concession à d'autre voies, nombre de théologiens aiment citer le fameux texte de S. Paul :

Le langage de la croix... est folie pour ceux qui se perdent, mais pour ceux qui sont en train d'être sauvés, pour nous, il est puissance de Dieu. Car il est écrit : Je détruirai la sagesse des sages et j'anéantirai l'intelligence des intelligents (Es 29, 14). Où est le sage ? Où est le docteur de la loi ? Où est le raisonneur de ce siècle ? Dieu n'a-t-il pas rendu folle la sagesse du monde ?

En effet, puisque le monde, par le moyen de la sagesse, n'a pas reconnu Dieu dans la sagesse de Dieu, c'est par la folie de la prédication que Dieu a jugé bon de sauver ceux qui croient. Les Juifs demandent des miracles et les Grecs recherchent la sagesse ; mais nous, nous prêchons un messie crucifié, scandale pour les Juifs, folie pour les païens, mais pour ceux qui sont appelés, tant Juifs que Grecs, il est Christ, puissance de Dieu et sagesse de Dieu. Car ce qui est folie de Dieu est plus sage que les hommes et ce qui est faiblesse de Dieu est plus fort que les hommes (1 Co 1, 18-26).

Paul oppose donc à toute voie de sagesse, maîtresse de son propre parcours, une voie paradoxale, celle où Dieu entre en communication avec l'homme par ce que l'homme juge spontanément non divin. Ce serait le non-divin de Dieu pour l'homme naturel qui deviendrait ainsi le lieu de la communication de Dieu. Celse, en 180, bon représentant alors de la vulgate philosophique hellénistique, récuse cette déraison au nom même de la dignité de Dieu :

Du seul fait que les prophètes ont prédit du grand Dieu (...) qu'il serait esclave, malade ou mourrait, s'ensuit-il nécessairement que Dieu dût subir l'esclavage, la maladie ou la mort, pour la simple raison que cela avait été prédit ? Convenait-il qu'il justifiât sa divinité par sa mort ? Non : c'était aux prophètes à ne rien prédire de semblable, car c'est un mal et une impiété. Il ne faut donc point considérer si une chose a été prédite ou non, mais si elle est digne de Dieu et bonne en soi : car ce qui est mauvais et indigne de Dieu, quand bien même tous les hommes dans un emportement de folie l'auraient prédit, ne doit point être cru de lui [3].

Qui peut déterminer ce qui est digne de Dieu, sinon celui-là qui est assuré de déjà le connaître ? Celse écrit :

Je ne veux alléguer aucune nouveauté : je m'attache à des idées depuis longtemps consacrées. Dieu est bon, beau, bienheureux ; il est le souverain bien et la beauté parfaite... Il est la raison de tout ce qui existe, et il ne lui est pas plus possible d'agir à l'encontre de la raison que contre lui-même [4].

Ecoutons, par contre, D. Bonhoeffer :

Nous ne pouvons être honnêtes sans reconnaître qu'il nous faut vivre dans le monde, *etsi Deus non daretur* (comme si Dieu n'était pas donné). Et voilà justement ce que nous reconnaissons — devant Dieu, qui lui-même nous oblige à l'admettre. En devenant majeurs, nous sommes amenés à reconnaître réellement notre situation devant Dieu. Dieu nous fait savoir qu'il nous faut vivre en tant qu'hommes qui parviennent à vivre sans Dieu... Dieu se laisse déloger du monde et clouer sur la croix. Dieu est impuissant et faible dans le monde, et ainsi seulement il est avec nous et nous aide...
Voilà la différence décisive d'avec toutes les autres religions. La religiosité de l'homme le renvoie dans sa misère à la puissance de Dieu dans le monde... La Bible le renvoie à la souffrance et à la faiblesse de Dieu [5]...

---

3. Celse, *Contre les chrétiens*, trad. L. Rougier, coll. «Libertés», nᵒ 26, Paris, 1965, pp. 131-132.
4. *Op. cit.*, pp. 78 et 93.
5. D. Bonhoeffer, *Résistance et Soumission*, Genève, 1963, pp. 162-163.

Il est instructif de comparer ce texte à ceux des 19ᵉ et 20ᵉ thèses de Luther, lors de la dispute de Heidelberg en 1518[6] :

Thèse 19. Ne peut être à bon droit appelé théologien celui qui perçoit et comprend la nature invisible de Dieu par ses œuvres. Cela est patent si l'on se réfère à ceux qui étaient théologiens de cette manière et qui sont pourtant appelés insensés par l'Apôtre en Romains 1, 22. D'ailleurs la nature invisible de Dieu est la force, la divinité, la sagesse, la justice, la bonté, etc. La connaissance de toutes ces choses ne rend ni sage, ni digne.

Thèse 20. Mais celui-là porte à bon droit le nom de théologien qui saisit ce qui, de l'être de Dieu, est visible et tourné vers le monde, tel que cela apparaît dans la souffrance et dans la croix. Ce qui est tourné vers le monde, ce qui est visible de l'être de Dieu est le contraire de ce qui est invisible, c'est son humanité, sa faiblesse, sa folie... Car, puisque les hommes avaient mésusé de la connaissance de Dieu, fondée sur ses œuvres, Dieu voulut à nouveau être connu par ses souffrances, il a donc réprouvé cette sagesse des choses invisibles atteinte par une sagesse des visibles afin que ceux qui n'honoraient pas Dieu tel qu'il se révèle dans ses œuvres, l'honorent comme celui qui est caché dans la souffrance (1 Co 1, 21). Ainsi il ne sert de rien de reconnaître Dieu dans sa gloire et sa majesté, si on ne le reconnaît en même temps dans l'abaissement et l'ignominie de sa croix... Ainsi la vraie théologie et la connaissance de Dieu sont-elles en Christ, le Crucifié.

Ces textes sont abrupts : ils dessinent avec vigueur l'enjeu entre les deux voies de reconnaissance de Dieu. L'opposition désormais classique, fortement accentuée dans la théologie protestante, à toute approche de Dieu qui prenne origine hors la parole prophétique, trouve beaucoup d'adeptes dans la théologie catholique contemporaine : la critique de l'ontothéologie qui pense Dieu comme Etant suprême et l'être comme étant est l'aspect négatif de l'option pour une nomination chrétienne de Dieu à l'intérieur du seul espace ouvert par l'alliance[7].

Cette orientation soulève cependant des difficultés : la tradition catholique n'a pas été majoritairement favorable à une rupture radicale entre l'ouverture libre de Dieu aux hommes, symbolisée par l'Alliance, et le cheminement tâtonnant des penseurs et des croyants pour nommer Dieu à partir de leur expérience du monde. En fait foi le texte voté au Concile de Vatican I à propos de la connaissance

---

6. Ils sont cités par J. MOLTMANN dans *le Dieu crucifié*, Paris, 1974, pp. 236, 240.
7. Cf. Cl. GEFFRÉ, « le Problème théologique de l'objectivité de Dieu », in J. COLETTE, etc., *Procès de l'objectivité de Dieu*, Paris, 1969, pp. 241-262 ; J. BEAUFRET, etc., *Heidegger et la Question de Dieu*, Paris, 1980, notamment pp. 125-168.

rationnelle de Dieu [8]. Il insinue au minimum une réticence à enfermer toute nomination vraie de Dieu dans le seul espace biblique ; il ne met cependant pas à égalité l'une et l'autre voies, et ne bataille aucunement contre l'aspect normatif, dominateur en dernière instance, du chemin biblique. Ce problème délicat sera débattu lorsqu'aura été achevée la description de la nomination de Dieu dans le cadre de l'alliance. L'itinéraire sera donc descriptif en un premier temps ; en un second moment, il sera interprété de façon réflexive. En voici l'organisation :

1. Le statut de la nomination de Dieu dans le cadre de l'alliance.
2. La relation entre la nomination chrétienne de Dieu et la recherche humaine ou religieuse d'une transcendance.

1. Statut de la nomination de Dieu et Alliance

Trois éléments structurent la relation d'alliance : l'élection, le contrat, la promesse. Dieu est nommé à l'intérieur de cette relation en fonction du lien organique entre ces trois éléments.

Le premier élément de la structure d'alliance est *l'élection* : il situe le partenaire invisible, sans visage, comme l'initiateur. Ceci apparaît avec véhémence dans la vocation d'Abraham et la conclusion de l'alliance avec lui au profit de lui-même et de sa descendance (Gn 11, 31 ; 12, 7 ; 13, 15 ss.). Cela est non moins évident dans le cas de la vocation de Moïse (Ex 3, 11-12) et de l'alliance dont il est le médiateur (Ex 24, 3-8) pour le peuple d'Israël. La même « élection » s'affirme dans le cas de Jésus (Lc 1, 35 ; Ep 14, 10 ; 1 P 1, 20). Ainsi la relation d'alliance est-elle inséparable d'un choix libre du partenaire sans visage, mais non sans parole. L'élection est sans raison : ce n'est pas Israël qui a choisi Dieu, mais Dieu qui entre tous les peuples a choisi Israël (Dt 7, 7 ss.).

L'élection prend forme dans une relation, elle s'inscrit dans une coexistence effective, elle est *contrat* effectuant un vivre en commun. La loi, sous sa forme cultuelle, éthique et civile, définit ce style d'existence exigée par le lien entre Dieu et le peuple. Cet élément n'est pas de moindre importance dans la structure de la relation d'alliance que l'élection. (« La cérémonie de l'alliance comporte un engagement à observer la loi divine » : Ex 19, 7 ss. ; 24, 7 [8 bis]. La sainteté du Dieu de

8. J. DENZINGER, *Enchiridion Symbolorum*, Fribourg, 1955, 30 éd., n° 1785.
8 bis. Cf. art. « Loi », in *Vocabulaire de théologie biblique*, Paris, 1970, p. 670.

l'alliance se manifeste concrètement par des exigences éthiques dont les dix paroles (Décalogue) sont la charte (Ex 20, 1-17 ; Dt 5, 1-22). Il n'existe pas de connaissance authentique de Dieu qui ne soit éthique, c'est-à-dire pratique. Les menaces d'une vie de malheur ou la sanction de la mort soulignent que la coexistence et l'habitation avec le Dieu vivant sont effectives sous certaines conditions : la relation d'alliance ne fait pas de Dieu le prisonnier de son partenaire humain.

Le troisième élément, *la promesse*, accentue l'orientation pratique. Le contrat d'alliance est assorti d'un effet à venir, dont le contenu symbolique varia au cours de l'histoire d'Israël : cet effet est la résultante de la fidélité du partenaire divin à sa parole et de la ténacité du partenaire humain à inscrire dans la vie quotidienne, sociale, politique, cultuelle, personnelle, les exigences incluses dans le contrat. La prédication prophétique et la prière des psaumes s'appuient sur cette forme «eschatologique» de l'alliance[9].

a) La nomination

Rassemblons les résultats de cette première investigation. Israël, dans le souvenir écrit qu'il se donne de son origine et de sa spécificité, reporte à une alliance avec «Dieu» (qui en est l'initiateur) le dynamisme de son histoire et réfère la structure cultuelle, socio-politique, éthique de son existence collective à une loi exprimant le droit immanent au contrat. A l'intérieur de ce cadre, il nomme son «Dieu» : l'alliance circonscrit l'espace de la «nomination». Or, l'alliance exprime une relation impliquant un comportement socio-éthique, orienté par une promesse vers un avenir de réussite collective. L'alliance n'est donc pas une vision du monde, un principe de spéculation, elle est une entreprise pratique puisqu'elle implique la transformation constante des relations sociales à l'intérieur du peuple hébreu pour réaliser le droit inclu dans le contrat et laisser ainsi le champ libre à l'irruption de la promesse. Le Dieu nommé au sein de l'alliance n'est pas un principe spéculatif répondant à une question sur le «manque» du monde, il est le terme d'une relation dont le contenu est pratique pour le peuple : être élu, observer le droit lié au contrat, attendre la réalisation de la promesse. Cet aspect explique que les noms du partenaire sans visage sont soit d'ordre historique, soit d'ordre relationnel, ils ne sont ni descriptifs, ni conceptuels.

---

9. Cf. J. MOLTMANN, *Théologie de l'espérance*, chap. I et II, Paris, 3ᵉ éd., 1973.

Les noms sont d'ordre historique : le Dieu d'Israël est le Dieu des pères, d'Abraham, d'Isaac, de Jacob ; il est le Dieu de l'Exode, de Moïse ; il sera pour le Nouveau Testament le Dieu et Père de Jésus.

Les noms sont d'ordre relationnel : le partenaire « sans visage », mais non sans parole, est perçu comme l'Autre du contrat, et il est signifié différentiellement par rapport au peuple. Les qualités qu'on lui attribue, miséricorde, fidélité, justice, etc. et les images qu'on lui applique (guerrier, rocher, etc.) transcrivent la manière dont il est expérimenté comme partenaire à l'intérieur de l'alliance. Mais reconnaître les qualités du partenaire divin dans l'éxécution du contrat ne suffit pas à le nommer, c'est-à-dire à le sortir de l'anonymat : il faut l'appeler aussi par son nom, c'est-à-dire l'identifier en lui-même. Israël disposait du nom commun, le dieu ou les dieux, mais entrer en relation avec un allié, initiateur d'un contrat d'amitié, c'est recevoir son nom propre ou lui en conférer un. Cette question du nom propre sera envisagée plus tard.

La nomination de Dieu telle qu'elle apparaît dans la Bible suppose une double origine : celle d'un souvenir où le Dieu est identifié et nommé à partir d'actions faites en faveur d'un personnage ou du peuple ; celle d'une expérience collective de l'alliance dans laquelle le Dieu est nommé à partir des qualités ou même des excès dont il a témoigné comme partenaire.

On connaît l'exclamation de Pascal : « Non pas le Dieu des philosophes, mais le Dieu d'Abraham, d'Isaac et de Jacob. » Nommer Dieu, non en fonction de la réflexion, mais en fonction de la mémoire liée à des personnages qui façonnèrent l'histoire du peuple hébreu, c'est user d'un « nom commun », Dieu, à une tout autre fin que commune. Nommer Dieu à partir de la mémoire, c'est le délocaliser au sens géographique : aucun sanctuaire et aucun culte ne permettent plus de le nommer. Arraché au lieu, Dieu est arraché à l'immédiat du présent, il est historicisé : désormais, son visage est évoqué à partir des actions que symbolisent les personnages élus, Abraham, Isaac, Jacob, Moïse, Jésus. « Dieu » s'est manifesté comme celui qui a détaché de leur statut social et politique les grandes figures qui ont donné au peuple hébreu sa vocation et son mode d'existence. On comprend dès lors que la confession de foi de l'Israélite remémore le destin historique de ce peuple comme effet d'une liberté « divine » :

Mon père était un araméen nomade ; il descendit en Egypte avec peu de gens et y vécut en étranger ; il y devint une nation grande, puissante et nombreuse. Les Egyptiens nous maltraitèrent et nous opprimèrent et nous soumirent à une dure servitude. Nous criâmes à Yahvé, le Dieu de nos pères. Yahvé entendit notre voix et vit notre oppression, nos peines et nos misères. Et Yahvé nous fit sortir d'Egypte à main forte et à bras étendu, avec des prodiges terrifiants, des signes et des miracles. Il nous a conduits dans ce lieu et nous a donné ce pays, un pays où coulent le lait et le miel (Dt 26, 5-9).

Nommer Dieu, c'est confesser les actions qu'en raison de l'élection des pères, Dieu a entreprises pour Israël, et ces actions sont des affanchissements en vue de conduire le peuple à la «terre promise».

«Dieu» en Israël, bien que nom commun, se différencie de tous les êtres à qui les peuples l'attribuent. Lié à des personnages élus et entreprenant des actions libérantes, «Dieu» est «dénaturalisé». Ce phénomène aura des conséquences considérables dans les théologies juive et chrétienne.

La nomination de Dieu n'est pas seulement d'ordre historique : elle est définie par un espace relationnel. L'alliance est un contrat liant deux partenaires en vue de «vivre en commun». C'est là une définition formelle, puisque les modalités et les contenus peuvent en être divers. Dans le cas du partenaire divin, initiateur de l'alliance, l'accent est constamment mis sur l'impératif : l'alliance n'est pas un contrat négocié, même si elle instaure un «vivre en commun» sur la base d'un droit. Israël éprouva durement cet aspect unilatéral malgré la garantie de la promesse. Non négocié, mais cependant accepté, le contrat d'alliance institue une relation paradoxale qui marque la nomination de Dieu.

Celle-ci se fonde sur la pratique de l'alliance, sur son «vécu». Le paradoxe de son unilatéralité divine (élection et droit imposé) et de sa visée d'une communauté de destin dont la promesse ouvre l'indéfini, rend compte de deux traits apparemment contradictoires du Dieu d'Israël : son aspect démonique ou fantasque ; son caractère fidèle, aimant, juste. Rien dans la nomination de Dieu ne paraît conduire à un effort de synthèse entre l'un et l'autre traits.

Caractère «démonique» ou fantasque : l'alliance est d'ordre relationnel, elle n'est pas négociée (Ex 24, 9-11 ; il faut cependant noter qu'en Ex 24, 3-8, le partenaire humain est associé par le prêt d'un serment) ; le partenaire divin est sans visage ; sa voix est celle de ses porte-parole. Son comportement dans le système relationnel visant à vivre en commun n'est pas toujours saisissable.

On qualifie de «démonique» un comportement qui évoque celui d'une puissance plus ou moin personnalisée redoutable à l'homme. Des données bibliques étayent cette qualification. En Ex 4, 24-26, à peine Yahvé vient-il de confier à Moïse la mission de sauver le peuple, qu'Il l'attaque soudain et veut le faire mourir. Attitude étrange qu'on retrouve dans d'autres cas : en Gn 22, l'exigence du sacrifice d'Isaac ; en Gn 32, 25-33, la lutte avec Jacob ; en Ex 10, 20, l'endurcissement de Pharaon ; en 1 S 2, 25, le chemin qui mène à la mort les fils d'Eli ; en Jg 9, 23, l'esprit de discorde envoyé par Dieu entre Abimélek et les notables de Sichem ; en 2 S 6, 7, Uzza, malgré sa bonne intention, est foudroyé par l'arche ; en 2 S 24, 1-15, Dieu pousse David à recenser le peuple, puis l'en châtie durement. Ce caractère «démonique» se rencontre dans le prophétisme (Os 13, 7-8 ; Ez 21, 14-22). Il est clair que le livre de Job n'aurait pas été écrit sans la permanence de la conviction que Dieu agit de façon redoutable parce que certaines de ses actions sont inintégrables à une attitude raisonnable. C'est en raison de ce caractère que s'expliquent les révoltes du peuple (Nb 11, 1 ; 14, 1-5 ; 16, 12-15 ; 20, 1-16).

Théologiens et historiens se sont efforcés d'assigner de tels traits à l'archaïsme de l'expérience religieuse ou à la pauvreté de la réflexion philosophique : ainsi Dieu envoie-t-il un esprit mauvais à Saül (1 S 18, 10). Cette façon de parler trahit une incapacité à discerner le jeu normal des causes mondaines et humaines.

Ces remarques ne manquent pas de pertinence, mais elles tendent à faire oublier que le Dieu d'Israël est nommé ou désigné à partir d'une expérience paradoxale qu'il faut signifier au niveau même du langage. Poussés à l'extrême, de tels propos conduisent à l'opinion des amis de Job. Pour eux, tout est clair : si Job est malheureux, c'est qu'il est coupable. Dieu est, en effet, parfaitement raisonnable et veille à ce que l'accomplissement de la loi produise des effets bénéfiques et que sa négation engendre le malheur. Job n'est pas de cet avis, et maintient le caractère «démonique» de Dieu, tout en faisant appel à sa justice. Le caractère paradoxal du «vécu» de la relation est ici manifesté : Job n'essaie pas de faire une synthèse. Il vit douloureusement, et dans la révolte, cet écart. Dieu le justifie de ne l'avoir pas sous-estimé, comme ses amis : l'écart est fondamental pour la nomination du Dieu d'Israël à partir de l'expérience historique de l'alliance [9bis].

Expérience historique qui soutient l'autre aspect de la nomination : fidélité, miséricorde, amour-passion du partenaire divin pour le peuple qu'il s'est choisi. Les prophète ont exprimé cet aspect avec force (Os 11, 8 ; Is 54, 4-8 ; Ez 16). Il correspond à la ténacité et à la fidélité du partenaire divin dans le maintien d'une alliance dont le code du vivre en commun est constamment battu en brèche par l'exploitation sociale au sein du peuple (Am 8, 4-9). Le partenaire divin apparaît «saint» dans sa conduite à l'égard d'Israël (Ez 18) : le peuple d'Israël se comporte de façon pécheresse. Aussi l'écart entre le comportement des contractants de l'alliance ne cesse-t-il d'être souligné par les prophètes, au point que la nomination de Dieu se trouve fortement marquée par l'attitude négative d'Israël.

---

9 [bis]. Cf. P. MICHAELI, *Dieu à l'image de l'homme*, Neuchâtel-Paris, 1980 : l'anthropomorphisme exprime la nomination paradoxale d'un vivant libre et imprévisible.

Résumons les résultats de cette brève investigation. La nomination par Israël de son Dieu est liée, non à une recherche réflexive ou philosophique sur le fondement du monde, mais à l'expérience paradoxale d'un vivre en commun avec un partenaire sans visage, dont l'attitude, dans la relation d'alliance, fut susceptible d'une double lecture, sans que fût possible leur synthèse ou leur réduction. Que Dieu soit un partenaire sans visage (toute représentation de Dieu est interdite) et sans voix (il a des porte-parole humains) explique cette hésitation. Quand disparurent les prophètes et que la loi devint la parole par excellence, le caractère « démonique » de Dieu s'accentua : son silence devint aussi incompréhensible et redoutable que l'imprévu de son comportement dans le souvenir qu'on en gardait. Il n'est pas assuré que le Nouveau Testament abolisse la distance ici constatée, malgré l'amour sans raison que le Dieu d'Israël y témoigne à son peuple. Mais avant d'étudier quels effets produit sur la nomination de Dieu la reconnaissance de Jésus comme le Prophète ultime et le Fils, il est nécessaire d'envisager la question du nom propre du Dieu d'Israël — celui de sa relation personnelle dans l'alliance, Yahvé.

b) Le nom propre de Dieu

La nomination dont il a été jusqu'à présent question, dans le cadre historique et relationnel de l'alliance, a pour responsable le peuple hébreu. Par la médiation de ses écrivains ou de ses porte-parole, par l'esprit créatif de ses prophètes et le sens religieux des plus humbles, le peuple hébreu a désigné Celui qu'il reconnaissait avoir été son libérateur et être toujours son Rocher. Cette désignation, ne craignant ni les images les plus concrètes (Dieu est un guerrier), ni les termes abstraits (Dieu est le Juste), ne nomme pas Dieu en lui-même, mais dans ses relations. Toutefois, dans un système contractuel, telle l'alliance, les partenaires doivent figurer par un nom qui n'appartient qu'à eux. La reconnaissance de l'altérité passe par l'expression du « nom ». Israël a un nom collectif. Son Dieu est privé de « nom ». En effet, le nommer, lui le libérateur en raison de l'Exode, « Dieu des pères », ou « Dieu d'Abraham, d'Isaac et de Jacob », témoigne d'un effort pour le reconnaître comme un sujet auquel il est possible d'adresser la parole, mais ce n'est pas connaître son nom ou lui en conférer un, c'est le désigner par des actions ou des fonctions : il entre dans le jeu des échanges sociaux par la médiation des ancêtres du peuple.

Selon la tradition élohiste et sacerdotale, le nom propre du Dieu des pères aurait été « révélé » à Moïse (Ex 3, 12 ss.). Pour une tradition yahviste, l'usage cultuel de ce nom remonterait à Enosh (Gn 4, 26).

Cette tradition paraît secondaire : le texte insiste sur l'origine du culte de Dieu et non pas sur celle du nom lui-même. On aurait affaire à une projection dans le passé d'une tradition postérieure en vue de signifier l'unité du dessein de Dieu.

Retenons le texte d'Exode comme fondamental. Dieu charge Moïse d'aller vers Pharaon et de faire sortir d'Egypte les fils d'Israël. Pour appuyer son ordre d'une garantie, il ajoute : « Je suis avec toi... » (Ex 3, 12). Moïse dit alors à Dieu :

> « Voici ! Je vais aller vers les fils d'Israël et je leur dirai : le Dieu de vos pères m'a envoyé vers vous. S'ils me disent : Quel est son nom ? Que leur dirai-je ? » Dieu dit à Moïse : « *Je suis qui je serai.* Tu parleras ainsi aux fils d'Israël : *Je suis* m'a envoyé vers nous » (Ex 3, 13. 14).

Le nom ici indiqué a deux formes : prononcé par Dieu, il se conjugue à la première personne : « Je suis » ; prononcé par Moïse ou le peuple, il se conjugue à la troisième personne : « Il est », en hébreu « Yahvé ». Ainsi « Yahvé » fut-il retenu comme le nom propre de Dieu, le nom du partenaire divin du contrat, celui auquel on s'adresse dans la prières, l'invocation ou le dialogue.

Pour le théologien, il est significatif que le nom propre du Dieu libérant Israël de la servitude égyptienne n'ait pas été — selon le souvenir transmis — conféré par Israël à son Dieu pour le différencier des autres dieux, il fut « révélé » par Dieu à Moïse. Même si une tradition « yahviste » fait remonter jusqu'à Enosh le culte de Dieu sous ce nom, il s'est imposé aux « pères » comme « nom » révélé. La conscience d'Israël a retenu que son Dieu s'est fait connaître sous son nom lors du grand acte de libération d'Egypte. En effet, Ex 3, 13-15, de façon décisive, donne l'assurance que Moïse reçoit le nom propre de « Dieu » (Yahvé), qu'il peut désormais l'invoquer sous un nom qu'aucun autre Dieu ne partage, et qu'aucun autre peuple ne connaît. Si le partenaire divin du contrat d'alliance avait jusqu'alors une histoire, celle des pères, il n'avait encore ni visage, ni nom. A Moïse, avant de le soutenir dans son action libératrice, il fait connaître son nom comme on le livre à un ami. Si Dieu demeure sans visage, il n'est plus « anonyme ». Sa parole, par la médiation des prophètes, renvoie à un nom, que désormais Israël peut invoquer.

La recherche de l'origine historique du nom n'est pas déterminante. Cette investigation n'est certes pas sans intérêt, mais dans la mesure où elle soustrait la vie à ce nom, elle se méprend sur le souvenir d'Israël et n'éclaire pas la réflexion théologique. De même, s'appuyer sur des étymologies probables ou hasardeuses, pour essayer de cerner le sens précis de ce nom obscur, comme si elles nous livraient une définition de Dieu, est de peu de secours, même si cette aide n'est pas négligeable. La tradition thomiste, influencée par la traduction des

LXX, a manqué de modestie : elle a cru justifié de discerner dans le nom livré à Moïse une confirmation de son ontologie[10]. Plus modestement, reconnaissons :

1° que le nom est livré au moment décisif de la grande entreprise libératrice de Dieu à l'égard d'Israël. Par la « révélation » de son nom, Dieu s'en porte garant : « Je suis avec toi », dit-il à Moïse (Ex 3, 12) ;

2° que le nom livré, étant un verbe ne conduisant à aucune représentation, souligne la distance de Dieu à l'égard de son peuple dans l'acte même où, livrant son nom, il se rend proche : son nom appartient désormais au peuple, mais le peuple ne peut en induire aucune figuration. Il est un nom propre qui retient dans l'obscur la réalité ou l'essence de Dieu, tout en attestant une relation dans laquelle il intervient comme un « tu » ;

3° que le nom livré se donne pour « révélé » : Dieu risque la démarche de permettre au peuple élu de l'appeler par son nom. Quelle que soit l'origine du mot, la conscience d'Israël d'user d'un nom révélé témoigne de la conviction que le partenaire divin de l'alliance tient à ne pas être étranger mais ami (Ex 33, 11-21).

Ainsi le nom de « Yahvé » que le souvenir traite comme un nom propre révélé par Dieu à Moïse, en attestation d'une élection sans raison, source de l'alliance, et en garantie d'une présence active jusqu'à ce que la promesse se réalise, justifie à la fois la liberté de l'invocation en Israël et son refus de toute représentation et figuration de son Dieu.

- La liberté de l'invocation d'abord : le combat entre Jacob et l'ange de Yavhé est un paradigme (Gn 32, 23-33). Peu importe l'origine légendaire du récit : il est inscrit au Livre comme l'attestation que la relation entre Israël et son Dieu est conflictuelle. Israël peut demander des comptes à Celui qui est son partenaire. Les psaumes rappellent à Yahvé ce qu'il a fait, l'élection, et ce qu'il a promis : Dieu ne peut renier son alliance. Israël a droit à être considéré comme un partenaire effectif. Le livre de Job représente le sommet de cette prétention : l'indifférence de Dieu est d'autant moins tolérable que des docteurs ès religion essaient de la justifier par l'alliance. L'invocation peut aller jusqu'à la révolte, car celui qui crie vers Yahvé sait d'intuition que Yahvé s'est lui-même pris au piège du lien choisi.

---

10. Cf. F. M. GENUYT, *le Mystère de Dieu*, Desclée, 1963, pp. 30-49. Cet auteur, malgré des nuances introduites p. 31, souligne avec quelque excès la continuité entre le nom livré à Moïse et l'ontologie thomiste.

- Refus de la représentation ensuite : « Yahvé » n'est pas une définition. Ce nom justifie que le Dieu des Pères soit sans visage pour les hommes, que soit interdite toute image taillée ; il indique que sa liberté est imprévisible. Dès lors l'espace de l'invocation, s'il est dessiné par l'alliance comme élection et promesse, fondant le droit d'Israël, demeure ouvert : nul ne peut mettre la main sur Dieu pour utiliser à son service sa puissance supposée. La liberté au sein de l'invocation — celle de Dieu comme celle de l'homme — est garantie par le vide de la représentation. Israël en appellera sans cesse de son nom propre à ce qu'il fut pour les pères comme garantie de ce qu'il sera. La nouveauté imprévisible de son action est attestée en son nom : « Je suis qui je serai. »

Le christianisme ne clôt-il pas cette liberté de l'invocation en raison de l'espace humain dans lequel il insère Dieu ? Le vide de la représentation, ouvrant le jeu au rêve et à l'avenir, n'est-il pas comblé par un visage, celui de Jésus, désormais regardé comme le visage de Dieu ? Le mouvement de l'alliance n'est-il pas détourné de sa fin par une médiation si particulière qu'elle exclut le libre jeu des autres possibles ? L'alliance vétéro-testamentaire est un contrat fondé sur la liberté de Dieu et le droit ; le christianisme, en concrétisant l'alliance dans une figure, hésite dès lors sur la divinité ou l'humanité du partenaire, insistant soit sur Jésus-homme, soit sur Christ-Dieu, incluant Jésus-homme dans le peuple comme prophète ou substituant Christ-Dieu au partenaire divin. Cette hésitation ou cette substitution ne changent-elles pas le mouvement de la nomination de Dieu, puisque désormais Dieu a une icône humaine ? Si l'on compare les refus opposés par l'islam et le judaïsme à toute iconographie divine, avec la pratique chrétienne de donner, dans la peinture et la sculpture, un visage humano-divin au Christ de gloire, on mesure la transformation opérée par la réinterprétation chrétienne de l'alliance.

Le processus vétéro-testamentaire de la nomination de Dieu, disions-nous plus haut, englobant l'acte de l'invocation, est à la fois présenté comme « révélé » (Dieu livre son nom) et comme produit par le peuple de l'alliance (le Dieu des pères qualifié par son agissement comme partenaire). Dieu est donc saisi comme extrêmement proche : il est mêlé à l'histoire du peuple. Et il est perçu comme lointain, sa « réalité » demeure inaccessible : « Nul n'a jamais vu Dieu » (cf. Moïse et Elie, Ex 33, 18-23 ; 1 R 19, 11-15) écrit Jean (Jn 1, 18), mais Jésus l'a raconté. Une détermination précise est proposée, désormais : c'est à partir de Celui qui a raconté Dieu que la nomination prend assise.

Il ne faut donc pas chercher dans les Evangiles une doctrine de Dieu qui compléterait la doctrine vétéro-testamentaire, ou la corrigerait : Jésus n'a rien enseigné de tel. Il n'a pas conféré de noms nouveaux à Dieu. Par son action et son invocation, il a impliqué autrement Dieu dans la relation d'alliance que ne le faisait généralement la religion officielle de son temps. L'amour (*agapè*) est une réinterprétation de l'alliance.

La transformation radicale se produit sous la pression des souvenirs de la prédication de Jésus, réinterprétée à partir de l'expérience pascale, celle-ci incitant à reconnaître ce Jésus comme Christ, Seigneur et Fils. Même si l'évolution vers cette confession fut plus lente que nous l'imaginons, il n'en reste pas moins que l'introduction d'une invocation à Christ comme Seigneur le situe dans une relation à Dieu non réductible à la relation d'alliance ancienne : il fonde l'alliance nouvelle. Christ est médiateur, mais non dans le même ordre que Moïse.

Aussi les chrétiens se trouvent-ils justifiés de voir en Jésus déclaré Christ le visage de Dieu. Mais le visage de Jésus reste humain, il désigne une façon particulière de lien à Dieu et de présence au monde, il est le visage de quelqu'un dont on peut tracer l'histoire jusqu'à sa condamnation. Celle-ci, en raison de Pâques, prend une dimension singulière : le Crucifié est le Ressuscité. Le destin de cet homme est le destin de Dieu. On ne peut plus prétendre connaître le visage de Dieu sans accepter que son destin temporel ne soit celui de Jésus. La nomination de Dieu est désormais inséparable du mouvement que Jésus imprima à sa vie prophétique. Jusqu'à la Croix : on osera plus tard parler de la mort de Dieu.

Le chemin de Jésus qualifie pratiquement, en christianisme, la nomination de Dieu. Il ne récuse pas le statut de la nomination intégrée à l'alliance. Mais il tend à modifier radicalement ce qu'on appelle le « démonisme » de Yahvé. Celui-ci se détache sur une double prérogative : le Dieu de l'alliance est sans visage ; son action n'est pas définie par le droit de l'alliance. Or avec Jésus, ce double élément tombe, semble-t-il : Dieu prend visage en Jésus qui n'est plus simplement un prophète ou un porte-parole. H. Küng l'appellera son « lieutenant » ou son substitut. Dieu se trouve autrement impliqué par cette localisation humaine que par la médiation de l'alliance mosaïque. Quant au second élément, la distance perçue entre le droit de l'alliance et l'action de Dieu, il tend également à disparaître, puisque Jésus, comme envoyé de Dieu et comme substitut de Dieu, manifeste par son action que l'instauration du droit de l'alliance importe à tel point qu'il n'en voit la réalisation que par l'éviction de toute exclusion : les pécheurs et les sans-espérance trouvent en lui un avocat.

Le chemin de Jésus est devenu dans le souvenir qui en est fait le chemin de Dieu : un chemin conduisant à la Croix. Aussi, dans la nomination chrétienne de Dieu, la Croix a-t-elle pris une place considérable. Le partenaire sans visage de l'alliance, dont le « démonisme » soulignait l'inattendu et la liberté souveraine, se trouve désormais marqué par une situation de radicale faiblesse : impliqué par son substitut dans le monde, il est récusé par le monde au point de mourir. Ainsi le «démonisme» qui se présentait dans la ligne d'une toute-puissance arbitraire, par un mouvement paradoxal, établit sa distance d'avec le «raisonnable» ou l'humain sur la faiblesse de Dieu en ce monde, comme l'a si bien vu D. Bonhoeffer. L'écart au sein de l'alliance change de coefficient puisqu'elle se trouve, dès ce moment, marquée de la griffe du Christ crucifié.

Au niveau de la description, la détermination de la nomination de Dieu, en fonction de la pratique de l'alliance, conduit à esquisser une inscription inversée de l'écart entre le partenaire divin et le partenaire humain suivant que la «dominante» provient de l'Ancien ou du Nouveau Testament.

Dans l'Ancien Testament, l'écart est signifié par le qualificatif «démonique»: on désigne ainsi comme nous l'avons dit, soit ce qui relève de l'action imprévisible d'une puissance plus ou moins personnalisée, soit ce qui provient d'une liberté insaisissable, mais aussi sans limite. L'alliance constitue un droit, mais ce droit n'épuise pas la nomination d'un Dieu qui demeure sans visage, bien que la tradition prophétique se soit employée à faire prévaloir l'éthique sur le démonique.

Avec le Nouveau Testament, l'écart semble aboli puisque Dieu prend *visage humain* en son Fils Jésus : il n'est donc plus sans visage. Toutefois, l'écart est restitué parce que la liberté réapparaît sans fondement puisqu'il se fait faible dans le monde, malgré sa toute-puissance supposée. Nous n'avons plus affaire à une distance fondé sur la transcendance d'une puissance sans limite et arbitraire, à caractère non éthique, mais nous reconnaissons un écart fondé sur la transcendance d'une relation où le respect du partenaire humain est poussé à tel point que le comportement divin paraît faiblesse. C'est dans l'ordre du pardon, dont le retrait en raison de sa faiblesse est l'élément apparent, que la distance se manifeste sur le visage humain de Dieu.

La structure de l'alliance demeure identique dans son organisation : le Nouveau Testament ne renie rien de l'élection, du contrat et de la promesse, mais la distance apparemment supprimée par le rapport de substitution du Christ à Dieu, par le phénomène du visage, est réinstaurée en raison du chemin paradoxal de Christ désigné comme chemin divin : le «démonisme» divin, son caractère insaisissable et imprévisible pour la raison, trouve une expression nouvelle dans la Croix. Malgré la proximité de Dieu dans l'humanité de Jésus, son Fils, sa distance, loin d'être abolie, n'en est que davantage mise en lumière. La nomination indique le point où dans l'humanité particulière de Jésus s'inscrit un écart insurmontable.

Décrire le mouvement de la nomination dans l'espace des deux Testaments n'apaise pas les questions qui se posent au théologien. Il doit mettre en rapport le processus d'affirmation de Dieu, immanent à l'alliance, avec la recherche réfléchie ou philosophique d'un Absolu.

2. Nomination chrétienne de Dieu et quête de l'Absolu

Le recours à l'opposition entre le Dieu d'Abraham, d'Isaac, de Jacob et le Dieu des philosophes ne saurait justifier la négligence ou le mépris à l'égard des recherches philosophiques ou des tentatives religieuses de nomination d'un Principe transcendant. De nombreux théologiens s'appuient sur la critique heideggerienne de l'onto-théologie pour justifier la rupture entre expérience croyante et quête humaine de l'Absolu.

Comment Dieu entre-t-il dans la philosophie ? interroge Heidegger. Dieu entre dans la philosophie par la Conciliation... Celle-ci nous révèle l'être comme le fond qui apporte et qui présente ; et ce fond a lui-même besoin d'une fondation-en-raison appropriée, à partir de ce qu'il fonde lui-même en raison : c'est-à-dire qu'il a besoin d'une causation par la Chose la plus originelle, par la Chose primordiale entendue comme *Causa sui*. Tel est le nom qui convient à Dieu dans la philosophie. Ce Dieu, l'homme ne peut ni le prier, ni lui sacrifier. Il ne peut devant la *Causa sui*, ni tomber à genoux plein de crainte, ni jouer des instruments, chanter et danser.
Ainsi la pensée sans-dieu, qui se sent contrainte d'abandonner le Dieu des philosophes, le Dieu *Causa sui*, est peut-être plus près du Dieu divin [11].

La quête de l'Absolu, prise ici au sens de la philosophie métaphysique occidentale, n'a pas laissé Dieu être Dieu, mais a mis la main sur lui, car ce n'est pas Dieu qui l'intéressait en lui-même, dans sa gratuité, mais le fondement et l'ordre qu'Il assurait au monde. Aussi le Dieu et les dieux se sont-ils retirés de notre monde. Il est indécent de prononcer le nom divin là où l'espace lui conférant sens a disparu. C'est le cas dans notre culture.

La pensée qui pense à partir de la question portant sur la vérité de l'Etre questionne plus originellement que ne le peut la métaphysique. Ce n'est qu'à partir de la vérité de l'Etre que se laisse penser l'essence du Sacré. Ce n'est qu'à partir de l'essence du Sacré qu'est à penser l'essence de la divinité. Ce n'est que dans la lumière de l'essence de la divinité que peut être pensé et dit ce que doit nommer le mot « Dieu ». Ne nous faut-il pas d'abord comprendre avec soin et pouvoir entendre tous ces mots, si nous voulons être en mesure en

---

11. M. HEIDEGGER, *Questions I*, trad. fr., Paris, 1968, p. 306.

tant qu'hommes (...) d'expérimenter une relation du dieu à l'homme ?
Comment l'homme de l'histoire présente du monde peut-il seulement se
demander avec sérieux et rigueur si le dieu s'approche ou s'il se retire, quand
cet homme omet d'engager d'abord sa pensée dans la dimension en laquelle
seule cette question peut être posée ? [12]

Le silence de M. Heidegger à l'égard de la tradition chrétienne, son
refus de tout compromis entre la foi et la philosophie, son respect pour
une théologie qui se reconnaît modestement interprétation de
l'expérience chrétienne conduisent à dissocier les deux chemins, celui
du croyant et celui du penseur. Quant à la quête traditionnelle de
l'Absolu par le moyen de la métaphysique, elle fut cause de la fuite du
dieu. Le chemin croyant est désormais affecté par cette fuite, l'espace
donnant sens à la nomination du « dieu » s'étant évanoui.

Cette problématique austère, attentive au phénomène de dédivinisa-
tion de notre monde occidental, sous-tend les options souvent
contradictoires des théologies contemporaines. Selon E. Jüngel, deux
voies conduisent à penser à nouveau Dieu dans la théologie actuelle :
l'une, dont il reconnaît en W. Pannenberg le principal protagoniste,
oriente vers une pensée de Dieu fournissant le cadre conceptuel
nécessaire à la foi chrétienne ; l'autre, pour laquelle il avoue sa
préférence, situe son point de départ dans l'auto-communication de
Dieu, elle en montre le caractère pensable et universel [13]. Dans la
première voie, le théologien précise les déterminations anthropologiques universelles qui restituent à Dieu la possiblité d'être pensé ; selon
l'autre voie, il assigne à la « révélation » la fonction de rendre
intelligible son mouvement même.

La pudeur de Heidegger à l'égard du christianisme et la méfiance de
E. Jüngel envers les prédéterminations anthropologiques soulignent la
difficulté dans laquelle introduit le christianisme. Les théologiens
répugnent à le juger comme le couronnement d'une quête immanente
de l'Absolu, mais ils ne se résolvent pas, pour la plupart d'entre eux, à
le tenir pour l'unique vérité sur Dieu, condamnant toute autre
approche philosophique ou religieuse à l'erreur ou à la perversion. Le
rapport entre le christianisme et la pensée demeure conflictuel, soit
qu'on imagine la pensée y préparant par son devenir, ou bien qu'on
estime que sa capacité d'accueil lui vienne de son mouvement propre.

---

12. M. HEIDEGGER, *Lettre sur l'humanisme*, 1946, trad. fr. in *Questions III*,
Paris, 1966, pp. 133-134.

13. E. JÜNGEL, *Gott als Geheimnis der Welt*, Tübingen, 1977, p. XII ; trad.
fr. *Dieu, mystère du monde*, Cerf, Paris, 1982.

Il y a en tout cas opposition insurmontable entre M. Heidegger et E. Jüngel : l'un détermine la possibilité de penser Dieu à partir du sacré, l'autre, à partir de l'auto-communication que Dieu fait de lui-même à l'homme. D'autres théologiens hésitent à accréditer ce dilemme, puisqu'un W. Pannenberg estime que le cadre conceptuel d'une pensée de Dieu n'est pas fourni par le christianisme, mais lui est antérieur.

La querelle ouverte autour de l'onto-théologie est un cas particulier de notre incapacité à situer l'auto-communication de Dieu (le don révélé de son nom), dans un cadre préalable sans la réduire, c'est-à-dire sans briser son originalité. En quel terreau humain s'enracine la nomination de Dieu pour qu'elle nous convie à entrer en relation avec Lui sans renier notre raison et notre autonomie ? Suffit-il de proclamer que l'alliance est sans fondement et sans raison, sous prétexte que « la rose est sans pourquoi et qu'elle fleurit parce qu'elle fleurit » [14]. Ou bien, en conséquence de cette auto-communication, doit-on explorer les relations qu'elle soutient, recenser les effets qu'elle produit dans les systèmes de conceptualisation du divin ? En d'autres termes, Dieu demeure-t-il un terme vide si l'essence de la divinité ne se dévoile à notre langage ? Dieu est-il un mot blasphématoire si son sens n'est pas induit de son identité au Christ crucifié ? Ces questions sous-tendent l'essai de mise en ordre qui suit. Il s'organise autour de deux termes clefs : cohérence et pertinence.

3. Cohérence et pertinence

« C'est une absence de culture que de ne pas distinguer entre les choses dont il faut une démonstration et celles pour lesquelles il n'en faut pas [15]. »

Je rapproche cet axiome aristotélicien de la distinction proposée par Dan Sperber [16] entre les propositions symboliques, et les propositions encyclopédiques. Ces dernières correspondent à l'état du monde tel que l'expérience et les sciences le donnent à connaître. Elles sont, par hypothèse, vérifiables. Par contre, les propositions symboliques sont la résultante d'un bricolage des résidus de représentations concep-tuelles, et leur domaine ne relève plus du vérifiable. Il n'en demeure pas moins que le dispositif symbolique est universel puisque tout peut

---

14. G. Morel, *Questions d'homme : l'autre*, t. 2, Paris, 1977, p. 161, citant A. Silesius, *Pèlerin chérubinique*, I, p. 189.

15. Aristote, *Métaphysique*, Oxford, 1957, éd. W. Jaeger, livre Gamma 1006 a 6-7.

16. D. Sperber, *le Symbolisme en général*, Paris, 1974.

être matière à symbolisation et que celle-ci est fondamentale et irréductible dans les rapports sociaux. La validité pratique de la symbolisation relève de sa cohérence interne, non identifiable à l'état présent du monde connu par la science, et non démontrable par l'organisation logique des catégories. L'alliance appartient à ce dispositif.

En effet, si l'on admet, à titre provisoire, le bien-fondé du vocabulaire et de l'analyse de Dan Sperber, on accordera volontiers que les propositions ayant trait à la nomination de Dieu sur la base de l'alliance ne relèvent pas d'un savoir encyclopédique vérifiable, mais s'organisent en un dispositif symbolique commandant l'appréhension du monde par les Hébreux et structurant leur vie sociale. Sans l'indiscuté de l'alliance et le consensus à son propos, la vie quotidienne des Hébreux et leur histoire cessent d'être intelligibles. La vérité du dispositif symbolique n'est pas démontrable mais l'efficacité de ses effets est perceptible, au point que, sans lui, ils deviendraient inintelligibles. Ainsi le dispositif symbolique de l'alliance est ce à partir de quoi la vie hébraïque en sa totalité devient pensable pour nous. De soi, ce dispositif ne renvoie à rien d'autre qu'à soi-même : il produit un système cohérent, social et idéologique.

Une fois acceptée cette perspective, il devient possible d'évaluer la nomination de Dieu à l'intérieur du dispositif symbolique de l'alliance. Elle est « vraie » si elle répond à une requête de cohérence immanente au mouvement de l'alliance. Toutefois la cohérence à l'intérieur d'un dispositif symbolique n'implique pas l'universalité. Aussi s'avère-t-il nécessaire de prolonger la question de la cohérence par celle de la pertinence : le dispositif symbolique de l'alliance est-il « vrai » pour nous ? Cette question formera le deuxième volet de notre réflexion.

a) Cohérence

La requête de cohérence demeure formelle tant que le contenu du dispositif symbolique de l'alliance n'est pas examiné. C'est en fonction de son symbolisme que s'est opérée la nomination de Dieu en Israël : elle doit donc être en principe cohérente avec sa logique interne. Cette logique est commandée par la structure de l'alliance : élection, droit, promesse. Le dispositif ainsi structuré détermine la place ou le rôle du partenaire divin, et donc sa nomination. Place ou rôle : le Dieu précède la structure comme initiateur (élection), il la devance comme garant de la promesse ; il la fonde gratuitement (élection) et il en instaure la nécessité immanente (droit et promesse). Dès lors la nomination du partenaire divin doit respecter les quatre exigences ainsi posées : précession, devancement, gratuité, nécessité. Le Dieu de l'alliance précède : il est le Dieu des pères, et il sera confessé le Dieu Créateur de l'univers. Il devance : il est le Dieu de la promesse, il est le Dieu des nouveaux cieux et de la nouvelle terre. Ainsi le dispositif symbolique de l'alliance présuppose que si le partenaire divin garantit l'alliance, il ne soit pas prisonnier du destin. Israël souligne la liberté de son Dieu en l'affranchissant de toute origine et de toute fin. Le Dieu partenaire de l'alliance est aussi le Seigneur de la vie et de la mort.

Dieu, souverainement libre, entre dans l'alliance, de façon paradoxale : gratuitement et nécessairement. Ce dispositif exige la gratuité : l'alliance n'est pas un destin pour Dieu, elle est l'effet d'un choix sans raison. Aussi Israël est-il incité à discerner dans son choix un amour de prédilection gratuite. D'autre part, l'alliance produit une structure imposant nécessité : son droit définit l'espace dans lequel s'inscrivent la vie et la mort. Le droit n'est pas un arbitraire : « Soyez saints parce que je suis saint. » Il explicite en organisation légale les conditions de la reconnaissance vraie du partenaire divin et celles du bonheur du partenaire humain. Celles-ci s'articulent à un axe privilégié : le Dieu de l'alliance ne saurait être justement invoqué sans que soit reconnu le droit de l'autre, notamment le droit de l'étranger. E. Lévinas écrit avec ferveur :

> Le respect de l'Etranger et la sanctification du nom de l'Eternel forment une étrange égalité. Et tout le reste est lettre morte[17].

La question de la vie et de la mort ne s'inscrit donc pas dans l'espace ouvert par le « démonisme » : l'homme non maître de son destin, subirait la domination d'une puissance arbitraire. L'alliance corrige cette interprétation possible : elle situe la relation dans un ordre éthique. La question de la vie et de la mort est désormais liée à l'inscription du Code de l'alliance dans la vie quotidienne d'Israël. Ce n'est pas le culte ou les sacrifices qui sont les garants d'Israël, mais la transcription dans l'existence sociale des exigences immanentes à la relation avec Dieu. Si le « démonisme » demeure un élément vivant dans la Bible, il ne détient pas la place de dernière instance, il est commandé par l'ordre éthique. L'alliance n'est cependant pas épuisée par cet ordre : l'initiative et la promesse du partenaire répugnent à se définir dans le seul ordre du droit, elle est englobée par le don.

Résumons l'analyse : la nomination de Dieu, dans le cadre de l'alliance, s'accorde à son fondement gratuit et à sa structure produisant une nécessité légale. Les questions les plus fondamentales

---

17. *Quatre leçons talmudiques*, Paris, 1968, p. 61.

sur l'existence humaine et son sens se poseront dans la Bible sous l'impératif de ce dispositif symbolique. Il permit l'éclosion du prophétisme et du messianisme. Il fut d'une fécondité pratique considérable. Il conduisit à une nomination cohérente de Dieu. Dispositif symbolique et nomination demeurent-ils aujourd'hui encore pertinents ?

b) Pertinence

L'alliance est un dispositif symbolique organisant la vie du peuple devant son Dieu et justifiant sa nomination. Les textes rapportent des réinterprétations et des réajustements dans l'histoire d'Israël, ils témoignent de la force et de la cohérence du dispositif. Structurant légalement le peuple, il le nourrit spirituellement. Mais les textes sont des langages objectifs. Leur actualité provient de leur capacité à une reprise possible dans une communauté, reconnaissant alors en eux l'expression du dispositif symbolique qui la fait vivre et l'organise. Les Eglises chrétiennes, en assumant les textes de l'alliance, les font leur, c'est-à-dire leur donnent actualité ; elles les jugent pertinents pour nos contemporains. Cette pertinence présuppose leur crédibilité. Proclamer que Dieu, en son fils Jésus, réédite sur un modèle nouveau les anciennes alliances, que son initiative est aujourd'hui active, qu'elle fonde toujours un droit et garantit non moins une promesse dont la Résurrection de Jésus est l'anticipation, ne va pas de soi, car la marche du monde continue sans vérifier le projet messianique. Aussi, réactualiser le dispositif symbolique de l'alliance, n'est-ce pas se faire illusion ou archaïser ? Faire porter à des textes anciens, efficaces dans le passé qui les a produits, une expérience concrète qu'ils ne peuvent garantir effectivement, n'est-ce pas leur ôter toute crédibilité ? La question de la pertinence est celle de la validité universelle de l'événement vétéro-testamentaire et néo-testamentaire de l'alliance. Ces textes qui en gardent le souvenir sont-ils susceptibles d'être autre chose que des textes ? Peuvent-ils faire office de symboles d'un événement toujours actuel : la vérité de l'alliance divine dans la communauté ecclésiale ?

La recherche de pertinence ou la requête de crédibilité s'orientent schématiquement vers deux pôles : un pôle ontologique, un pôle pratique.

Un pôle ontologique

Je désigne par ce terme tous les efforts entrepris en vue d'un fondement philosophique du christianisme dans le cadre traditionnel d'une pensée s'interrogeant ainsi : « Pourquoi y a-t-il l'étant et non pas rien ? »

Dans l'antiquité chrétienne et au moyen âge, ce chemin jouit d'une importance considérable. Le discours théologique, même non volontairement apologétique, se construisait sur une harmonie fondamentale : le Créateur de l'univers a contracté une alliance avec les hommes. Il ne peut y avoir contradiction entre le livre de la nature, ouvrage du Créateur, et l'Ecriture, ouvrage du Dieu de l'alliance. La raison, si elle s'exerce avec droiture et lit véridiquement les signes du monde, découvre en lui des anticipations et confirmations de ce dont témoigne l'Ecriture, comme récit de l'alliance.

La certitude de la convergence et de l'harmonie fut entamée par la blessure portée à la cosmologie traditionnelle, fondement partiel de l'ontologie, lors des découvertes de Copernic et de Galilée. Le monde devint l'objet d'une mathématique et cessa peu à peu de fournir la symbolique, lestée d'une ontologie assurant la convergence entre le livre de la nature et celui de la Révélation. Descartes situa Dieu du côté du fondement de la certitude subjective : le monde n'est plus un livre à interpréter, mais une matière à maîtriser et à rentabiliser. Dieu est la condition de la nature, mais celle-ci ne dit rien de lui. Pascal, ne déchiffrant plus le livre du monde, dit son angoisse : les espaces infinis l'effraient, ils n'ont plus de sens divin. Kant tire les conclusions de cette dérive : aucune pensée ontologique ne peut plus assurer l'harmonie entre les deux ouvrages de Dieu, la création et la révélation. L'effort du néo-thomisme et la restauration d'une pensée de l'Etre, souvent inspirée de Heidegger, n'ont pas modifié la situation.

Dans le cas du néo-thomisme [18], malgré un travail têtu, son incapacité à accéder à une pensée critique l'a privé de toute audience extra-ecclésiale et son effort philosophique est apparu une restauration archaïsante. Les tenants du néo-thomisme ne se sont pas suffisamment avisés que le monde qui avait permis l'essor de la pensée de saint Thomas avait disparu. Les essais pour découvrir des complicités au sein de la pensée philosophique moderne se sont avérés aussi décevants que les tentatives de construire à nouveau une ontologie [19].

18. E. GILSON, le Thomisme, Paris, 1945 ; ID., Introduction à la philosophie chrétienne, Paris, 1960 ; R. GARRIGOU-LAGRANGE, Dieu, son existence et sa nature, Paris, 1920.

19. Cf. TRESMONTANT, Essai sur la connaissance de Dieu, Paris, 1959 ; Cl. GEFFRÉ, in J. COLETTE, Procès de l'objectivité de Dieu, Paris, 1969, pp. 241-262 ; H. PAISSAC, « Dieu est », in Initiation théologique, II, pp. 33-142, Paris, 1952 ; J.-L. MARION, l'Idole et la Distance, Paris, 1977 ; Kl. HEINMARLE, Thesen zur einer trinitarischen Ontologie, Einsiedeln, 1976.

Quant à la reprise d'une pensée de l'Etre comme question, elle s'arc-boute à une double rupture : celle de la Réforme opposant sagesse philosophique et philosophie chrétienne ; celle de Kant, fondant l'inanité de tout essai ontologique de conciliation entre la raison et la foi. Heidegger écrit sans ambiguïté :

Celui... pour qui la Bible est révélation divine et vérité divine, possède déjà, avant tout questionner de la question «Pourquoi donc y a-t-il l'étant, et non pas plutôt rien ?», la réponse, à savoir : l'étant, s'il ne s'agit pas de Dieu lui-même, est créé par Dieu. Dieu lui-même, comme créateur incréé, «est». Celui qui se tient sur le terrain d'une telle foi peut certes de quelque manière suivre le questionner de notre question, mais il ne peut pas questionner authentiquement sans renoncer à lui-même comme croyant avec toutes les conséquences de cet acte. Il peut seulement faire comme [20]...

Heidegger ajoute que les mots de la Bible : «Au commencement Dieu créa le Ciel et la Terre» ne constituent pas une réponse à la question posée.

Il ne s'agit pas du tout ici de savoir si cette phrase de la Bible est vraie ou non pour la foi ; elle ne peut d'aucune façon constituer une réponse à notre question parce qu'elle n'a aucun rapport avec cette question... Ce qui est demandé à proprement parler dans notre question est pour la foi une folie.
La philosophie réside dans cette folie. Une «philosophie chrétienne» est un cercle carré et un malentendu [21].

La rupture kantienne est achevée : la foi ne peut revendiquer pour elle une assise externe à sa propre certitude. L'ontologie ne lui est désormais plus d'aucun secours. Ce n'est plus dans l'harmonie entre l'ouvrage du Créateur et l'ouverture du Sauveur que s'expérimente la pertinence actuelle de l'alliance. Aussi les théologiens préfèrent-ils s'avancer sur une autre voie : celle de la pratique sociale.

Un pôle pratique

La pertinence du dispositif symbolique de l'alliance est une exigence actuelle. L'alliance n'est pas un événement seulement mémorisé et récité. Les églises lisent le texte biblique comme ayant un effet présent : elles lui donnent vie, elles lui confèrent un caractère

---

20. M. HEIDEGGER, *Introduction à la métaphysique*, trad. G. Kahn, Paris, 1958, pp. 13-14.
21. *Op. cit.*, pp. 13-14.

événementiel. L'alliance est aujourd'hui parole adressée à tous les hommes, promesse, elle invite à l'écoute et à la fidélité. Elle est pertinente dans la mesure où le texte, devenu vivant parce que à nouveau dit, nourrit la pratique d'une église, l'accueil d'un don (élection) devenant dynamique d'une pratique sociale et espérance d'un avenir autre. L'élection se manifeste dans l'exercice effectif du droit de l'alliance. Quant à la promesse, elle est portée par cet exercice, son dynamisme présent l'arrachant au risque de l'illusion. La pratique sociale ainsi entendue représente la vérification quasi expérimentale de l'annonce. H. Küng a remarquablement exposé cet aspect dans son ouvrage *Etre chrétien*[22].

Prenant pour point de départ l'action de Jésus dans son environnement social et la déstabilisation qu'elle provoqua dans l'équilibre de la religion et de la société juives du Ier siècle, il décrit ce que doit être la marche du disciple : accomplir de façon créatrice, dans un autre environnement, ce qu'a fait Jésus pour le sien. Jésus est alors le leader, celui qui marche devant, et Jésus est reconnu comme celui qui tient ici-bas la place de Dieu. Il est son lieutenant. H. Küng développe ainsi un dispositif symbolique de l'action militante et transformante qui s'écarte du dispositif symbolique plus classique de la filiation. Ce dernier trop marqué à son avis par le biologique, l'affectivité et l'inter-relation privée, ne soutient pas l'action militante. La nomination de Jésus, «lieu-tenant» ou substitut de Dieu, est commandée par le mouvement choisi : une efficience sociale dont l'Eglise est porteuse. Devant l'incapacité d'une harmonie fondée sur l'ontologie, et devant l'ambiguïté des efforts d'investigation psychologique, H. Küng a fait dériver vers la « vérité pratique » la pertinence de l'alliance. Les sélections opérées par lui au sein des nominations classiques sont exigées par cette mutation d'intérêt[23].

Ainsi la recherche d'une pertinence actuelle du schème d'alliance incite à explorer des données historiques et pratiques de l'expérience humaine. Pour des raisons multiples, la mise en lumière du « crédible » a cessé d'être le monopole de l'ontologie, elle est désormais d'ordre pratique, même si ici ou là des tentatives psychologisantes se font jour[24].

---

22. H. KÜNG, *Etre chrétien*, Paris, 1978, pp. 599-709.
23. H. Küng est cité ici à titre exemplaire. Il faudrait également évoquer l'effort des chrétiens ayant des options politiques de gauche. Cf. G. CASALIS, *Les idées justes ne tombent pas du ciel*, Paris, 1977.
24. Analyse du désir, sous influence lacanienne : cf. M. BELLET, *le Dieu pervers*, Paris, 1979 ; A. VERGOTE, *Dette et Désir, deux axes chrétiens et la dérive pathologique*, Paris, 1978.

Il serait prématuré de porter un jugement sur ces hésitations à fixer l'espace du « crédible ». Elles trahissent, en toute hypothèse, une conviction scripturaire : la sagesse divine est folie pour les sages. On peut penser, en effet, que la pertinence n'est saisissable qu'à celui qui fait l'expérience de la foi, mais qu'elle demeure obscure pour celui auquel la foi apparaît sans fondement. Bref, la pratique de l'alliance, en tant que foi reçue et donnée, fonde son espace de crédibilité en l'élargissant hors de l'espace immédiat de son domaine, dans l'ontologie, la psychologie et la pratique. Parce que l'alliance demeure sans fondement et sans raison, gratuite, ses anticipations hypothétiques : ontologiques, pratiques, psychologiques, ne paraissent vraies qu'une fois acceptée comme point de départ de la réflexion, son indépassable gratuité. L'alliance est un événement qui ne se déduit pas, elle est un événement de parole. Ce que la parole est au langage (système objectif) comme gratuité, l'alliance l'est à tous les systèmes visant à la rendre crédible. Cet aspect paradoxal sera mis en lumière dans le paragraphe sur la « Parole de Dieu ».

CHAPITRE II

La Parole de Dieu

L'alliance est un échange de « paroles » : Dieu s'engage dans une promesse et livre son nom ; Israël exprime son expérience originale en de multiples formes littéraires : elles constitueront la Bible. Les églises chrétiennes accueillent ce livre comme recueil des événements et des discours qui donnent forme concrète à l'alliance. Livre, le recueil est désormais langage objectivé, il est texte, c'est-à-dire un produit séparé de ses producteurs. La rumeur chrétienne le dit « parole de Dieu », prétendant ainsi que le texte ne cesse d'être parlé, actualisé. Il n'est en effet pas de « parole » sans sujet actuellement parlant : il existe des systèmes de signes, des langages. La Bible ne fait pas exception : la reconnaître « parole de Dieu », c'est confesser l'actualité du locuteur dans la communication présente. Cette conviction explique l'usage considérable de l'expression dans les églises : la liturgie, l'homilétique, la catéchèse y font appel.

Le contenu conceptuel de l'expression est pourtant loin d'être fixé et son lieu natif rarement précisé. Certains l'identifient à l'Ecriture sainte lue en église, d'autres lui reconnaissent une extension plus large : des événements contemporains interprétés en église sont qualifiés de « paroles de Dieu ». La puissance affective et symbolique de l'expression est d'autant plus forte que sa définition est floue. E. Jüngel remarque avec humour : « Que ce qui est dit évident soit compris, c'est rien moins qu'évident. La théologie est évidemment discours sur Dieu. Comprend-elle de quoi elle parle[25] ? » L'usage inflationniste de l'expression « parole de Dieu » est sujet à la même critique. Il paraît évident que la Bible lue en église et les événements interprétés à la lumière de la foi sont « paroles de Dieu », mais sait-on ce qu'est la « Parole de Dieu » ?

---

25. *Op. cit.*, p. XI.

Certes, symboliquement, cette expression désigne une rupture dans le flot incessant des paroles mondaines ; elle impose impérativement un arrêt à leur suffisance, elle implique qu'un locuteur, hors du cercle familier, fasse surgir un autre horizon du langage.

Mais la pratique symbolique n'apaise pas les questions issues de l'inconsistance conceptuelle de l'expression : les « paroles de Dieu » sont paroles humaines, provenant de locuteurs humains, inscrites dans un système langagier dont les lois sont scientifiquement repérables. Les lecteurs de la Bible et les interprètes des événements s'estiment destinataires d'une « parole divine » : ils la constituent comme telle par le dispositif symbolique qui structure leurs communautés. Le texte ou l'événement n'en est pas moins susceptible d'un traitement plus objectif, assurant la distance entre eux et les convictions ou les intérêts des lecteurs. La « parole de Dieu » a en effet un lieu de naissance : les communautés qui assignent au langage textuel ou aux événements historiques un sens symbolique et pratique dont elles estiment qu'aucun locuteur humain ne peut être le responsable dernier. Dans « L'histoire des idéologies juives et chrétiennes », Pierre Geoltrain et Francis Schmidt décrivent fort bien le cadre de cette problématique :

On reconnaîtra d'abord que l'énonciateur premier est toujours donné comme étant la divinité elle-même et que l'énoncé (le texte biblique) est investi des qualifications de l'énonciateur. C'est le rapport détaillé entre les qualifications de l'un et de l'autre, établi par le texte lui-même, qui fonde l'autorité du texte et fait également de lui une puissante incitation à l'action. « L'idéologie interpelle les individus en sujets, dit Althusser [26] » ; la traduction sémiotique de ce concept d'interpellation est l'inscription du lecteur dans le système énonciatif du texte, c'est-à-dire le passage du lecteur dans la position de destinataire de l'énoncé en même temps que la reconnaissance par ce lecteur de l'énonciateur (ou destinateur) [27].

« Dieu parle » présuppose que l'auditeur se juge interpellé par une « parole » dont il admet le statut divin. En langage traditionnel, le passage du statut de lecteur ou d'auditeur à celui de « destinataire » d'une parole provenant d'un destinateur divin se nomme la foi. « Dieu parle » signifie alors que des hommes croyants jugent que certaines paroles ou certains textes ont Dieu pour auteur. Mais le critère de sélection entre producteurs humains et producteur divin est-il uniquement subjectif ? Le canon juif des Ecritures, ou le canon chrétien, proposant certains textes de leur tradition littéraire comme ayant autorité divine, est-il fondé sur des données objectives ?

26. « Idéologie et appareils idéologiques d'Etat », in *Positions*, Paris, 1976, p. 110.
27. Fr. CHÂTELET (éd.), *Histoire des idéologies*, t. 1, Paris, 1978, pp. 221-222.

Jean-Paul Gabus, écrit au début du chapitre III, « Foi et connaissance », de son ouvrage *Critique du discours théologique*[28] :

> C'est une idée très largement répandue aujourd'hui, tant par la philosophie analytique du langage que par les théologies de la sécularisation et de la mort de Dieu (...) que la foi chrétienne exprime une certaine manière de vivre et de comprendre la réalité humaine, une attitude éthique, voire politique, fondée sur la façon dont Jésus de Nazareth a vécu lui-même et compris sa vie d'homme. Mais toujours selon cette conception, le concept « Dieu » comme l'ensemble des dogmes de la théologie traditionnelle ne correspondraient eux-mêmes à aucun contenu objectif. Ils ne seraient que des symboles par lesquels l'homme projetterait ses idéaux dans un espace imaginaire, de nature mythique ou métaphysique. Dieu ne serait plus une réalité crédible pour notre temps et notre culture. La personne, la prédication et les actes du Christ devraient occuper seuls une place centrale dans la réflexion théologique, qui serait ainsi réduite à une anthropologie centrée sur la signification de cet Homme, Jésus de Nazareth, et son message libérateur...

Dans cette perspective s'affichant pourtant comme chrétienne, l'expression « Dieu parle » n'a évidemment pas de sens : il n'existe plus d'énonciateur divin, il existe l'homme Jésus comme origine d'énoncés nous interpellant dans notre condition humaine. La « parole de Dieu » est dès lors vide de sens. Le prophète qui se disait porte-parole d'une expérience sienne n'est l'écho d'aucun dieu.

J.-P. Gabus s'élève avec force contre cette interprétation. Pour lui

> La foi n'est pas seulement une manière de vivre et de comprendre notre existence humaine, mais l'appréhension d'une réalité qui se manifeste comme Parole-Evénement, laquelle non seulement confronte et bouleverse l'histoire et la vie des hommes, mais encore se donne à ceux-ci comme Parole *de Dieu*, c'est-à-dire comme Présence et auto-manifestation d'un tout Autre spécifique et irréductible[29].

Cette perspective est la seule qui nous paraisse faire droit à la conviction de la Communauté chrétienne : elle est persuadée que « Dieu parle », elle ne pense pas que les « paroles humaines » qualifiées de divines ne soient rien d'autre que l'écho de son propre sentiment. Aussi l'image de Parole-Evénement exprime-t-elle fort bien l'acte de rupture dans la continuité des paroles humaines : un énonciateur autre qu'humain est reconnu.

Cet énonciateur s'exprime avec des mots humains, insérés dans le

---

28. J.-P. GABUS, *Critique du discours théologique*, Neuchâtel, Delachaux, 1977, p. 34.
29. *Op. cit.*, p. 35..

système objectif du langage : il s'avère donc nécessaire en un premier temps d'élucider la relation entre langage et parole.

Cet énonciateur invisible a un porte-parole privilégié : Jésus. Aussi, dans un deuxième temps, notre réflexion sera théologique.

Cet énonciateur enfin dit des paroles humaines au milieu d'autres paroles humaines : quel critère permettra le discernement du divin et de l'humain ?

1. Langage et parole

Nous empruntons à un écrit de P. Ricœur une mise au clair du problème des relations entre « langage et parole » dans une perspective théologique :

On met du côté de la parole ou de la performance individuelle, écrit-il, l'exécution psycho-physiologique du langage et les combinaisons librement constituées à partir d'un inventaire limité de signes. Le pouvoir de produire des combinaisons illimitées de phrases sur la base d'un inventaire fini de signes élémentaires, c'est justement la parole. Du côté de la langue on met la compétence qui repose sur l'institution sociale (...), sur les règles du jeu, sur le code. F. de Saussure (...) recourt volontiers à la comparaison du jeu d'échecs ; la langue, c'est l'état du jeu à un moment donné ; la parole, c'est le coup par lequel nous produisons les considérations nouvelles [30].

A première vue, la réflexion théologique se situe du côté de la « parole » :

Le système de la langue n'a pas de relations externes ... Dans un dictionnaire un mot renvoie à un mot, jamais à une chose. Ce sont les mots qui se renvoient les uns aux autres dans une ronde sans fin : les signes ne renvoient qu'aux signes dans la clôture du dictionnaire [31].

Ainsi l'univers des signes linguistiques est un système de relations internes : il a un dedans, il n'a pas de dehors. Il est objet d'analyse scientifique en raison même de la mise entre parenthèses d'une double transcendance qui s'affiche dans la Parole : celle des sujets parlants et celle du signifié.

Devant ce constat, le théologien est tenté de se réfugier dans le caractère transcendant de la « parole » et d'oublier les lois scientifiques du langage. J.-P. Gabus [32] pense que K. Barth a cédé à cette tentation,

---

30. P. Ricœur, *les Incidences théologiques des recherches actuelles concernant le langage*, Institut d'études œcuméniques, Paris, sans date, p. 8.

31. P. Ricœur, *op. cit.*, p. 9.

32. *Op. cit.*, pp. 48-49.

il a abouti à un supranaturalisme théologique et épistémologique qui explique que, malgré son souffle prophétique, son œuvre n'ait pas eu l'audience attendue. Aussi n'est-il plus question de mépriser les études linguistiques. On estime certes que l'originalité de la parole, à savoir son apparente liberté à l'intérieur du système de la langue, s'apparente plus directement à la pensée théologique. Mais on reconnaît que la transcendance du sujet et du signifié dans l'acte de la parole ne dispense aucunement de tenir compte des lois régissant nos systèmes de langage. L'exégèse contemporaine intègre désormais l'analyse structurale des textes. Le référent extérieur, l'intention subjective ne peuvent être prétextes à ignorer l'équilibre interne du texte. Les méthodes actuelles, se réclamant souvent du modèle linguistique, préservent de l'interprétation subjective : elles ne rendent pas vaine une philosophie du langage intégrant le phénomène de la communication dont la double transcendance du sujet parlant et du signifié sont des éléments clefs.

Ces éléments clefs sont essentiels dès lors qu'il s'agit de fixer quels critères justifient d'appeler divines des paroles toujours humainement proférées. Ce point retient l'attention du théologien : il y est déjà affronté comme croyant ; il y est encore plus affronté comme théologien puisque sa discipline est une réflexion à partir de la Parole de Dieu et sur la Parole de Dieu. Il y est également sensible d'une façon pratique comme membre d'une Communauté ecclésiale : la Parole de Dieu n'est pas empiriquement repérable, elle se présente sous forme plurielle. Le discernement s'avère nécessaire : parmi le nombre immense des paroles que les fidèles prétendent divines, quelles sont celles que la Communauté peut reconnaître comme telles ?

Cette question délicate se présente selon deux axes : celui d'une théologie fondamentale s'efforçant de justifier le bien-fondé de la proposition « Dieu parle » ; celui du discernement pratique des paroles empiriquement proférées dont certaines sont confessées divines. Les méthodes pour traiter la question radicale et pour opérer le discernement ne sont pas identiques, même si elles ne sont pas étrangères l'une à l'autre. Les théologiens les plus affirmatifs du caractère évident dont jouirait la Parole de Dieu font appel à des méthodes de discernement au sein des Communautés ecclésiales : ils n'admettront pas qu'une parole ait Dieu pour auteur parce qu'elle s'affirme comme telle. Les Evangiles nous instruisent sur ce point : ils ne rapportent pas que Jésus ait revendiqué péremptoirement le titre de Messie ou de Fils, ils donnent à entendre que ce sont ses auditeurs ou ses disciples qui l'ont ainsi nommé en vertu de son action. Ainsi le texte signale un double énonciateur : celui à qui la parole est donnée, Jésus ; et ceux qui identifient le locuteur. Ces derniers assurent le passage du texte à la parole. Nous étudierons d'abord les implications liées à la substitution de Jésus à l'énonciateur invisible de la parole, puis nous envisagerons les conséquences de l'identification de l'énonciateur par les destinataires de la parole divine.

2. L'énonciation christologique de la parole de Dieu

« Dieu parle », dit le titre de notre exposé. En christianisme, la « Parole de Dieu » est l'acte d'un locuteur privilégié, Jésus. Certes, les chrétiens reconnaissent que des paroles de Dieu ont été proférées par les prophètes anciens, les sages d'Israël, les historiographes, des hommes et des femmes croyants du peuple élu. Mais aucun de ceux qui ont bénéficié de la visitation de l'Esprit n'a jamais été identifié à la Parole de Dieu. Ils sont des porte-parole, ils ne sont pas la Parole. Avec audace, Jean l'Evangéliste affirme de Jésus qu'il est le Verbe, la Parole. Il est en un lien tout particulier avec l'énonciateur invisible. Jean n'arrache cependant pas Jésus à la condition humaine. Au contraire, il souligne que « la Parole fut chair » (Jn 1, 14). Ainsi en Jésus la parole humaine prend dimension et qualité divines puisque le Verbe de Dieu s'est fait humain. La christologie devient ainsi le lieu de toute réflexion sur l'articulation entre paroles humaines et Parole de Dieu. Jésus est le médiateur apportant un fondement contingent, qui n'est déduit d'aucun principe préalable, à la qualification transcendante de certaines paroles humaines. C'est dans ce cadre christologique qu'il faut situer la notion de Révélation utilisée en théologie, notion qui correspond sur le plan abstrait et formel à l'image de la Parole-Evénement utilisée par J.-P. Gabus.

La notion de Révélation définit un acte par lequel ce qui n'est pas maîtrisable par les hommes leur est signifié par Dieu, moyennant un Envoyé. Le mot « prophète » désigne communément ce porte-parole, et les Evangiles ne craignent pas de l'appliquer à Jésus. Dieu fait ainsi connaître sa volonté d'associer tous les hommes au destin qui s'est manifesté dans son élection et sa Résurrection. Cette volonté n'est pas saisissable par un enchaînement de raisons : elle s'impose dans le destin même de Jésus, interprété par la Communauté première.

La définition formelle du concept de Révélation prend contenu, pour les chrétiens, d'une série d'événements : la vie, la mort, la résurrection de Jésus comme prophète de la volonté de Dieu pour tout homme. La forme qualifie ici le contenu. On pourrait, en effet, admettre comme une hypothèse plausible que Dieu s'adresse aux hommes et que le message adressé ne puisse être inscrit dans nos référents communs — mais cette possibilité ne permettrait pas l'adhésion au contenu événementiel de l'acte révélant : Jésus de Nazareth comme prophète de Dieu.

Dès lors deux questions se posent à nous : quel accord existe-t-il entre le message ainsi énoncé et le destinataire ? Comment un message à validité prétendue universelle peut-il être limité à l'événement contingent Jésus-Christ ?

La première interrogation recouvre ce que les théologiens catholiques ont sans cesse cherché à justifier : le caractère acceptable, parce que raisonnable, du message énoncé.

Quant à la seconde interrogation, elle vise plus précisément l'aspect abrupt du message : ce qui est annoncé, c'est l'événement Jésus-Christ dans sa singularité. Celui-ci est contingent, gratuit, et semble rendre vain tout essai de rendre raisonnable le message chrétien.

La première interrogation correspond à une tentative maintes fois reprise sous des formes diverses : ajuster le message dit révélé à la maîtrise de la raison. On sait la fortune de la position spinoziste : les prophètes ont signifié en images pour le peuple ce que les philosophes enseignent par l'usage droit de la raison. On connaît également l'opinion de Kant : la religion chrétienne propose pratiquement et pédagogiquement ce que fonde par ailleurs la raison lorsqu'il est question de connaître les normes de l'agir et les motifs d'espérer. Dans cette ligne, nombre de théologiens se sont avancés, non pour réduire ce qu'ils estimaient être le message révélé à une déduction de la raison, mais pour ouvrir un horizon commun à la tâche de l'homme de s'assurer la maîtrise raisonnable de son destin et à la proposition de Dieu de l'associer au chemin de Jésus-Christ. L'idée-mère de cette entreprise, quelles qu'en soient les formes variées, remonte à une exigence de continuité entre l'offre véhiculée par le message biblique et les capacités du destinataire. Sans doute, le but de tels efforts demeure-t-il apologétique : il s'agit, devant des réticences provenant le plus souvent de la pensée philosophique, de montrer que les croyances chrétiennes sont raisonnables, et même qu'elles s'accordent au plus haut point au désir immanent à toute raison pratique. Le passage difficile de ces essais est la justification de l'élévation de la singularité de Jésus à un principe universel. Il est sans doute moins ardu de donner une validité raisonnable à la religion en soi, telle que la concevaient les déistes du xviiie siècle, que de penser le christianisme selon un schème rationnel. Sans doute est-ce la raison pour laquelle de telles tentatives aboutissent souvent à réduire l'événementiel en christianisme à une parabole du destin commun des hommes. Nous sommes dès lors assez proches de la position spinoziste : les figures religieuses et prophétiques sont une anticipation imaginaire des exigences non encore élucidées de la raison.

La seconde interrogation affronte la première, en lui refusant d'emblée toute validité normative. Elle pose, en effet, que l'événement Jésus-Christ est la norme ne pouvant en aucun cas être jugée de l'extérieur, ou réduite à une nécessité raisonnable. Les théologiens de la Réforme ont été plus sensibles à ce caractère abrupt de l'événement, ils ont cru discerner dans la complaisance catholique pour un horizon plus large de compréhension, accessible en principe à tout homme raisonnable et droit, une tentation d'orgueil, tout au moins un refus de se soumettre inconditionnellement à la Parole véhiculée par la Bible. Cette crainte n'est pas vaine : il est vrai que la mise en perspective de l'événement Jésus-Christ sur l'horizon raisonnable de la religion en général ôta souvent à l'Evangile son originalité et sa spécificité. Mais la défiance à l'égard de cette volonté de conciliation a été payée d'une méfiance à l'égard des possibilités du langage à exprimer l'événement de la relation entre Dieu et l'homme, au point d'aboutir à un rationalisme à base de conformisme culturel. L'opposition de K. Barth à la théologie libérale allemande, en même temps d'ailleurs que son admiration pour son entreprise, s'explique par le souci de ce grand théologien de redonner force au langage scripturaire, érodé par une acculturation intempestive, même si elle fut apologétique[33].

Ni la première, ni la seconde orientation ne conduisent à une expression satisfaisante du caractère spécifique de la « Révélation » évangélique, c'est-à-dire à une appréciation véridique du caractère gratuit de l'événement Jésus-Christ dans son lien nécessaire avec notre destin le plus personnel.

Aussi formulerions-nous volontiers l'hypothèse suivante : l'événement Jésus-Christ, en tant que révélateur, n'a pas d'autre fondement que lui-même ni d'autre évidence que celle qu'il se donne. Mais cet événement que nul ne peut déduire manifeste à la raison des possibilités qui sont siennes et non point extérieures : les hommes sont touchés par lui en leur être. C'est dans cette perspective de gratuité pleinement humaine et raisonnable qu'il faut comprendre la notion de Révélation ou son image commune : la Parole de Dieu.

Que la révélation soit « infondée » implique qu'elle ne se déduit pas d'un principe antérieur. Le fondement de cette proposition est christologique : elle explicite, sur un mode abstrait, ce qui est impliqué dans l'événement contingent de Jésus. Mais il faut reconnaître que cette contingence de l'origine événementielle du christianisme étant sauve, la proposition demeure ambiguë. Pour une double raison : le caractère trop humain du christianisme, le caractère formel du « concept » de Révélation.

---

33. K. BARTH, *la Théologie protestante au XIXᵉ siècle*, Genève, 1969.

a) Le caractère trop humain du christianisme

C'est une constante de la critique moderne de la religion chrétienne
que d'accuser sa conformité aux intérêts d'une classe dominante
(K. Marx), aux exigences du ressentiment (F. Nietzsche), ou à la
mégalomanie du désir (S. Freud). Le christianisme qui, dans sa
conscience commune, se dit l'effet historique de l'initiative divine,
démentirait cette origine par son caractère trop humain : il est dérivé,
non des impératifs de la raison, mais des processus inconscients visant
à occulter les contradictions issues de la domination de classe, de la
culpabilité ou de la frustration. Bref, le christianisme serait trop
immergé dans les rapports sociaux conflictuels et l'imaginaire
pathologique pour accréditer sérieusement sa prétention d'être l'effet
d'une Révélation divine. Il serait une construction humaine, non au
sens noble du terme, puisqu'il n'est pas raisonnable, mais au sens d'un
produit qui ignore les mécanismes de sa genèse. Admettons que ces
critiques méconnaissent des données originales du christianisme. Elles
attirent néanmoins l'attention sur un phénomène négligé des
apologètes : l'insertion dans le réseau humain des productions ne joue
pas de soi comme argument favorable au christianisme. Il serait trop
humain pour être divin.

Notons toutefois la portée de telles critiques, leurs limites en même
temps que leur pouvoir d'érosion des certitudes trop naïves. Les
limites d'abord : il n'est pas question de mettre en cause l'insertion
humaine du christianisme. Ce serait faire erreur sur l'enjeu du débat
que de croire échapper à la question en creusant à nouveau la distance
entre l'humain et le divin, en construisant à nouveau frais une
théologie de la transcendance divine [34]. La vigueur de l'attaque porte
donc sur la façon dont le christianisme est humain : son mode
d'insertion le condamne à n'être pas divin, si les critiques les plus
classiques, telles celles de Marx, Nietzsche ou Freud, ont raison.
Aussi n'est-ce qu'une fois mis en lumière le caractère propre de la
Révélation que l'on peut prendre acte des requêtes d'une apologétique
de l'immanence. C'est pourquoi nous avons insisté sur la spécificité
christologique de la révélation. Elle ne se déduit pas de principes
antérieurs : cela signifie au minimum que ni la domination de classe,
ni le ressentiment, ni la mégalomanie du désir ne rendent compte de
l'événement contingent de Jésus. Ce n'est pas parce que la logique

---

34. Cf. G. MOREL, *Questions d'homme : Jésus dans la théorie chrétienne*,
Paris, 1977.

immanente à cet événement mis en rapport avec l'histoire universelle[35] serait raisonnable que le christianisme échapperait à la critique. C'est fondamentalement parce que Jésus s'insurge contre la domination des pauvres par les puissants, contre l'image d'un Dieu renforçant la culpabilité, contre la prétention humaine à vivre hors de sa condition que la Parole-Evénement s'affirme originale. Cette qualité de la révélation n'est pas à rechercher dans un sens trans-rationnel ou dans la qualité morale exceptionnelle du christianisme. Il y a simplement lieu de reconnaître que le système chrétien historique construit est en retrait par rapport à la pratique de Celui dont les Eglises témoignent : Jésus. Le fait de ne pouvoir déduire la révélation de principes antérieurs se fonde sur la singularité de Jésus, prophète souffrant, annonçant Dieu dans sa vie humaine. En Jésus, chaque homme peut apprendre son association à Dieu, non d'après un modèle préétabli, mais d'après ce que fut sa vie contingente.

b) Le « concept » non formel de Révélation

Si cette interprétation est justifiée, le « concept » de Révélation cesse d'être formel : il prend racine dans l'événementiel. Il a chair et sang. Dans cette perspective, il n'inclut pas la communication d'informations inaccessibles aux hommes, comme si des idées ou des savoirs nous étaient transmis à partir d'un autre monde. Ce « concept » non formel de Révélation implique la mise en perspective de toutes les relations des hommes au Divin à partir d'une relation singulière : celle de Jésus à Dieu. En ce sens, et seulement en ce sens, la Révélation n'a pas d'autre fondement que son acte, elle se donne à elle-même sa propre évidence. Mais elle se la donne de façon historique, c'est-à-dire ici non formelle.

Pour éviter tout malentendu, précisons le sens de l'affirmation : la Révélation n'a pas d'autre fondement qu'elle-même. Cet énoncé abrupt ne signifie pas que la Révélation formerait un ensemble de propositions théoriques tels que des postulats indémontrables, cependant nécessaires à la compréhension des hommes par eux-mêmes et indispensables à une action morale cohérente ou droite. Pascal en tenant que l'homme est plus incompréhensible à lui-même sans le dogme du péché originel qu'avec l'élément informatif de ce dogme sur

---

35. Cf. W. Pannenberg, en collaboration avec R et T. Rendtorff et U. Wilckens, *Offenbarung als Geschichte*, Göttingen, 3ᵉ éd., 1965 ; J. Berten, *Histoire, révélation et foi, Dialogue avec* W. Pannenberg, Bruxelles, 1969.

sa condition première crédite le dogme d'une capacité d'éclairage théorique de notre condition qu'il ne comporte pas de soi. Ce n'est pas dans cet ordre théorique que nous situons le caractère infondé de la Révélation.

« Infondée », pour la Révélation, signifie que Jésus, le proclamateur en même temps que le message, n'en appelle jamais à une autre raison de sa vérité qu'à celle de la justesse de son action et de sa proposition. Celui qui a des yeux pour voir, voit. Rien ne fonde extérieurement l'action et la parole de Jésus : elle se tient en elle-même sans recours à autre chose qu'elle-même. Certains objecteront peut-être qu'il est légitime d'en appeler à Dieu. Lors de la condamnation de Jésus, les maîtres en Israël en jugèrent ainsi : « Il en a sauvé d'autres, il ne peut pas se sauver lui-même ! Le Messie, le Roi d'Israël, qu'il descende maintenant de la Croix, pour que nous voyions et que nous croyions » (Mc 15, 31-32).

Cette accusation est soutenue par une conviction que Matthieu (27, 43) explicite : « Il a mis en Dieu sa confiance, que Dieu le délivre maintenant, s'il l'aime... »

Le paradoxe de ce raisonnement des accusateurs de Jésus, c'est qu'il rejoint le rire moqueur et cruel des impies décrit au livre de la Sagesse :

Le juste se vante d'avoir Dieu pour Père. Voyons si ses paroles sont vraies et vérifions comment il finira. Si le juste est fils de Dieu, alors celui-ci viendra à son secours et l'arrachera aux mains de ses adversaires. Mettons-le à l'épreuve par l'outrage et la torture pour juger de sa sérénité et apprécier son endurance. Condamnons-le à une mort honteuse, puisque, selon ses dires, une intervention divine aura lieu en sa faveur (Sg 2, 16-20).

Les maîtres en Israël, comme les impies selon la Sagesse, réclament une confirmation extérieure de Dieu. L'action juste se suffit à elle-même : il n'est pas besoin de preuves externes. Dieu n'intervient pas pour signer l'action de Jésus. La Résurrection n'est pas une confirmation externe puisqu'elle ne se déroule pas dans le même espace que le procès. En ce sens, la Résurrection ne vérifie ni ne fonde la validité de l'action et de la parole de Jésus : elle en déploie la dynamique immanente. Ce caractère non fondé et en définitive non fondable sur un détour, tel un regard jeté de l'extérieur sur cette action et cette parole, forme le spécifique de la Révélation.

Si la Révélation n'a pas d'autre fondement qu'elle-même, elle tient son évidence d'elle-même. Etre évident, c'est s'imposer par soi-même, comme la lumière à nos yeux, sans recours à un détour. Cette proposition peut paraître scandaleuse : elle dit pourtant une chose simple. Elle exclut seulement qu'il faille, pour que la Révélation puisse être entendue en tant que Parole de Dieu, recourir à un terme extérieur, à un horizon commun transcendant la Révélation et la non-révélation. Il n'en est rien : la Révélation définit son propre espace.

c) Un événement de langage

Ce serait toutefois se méprendre sur le sens des deux qualificatifs attribués à la Révélation que d'en induire que la « Parole-Evénement » est dépourvue d'ambiguïté : l'événement révélant est en effet un événement de langage. Le langage est sujet à interprétation en raison de sa capacité polysémique. Le sujet qui parle ne peut réduire à néant cette polysémie, elle traverse toute communication. Tenir que l'événement de la Révélation est son propre fondement et qu'il produit lui-même son évidence, c'est reconnaître que l'événement de la « parole » n'a pas sa raison dans le système du langage, système objectif à capacité multiple, mais dans la liberté d'un sujet qui s'ouvre à un autre sujet. Nul ne peut déduire de l'objectivité du système linguistique français les poèmes de Mallarmé, et encore moins, s'il se peut, leur interprétation actuelle dans la diction, c'est-à-dire leur reprise dans la parole. Leur insertion dans le jeu social de la communication est, en ce sens, un événement que nul ne saurait déduire.

Toutes proportions gardées, il en va ainsi de l'événement chrétien de la Révélation. Celle-ci, en tant que « parole-événement » n'est pas de l'ordre d'une intuition, elle est un événement historique : Jésus se met à prêcher aux foules. Elle est donc un événement de langage. En ce sens, l'image de la « parole » qualifie l'espace dans lequel intervient la Révélation : la communication inter-humaine. Et de cette communication, le langage est le médiateur. Confesser, comme le font les chrétiens « Jésus-Christ est le Révélateur », c'est reconnaître que l'événement de la Révélation est perceptible dans la parole écrite ou proférée, interprétant le sens de son action. La parole fut proférée pour les contemporains de Jésus, elle fut écrite avec sélection au sein de la Communauté en vue d'être le matériau d'une constante réactualisation. Ainsi l'événement de la Révélation, pour autant qu'il entre dans le réseau humain de la communication, revêt l'ambiguïté de tout langage humain : tout acte de parole est situé dans un jeu complexe de relations, de désirs et de finalités qui lui confère une polysémie irréductible. Là où les disciples, dans les actes thaumaturgiques de Jésus, voient le doigt de Dieu, les adversaires perçoivent l'activité de Béelzéboul. La polysémie donne lieu à un procès. Ainsi, le fait que l'événement de la Révélation ne puisse être déduit d'une ontologie, d'une théorie générale des religions ou d'une éthique, qu'il soit en définitive à lui-même son propre fondement, ne lui retire pas sa forme pleinement humaine. C'est là le second volet de l'hypothèse d'interprétation proposée plus haut.

De ce caractère pleinement humain, la Révélation exclut l'idée mythique d'un langage spécifique. Il n'existe ni images ni symboles qui nous viennent de l'altérité de Dieu. Si son langage propose une visée originale, elle est due non pas à un matériau spécifique, mais à un arrangement spécifique, ou à un style « sui generis ». Les théologiens modernes, plus que les anciens, ont été sensibles à la variété culturelle des langages et donc à la relativité de nos expressions. Des résistances très fortes se sont fait jour dans l'Eglise catholique à toute relativisation des expressions traditionnelles : elle jugeait qu'elle conduirait à un démantèlement de ses symboles de foi. Trop souvent tout se passa comme si le dogme défini à un Concile s'identifiait à la formulation linguistique et à la symbolique utilisées. Une appréciation plus juste de la fluidité de tout langage a conduit non pas à relativiser la Révélation dont l'homme n'est pas le sujet créateur, mais l'expression du « Révélé » dont l'homme est le sujet responsable. L'image de la Parole, avec son ambiguïté affective et symbolique, exprime bien ce jeu entre le destinateur et le destinataire. L'inadéquation de la « Parole de Dieu » comme image se substituant au vocable « Révélation » pour désigner le mode de communication provient de son transfert à une réalité dont on n'a pas d'expérience : celle de Dieu. L'événement de la Révélation, pour tout croyant, renvoie à un sujet créateur : Dieu. Mais cet événement ne nous est accessible que par des médiations dont la plus fondamentale est la « parole » du prophète. Lorsque le prophète dit « Parole de Dieu », il désigne sa parole propre comme le lieu de l'événement révélateur — et sa parole est incontestablement humaine. Si Dieu a une parole, elle n'entre pas dans notre langage. Elle est un acte commandé par l'environnement du prophète, ses luttes, le caractère des auditeurs. Bref, si le concept formel de Révélation n'inclut pas de soi l'historicité, l'image de la « Parole » la comporte. La « Parole » du prophète rapportée à Dieu demeure parole humaine, donc historique. Le caractère sans fondement, c'est-à-dire sans raison, du concept de Révélation, son évidence, disparaissent du même coup, car toute « parole » historique renvoie à d'autres paroles historiques. Ainsi s'enclenche le processus d'assignation à des causalités repérables de toutes les paroles confessées divines par les Communautés.

Le jeu ici institué entre le concept de Révélation et l'image de la Parole ne conduit-il pas une dichotomie insurmontable entre le référent divin (le sans-raison de l'événement révélateur) et l'expression humaine (l'horizon immanquablement historique de toute parole) ?

Vouloir sauvegarder le caractère sans recours de l'événement révélant et souscrire en même temps au caractère historique de tout langage, n'est-ce pas accomplir un acte de foi aveugle en une visée transcendante du langage, sur la base de son historicité ? L'événement révélant, en effet, n'est jamais saisi hors ses médiations. N'est-ce pas alors formuler des propos incompatibles que de dire, d'une part, que l'événement révélant est sans raison, sans fondement autre que lui-même et, d'autre part, qu'il ne nous est accessible que dans une parole mouvante, historique, polysémique, à la construction de laquelle l'auditeur prend part ?

La force de l'objection est grande, et ceux qui ne font usage que de l'image « Parole de Dieu » ne peuvent y échapper sans méconnaître son caractère nécessairement ambigu. Aussi est-il opportun de relier dialectiquement cette image au concept de Révélation. Ce concept est construit : il a pour but de signifier que le langage tenu pour « révélant », « communication venue de l'Autre appelé Dieu », ne peut être tel que s'il est sans cesse habité par l'acte qui ne peut être déduit et porte son évidence en lui-même.

d) Structure christologique de la Révélation

Cette proposition sera plus claire rapportée à ce qui la fonde, la christologie. Au début de sa prédication, Jésus proclame, selon les souvenirs retenus par la Communauté : « Le temps est accompli, et le Règne de Dieu s'est approché, convertissez-vous, et croyez à l'Evangile » (Mc 1, 15). Les auditeurs référaient les paroles de Jésus à leur environnement culturel, à leur croyance, mais ils les entendaient dans un contexte nouveau ouvert par son action. Celle-ci ne correspondait en rien à celle du Juge attendue de tous et encore annoncée par Jean-Baptiste, car Jésus s'approchait de tous ceux qui, pécheurs ou exclus, étaient sans espoir. La proximité du Royaume annoncé et la conversion exigée prenaient forme concrète, parabolique dans l'action de Jésus. Par référence aux normes en cours, on pouvait récuser le lien existentiel mis par lui entre son action et son annonce : des auditeurs décidaient qu'aucun acte du Dieu révélant ne s'annonçait dans la parole et les actions de Jésus ; ils le signifiaient en l'accusant d'agir sous le commandement du diable (Mc 3, 22). D'autres référaient cette annonce et ces actes à Dieu : Ils reconnaissaient son autorité, le « disaient prophète » (Mt 21, 46). C'était là confession que Dieu était à l'action dans les paroles et les actes de Jésus et que Dieu agisse ainsi, cela était sans raison autre que sa décision. Il n'en demeure pas moins que toutes les paroles et les actions de Jésus pouvaient être rapportées à d'autres horizons.

Certains se vantaient ainsi de démontrer la contradiction entre l'annonce prétendument révélée et l'action de Jésus, fondement de l'accusation de blasphème portée contre lui. L'ambiguïté demeure pour celui qui ne voit pas. L'acte de Dieu est, par définition, invisible, il est sans recours à un fondement dont les hommes auraient la maîtrise, il habite les paroles et les actions de Jésus. Le concept de Révélation, pour autant qu'il se contre-distingue de l'image de la Parole, est construit pour désigner cela même que le croyant confesse sans autre raison que la souveraine liberté de Dieu dans les médiations historiques qui lui sont proposées par les prophètes et par Jésus. Ce concept de Révélation est donc une élaboration seconde : il exprime que pour telle Communauté, c'est l'Ultime dont il est question dans des paroles, des actes, des événements, et que de cet Ultime, Dieu est le sujet. Demeure premier, repérable par tous, le niveau de langage ; aussi toute écriture médiatrice de l'acte révélant sera-t-elle intégralement sujette à études scientifiques. Ce qui est non moins repérable par tous, croyants et incroyants, c'est que des Communautés affirment tels événements, pris au réseau du langage, révélateurs. Pour l'incroyant, la Communauté est seule responsable de son jugement ; pour le croyant, sa capacité d'entendre et de voir est un don du Sujet révélant. Ainsi l'image de la Parole, en tant qu'elle ouvre un espace repérable et renvoie à un locuteur invisible, s'accorde à la structure christologique de la Révélation : un homme, Jésus, reconnu prophète, c'est-à-dire porte-parole de Dieu, à partir d'actions repérables, est confessé en vertu de la Résurrection le sujet actuel et invisible de toute l'Ecriture et de tout Evénement révélateur. En ce sens, il est parole de Dieu.

La notion de Révélation, signifiant la communication libre de Dieu aux hommes, a désormais pour norme Jésus-Christ, confessé «Parole de Dieu». Cette image a joui d'une fortune considérable en théologie. Le Prologue de l'Evangile de Jean l'utilise pour mener à bien une double opération : unifier en Jésus-Christ toutes les paroles divines bibliques et extra-bibliques, insérer la perspective chrétienne dans la culture grecque en identifiant à Jésus le «logos» (Raison, Parole) reconnu par eux comme structure du monde. Fort de cette première esquisse, les théologiens, notamment Augustin [36], n'hésiteront pas à construire une théorie trinitaire dont la notion de «logos» fournit la pierre angulaire. Ils pensaient ainsi justifier sans scandale que Dieu ait une expression parfaite de soi-même — le langage commun l'appelle «Fils» —, et que cette expression fonde la communication qu'il fait de lui-même aux hommes. Ainsi Jésus en tant que Fils comme Verbe ou

---

36. *De Trinitate*, t. 2, l. XV, «Bibliothèque augustinienne», t. 16, Paris, 1955, pp. 420-566.

Parole noue en lui seul le moment interne de l'expression divine et l'expansion externe de ce mouvement aux hommes. On comprend dès lors qu'il soit considéré dans son unité humano-divine, intégrant donc son action et sa parole terrestres, comme le critère et la norme de toutes les autres paroles confessées divines par les hommes[37].

La normativité du Christ Jésus identifié à la Parole de Dieu n'exclut donc pas son action terrestre. Ce serait faire une grossière erreur d'interprétation que d'imaginer que l'identification de Jésus-Christ au Verbe de Dieu conduit à éliminer la forme terrestre de sa vie. Le Verbe de Dieu, expression parfaite du Père, ne nous est connu que par l'action de l'homme Jésus. Si d'autres paroles sont divines, qu'elles prennent source dans la tradition biblique ou hors de cette tradition, elles ne jouissent légitimement de cette qualité que si elles ne s'opposent pas au chemin ouvert par lui. L'identification de la Parole de Dieu au Fils éternel, pour autant qu'il est humain, loin de conduire à un fondamentalisme de l'Ecriture, fait certes de celle-ci le point central de la Révélation, parce qu'elle culmine en Jésus, mais non le point unique. Comme Verbe de Dieu, le sujet locuteur ou destinateur n'est pas contingent : il ne cesse de parler actuellement. L'image de la Parole et la notion de Verbe avaient pour but de faire éclater en universalité la particularité de Jésus. L'Ecriture (notamment le Nouveau Testament) demeure privilégiée puisqu'elle rapporte les faits et gestes de prophètes, puis du Fils Jésus. Sa structure narrative la situe comme témoin unique d'événements historiques non réitérables. La reprise par les Communautés de ces récits dans une situation incomparable témoigne de leur universalité : le sujet qui la fonde est le Verbe de Dieu. C'est dans cette perspective qu'il est possible d'assurer un rapport positif entre l'Ecriture, les événements actuels et les autres traditions religieuses. L'acte de la Révélation, parce que acte du Verbe de Dieu et acte de Jésus le Ressuscité, ne s'épuise pas dans l'Ecriture comme texte. L'acte de la Révélation exige pour être «parole actualisée» une autre médiation : celle des communautés ecclésiales. Ainsi la normativité christologique n'est-elle pas une normativité de type positiviste[38].

---

37. Cf. K. RAHNER, *Wilhelm Thüsing, Christologie — systematisch und exegetisch*, Fribourg, 1972, pp. 245-249 ; Ch. DUQUOC, *Dieu différent*, Cerf, Paris, 1977 ; G. KITTEL, etc., art. «*Lego, Logos*», in *TWNT*, Stuttgart, 1942, pp. 69-140 ; R. J. TOURNAY, etc., art. «*Logos*», in *DBS*, Paris, 1955, pp. 425-487.

38. Cf. P. BEAUCHAMP, *l'Un et l'Autre Testament*, Paris, 1976 ; P.-M. BEAUDE, *l'Accomplissement des Ecritures*, Paris, 1980.

3. La médiation communautaire

Jésus-Christ est la Parole de Dieu, il est la norme de toute interprétation. Mais Jésus le Nazaréen, acteur d'une histoire à jamais perdue, nous est accessible dans un texte dont nous ne cessons de mesurer la distance culturelle. Quant à Christ, désormais vivant de la gloire de Dieu le Père, il est absent de ce monde, comme en témoigne l'Écriture elle-même au récit de l'Ascension. Dès lors la norme christologique ou bien s'épuise dans le texte, ou bien s'évanouit dans le don charismatique présent, trace de l'action du Ressuscité absent. Mais cette disjonction n'élimine-t-elle pas de la norme christologique toute capacité concrète d'interprétation, c'est-à-dire d'actualisation ?

Le mode de production de l'Écriture peut nous orienter vers une solution de ce dilemme. On s'accorde aujourd'hui à reconnaître le rôle considérable joué par la Communauté primitive dans l'élaboration du texte des Évangiles. Un J. Jeremias n'a pas reculé devant la mise en lumière des apports des Communautés dans la rédaction finale des paraboles [39].

Les Communautés ont estimé qu'il était de leur droit ou de leur mission d'insérer dans la prédication de Jésus des additions et des correctifs exigés par la situation des nouveaux auditeurs. Le procédé consistant à mettre sur les lèvres de Jésus des paroles qu'il n'a pas effectivement ou littéralement prononcées, peut heurter des mentalités positives, il est cependant plein d'enseignement. Les premières Communautés ont agi ainsi parce qu'elles étaient convaincues que, dans leur présent, Jésus, désormais vivant de l'Esprit, s'adressait aux chrétiens impliqués dans des situations non comparables à celles des auditeurs de Palestine. Le remaniement ou la création de textes dont le contenu est attribué à Jésus s'explique par la perception du décalage entre l'historicité ou la particularité de sa parole et l'universalité de son message. Si ce dernier est entendu, il inclut dans sa structure la situation nouvelle de l'auditeur. Le remaniement ne porte pas atteinte à la mémoire de Jésus puisque, disparu, il est vivant dans son Église par le don de l'Esprit : lui attribuer des paroles qu'il n'a pas historiquement prononcées ne trahit pas son message si elles s'accordent à l'actualité sans cesse renouvellée de l'Événement pascal. La norme christologique n'est donc pas recherchée dans l'accord à la littéralité d'une parole univoque transmise par le texte scripturaire ou à identifier au charisme d'un porte-parole du Ressuscité, elle est à discerner dans le témoignage porté par les Communautés à l'actualité

---

39. J. JEREMIAS, *les Paraboles de Jésus*, Le Puy-Lyon, 1962.

de la Parole référée à l'Ecriture. Les Communautés se présentent ainsi comme le lieu d'actualisation d'un Message dont l'Ecriture est le texte de référence : elles font de l'écrit une Parole en raison de la dialectique maintenue entre l'Evénement pascal toujours actuel et le récit scripturaire de l'Evénement originaire. Ainsi en raison du mode de production de l'Ecriture se trouve posée la question de la médiation ecclésiale, elle résout apparemment le problème soulevé par l'écart entre l'écrit comme témoin de Jésus de Nazareth et son actualité de Christ vivant. Elle le résout d'une façon originale en signifiant que Celui dont témoigne l'Ecriture n'a jamais été pour l'Eglise l'homme historique de Nazareth, en deçà de sa mort, mais fut d'emblée le Christ ressuscité portant témoignage à la vérité de l'action et à l'universalité de la Parole du prophète Jésus.

Cette résolution de la distance entre la Parole actuelle du Christ et la parole passée de Jésus, distance qui mettait en péril la validité de la norme christologique, impose une fonction importante à l'Eglise : par son activité, le souvenir devient vivant. La présence active de l'Eglise aux situations variables, sans analogie avec celles où Jésus prêcha en Palestine, a permis à sa parole de ne pas être oubliée ou de ne pas être inaudible. Le mode de production de l'Ecriture met donc en pleine lumière la fonction et la médiation de l'Eglise dans l'actualisation de la Parole.

L'argumentation ne doit cependant pas être forcée. Des apologètes catholiques, en effet, ont pris acte du rôle actif des Communautés primitives dans la production des textes évangéliques pour étayer leur thèse sur l'autorité et parfois l'infaillibilité de l'Eglise dans l'actualisation de la Parole. On voit le profit d'une telle argumentation en faveur des thèses de l'ecclésiologie catholique, sur la médiation du ministère épiscopal ou papal comme garantie de la foi objective au milieu de la variation constante des situations et des questions. Bref, la hiérarchie catholique, pape et évêques, dans leur responsabilité pastorale, jouerait pour l'annonce actuelle et véridique de la Parole, un rôle analogue à celui tenu par les Communautés primitives dans la rédaction des souvenirs sur Jésus.

Cette argumentation oublie une différence considérable : l'Eglise actuelle ne produit plus les Evangiles. De l'aveu même de l'Eglise catholique, le témoignage porté à l'Evénement christique par l'Ecriture est aussi singulier que son objet, il ne saurait être répété. Ceci explique l'idée communément admise que la Révélation aurait été close avec la mort du dernier témoin de Jésus mort et ressuscité. Dès lors l'Eglise contemporaine, en raison de sa situation chronologique, de sa distance historique d'avec les événements fondateurs, ne saurait prétendre à une médiation identique dans l'actualisation de la Parole à celle des Communautés primitives.

Ne sommes-nous pas au rouet ? D'une part, la norme christologique est trop abstraite pour avoir efficacité dans le processus d'actualisation, d'autre part le rapport de l'Eglise actuelle à l'Ecriture n'est pas identique au rapport entretenu avec elle par les Communautés primitives : il n'est plus un rapport de production. Comment définir alors la fonction de l'Eglise dans l'actualisation d'une norme ou bien trop historiquement éloignée, ou bien trop transcendante pour faire office de régulation concrètement efficace ? On le sait, une norme universelle séparée du système de ses médiations reste sans effet social, éthique ou religieux. La relation immédiate du croyant au Christ n'est pas de nature telle qu'il puisse se priver de médiations sociales : la fonction de la Communauté ecclésiale est de pallier la distance indépassable entre la norme universelle et son efficacité concrète ou contemporaine. Ainsi, malgré une différence qualitative considérable, l'économie de la primitive Eglise et celle de l'Eglise contemporaine dans l'ordre de l'actualisation de la Parole ont un point commun : celui de leur nécessité médiatrice.

La nécessité médiatrice de l'Eglise primitive se manifeste dans le mode de production de l'Ecriture. Ce n'est plus le cas de l'Eglise contemporaine : elle se réfère à l'Ecriture pour attester l'efficacité de la Parole dans le présent, elle ne la produit pas. Le mode d'actualisation de la Parole dans l'Eglise primitive garde une valeur référentielle signifiée par le statut original de l'Ecriture néo-testamentaire. Le mode d'actualisation dans l'Eglise contemporaine s'articule à l'espace scripturaire. La définition de ce rapport est délicate. On en jugera à partir d'une citation de M. Luther et du commentaire qu'en fait J.-P. Gabus :

C'est le Christ qui est le Seigneur de l'Ecriture et de toutes les œuvres... C'est pourquoi je ne me soucie en rien des textes scripturaires, même si tu m'en trouves six cents en faveur des œuvres et contre la justice de la foi... Cet esclave, je te le laisse. Moi, je presse le Seigneur qui est le Roi de l'Ecriture... Ce que n'enseigne pas le Christ n'est pas apostolique, même si c'est Pierre ou Paul qui enseignent [40].

(...) C'est un fait, commente J.-P. Gabus, que nous ne saurions avoir accès à la Révélation biblique et naître à la foi en cette Révélation en dehors de sa tradition écrite ou prêchée. Mais la distinction entre la Parole révélée et son expression orale ou écrite permet seule à la foi de surmonter ses propres clôtures (...) (La théologie contemporaine) a trop tendance à penser que, par des procédés exégétiques ou herméneutiques rigoureux, il soit possible de dégager le fait chrétien de ses distorsions culturelles, de retrouver l'essence du Kérygme originaire (...).

---

40. Cette citation pose aussi le problème du « canon dans le canon » exposé par ailleurs (tome I, P. Gisel). M. LUTHER, *Opera*, éd. Weimar, 40/1, pp. 458-459 et 7/385, cité par J.-P. GABUS, *op. cit.*, p. 98.

En fait, nous ne disposons d'aucun critère objectif ou méthodologique qui puisse nous permettre de séparer (...) l'essence de la foi de ses expressions culturelles (...)

Calvin, à la suite de Luther, avait bien vu que, face à la Révélation divine, l'homme ne dispose d'aucun critère externe ou de certitude objective pour la saisir ou en juger. Seul «le témoignage intérieur du Saint-Esprit», dit Calvin, nous convainc que lorsque nous lisons l'Ecriture, c'est Dieu lui-même qui nous parle. Inversement nul ne peut se dire illuminé de l'Esprit-Saint, s'il ne tient pas à ce qui est dit dans l'Ecriture (...)

Et J.-P. Gabus conclut :

La Révélation de Dieu en Jésus-Christ n'est pas seulement un Acte du passé. Par l'effusion de l'Esprit et la proclamation de l'Evangile, Dieu ne cesse de dire sa Parole. Nous ne saurions limiter la Révélation divine à l'espace de l'Ecriture et aux seuls temps bibliques[41]...

L'actualisation de l'Ecriture comme Parole requiert l'acte contemporain de l'Esprit. Cet appel à l'Esprit comme facteur d'actualisation et d'universalisation du fait biblique, pour fondamental qu'il soit, ne satisfait pas pleinement : il laisse dans l'obscurité la fonction de l'Eglise. Autre chose est, me semble-t-il, la reconnaissance de l'Ecriture comme Parole de Dieu par le croyant, et dont l'Esprit est l'agent, autre chose l'actualisation sociale de l'Evénement christique, compte tenu d'une situation incomparable à celle qui est sous-jacente à la production du Nouveau Testament. C'est ici, à mon avis qu'intervient la médiation communautaire : elle est un élément essentiel de l'interprétation scripturaire, étant le lieu premier où s'actualise la Parole.

Dans la perspective ouverte par J.-P. Gabus, deux facteurs sont mis en rapport, le croyant et l'Ecriture, par un opérateur transcendant, l'Esprit. La fonction de l'Eglise, si évidente dans la production de l'Ecriture, est passée sous silence. J.-P. Gabus avait pourtant signalé (*op. cit.*, p. 99) que nul n'a accès à la Révélation en dehors d'une tradition prêchée, c'est-à-dire en dehors de la Communauté ecclésiale. L'appel à l'Esprit élimine trop rapidement ce moment et élude le problème délicat de la médiation ecclésiale, reconnue cependant nécessaire.

L'Eglise primitive a mis par écrit ses souvenirs de Jésus parce que l'Evénement pascal étant unique ne peut être reproduit : le récit écrit témoigne de sa particularité, de sa contingence. Le récit pose ainsi un référent indépassable : l'événement pascal n'est pas l'image symbolique d'une condition humaine universelle. Il est un Evénement auquel

---

41. J.-P. Gabus, *op. cit.*, pp. 99-100.

seule la structure narrative de l'Ecriture fait droit : elle donne de faire mémoire.

L'Eglise juge cette mémoire transformante de son présent et annonciatrice d'un avenir. L'Evénement unique parce que contingent revêt une dimension universelle dans l'acte de la prédication, c'est-à-dire lorsqu'il entre en dialectique avec la situation de la Communauté ou celle des païens appelés à entrer dans l'Eglise. C'est à ce niveau précis que se situe la médiation de l'Eglise.

Le rapport entre l'Evénement de la vie, de la mort et de la résurrection de Jésus dont le Nouveau Testament est le récit, et la situation sans cesse changeante des humains ne va pas de soi. On peut certes se limiter à l'intériorité et affirmer que le seul témoignage de l'Esprit en l'âme de chacun réalise cette mise en rapport. Mais le récit scripturaire oriente vers une interprétation moins intimiste : l'Evénement Jésus-Christ ne touche pas les hommes dans leur seule intériorité, mais dans leur intégralité, c'est-à-dire dans leurs rapports sociaux. L'Eglise n'est pas seulement l'assemblée de ceux qui croient en leur for interne, elle est un corps social repérable dont les décisions et omissions touchent l'actualisation de l'Evénement Jésus-Christ. Il existe une histoire de l'Eglise ou des Eglises qui a quelque chose à voir avec l'efficacité du récit scripturaire. En ce sens la médiation ecclésiale est nécessaire, contingente et responsable.

Elle est nécessaire : le rapport entre le récit de l'Evénement Jésus-Christ et la situation n'est pas inclus dans l'Ecriture, il n'est pas davantage immanent à la foi du chrétien, il est le produit d'une négociation. Des hommes et des femmes, réunis en Eglise, avec des responsabilités diverses, pour confesser le Christ vivant par référence au récit évangélique, s'efforcent de mettre un rapport transformant entre leur situation et l'interrogation issue de l'Evénement. Cette mise en rapport est laborieuse : aucune situation n'est jamais à ce point transparente que le rapport positif, créateur avec l'Evénement pascal soit évident. C'est dans l'ordre de la négation ou de l'exclusion qu'il est le plus clair. Ainsi pourra-t-on proclamer : l'exploitation économique est non évangélique. Les difficultés commencent dès lors qu'il s'agit de proposer des solutions qui à terme n'aboutissent pas à de nouvelles contradictions. Au cours de l'histoire de l'Eglise, multiples ont été les solutions données à des contradictions insupportables (et ceci dans le domaine ecclésiastique lui-même) qui se sont avérées destructrices. Le fonctionnement pratique du dogme de l'infaillibilité a travaillé au renforcement d'une bureaucratie centrale et à la dévitalisation doctrinale des Communautés locales. Le rapport entre situation et Evénement pascal est le résultat toujours provisoire d'une négociation ecclésiale. Cette négociation représente la médiation nécessaire à l'actualité de la Parole.

Nécessaire et cependant contingente : le produit de la négociation n'est jamais dépourvu d'ambiguïté. Ainsi, bien que jugées infaillibles, certaines décisions conciliaires ou papales en matière doctrinale n'ont pas que des effets heureux. Le dogme de l'infaillibilité défini à Vatican I avait pour but d'assurer la transmission fidèle du récit évangélique au sein de la variation culturelle. En principe, il signifie que l'Eglise ne saurait témoigner d'un autre Christ. Malheureusement, le dogme a été détourné de sa finalité doctrinale au profit d'une idéologie politique : le centralisme romain. Celui-ci n'avait pas besoin de l'infaillibilité pour s'exercer, il était le résultat de facteurs sociaux et politiques, il avait besoin d'une justification pour durer et se renforcer. Le dogme a renforcé le culte de la personnalité des papes de l'époque moderne [41 bis]. La négociation entre le récit et la situation aboutit donc à des effets contingents. Rien ne s'oppose doctrinalement à ce que le dogme de l'infaillibilité fonctionne socialement dans un sens différent. L'actualisation de la Parole est sélective, elle laisse dans l'ombre d'autres paroles possibles. Une autre sélection, issue de la pression d'une autre situation, relativisera ce dogme, c'est-à-dire corrigera l'excès de son fonctionnement. La médiation ecclésiale est ici assurée, mais ses produits restent contingents et réformables.

Nécessaire et contingente, la médiation est responsable. La Communauté ecclésiale n'est pas l'instrument inerte d'un monarque divin, elle n'est pas le véhicule intemporel d'une vérité immuable, elle n'est pas le reflet d'un système intangible. Elle témoigne d'une action historique de Dieu en Jésus-Christ, dont les Evangiles sont le récit. Eglise contemporaine, elle accueille ce récit dans sa distance historique et dans son pouvoir interrogateur actuel. Elle est responsable à la fois du maintien de la distance et de la force du pouvoir interrogateur. Maintien de la distance : elle le garantit en signifiant le retrait du récit par rapport à notre situation. Elle peut ne pas le faire : fonder le refus du ministère sacerdotal des femmes sur le récit scripturaire, c'est oublier la distance historique. La question ne s'était pas posée dans les termes actuels. Aussi les raisons données comme scripturaires sont-elles, en réalité, issues de raisons différentes qui ne disent pas leurs noms.

Force du pouvoir interrogateur : elle présuppose la perception de la distance. Sinon, l'Evangile s'affadit de récit en recette. Il n'interroge pas, il est le livre à solutions. Ainsi en maintenant la distance historique, en traitant le récit comme récit, et non comme œuvre doctrinale, l'Eglise libère le pouvoir interrogateur de l'Evénement christique. Elle facilite également le pouvoir créateur et responsable

---

41 [bis]. Cf. J.-M. TILLARD, *l'Evêque de Rome*, Cerf, Paris, 1982, pp. 32 s.

des Communautés chrétiennes puisque le récit évangélique le postule par sa particularité historique.

L'actualisation de la Parole de Dieu est donc un phénomène complexe. Elle se joue entre l'Evénement Jésus-Christ dont l'Eglise primitive atteste l'universalité en en produisant le récit et les situations nouvelles dans lesquelles les Eglises successives en manifestent le pouvoir interrogateur. Les produits de cette négociation dont l'Eglise est la médiatrice sont les signes toujours contingents d'une Parole qu'ils actualisent. L'attestation risquée de l'actualité de l'Evénement Jésus-Christ se justifie par le renvoi à un don toujours contemporain : l'Esprit. Dans la relativité des formes d'actualisation, il assure le pouvoir universellement interrogateur de l'Evénement pascal, il maintient dans notre nuit la fermeté de la Promesse.

CHAPITRE III

Le Don et la Promesse

La « Révélation » ne se sépare pas de la Promesse : Israël nomma Dieu sur le fondement de son implication dans un mouvement historique conduisant à le libérer. Sous l'aiguillon des paroles mosaïques et prophétiques, Israël prit acte du fait que son histoire différait en son sens de celle des peuples voisins : il accepta non sans réticence qu'elle ne le portât pas à l'hégémonie politique ; il comprit que ce renoncement assurerait l'universalité de sa démarche. Son Dieu l'avait élu pour qu'il fût son témoin devant les autres peuples : il était le Dieu de tous, même si l'alliance avait été contractée avec Moïse. Les plus anciennes promesses le disaient en clair : « En toi, dit Dieu à Abram, seront bénies toutes les familles de la terre » (Gn 12, 3).

La « Révélation » ne se sépare pas de la Promesse. Décrire les processus de la nomination de Dieu, fondés sur la conviction que les prophètes parlent au nom de Dieu, ne permet pas d'assigner à « l'acte révélateur » sa puissance transformatrice, si n'est pris en compte ce qui tient l'histoire ouverte à un avenir : la Promesse. Elle tourne la « Révélation » vers un horizon qui donne espace et sens aux événements de l'histoire biblique et à leurs interprétations. Elle brûle encore dans notre nuit, et sa lumière rassemble en unité le divers, souvent inquiétant par son émiettement ou son éclatement, de notre histoire chrétienne. L'actualisation du récit scripturaire exige son incandescente présence. Le texte vénérable, sans elle, serait cendres éteintes. Aussi l'étude de la Promesse débutera-t-elle par des précisions sur l'interprétation du texte de référence, elle continuera par quelques mises au point sur son rapport au don, elle s'achèvera sur la fonction attribuée à l'Esprit.

1. L'Esprit et l'interprétation

L'image de la « Parole » nous a conduit à postuler l'actualisation du récit biblique. Par hypothèse, il rapporte des actes et des paroles dont l'énergie est encore effective. La libération d'Egypte ou la prédication de Jésus n'en ont pas moins eu lieu en des temps dont nul ne saurait désormais se faire le contemporain. L'illusion positiviste est morte : l'histoire ne traite que d'objets à jamais perdus. Rendre actuel est donc une nécessité. Recevoir un texte ancien comme l'inscription et l'expression d'une dynamique historique dont Dieu est l'initiateur, c'est estimer que le texte est aujourd'hui actif. L'image de la « Parole » exprime cette conviction : la Communauté croyante parle le texte écrit et lui donne ainsi force présente. Aussi l'image de la « Parole » est-elle accompagnée par l'image de l'Esprit : il représente l'énergie qui, autrefois, inspira les prophètes et qui, aujourd'hui, investissant tout croyant, l'habilite à être témoin de l'action transformante et toujours contemporaine de Dieu. Requérir l'Esprit pour répondre de l'actualisation du récit biblique souligne qu'elle n'est pas l'effet des seuls sujets humains ou de la Communauté ecclésiale : elle est une potentialité immanente à l'Ecriture.

Interpréter un récit ancien, c'est-à-dire le recevoir comme signifiant pour nous dans une situation incomparable à celle de son temps et de son lieu de production, est, certes, l'effet du sujet individuel ou communautaire : l'interprétation est, en ce sens, analogue à un acte de création. Ainsi en va-t-il du jeu musical : l'interprète d'un concerto de Mozart n'est pas le reproducteur automatique de l'écriture musicale. La musique n'existe nulle part ailleurs que dans son exécution ; l'écriture musicale n'en est pas moins la condition de possibilité de l'acte de création interprétatif. Sans l'écriture de Mozart, il n'y aurait pas de concerto. Réciproquement, sans des interprètes créateurs, l'écriture serait sans effet. Le concerto n'est pas une « essence », un « en-soi » abstrait, il est l'effet conjugué de l'écriture mozartienne et du jeu des interprètes. Nous ignorerons toujours le concerto mozartien hors ses interprétations, hors ce qui nous le rend contemporain. Le concerto n'a d'autre existence qu'historique, sans cesse appelé du néant de l'écriture à un être nouveau par le jeu successif des interprètes.

Toutes proportions gardées, cette réflexion s'applique au récit biblique. Hors la Communauté qui le proclame, les croyants qui en vivent les exigences ou les savants qui l'étudient, il est néant. Il n'existe pas un « en-soi » biblique dont le sens s'imposerait comme évident pour toute situation. Etre contemporain est, pour le texte biblique, le produit d'une création.

Il serait erroné cependant d'en tirer la conclusion hâtive qui semble s'imposer : l'acte créateur qui actualise le texte serait l'effet de la subjectivité du groupe ou de l'individu interprètes. Les interprétations du concerto de Mozart n'existeraient pas si ce concerto n'ouvrait à elles : il est potentiellement la condition de ces interprétation. La

Bible ne saurait être actualisée si elle n'était potentiellement la condition des formes présentes d'interprétation. Celles-ci ne sont pas l'effet de la seule subjectivité, elles sont une requête objective du texte. K. Marx a souligné cet aspect dans une remarque qui atténue la théorie du « reflet » :

> Achille est-il possible à l'âge de la poudre et du plomb ? ou *l'Iliade* en général avec l'imprimerie, avec la machine à imprimer ? Les chants, les légendes, les Muses, ne disparaissent-elles pas nécessairement devant le barreau de l'imprimeur ? Et les conditions nécessaires pour la poésie épique ne s'évanouissent-elles pas ?
> Mais la difficulté n'est pas de comprendre que l'art grec et l'épopée sont liés à certaines formes du développement social. La difficulté, la voici : ils nous procurent encore une jouissance artistique, et à certains égards, ils servent de norme, ils nous sont un modèle inaccessible [42].

La condition de l'actualisation, c'est-à-dire la possibilité d'universalisation, est immanente à l'œuvre, elle n'est pas l'effet d'une subjectivité subséquente. Le récit biblique est source d'un questionnement sans cesse renaissant, non en raison de la subjectivité des croyants, mais en raison de la structure du récit. Ceci n'est pas sans analogie avec la jouissance que nous procure la tragédie grecque. Les organisations sociales qui ont favorisé l'éclosion de cet art ne l'emprisonnaient pas dans leur espace restreint et leur temps compté puisque, ces organisations à jamais disparues, demeure la potientialité de la tragédie grecque à susciter notre jouissance. L'expérience de mise en scène de textes vides, dans des théâtres modernes, vérifie par l'absurde la nécessité d'une énergie immanente à l'écriture. Interpréter, c'est libérer cette énergie par un acte de création : il exige des interprètes d'autant plus audacieux et libres que le texte transgresse les organisations sociales dans lesquelles il prit naissance.

Les théologies de la Parole, telle celle de K. Barth, ont accentué le rôle de l'Esprit. Elles pensaient éviter ainsi un double écueil : le subjectivisme de l'interprétation, le positivisme fondamentaliste de l'Ecriture. Le schéma est simple : la Parole de Dieu objectivement inscrite dans l'Ecriture requiert une légitimation subjective, l'Esprit. Celui-ci assure l'actualité de l'Ecriture et la capacité de l'entendre. Il est la face subjective de la Parole.

Dans ce schéma, l'Esprit n'est pas du seul côté de l'auditeur, et la Parole du seul côté de l'Ecriture. L'Esprit est la potentialité de l'Ecriture à transgresser ses conditions de production ; la Parole est l'objectivité de l'Ecriture proclamée actuellement. L'Esprit cause le

---

42. K. Marx, « Introduction générale à la critique de l'Economie politique », 1857, in K. Marx, *Œuvres, Economie I*, la Pléiade, Paris, 1963, p. 266.

passage de l'Ecriture à la Parole. Il a parlé par les Prophètes, mais le texte de leurs prédications est cendre froide s'il n'est vérifié à nouveau par l'Esprit. La force de l'Esprit habite le texte dans l'attente d'un interprète suscité par lui. C'est cette habitation dans l'Ecriture qu'il nous faut d'abord préciser : elle commande la façon de comprendre l'actualisation du récit biblique et la fonction de l'Esprit dans la Communauté ecclésiale.

2. Le don, horizon de l'alliance

L'alliance, au sein de laquelle Dieu fut nommé par Israël, se réfère à un don : l'acte de Dieu se signifiant dans un contrat en vue de constituer un avenir commun entre lui et le peuple. Cet acte est sans raison ou sans nécessité. Il prend origine dans la générosité divine : le terme « élection » le souligne.

L'élection exprime le don dans son origine, elle comporte un sens moins englobant que le mot « don » qui inclut l'origine et le résultat. L'alliance est un don, non seulement en son origine, mais dans les biens qu'elle procure. Ce serait mal entendre le contrat d'alliance que d'inférer de la postériorité logique de la promesse le conditionnement du don. L'alliance indique que le don est déjà là, puisque Dieu est présent dans le pacte, et que cette présence est signée par des biens qui, dans le désert, assurent à Israël son existence, telle la manne, l'eau. Le peuple y murmura contre son Dieu dont il redoutait une ruse : l'avoir mené en des lieux arides pour l'exterminer. Aussi ne craignit-il pas de mettre à l'épreuve Celui dont il avait expérimenté la force lors de la sortie d'Egypte. Le don est la signature de l'alliance et de sa gratuité : il témoigne de son antériorité par rapport au contrat et à la foi.

La loi, inhérente au contrat de l'alliance, introduit une distance au sein même du don : le don des biens maintient dans l'enfance s'il n'est l'appel à un contre-don. L'installation dans la Terre promise, sous la gestion de la loi, est sanctionnée par la disparition des biens alloués par Dieu dans le désert : l'eau et le pain (manne) ne sont plus les effets d'un miracle, ils sont le produit du travail des hommes. La loi en dit la destination commune, elle n'en assure pas la distribution. Elle exprime aussi l'origine transcendante, elle exige la reconnaissance devant Dieu par l'échange entre les hommes qui consacre la vérité de l'offrande faite dans le sanctuaire.

Le don n'est pas le résultat d'un contrat, il le précède. Aussi serait-il erroné de l'inscrire dans le système linéaire : élection, alliance, obéissance, don. Le don est antérieur ou contemporain, il n'est pas une récompense. Le caractère mécanique de la rétribution, souvent présentée comme la grille de lecture des historiographies hébraïques, trahit le sens vrai de l'alliance et méconnaît l'économie du don. Le don précède l'alliance comme élection, il est l'alliance comme loi et comme présence de Dieu, il la suit comme promesse. Le don est contemporain de l'ensemble du mouvement. Si l'histoire d'Israël est marquée par l'échec et le malheur, ce n'est pas par sanction extérieure, mais en vertu de la logique immanente à la transgression de la loi : l'accaparement par quelques-uns des biens donnés à tous témoigne d'une histoire hors l'alliance dont le régime est celui du don et du contre-don. La loi trace cette logique, elle a pour but d'induire à l'échange, au contre-don. Par la Parole, car il n'est de loi que communiquée, elle marque l'impossible immédiateté du bonheur, elle dit la distance et l'absence de Dieu, elle est la condition de la communication.

La Parole vit du don et le don s'enracine dans la Parole. Israël au désert reçoit l'alliance, il accueille les dons assurant la vie. La loi n'impose pas encore la distance nécessaire à une gestion responsable de son existence et de son avenir. Aussi le peuple réclame-t-il Dieu comme un présent agissant au point de supprimer tout agir humain pour la survie. S'il n'y avait que le don sans la Parole, le peuple n'aurait pas de personnalité, il ne serait pas constitué sujet d'une communication. La Parole, imposant la distance, constitue Israël comme sujet ; elle est le premier véritable don de Dieu à son peuple : il devient partenaire, il n'est plus esclave. La Parole est ainsi la condition de possibilité de la vérité du don appelant le contre-don, mais elle l'est par le retrait du donateur. Le désir de l'homme à l'égard du divin, tel qu'il se donne à voir dans des conduites repérables (et la Bible en fournit de bons exemples) porte sur l'immédiateté du don. Les humains rêvent d'un paradis. L'immédiateté du don est une forme détournée de l'identification prônée par le serpent : «Vous serez comme des dieux» (Gn 3, 5). L'acte libérateur de Dieu en Exode et son souci maternel au désert sont ambigus : ils travaillent à l'abolition de la distance. L'alliance comme parole et comme contrat écarte l'identification, et transforme le temps du désert en épreuve : Dieu n'est pas Dieu comme le veut le désir, bien que Dieu cède maintes fois au désir. Ce n'est qu'avec l'installation en Terre promise que le régime de la loi institue effectivement la distance, il postule la non-identification au divin comme la condition de la communication. Le temps illusoire et nécessaire de l'enfance a cessé. Israël écoute une parole qui vient d'un Autre insaisissable. Dieu se retire de l'immédiat, il peut être alors rencontré comme Autre puisque la loi de l'échange social se transforme en reflet de l'échange divin : Dieu donne la loi et sa présence aux hommes pour que les hommes puissent être donateurs à Dieu d'eux-mêmes.

Le don est premier et dernier : il est l'horizon de la Parole de l'Alliance. Il lui imprime un statut spécifique : celui d'être une communication visant à instaurer une communion.

La parole est l'acte imprévisible d'un sujet à partir de et dans un système langagier. Elle est l'acte d'un sujet qui ne s'épuise pas dans l'objectivité d'une énonciation. Si le sujet dans l'acte de parole s'évanouit au profit de l'énoncé, nous avons affaire à une information. On peut ainsi entendre d'une double manière le récit biblique de la création (récit du code sacerdotal) : ou bien il est une information jouant le rôle d'explication pour la genèse du monde, telles les cosmologies « scientifiques ». Dès lors, le sujet de l'énonciation « Dieu » est là pour autoriser le contenu informatif ou explicatif, il s'efface dans la mesure où les hommes, par leur investigation scientifique se substituent à lui. Il n'est plus besoin d'une garantie divine représentée par le sujet de l'énonciation.

Ou bien le récit est la parabole de l'acte originaire de donation par Dieu du monde aux hommes. Compte dès lors l'échange entre le donateur et celui auquel le don est accordé, le contenu informatif ou explicatif perd son importance. Celui-ci peut se transformer, l'échange demeure là où le sujet de l'énonciation comme donateur est premier et appelle un autre sujet à accepter le langage parabolique comme invitation au contre-don.

La première interprétation réduit la Bible à être un livre de suppléance aux défaillances du savoir : le don de Dieu se limiterait à fournir les informations nécessaires ou opportunes à la vie humaine. Le sujet divin ne serait pas présent à sa parole, comme sujet. Et si les hommes prennent leur autonomie dans l'ordre des connaissances théoriques ou pratiques, le mouvement de l'information disparaissant, le lien au sujet divin serait privé de fondement. Aucune condition de contre-don n'aurait été instituée.

Il n'en est plus de même si on adhère à la seconde interprétation : l'information est secondaire, elle peut disparaître. La parole demeure comme communication puisqu'il n'était question que d'elle. La disparition du donateur, également exigée, n'est pas son abolition, mais son absence ou son retrait comme condition de la différence, de la distance et de la communion, c'est-à-dire comme condition du contre-don, celui-ci exigeant l'autonomie du partenaire ou de l'auditeur. La rupture de l'immédiateté du don signifie la fin de l'état d'enfance : les hommes ne sont pas dans un rapport à Dieu comparable à celui du petit enfant à l'égard de ses parents. Dans la distance prise à l'égard du donateur, les hommes le reconnaissent pour ce qu'il donne : l'espace pour un agir autonome. Dans cet espace, les hommes peuvent accepter que leur production ne soit pas création, qu'elle s'articule comme leur existence à un Don premier. La loi est la condition de cet échange. Cette antériorité du don, comme sa contemporanéité, établissent sa supériorité sur tous les biens donnés. Dans cette perspective s'inscrit la promesse.

La promesse est liée à l'alliance, contrat signé en vue de gérer en commun un avenir. Son intelligence dépend de la façon dont est entendu le don. Celui-ci tend, dans la Bible, à se reporter des biens distribués vers l'acte du don. Mais on ne peut séparer l'acte du don des biens reçus ou à recevoir : la promesse creuse apparemment la distance entre l'acte du don et les biens définis qui en résultent. Le bien, ce n'est plus le pain ou l'eau du désert, ce n'est pas davantage la terre, ce n'est pas non plus la ville de Sion. L'acte du don détourne historiquement, dans la présentation biblique, des biens substantiels et oriente vers un sytème relationnel, induit par des termes plus abstraits : la paix, la justice, l'habitat avec Dieu et, au terme de l'Ancien Testament, la vie avec Dieu que rien ne saurait détruire, vie symbolisée par la Résurrection au cœur d'une terre nouvelle et de nouveaux cieux. Ainsi la Promesse écarte le désir d'appropriation des biens substantiels au profit d'une symbolique de la relation. Ce mouvement trouve son accomplissement dans le Nouveau Testament [43].

La Communauté primitive, dans la mémoire qu'elle fit du Nazaréen, sur la base de l'expérience pascale, le confessa Messie. Ce terme était gros d'une tradition ancienne et véhiculait des espérances précises : ce Messie, don de Dieu à son peuple, représentait le personnage ou la collectivité menant à bonne fin l'instauration du règne de Yahvé. La promesse prenait forme concrète en ce nom, la venue du Messie inaugurant la fin des temps et provoquant ainsi une rupture dans le cours de l'histoire.

Confesser Jésus de Nazareth Messie, reconnaître en lui le révélateur de la Promesse, alors que le cours du temps demeurait en l'état, que le personnage lui-même avait été assassiné, que l'histoire de la souffrance et de l'oppression ne cessait de s'exacerber, c'était introduire dans son concept une différence radicale. La Communauté confessa Messie celui qui, en sa vie terrestre, en avait refusé le titre ambigu pour en montrer l'accomplissement dans l'Esprit. Elle le confessa tel parce que, à son cri sur la Croix, Dieu répondit en l'arrachant à la domination de la mort : il est vivant, non parce qu'il abolit miraculeusement l'histoire de la souffrance, mais parce qu'il donne l'Esprit. Le Messie n'assure pas la propriété des biens, il répand l'Esprit, c'est-à-dire le Don qui assure le rapport juste à tous les biens. C'est ce rapport qu'il nous reste à préciser.

43. Cf. P. Beauchamp, *l'Un et l'Autre Testament*, Paris, 1976, pp. 39-106.

3. La fonction de l'Esprit

Le don en situant les biens substantiels dans leur autonomie oriente la promesse vers une signification inattendue : ouvrir l'espace de telle sorte que rien ne le remplisse. Le mouvement concret de cette dialectique s'affirme dans la nomination de Jésus comme Messie sur le fond de son refus d'endosser les espérances liées à un certain messianisme politico-religieux qui fit l'objet d'une véritable tentation messianique. La promesse ne porte plus sur les biens, c'est-à-dire sur une fin de l'histoire, sur un millénarisme, mais sur son maintien dans la contingence, maintien qui est l'envers du don par excellence : l'Esprit.

Le don et la promesse instituent les biens dans leur ordre, car ils ne portent pas sur un bien particulier. Ils les instituent dans leur ordre : cela signifie qu'ils sont, eux aussi, l'effet d'un don premier. Ils ne sont cependant pas l'objet d'une promesse pour l'individu ou la collectivité. Yahvé ne promet pas d'écarter les menaces naturelles, se manifestant dans les catastrophes terrestres, les maladies et la mort. Il n'existe aucune promesse assurant du bon fonctionnement des rapports sociaux, c'est-à-dire éliminant les formes diverses d'exploitation. S'il en est bien ainsi, la promesse n'est pas d'ordre millénariste : il est vain d'attendre, dans notre histoire, un messie, une église ou un état qui garantissent efficacement contre les maux naturels et qui suscitent une organisation sociale hors toute exploitation possible. Le don et la promesse opèrent donc négativement : aucun avenir humain ne s'ouvre si le don ne préside pas aux échanges sociaux ou si l'on attend des échanges sociaux la satisfaction absolue du désir. Le don et la promesse inscrivent une béance dans notre histoire. Rendre grâces à Dieu des biens dont nous disposons, c'est reconnaître qu'il est Autre que ce bien et que l'acte de rendre grâces, c'est-à-dire le contre-don, est aussi nécessaire aux hommes que les biens eux-mêmes. Le mouvement du contre-don situe positivement les effets frustrants, dans l'ordre du messianisme, du don et la promesse.

Les biens sont institués dans leur ordre, ils sont non-divins. Ils ne sont donc pas l'objet immédiat de l'Alliance s'il est vrai que la promesse la soutient. La promesse porte sur un avenir en commun. Les biens, comme objets, ne se substituent pas à l'être ensemble promu par la relation d'Alliance. Le bien produit par l'Alliance, c'est l'être ensemble, Dieu avec nous. Les termes « communion » ou « reconnaissance » explicitent ce dont il est question dans l'Alliance. La promesse porte sur l'avenir de cette communion.

L'histoire d'Israël et l'histoire de Jésus témoignent du glissement permanent de la communion aux biens : être ensemble pour l'obtention de biens se substitue au bien d'être en communion. Est recherché un assouvissement du désir que l'être ensemble ne procure pas. Le mouvement de retrait à l'égard de l'octroi des biens dans l'histoire prophétique d'Israël au profit de la recherche de Dieu signifie que l'être ensemble est à soi seul sa fin. Il n'est rien d'autre à espérer que cette communion, le reste étant donné par surcroît.

Le désir ou le mouvement messianique tend à déplacer vers le fruit de l'être ensemble le bien de la communion. On attend avec véhémence quelque chose qui en réalité est tout différent : la fin des menaces naturelles, l'affranchissement national, l'apaisement de la faim, le terme de l'injustice, etc. On repousse ainsi vers un avenir insoupçonnable ce qui, ici et maintenant, déjà se donne : le Royaume de Dieu.

Confesser Jésus Messie sur la base de son refus d'entrer dans le mouvement messianique, c'est reconnaître la primauté de la communion sur les biens qui en sont attendus. Jésus, vivant de l'Esprit, ne donne pas les biens messianiques escomptés ; le millénarisme, dont S. Irénée de Lyon fut l'un des protagonistes majeurs, s'efforcera de maintenir dans le cadre de notre histoire le don de ces biens. Jésus donne l'Esprit ici et maintenant. L'Esprit donne de vivre l'Alliance, non dans le mépris des biens, mais dans leur institution relative.

Institution relative : les biens particuliers, substantiels et désirables, sont l'effet des échanges sociaux dans le cadre de la finitude humaine et non le produit d'une intervention messianique. Il n'est pas à attendre d'une église que la promesse qu'elle annonce lui confère la compétence nécessaire à la production des biens et à leur échange. Le don de l'Esprit dont témoigne l'Eglise pousse les hommes à être créateurs et responsables, dans l'axe du don premier. Aussi l'Esprit ouvre-t-il à une communion qu'aucun bien ne mesure, même s'il l'évoque. Le don et la promesse n'ont plus de mesures humaines, ils sont divins et l'Esprit est désormais leur nom. Le prophète Joël annonce cette transformation, l'apôtre Pierre la constate réalisée à Pentecôte (Ac 2, 14-22 et Jl 3, 1-5).

Le caractère incommensurable de la promesse et du don par rapport aux biens a été interprété dans une conceptualisation qui soulève aujourd'hui maintes objections. Les théologiens de l'Eglise grecque ont parlé autrefois de « divinisation ». Le Fils de Dieu se serait fait homme pour que l'homme devînt Dieu. Des théologiens modernes, tels H. Küng [44] et J. Pohier [45] lisent dans cette interprétation une prétention intolérable.

---

44. *Etre chrétien*, Paris, 1978.
45. *Quand je dis Dieu*, Paris, 1977.

Pour H. Küng, être divinisé, c'est laisser choir l'ordre de la création, sa personnalité contingente, sa valeur humaine au profit d'une métamorphose aujourd'hui indésirable. Selon cet auteur, le Fils de Dieu s'est fait humain : non pour que l'homme devînt Dieu, mais pour qu'il devînt simplement humain. Il n'est nullement question dans la révélation biblique d'arracher l'homme à sa condition, mais, en l'humanisant, de le rendre partenaire effectif de Dieu en ce monde[46].

J. Pohier est plus radical : il découvre dans la conceptualisation grecque l'expression du désir inconscient de l'être humain, être comme Dieu, cette formule signifiant la volonté d'échapper à la finitude marquée par la sexualité, la culpabilité et la mort. Cette volonté reprend le vœu mythiquement exprimé par Adam et Eve dans le récit parabolique du péché premier. Le Fils de Dieu se fait humain, non pour nous confirmer dans ce vœu, mais pour nous sauver de son caractère mortifère. Dieu est avec nous, comme partenaire de l'alliance, pour autant que nous acceptons d'être humains. Vouloir être comme un dieu, c'est éliminer le vrai Dieu et s'enfoncer dans une illusion destructrice[47].

Ces objections et ces critiques sont sérieuses : elles expriment en un autre langage l'effet reconnu au don de l'Esprit, maintenir l'ouverture ou la béance. Rien ne saurait faire que l'humain ne soit pas humain, et rien ne saurait faire que le désir puisse être autrement comblé que de façon fantasmatique. S'il existe un don de l'Esprit, si le refus messianique est confirmé, ce n'est pas pour faire choir les hommes dans l'illusion d'échapper à leur condition. Si le don et la promesse ne portent pas sur l'assouvissement du désir, c'est précisément parce qu'il n'y a pas de rencontre et de communion possibles dans cette voie.

Le schème de la divinisation avait-il effectivement pour vœu, fût-il secret, d'évincer Dieu au point de lui substituer une exaltation insensée de l'humain ? Avait-il pour visée inconsciente d'arracher l'homme à sa condition ?

Il est vain de cacher que ce schème comporte de graves ambiguïtés. Il se réfère à une culture selon laquelle la plus haute réalisation spirituelle est l'accession à l'incorruptibilité qui signifie que l'âme humaine n'est plus aliénée par les biens contingents, provisoires, sensibles, mais attirée par le divin. Accéder à l'incorruptibilité, c'est entrer dans l'ordre divin, le seul ordre qui corresponde à l'aspiration structurelle de l'esprit et à son être authentique. Le don de l'incorruptibilité est divin : Dieu seul le confère par son Fils.

---

46. H. Küng, *op. cit.*, pp. 512-516.
47. *Op. cit.*, pp. 97-128.

L'incorruptibilité n'est pas une conquête, elle est tout au plus une requête, mais, il faut le noter, elle porte en elle un jugement selon lequel l'ordre de l'esprit tend à devenir l'ordre du bien et celui de la matière le lieu du mal.

Ces ambiguïtés ne traversent pas le schème au point de lui ôter toute validité et toute santé.

En effet, être divinisé n'a pas été majoritairement pensé selon le schème du pouvoir ou de la puissance. Etre divinisé ne signifie pas que l'homme soit Dieu, au point de disposer à son gré d'une puissance supérieure à sa puissance native, comme le rêve la magie. Les théologiens grecs avaient un sens trop aigu du caractère ineffable et inaccessible de Dieu pour qu'on puisse les soupçonner d'instaurer une substitution de puissance. La divinisation est d'ordre relationnel : en l'Esprit, nous sommes rapportés au Père comme fils, et, en conséquence, ici et maintenant, nous pouvons agir d'une manière filiale. L'expérience du cri de Jésus dans la prière consignée dans l'Ecriture : « Abba, Père » commande l'idée de la divinisation. Nous pouvons nous adresser à Dieu non seulement comme à un Maître, mais comme à un Père et un ami. Le qualificatif de l'amitié corrige ce qui demeure de vœu de puissance, d'autoritaire ou d'interdicteur dans l'image de la paternité. Ainsi la divinisation n'indique pas un vœu secret d'éliminer Dieu à notre profit selon la doctrine exposée par E. Bloch au sujet du Fils de l'homme [48], elle décrit le mouvement de la filiation signifiée par le don de l'Esprit.

Les ambiguïtés du schème proviennent en définitive de la façon dont était alors qualifié le divin : l'intérêt portait sur les fruits escomptés et non sur la communion. Le glissement du don vers les biens attendus et l'effacement du don au profit de ces biens expliquent le vœu d'acquérir une situation divine : ce n'est plus le Dieu avec nous qui mesure l'image de la divinisation, mais le Dieu à notre service. Cette déviation du sens ne doit pas faire oublier que le schème de divinisation eut pour but de manifester le caractère incommensurable du don et de la promesse par rapport à tous les autres biens qui ne sont pas Dieu. Le don de l'Esprit comme effectuation de la promesse révèle cet abîme. Que ce don rende plus humain, il est vain d'en discuter puisque l'objet du décalogue, c'est-à-dire de la loi de l'alliance, est de manière privilégiée le rapport à l'autre homme : c'est donc à la pratique de vérifier la portée de l'exigence immanente à l'alliance. Que Dieu soit avec nous, tel est le sens du schème de la divinisation, le don de l'Esprit guérit du vœu secret et sans cesse renaissant d'être dieu. Ce don nous introduit dans un mouvement au sein duquel Dieu nous

48. E. BLOCH, *l'Athéisme dans le christianisme*, Paris, 1978, pp. 160-205.

respecte comme partenaires autonomes, tout en nous assurant de sa communion et de son amitié. Ce don nous donne d'être fils comme le fut humainement Jésus qui ne fit pas de sa situation divine un privilège lui permettant d'échapper aux limites de la condition humaine.

Par le don de l'Esprit, l'alliance parfait son sens : elle est une structure opérant la communication. Dieu parle, mais sa parole n'est entendue et interprétée que dans le don introduisant au jeu des échanges signifié par l'image de l'Alliance.

Le don de l'Esprit et ses effets remettent en mémoire les questions qui s'étaient posées à nous au seuil de cette étude : la Parole de Dieu s'appuie-t-elle sur une réflexion humaine qui en serait comme l'anticipation? ou bien s'affirme-t-elle dans la rupture?

Ces questions nous ont alors paru pertinentes dans la mesure où elles permettaient d'évoquer des courants théologiques rendus hésitants dans leurs affirmations par la critique actuelle de toute onto-théologie. Elles nous semblent cependant surfaites dans leur opposition : la reconnaissance du don de l'Esprit comme capacité à introduire dans le jeu de l'Alliance ouvre à une autre interprétation.

« Dieu vient de Dieu » : tel est le postulat de base auquel convie le fait que le don de Dieu est gratuité, non pas requête ou exigence. Ce postulat demeure la force de toutes les théologies de la rupture : Dieu ne vient pas du monde, il vient de Lui-même. S'il décide de s'ouvrir à nous, ce ne peut-être qu'à partir de Lui-même. La symbolique trinitaire ne dit, en première instance, rien d'autre que ce postulat : la Parole de Dieu à nous adressée est son Verbe et le don à nous fait est son Esprit. Cependant, que Dieu vienne de Lui-même vers nous n'écarte pas la nécessité qu'il ne puisse être évoqué qu'à partir de notre situation ou de notre monde. Le monde peut être pensé sans dieu, et cela se vérifie dans les méthodologies scientifiques ; le monde peut être vécu sans dieu, et cela se vérifie dans la vie morale, artistique de notre temps — mais le Dieu de la Bible ne saurait être imaginé sans le monde puisqu'il ne cesse de s'y ouvrir par sa Parole, Jésus, et par le don de l'Esprit. Les termes de rupture ou de continuité sont ici défaillants : la Révélation s'inscrit dans ce qui est jugé paradoxe et dont la Croix est le symbole. Dieu vient Lui-même dans notre monde (non pas dans un monde idéal), au point de ne plus pouvoir être reconnu et pensé sans celui-ci. Cependant ce monde, parce qu'il est fini, contingent, non-dieu, est pensé dans son ordre sans qu'on ait besoin de faire appel à Dieu. Ainsi le Fils Jésus s'est-il laissé clouer sur la croix : le monde n'a nul besoin de lui pour se comprendre dans sa violence et sa souffrance. Que Jésus meure violemment est historiquement explicable, il n'est pas nécessaire de faire appel à des puissances transcendantes. Il n'en va pas de même de Dieu, il ne saurait être pensé et surtout reconnu sans le Crucifié. Dieu, dans l'acte de sa reconnaissance, n'est plus séparable d'un monde qui doit se penser sans Lui s'il ne veut tomber dans l'idôlatrie. Le don de l'Esprit circonscrit le lieu de la Révélation : la dépendance du Dieu biblique à l'égard de notre monde, dépendance qui provient de Lui et que le monde ne lui impose pas, dépendance qui se détache sur l'horizon d'une indépendance à son endroit. Il serait donc insuffisant d'annoncer que Jésus vient pour humaniser : ce serait calomnier notre monde et surfaire le christianisme historique. Jésus vient pour donner l'Esprit et nous introduire à une communication avec Dieu que l'alliance structure, mais que le monde tel qu'il se présente historiquement n'exige aucunement. C'est à cette condition que le don est vrai.

CONCLUSION

« Dieu parle » : tel est le titre de cette étude. Cette affirmation forme l'hypothèse de travail que nous avons essayé d'élucider. La parole, nous l'avons constaté, est une image ambiguë : nous n'entendons et n'écoutons dans la rumeur de ce monde que des paroles humaines. Seuls les croyants discernent, dans ce flot, des paroles divines dont Dieu serait le responsable. La communication et la nomination de Dieu qualifient les paroles des prophètes, de Jésus, des témoins bibliques et du peuple croyant. Des hommes et des femmes affirment, en fonction d'une expérience spécifique, qu'il n'est pas arbitraire de reconnaître en certaines paroles humaines une ouverture de Dieu à l'humanité. Il paraît donc justifié d'user de cette image sans cependant en majorer la portée : elle signifie que l'invocation adressée à Dieu par les croyants prend origine dans l'initiative de ce Dieu instaurant le dialogue. Les termes bibliques d'élection et d'alliance expriment ce don premier et son statut durable.

L'image de la parole s'articule à la notion de « révélation ». Ce terme abstrait met en lumière qu'il n'existe pas de communication avec Dieu si Dieu lui-même n'en est pas l'initiateur. Une émouvante prière inca illustre la différence entre le cri vers le dieu et la communication du dieu :

> Créateur
> du monde d'en haut,
> du monde d'en bas,
> du vaste océan,
> vainqueur de toutes choses...
> Qui es-tu ? Où es-tu ?
> Que penses-tu ?
> Parle [49] !

Dieu a parlé, Dieu ne cesse de parler, disent les chrétiens. Leur

---

49. Transcription de JUAN de SANTACRUX PACHACUTI YAMQUI, *Relación de los antigüedades deste reyno del Pirù*, 1613 environ, Madrid 1879, cité in R. MAGNI et E. GUIDONI, *Inca*, Paris, 1977, p. 32.

conviction n'est pas naïve : ils savent ne pas pouvoir démontrer que Dieu est l'initiateur de paroles humaines revêtues de son autorité. Ces chrétiens jugent cependant bon d'assigner à un acte de Dieu une organisation symbolique, celle de l'alliance, organisation fondée sur la mémoire de libérations et ayant des effets sociaux et culturels durables. Ces chrétiens croient que le Nom de leur Dieu leur fut prophétiquement annoncé et que son visage leur fut accessible en Celui qu'ils confessent son Fils sous l'incitation de l'Esprit.

Certes, d'aucuns n'ont pas manqué d'expliquer cette option en réduisant la « révélation » à une anticipation imaginative d'un pouvoir effectif de la raison : ce fut l'interprétation spinoziste, rééditée souvent depuis lors. Tout à l'inverse, d'autre militent pour une rupture radicale entre les chemins de la raison et les voies de la communication divine : ce furent les entreprises fidéistes pour lesquelles la rupture postule d'inscrire la foi sur fond d'absurde : *credo quia absurdum*. On peut préférer des méthodes ou des issues moins radicales : on s'interroge scientifiquement sur la circulation de telles paroles jugées révélatrices et sur la façon dont elles produisent leur sens. On suspend alors jugement et conviction. On peut estimer enfin que l'espace ouvert par la foi biblique et chrétienne n'est pas sans effet pour la réflexion sur notre condition et sur notre histoire, fût-on contraint par probité intellectuelle à laisser sans appui scientifique et philosophique l'option pour la vérité ou l'illusion de la communication divine.

C'est bien de la vérité de la communication divine dont il est question dans le mouvement de la révélation. Encore faut-il préciser de quelle vérité il s'agit. Dieu ne nous informe pas de la marche du monde, des lois de son devenir, bien que nombre de croyants l'aient cru fort longtemps. Dieu ne nous décrypte pas le sens des rapports de force qui se jouent dans notre histoire : il ne fait pas des croyants les lecteurs assurés de l'avenir, même si des croyants sont toujours tentés de le croire. La communication ouvre un espace autre, celui de l'autonomie du monde et de la non-divinité de notre histoire. Si Dieu livre son Nom ou si les croyants le nomment sur la base d'une expérience spécifique, c'est en vue de le différencier des effets imaginairement attendus ou espérés de Lui. La plus radicale implication de Dieu dans notre histoire, en son Fils Jésus, n'ôte pas à cette histoire son épaisseur et son opacité, car Dieu ne cesse d'être à distance en vertu du Nom qui évoque son altérité. Ainsi son implication en Jésus son Fils n'explique ni le cosmos ni l'histoire, elle les laisse à leur contingence, elle ne les divinise pas au sens illusoire du terme. La faiblesse du Dieu qui, en Jésus, meurt sur la Croix garantit notre espace de création. Aussi ce Dieu est-il invoqué en vérité à partir du Nom livré comme la communication la plus fragile et la plus précieuse.

La plus fragile : dans le nombre considérable des noms désignant le divin, des croyants chrétiens croient devoir invoquer un Nom lié à la tradition mosaïque. Devant la débauche d'images taillées qui donnent apparence au divin, ils croient devoir les refuser toutes. Devant l'excès de représentations qui définissent le divin, ils croient devoir n'en ajouter nulle autre. Demeure pour eux une Ecriture, mais elle serait une momie sans leur témoignage actuel. Ils évoquent un visage, celui de Jésus, mais ils savent qu'il est à jamais perdu. Ainsi, au milieu du désordre sans cesse renaissant et de la variation constante des demandes au sujet du divin et de ses représentations, des croyants chrétiens invoquent un Nom obscur et cependant lourd de promesse : « je suis qui je serai. » Ils ne séparent pas ce Nom d'un visage, celui de Jésus, et ils savent que cette invocation reçoit sa vigueur d'un don, celui de l'Esprit. Tout le mouvement de la parole biblique afflue vers cette symbolique triadique dans la dynamique de laquelle le croyant est inséré. Ainsi au milieu d'un océan de possibilités inorganisées surgit l'improbable : une parole mettant en ordre la relation à Dieu dans l'invocation. Le chaos est cependant dominant : lois d'airain du cosmos et hasard, chaos de l'histoire dans le bruit et la fureur des relations humaines, fascination mortifère des dieux. Le chaos est le probable, rien n'assure que le réel est le rationnel et le monde divin fut aussi le lieu de l'arbitraire. Une parole advient, celle du prophète ou celle de Jésus ; elle donne fondement à une invocation, elle intime un commandement dans lequel la cause de Dieu et celle de l'homme s'avèrent identiques, elle ouvre une espérance. L'improbable, le rare, ne fût-il encore que cri, apparaît.

La plus précieuse : le Nom inscrit au livre de l'Exode ouvre des possibilités insoupçonnées. « Je suis qui je serai » : le présent de l'affirmation éclate en un avenir. Rien ne saurait être clos. Certes, le Nom est livré, mais il n'est ni un pouvoir, ni une clé : rien n'en circonscrit ni l'espace, ni le temps, et cependant il est efficace dans tel lieu (la libération d'Egypte) et dans l'instant. Mais ce Nom désormais ne saurait être séparé d'un homme singulier, un juif du premier siècle, Jésus. Il donne visage au Nom, mais ne clôt aucune de ses possibilités : Fils ou Verbe, il désigne un Autre que lui-même. Aussi le destin de Jésus est-il de s'effacer : l'Ascension est le symbole de cet effacement. Mais il demeure une trace indestructible : l'Ecriture habitée par l'Esprit. Le Nom sans représentation ne se sépare pas du visage de Jésus qui lui donne épaisseur historique, particularité, et le marque d'une blessure interdisant toute conceptualisation de Dieu et toute systématique. Aussi aucune image ne nous paraît-elle plus appropriée pour désigner l'originalité, la précision, le retrait de la communication divine ainsi médiatisée que celle de la trace : Jésus est la trace du Dieu insaisissable, nous ayant livré son Nom, son Fils et donné son Esprit.

La trace est une image empreinte de modestie. Elle n'enferme pas dans une définition, elle indique un rapport... Des pas dans la neige ou le sable sont des traces : ils témoignent à coup sûr du passage d'un être précis. Dans la grotte des Eyzies, est imprimée dans le calcaire la trace d'un pied de femme ; elle est accompagnée de celle d'un pied d'enfant. Ces empreintes remontent à 30 000 ans. Les traces sont précises, rigoureuses, elles sont celles d'une femme et d'un enfant, mais ces traces sont des signes ouverts : à jamais les visages de cette femme et de cet enfant sont perdus. Précision, modestie, ouverture, telles sont les connotations de cette image : la trace.

Jésus est la trace du Dieu insaisissable. La trace est précise, rigoureuse : il s'agit de Dieu impliqué dans l'action et la parole d'un être humain dont le souvenir réinterprété par les croyants ne masque cependant pas les options et le comportement.

Elle est ouverte : elle désigne l'action de Dieu et Dieu sans les enclore, elle indique une direction, elle ne définit pas. Elle donne à rêver, à prier, et à agir.

Elle est modeste : à partir de son signe, elle indique Dieu comme l'Insaisissable, comme le sans-visage.

Ainsi la communication de Dieu est liée à un visage, mais celui-ci ne nous est plus accessible : une trace demeure, l'Ecriture comme souvenir et appel que l'Esprit actualise. Cette trace est précise, limitée, fragile, ambiguë : c'est à partir d'elle, dans la Communauté qui la discerne et l'interprète, que le Nom au-dessus de tout nom est évoqué et invoqué.

Dieu parle, dit le titre de l'exposé. Dieu n'informe pas : il laisse surgir un Nom qui s'articule à une prière. Le cri des hommes dans la souffrance et l'agonie, le cri des hommes dans la joie ou l'émerveillement, s'adressent à ce Nom. Ces cris ne furent pas et ne sont pas sans laisser, eux aussi, une trace. En réponse au Nom livré, ils marquent le mouvement de l'Ecriture, ils révèlent les espoirs d'un peuple pour lequel le Nom était agissant. Ils attestent dans l'Eglise que l'espérance dans la venue du Royaume n'est pas encore éteinte et que le Nom est encore agissant.

Le Nouveau Testament a disséminé le Nom sans le détruire, il a assuré le cri sans le rendre vain.

Il a disséminé le Nom : le mouvement de l'invocation l'attribue à trois instances qui orientent l'attitude du croyant : le Père, le Fils et l'Esprit. La dissémination n'est pas abolition de l'unité, elle est une autre pensée de l'unité : l'échange et la communion sont dominants. Le croyant est appelé à entrer dans ce mouvement.

Il ne rend pas vain le cri : la souffrance et la mort ne cessent d'œuvrer, mais un Nom, un visage et une trace assurent le croyant, dans un doute surmonté par l'Esprit qui donne le goût de la vie, que la fascination de la mort et le vertige du néant ne sont pas les derniers mots de la sagesse. L'Esprit anticipe cette assurance : il atteste Dieu comme extase sans retombée, amour sans retour, don sans reprise, mouvement sans fatigue, échange sans conflit, joie sans lassitude, vie sans menace. Il témoigne que le vivant dont on invoque le Nom nous ouvre sa communion : elle est signifiée par les images du Père, du Fils et de l'Esprit. Dieu parle, il n'informe pas, il fait alliance invitant au goût d'une vie autre que celle marquée par la haine, la mesquinerie, la mort. Cet appel n'est pas repos, le chemin de conversion est un chemin de nuit. «La pensée montant du plus profond du cœur que non seulement existe l'impérissable Amour, mais encore qu'il ne pouvait pas ne pas être, peut conduire un individu plus près encore de l'abîme sans angoisses et créer en lui d'incroyables bouleversements. Là-bas le brasier rouge-sombre continuera de brûler en silence dans l'épaisseur de la nuit : il brûle depuis toujours, sans jamais se consumer, de par sa libre nécessité[50].»

---

50. G. MOREL, *Questions d'homme : l'Autre*, Paris, 1977, p. 199.

BIBLIOGRAPHIE

Aucun ouvrage ne s'impose absolument dans le domaine des études sur la «révélation» et la «parole de Dieu». Les ouvrages énumérés ci-dessous renvoient à ce qu'il me paraît utile de connaître, au moins à titre d'information, si on désire mener une investigation plus approfondie de ces questions.

Vatican II, Constitution dogmatique *Dei Verbum*, texte latin et traduction française par J.-P. Torrell, commentaires par B.-D. Dupuy, etc., Paris, 1968.
Le commentaire qui intéresse spécialement la question ici traitée est celui de H. de Lubac, t. 1, pp. 157-302.

K. Barth, *Dogmatique I : la Doctrine de la Parole de Dieu*, Genève, 1953-54.
La lecture de ce premier volume de la traduction française est indispensable. La doctrine de K. Barth a eu une influence considérable sur la problématique de la théologie catholique, même si cette influence s'est quelque peu estompée pendant la dernière décennie.

P. Beauchamp, *l'Un et l'Autre Testament. Essai de lecture*, Paris, 1976.
Ouvrage à lire, bien que difficile d'écriture ; essai original d'interprétation structurale du rapport entre les deux Testaments, conduisant à une compréhension remarquable du processus de la révélation biblique. Ce livre est à recommander.

I. Berten, *Histoire, Révélation et Foi. Dialogue avec W. Pannenberg*, Bruxelles, 1969.
Ceux qui ne peuvent lire les ouvrages de W. Pannenberg trouveront ici une présentation honnête de ses opinions et une discussion approfondie de leurs conséquences.

R. Bultmann, *Foi et Compréhension*, t. 1 : *l'Historicité de l'homme et la Révélation*, traduit par A. Malet, Paris, 1970.
Les articles rassemblés dans cet ouvrage sont tous d'un intérêt considérable pour l'histoire de la théologie contemporaine dans le domaine de l'herméneutique.

E. Cassirer, *la Philosophie des Lumières*, Paris, 1966.
Une étude de l'interprétation de la révélation chrétienne dans la modernité sera grandement aidée par ce livre intelligent et clair.

E. Cornélis, E. Lévinas, E. Haulotte, Cl. Geffré, P. Ricoeur, *la Révélation*, Bruxelles, 1977.
Discussion approfondie, dans le double cadre de l'herméneutique et des nouvelles sciences du langage, du problème de la révélation.

A. Dumas, *Nommer Dieu*, Paris, 1980.

G. Ebeling, *Théologie et Proclamation*, Paris, 1972.

Id., *Dogmatik des christlichen Glaubens*, Tübingen, 1979, t. 1, pp. 1-157.
Ces deux ouvrages permettent une bonne connaissance d'une théologie dont l'axe est l'image de la parole et dont l'organisation interne est déterminée par la symbolique trinitaire.

P. Eicher, *Offenbarung. Prinzip neuzeitlicher Theologie*, Kösel, Munich, 1977 (la théologie nouvelle comme critique de l'Aufklärung et de l'athéisme).

B.-D. Dupuy, art. «Révélation», in *Encyclopædia Universalis*, t. XIV, pp. 194-196, Paris, 1968.

F. Ferré, *Le langage religieux a-t-il un sens ? Logique moderne et foi*, Paris, 1970.

P. Gisel, *Vérité et Histoire, la Théologie dans la modernité, E. Käsemann*, Paris, 1977.
On ne saurait trop recommander la lecture de cet ouvrage érudit et clair. Il établit les enjeux de la foi chrétienne dans le mouvement issu des Lumières et pose à nouveaux frais les questions du langage théologique en tant que réinterprétation de la révélation biblique dans une civilisation pour laquelle la liberté est le concept clef.

K. Jaspers, *la Foi philosophique face à la Révélation*, Paris, 1973.

R. Latourelle, *Théologie de la Révélation*, Bruges, 1963.
Cet ouvrage est honnête, scolaire. Il informe sur l'état de la question.

Mysterium salutis. Une Dogmatique de l'histoire du salut.
T. 1. — A. Darlap et H. Fries, *Histoire du salut et Révélation*, Paris, 1969.
T. 2. — P. Lengsfeld, H. Haag, G. Hasenhüttl, *la Révélation dans l'Ecriture et la Tradition*, Paris, 1969.
T. 3. — H.U. von Balthasar, J. Feiner, K. Lehmann, M. Löhrer, K. Rahner, A. Stenzel, B. Studer, *l'Eglise et la Transmission de la Révélation*, Paris, 1969.
Ces trois tomes sont bien informés des questions ; toutefois ils sont d'un style lourd et inutilement compliqué. L'apport positif n'est pas en relation avec l'effort de lecture exigé.

A. Neher, *l'Essence du prophétisme*, Paris, 1955.

W. Pannenberg, R. Rendtorff, etc., *Offenbarung als Geschichte*, Göttingen, 1970.
Etude fondamentale pour la question de la révélation dans le cadre moderne d'une pensée sur l'histoire.

G. von Rad, *Théologie de l'Ancien Testament*, t. I et II, Genève, 1967.
Cet ouvrage est indispensable à une étude génétique du cadre organisant la Révélation biblique.

A. Vergote, *Interprétation du langage religieux*, Paris, 1974.
Cet ouvrage étudie, sur un arrière-fond de psychanalyse, des concepts et des symboles d'un usage commun dans la transmission de la Révélation.

J'ajouterai volontiers à cette liste déjà longue quatre ouvrages ayant trait aux méthodes et aux herméneutiques :

J.-P. Gabus, *Critique du discours théologique*, Neuchâtel, 1977.
A mon avis, un des meilleurs exposés sur les problèmes attenant à la construction du langage théologique et par conséquence à ceux qui ont rapport à la « parole de Dieu ».

H.G. Gadamer, *Vérité et Méthode. Les grandes lignes d'une herméneutique philosophique* (trad. partielle), Paris, 1976.
Les interprétations de cet auteur ont eu de grandes répercussions dans la théologie moderne. Elles lui ont donné une possibilité de s'affirmer dans l'ensemble du savoir et de ne plus avoir honte, à tort ou à raison, de sa spécificité.

P. Ricoeur, *le Conflit des interprétations. Essais d'herméneutique*, Paris, 1969.

Id., *la Métaphore vive*, Paris, 1975.
Ces deux ouvrages, de structure et de nature différentes, touchent de façon originale aux questions du langage si importantes dans l'étude de la « parole de Dieu ».

DEUXIÈME PARTIE

MESSIANISME ET RÉDEMPTION : DIEU SAUVE

A. MESSIANISME

LE MESSIANISME

par BERNARD DUPUY

Introduction

Pour caractériser ce qui distingue la révélation judéo-chrétienne des philosophies ainsi que des autres religions, les plus grands penseurs — il suffira de citer ici Pascal, Kierkegaard et Rosenzweig — mettent en relief unanimement son sens du temps et son rapport à l'histoire. La métaphysique, à travers la physique, suppose un rapport à la perception de l'espace. La révélation, en tant qu'elle est la trace dans la pensée d'un événement absolument orginal et irréductible, différent des événements ordinaires, implique un sens du temps. Aussi a-t-on pu dire à juste titre que le judaïsme et le christianisme ne rentrent pas dans la catégorie des religions, qui se reconnaissent toujours un certain lien avec les philosophies et qui définissent un rapport général et permanent de l'homme à Dieu. La révélation judéo-chrétienne est un *novum* : elle est liée à un événement spécifique et à une interprétation particulière de l'histoire. Mais — et c'est là le paradoxe — elle est en même temps et du même coup ce qu'il y a de plus universel. Car cet événement embrasse tout le réel depuis la création même, il situe l'homme dans un dessein de Dieu à l'égard du monde et il livre une approche nouvelle de l'existence humaine dans son devenir.

La Bible est sous-tendue, du premier verset jusqu'au dernier, par une espérance qui structure le temps. On peut la signifier en ses trois moments fondamentaux : création, révélation et rédemption. L'origine, en effet, *se remémore* sur le mode narratif, le présent *se révèle* à travers une parole qui désigne l'événement sur le mode indicatif et l'avenir *s'annonce* sur le mode prophétique [1].

C'est un des constats les plus étonnants de la science comparée des religions qu'une espérance semblable se retrouve chez les peuples les plus divers, les plus primitifs ou les plus évolués, et dans tous les temps. Mais, dans la Bible, cette espérance ne plane pas dans

---

1. Cf. F.-W. SCHELLING, *les Ages du monde*, introduction : « le passé est connu, le présent est constaté, le futur est pressenti. Le connu est raconté, le constaté est exposé, le futur est prophétisé. »

l'inconnu et dans l'indéfini. Elle n'est pas réductible à un vague sentiment ou à une croyance indécise. Elle n'est pas le reflet d'une quelconque péripétie politique. Elle traverse l'histoire de tout un peuple et elle doit se sceller dans la manifestation, dans l'épiphanie d'un membre de ce peuple. Elle a un *nom :* l'attente du messie.

CHAPITRE PREMIER

Origine du terme
et problèmes d'interprétation

1. L'« onction » dans l'Ancien Testament

a) Le mot *mashiah,* en hébreu, signifie « oint ». A l'origine, ce ne sont pas des hommes, mais toujours des objets qui sont oints et qui deviennent ainsi indicatifs du sacré : le lieu saint n'est pas sacré en soi, il ne l'est qu'en tant qu'il est le rappel d'un événement, dont il immémorialise le souvenir. Ainsi Jacob, à Bethel, érige la pierre sur laquelle il a vu en songe la descente et la montée des anges ; il lui confère l'onction d'huile et la transforme en stèle sacrée.

A l'onction de la pierre, Jacob associe un vœu : « si le Seigneur garde ma descendance dans ses voies, s'il me donne de revenir sain et sauf de l'exil…, cette stèle deviendra une maison de Dieu » (Gn 28, 10-22). Le lieu indicatif de la rencontre deviendra centre de pèlerinage pour tous les enfants de Jacob.

b) Dans la législation sacerdotale, c'est l'Arche d'alliance qui est ointe, et, en même temps qu'elle, le grand prêtre (Ex 30, 26-33), à l'exclusion de toute autre personne. Cette prescription montre que le peuple se réfère désormais, non plus seulement aux patriarches, mais à l'événement de la sortie d'Egypte. L'objet que l'on met à part, maintenant mobile, est l'Arche, le sacramental, prescrit par Dieu à Moïse, de l'« endroit fixé pour mes rencontres avec toi » : le sacerdoce y joue un rôle propre en tant que témoin de ces rencontres (Ex 30, 36).

c) Quand l'Arche fut fixée à Jérusalem, lieu où par l'entremise de David « Dieu a fait habiter son nom » (Dt 12,5) et où Israël eut un roi, celui-ci devint à son tour « l'oint (messie) du Seigneur ». Appliqué à David et à sa dynastie, le terme qui jusque là n'était qu'un adjectif qualificatif prend déjà valeur de substantif. Mais il sert à désigner l'idéal du roi, le roi en tant que conforme à la vocation qu'il doit remplir, c'est-à-dire, bien plus que le roi présent, le roi de l'avenir, celui qui accomplira en plénitude la fonction confiée à David. Dès le départ, le mot « messie » introduit une tension entre une signification immédiate, historique, politique (un « déjà » : David est lui-même un oint, il peut être dit messie) et une signification lointaine, mystérieuse, métapolitique (un « pas encore » : David fonde une attente et esquisse la figure d'un messie eschatologique). David n'est pas oint que pour soi. Il se trouve investi dans une fonction qui le dépasse. Son histoire personnelle le mène au-delà de lui-même : elle introduit à une métahistoire. N'est roi en Israël que celui qui remplit cette condition de répondre au projet divin qui repose sur lui. Plutôt que roi (*melekh*), celui qui présidera aux destinés d'Israël est d'ailleurs souvent désigné par d'autres mots[2]. La fonction du messie en tant qu'homme renvoie à la parousie de la messianité qu'il est appelé à manifester.

2. Le problème de l'exégèse des textes messianiques

Ce fait linguistique — le passage de l'attribut au sujet d'attribution —, qui se signale dès l'origine, doit être relevé, car il est à la clef du problème soulevé par l'exégèse des « passages messianiques » de la Bible. Quand un texte doit-il être retenu comme ayant une portée formellement messianique ? L'emploi du terme *mashiah* ne suffit pas à lui seul à donner à une péricope biblique un sens messianique. Ainsi, quand Cyrus est qualifié de « messie » (Is 45,1), il est clair que ce terme est ici un adjectif ; il signifie que Cyrus a agi à titre d'instrument des desseins de Dieu mais non pas que Cyrus est le Roi attendu par Israël. Inversement de nombreux textes où le mot ne figure pas ont pu être considérés à juste titre par le midrash comme ayant une portée messianique.

A la limite, toute la Bible peut être lue messianiquement. La détermination des « passages messianiques » de l'Ecriture n'est donc pas possible en soi, du seul point de vue littéral. Elle ne joue pas de façon absolue. Elle relève d'une question herméneutique.

On doit même dire, à l'inverse, que c'est précisément cette possibilité offerte par la Bible de l'interprétation de l'Ecriture tout entière comme attente de l'événement messianique qui soulève tout à

---

2. En Ez 7, 27 ; 34, 24, etc., le descendant de David attendu est appelé *nasi* (prince). En Ez 34, 23-24 et 37, 24-25, il est appelé *eved* (serviteur). En Is 4, 2 ; Jr 23, 5 ; 33, 15 ; Za 6, 12, il est appelé *tsemah* (germe). En Is 11, 1, on trouve *netser* (rejeton). Il est aussi appelé *sar* (prince), mot qui signifie aussi « principe » et se retrouve dans le nom même d'Israël. Le terme de *mashiah* fera sa réapparition en Dn 9, 25 après toutes ces métamorphoses.

la fois la question de la spécificité de la Bible comme écriture et la question herméneutique de la méthode d'interprétation des textes.

On retiendra donc ici comme « textes messianiques » les passages qui ont au sens profond, pour le midrash, une portée messianique et qui, en outre, contiennent l'affirmation expresse, directe de l'attente du messie[3]. Mais il est clair que la compréhension véritable du messianisme dans l'Ecriture ne saurait reposer sur ces seuls textes.

3. Le développement de l'idée messianique

On ne peut donc aborder la question du messianisme dans la Bible en supposant que l'idée messianique serait une notion claire en elle-même et définie d'avance. Aussi, dans un premier temps, est-il nécessaire de suivre une démarche génétique, tracée par la Bible elle-même. On peut remarquer que l'attente messianique s'est précisée, au long de l'histoire du peuple d'Israël, en trois temps.

a) On voit tout d'abord désignés comme « oints » un certain nombre d'hommes, qui ont été mis à part par Dieu pour une tâche particulière : on dirait aujourd'hui que ces hommes étaient des « charismatiques » et qu'ils ont été reconnus comme ayant répondu à la vocation qu'ils avaient reçue. De là l'onction des rois, de certains prophètes et des grands prêtres, onction qui consacre leur élection et manifeste que leur fonction n'est pas l'émanation d'un pouvoir issu du peuple. Le geste de l'onction n'est cependant lui-même qu'indicatif d'une mission à laquelle l'élu doit se référer ; il ne garantit pas que ses actions seront en tout conformes à celle-ci. Au contraire la distance qui demeure entre celles-ci, fussent-elles justes, et leur réalisation véritable dans la personne du messie attendu vient creuser la dimension de cette attente et fortifier l'espérance en la venue de cet oint dont la fidélité viendra garantir et sceller l'authenticité de la mission d'Israël.

b) Aussi voit-on, en un second temps, en particulier chez les prophètes, se dessiner l'affirmation que l'histoire d'Israël sera scandée

---

3. Pour une compréhension du rapport entre le sens littéral et le midrash, cf. R. BLOCH, « Ecriture et tradition dans le judaïsme : aperçu sur l'origine du midrash », in *Cahiers sioniens*, t. 8, 1954, pp. 1-34 ; R. LE DÉAUT, « A propos d'une définition du midrash », in *Biblica*, t. 50, 1969, pp. 395-413 ; art. « Midrash », in *DBS*, vol. V, col. 1263-1281 (par Renée Bloch).

par des moments décisifs (« en ce jour-là »…), qui peuvent être mis en rapport avec les grands événements de l'histoire universelle. Un lien se fait jour entre la venue du messie attendu et l'histoire des nations. Les temps apparaissent ouverts en liaison avec l'histoire, avec le peuple et avec la terre d'Israël. De là l'attente d'un « jour du Seigneur » et d'une « ère messianique », qui sera liée à la venue du Roi-messie.

Enfin, à partir du second siècle avant l'ère chrétienne, cette attente encore confuse se précise. Soit par une attention plus vive à la « fin des temps » (cette première perspective dans les apocalypses, qui, bien que pour la plupart non canoniques, ont un fondement biblique) : on attend une sorte de cassure de l'histoire et de renouveau complet lié à des événements historiques. Soit par la conviction que le messie attendu viendra « dans l'aboutissement des jours » (*be-aharit ha-iamim*), instaurer la paix et la justice, rétablir la royauté d'Israël et amener les nations à reconnaître l'élection d'Israël (cette seconde perspective dans le courant pharisien et rabbinique) : on attend alors plutôt un renouvellement de l'humanité et, concurremment avec celui-ci, un renouvellement intérieur du peuple juif, l'alliance de Dieu avec Israël prenant la dimension d'une « nouvelle création ».

CHAPITRE II

L'attente du messie
dans la Bible

Une compréhension intégrale du messianisme supposerait qu'on puisse faire émerger les différents niveaux de sens de chacun des versets de l'Ecriture. A ce prix seulement, on pourrait acquérir une vision profonde de l'attente messianique dans la Bible.

Le but qu'on se propose dans les paragraphes qui suivent est plus classique et plus modeste. Il consiste à traquer l'affleurement de la terminologie messianique dans la Bible dans les lieux majeurs où la tradition a reconnu qu'elle s'est fait jour.

1. La bénédiction de Juda (Gn 49, 8-12)

Les dernières paroles du patriarche Jacob ont toujours été considérées comme revêtues d'une portée eschatologique : elles visent «l'aboutissement des jours», c'est-à-dire les temps qui viennent (Gn 49, 1 : *aharit ha-iamim*)[4]. Jacob annonce à ses fils la prééminence que la tribu de Juda exercera sur les autres tribus et même son autorité au-delà d'Israël, sur tous les peuples. Le verset 10 déclare que cette autorité durera jusqu'à la venue d'un personnage (*ad ki iavo shiloh*) qui sera reconnu même par les nations. Le terme *shiloh* ne peut être interprété, comme on l'a suggéré parfois, comme se rapportant à la ville de Shilo, lieu où l'arche d'alliance avait été déposée. Le terme *shiloh* (celui à qui) implique une désignation, indéterminée mais individuelle[5]. Il faut traduire, conformément à l'interprétation

---

4. L'expression *aharit ha-iamim,* employée pour la première fois dans la Bible en Gn 49, 1, signifie littéralement la «consécution des jours». Elle évoque davantage l'*ouverture* du temps que la *fin* du temps. L'un n'exclut pas l'autre, mais il est important d'insister sur cette tonalité biblique fondamentale, dont on doit souligner la portée existentielle.

5. Certains auteurs de tendance critique (S. Zeitlin, Z. Werblowsky) prétendent parfois qu'on ne relève, dans tout l'Ancien Testament, aucune

clairement indiquée en Ez 21, 32 : « jusqu'à ce que vienne celui à qui le sceptre est destiné » (M.-J. Lagrange, R. de Vaux). On obtient ainsi le sens suivant :

> Le sceptre ne s'éloignera pas de Juda
> ni le bâton de chef d'entre ses pieds
> jusqu'à la venue de celui à qui il est destiné
> et à qui obéiront les peuples (Gn 49, 8).

Les versions sont unanimes à témoigner clairement de cette lecture messianique (LXX : *Kai autos prosdilia ethnôn* ; Vulgate : *Et ipse erit exspectatio gentium*), les Targums (P. Jonathan, Onqelos) et les documents de Qumran (4 Q, col. 1) également[6]. La tradition chrétienne et la tradition juive sont donc en accord sur ce point.

Si le Talmud est témoin de l'exégèse dominante, à savoir l'interprétation individuelle[7] (Shiloh sera même interprété en général comme étant un des noms du Messie), il faut noter toutefois que celle-ci n'exclut pas une autre tradition exégétique fort ancienne représentée par le Targum Neofiti et attestée par les fresques de Doura Europos[8], qui étend la souveraineté eschatologique dont il est ici question, au-delà du pouvoir royal, aux maîtres chargés de l'interprétation de la Torah : « Les rois ne manqueront pas dans la maison de Juda ni les scribes docteurs de la Loi parmi les fils de ses fils, jusqu'à ce que vienne le roi-messie à qui appartient la royauté et à qui obéiront les peuples » (Targum Neofiti). On a ici la trace d'un messianisme déjà à l'œuvre dans le temps et collectif. Un messianisme prophétique est maintenant associé au messianisme royal. Les auteurs juifs médiévaux présenteront sur la base de ce texte la fidélité à la Torah comme un critère essentiel des temps messianiques.

---

mention d'un messie eschatologique individualisé. On ne la rencontrerait chez les rabbins que parce qu'ils ont voulu faire pièce à la vigueur de l'interprétation chrétienne. Ils auraient ainsi fait à celle-ci une importante concession. Il est toujours possible d'élever cette objection. Il est exact, par exemple, que l'expression *ha-mashiah* (le messie, avec l'article) est absente de la Bible. Il est exact aussi qu'en Ez 21, 32, il s'agit littéralement du roi de Babylone. Mais si l'interprétation traditionnelle, juive ou chrétienne, en a jugé différemment, c'est qu'elle lit la Bible en mettant en relief sa cohérence globale et, de ce point de vue, une telle opinion n'est pas soutenable.

6. Cf. A. Dupont-Sommer, *les Ecrits esséniens découverts près de la mer Morte*, Payot, Paris, 1960, p. 328.

7. L'interprétation messianique de *shiloh iavo* est appuyée encore par la guématrie : la valeur numérique du mot *mashiah* (358) est la même que celle des mots *ad ki iavo shiloh*.

8. Cf. C.H. Kraeling, *The Synagogue (Excavations at Dura-Europos)*, Final Report, Part I, New Haven, 1956, pp. 220, 352 ; R. Wischnitzer, *The Messianic Theme in The Painting of the Dura Synagogue*, Chicago, 1948.

2. Les oracles de Balaam (Nb 24, 3-9.15-19)

Ce second texte est étroitement parallèle au premier. Il annonce la royauté d'Israël, à laquelle Balaam a fait déjà une allusion en Nb 24, 7 b, sous les symboles de l'étoile et du sceptre.

Je le vois, mais non pour maintenant
Je l'aperçois, mais non de près.
De Jacob, une étoile s'est levée ;
d'Israël, un sceptre a surgi.
Il frappe les tempes de Moab
et le crâne de tous les fils de Seth (Nb 24, 17).

L'accession de David à la royauté conférera à cet oracle son actualité. Mais sa portée eschatologique lui donne aussi une valeur s'étendant, au-delà de la personne de David, au messie à venir[9].

En interprétant l'étoile par « un homme » (*anthrôpos*) et les fils de Seth par « tout le genre humain », la Septante semble avoir été le témoin fidèle de l'interprétation de son temps. En soulignant le sens universaliste du texte, elle en dégage aussi le caractère messianique.

A Qumran, l'oracle de Balaam se revêt d'une sorte d'urgence. Il est interprété comme relatif à la victoire d'Israël sur l'Empire romain (du fait de la mention au v. 18 d'Edom qui, à travers le personnage du roi Hérode, incarne le monde romain)[10] et comme annonçant explicitement la « communauté de Damas » : « L'étoile, c'est le scrutateur de la Torah, qui est venu à Damas. Le sceptre, c'est le prince de la congrégation et, à son avènement, il abattra tous les fils de Seth » (Document de Damas, VII, 18-21). Comme dans le cas de Gn 49, 8, la dimension prophétique du messianisme est associée à la dimension royale. L'attente d'un personnage prophétique, authentique interprète de la Torah, vient ici doubler ou anticiper celle du personnage royal[11].

---

9. Interprétation confirmée par les futurs employés en Jr 30, 9 « David, leur roi, que je *placerai* à leur tête » et Ez 37, 25, « David mon serviteur *sera* leur prince pour toujours ». Cf., sur l'exégèse de ces textes, E. LÉVINAS, *Difficile liberté*, Albin Michel, Paris, 1963, pp. 123-124.

10. Cf. A. DUPONT-SOMMER, « le Chef des rois de Yâwan dans l'écrit de Damas », in *Semitica*, t. 5, 1955, pp. 41-57. Il s'agirait de Pompée qui s'empara de Jérusalem en 63.

11. Elie était dans la secte de Qumran considéré comme le grand prêtre eschatologique (cf. Testament de Ruben, 6 ; de Siméon, 7 ; de Lévi, 2, 8, 18). A lui reviendrait de désigner et d'oindre le messie, fils de David (cf. Kittel, *TWNT*, t. II, p. 936, note 50). Cette tradition pourrait expliquer l'indication

Cet oracle a eu un destin extraordinaire. Il est évoqué avec sa portée messianique dans le Nouveau Testament (Mt 2, 2). Un peu plus tard, lors de la révolte juive contre Hadrien en 131-135, quand certains commencèrent à attribuer au mouvement une portée messianique, le chef de l'insurrection, Siméo ben Koseba, modifia son nom en celui de « fils de l'étoile » (*bar Kokbha*) [12].

3. La prophétie de Nathan (2 S 7) et le titre de « messie, fils de David »

Au moment où la royauté fut instaurée avec Saül (2 S 11, 12-15), elle fut considérée comme une concession faite au peuple (1 S 10, 17-27). La royauté, en effet, demeurerait fragile et contestable si elle n'était qu'une réalité charismatique. Elle n'a de sens en Israël, que si elle est l'expression d'une vocation messianique. Sa légitimité suppose que le peuple accepte d'être conduit par son roi selon la Torah (Dt 17, 14-20). Le roi en Israël devra donc être différent des autres rois : il ne sera pas seulement élu, il sera oint (*mashiah*). Cette disposition institutionnelle, inaugurée lors de l'onction de David par Samuel (1 S 16, 1-13), a conféré au messianisme hébraïque la terminologie appropriée qu'il n'avait pas encore reçue jusque-là.

On ne saurait signifier de façon plus nette que la royauté est au service de l'Alliance, et non l'inverse. L'onction est la marque que la royauté est davantage une responsabilité qu'une prérogative. Le premier personnage « oint » avait été le grand prêtre, Aaron. Pour indéniables qu'elles soient, les comparaisons que l'on peut établir entre la royauté d'Israël et les autres monarchies du Proche-Orient demeurent superficielles si l'on ne tient pas compte de cet élément, qui retourne le pouvoir en service à l'instar de la fonction sacerdotale. A ce titre, Israël ne saurait se considérer comme « une nation comme les autres », bien que ce soit là un vœu naturel permanent du peuple (1 S 8, 5 ; 20).

« venant à Damas » (Doc. de Damas VII, 19) comme suggérée par 1 R 19, 15 où Elie est invité à gagner le pays de Damas pour oindre Jéhu. Le « Messie d'Aaron » de Qumran serait l'expression de cette attente de l'Elie *redivivus*, grand prêtre eschatologique.

12. Il est probable que la tradition selon laquelle Rabbi Akiba lui-même salua en Bar Koseba le messie attendu par Israël est une addition tardive. Mais il est certain que les motifs de la révolte de ce dernier ont été principalement d'ordre religieux et ont eu des aspects messianiques. Cf. P. SCHÄFER, « The Causes of The Bar Kokhba Revolt » in *Studies in Aggadah, Targum and Jewish Liturgy in Memory of Joseph Heinemann*, (J. Petuchowski et E. Fleischer, éd.), Jérusalem, 1981, pp. 74-94.

La prophétie de Nathan (2 S 7, 12-16) qui, après la fixation de l'Arche à Jérusalem, étend ce qui est dit du roi David à sa descendance, est ainsi la charte du messianisme : « Quand tes jours seront accomplis et que tu seras couché avec tes pères, je maintiendrai après toi le lignage issu de tes entrailles et j'affermirai sa royauté. C'est lui qui construira une maison pour mon Nom et j'affermirai pour toujours son trône royal. Je serai pour lui un père et il sera pour moi un fils... Ta maison et ta royauté subsisteront à jamais devant moi, ton trône sera affermi à jamais ». La prophétie repose sur le double sens du mot *bait*, maison-temple et maison-dynastie, et considère la maison bâtie pour l'Arche sainte par David comme l'acte de fondation d'une dynastie qui ne périra pas. En raison de l'Alliance, que David est appelé à servir, on peut dire que ce n'est pas David qui construit un *bait* (un temple) pour Dieu, mais Dieu qui construit un *bait* (une dynastie) pour David. Il y a là sans doute un rappel du nomadisme fondamental d'Israël, qui demeure en dépit de toute sédentarisation. Cela signifie que le lieu auquel la présence divine s'attache gardera toujours un caractère de demeure provisoire. Mais il y a surtout l'affirmation que ce n'est pas le lieu bâti, l'édifice de pierre, qui sera la référence de la présence : ce sera la descendance. Aussi, comme le souligneront à l'envi les psaumes (89, 30-38 ; 132, 11-12), il existe désormais entre Dieu et le peuple d'Israël une relation faite à la fois d'exigence et de fidélité. Les prophètes rappelleront à leur tour que cette relation est une relation de père à fils (Ex 4, 22 ; Os 11, 1), le père ayant à exercer un rôle d'éducation à l'égard de son fils et à le châtier en cas de péché. En vertu de ce lien, chaque chaînon de la dynastie devra se souvenir de la tâche qui lui incombe.

On s'étonne que certains exégètes modernes (en particulier Gressmann), étonnés par le silence du Targum (accusé de véhiculer des espoirs de restauration politique ?) ou par le fait que la Bible ne désigne nulle part le messie par le titre de « fils de David », aient voulu écarter l'interprétation messianique de la prophétie de Nathan. Pourtant, la communauté de Qumran relie expressément le texte à Gn 49, 10 en l'interprétant à l'aide de Jr 23, 5 (4 Q. Flor 1, 10-13). Le titre de « messie, fils de David », est bien attesté dans ce texte de Qumran ainsi que dans la prière du Temple (Psaumes de Salomon XVII, 5, 23 ; XVIII, 8) et dans la quinzième bénédiction de l'Amidah [13] avant de l'être dans les évangiles. Ainsi la prophétie de Nathan a indubitablement servi de support à l'attente du messie à

---

13. Qui date certainement du premier siècle de l'ère chrétienne. Cf. I. ELBOGEN, *Der jüdische Gottesdienst in seiner geschichtlichen Entwicklung*, Francfort 1931, rééd. G. Olms, Hildesheim, 1967, pp. 27-41 ; G. VERMÈS, *Jésus le juif*, Desclée, Paris, 1978, p. 176.

venir. Mais c'est un fait que, si l'attente messianique a eu un caractère royal accentué chez Jérémie (33, 15) et Ezéchiel (17, 22-24 et surtout 21, 32) et dans l'application du terme de «germe» à Zorobahel, descendant de David (Za 6, 12), ce qui était attendu en fait était moins le retour même de la royauté en Israël que la venue d'un descendant davidique qui serait fidèle à son office (2 R 8, 19 ; Ps 18, 1 ; 89, 4, 21). En Ez 34, 23-24 ; 37, 24-25, ce descendant légitime est qualifié simplement de «serviteur» (eved) et le terme «oint» (mashiah) est absent. Le critère essentiel, c'est qu'il «réalisera le droit et la justice» (Jr 23, 5). Ainsi la tradition sadoqite, elle-même si légitimiste (Règle de Qumran II, 24, 26), et qui se réclamait d'Ezéchiel, a-t-elle pu un moment laisser de côté le titre de roi dans la qualification du messie davidique.

Dans cette perspective, on comprend que le débat ait pu s'instaurer chez les pharisiens pour savoir si le «messie fils de David» attendu devrait être un descendant de David, au sens strict et légitimiste du terme, ou s'il le serait surtout au sens moral, en tant que prince revêtu de ce titre parce qu'il en vérifierait les qualités propres. C'est la question au sujet de laquelle Jésus a interrogé les maîtres sadducéens dans le Temple (Mc 12, 35-37 a). La signification de l'expression fut alors interprétée par Jésus dans un sens qui était vraisemblablement celui des pharisiens, en invoquant le Ps 110, auquel Pierre renverra de nouveau en Ac 2, 34-35 : le messie est appelé «fils de David» car David a regardé le messie comme son «maître» (adôn). Cela n'empêchera pas le Nouveau Testament, à la suite de Pierre (Ac 2, 30) et de Paul (Rm 1, 2-4 : «selon la chair», c'est-à-dire probablement par Marie), de présenter une double généalogie davidique de Jésus (par Joseph, Mt 1, 16 et Lc 3, 23).

4. Les allusions messianiques dans les Psaumes

Les allusions messianiques sont nombreuses dans les Psaumes. On s'en tiendra aux deux principales, celles qui ont le plus été l'objet de discussions.

Le Ps 2 se rapporte directement à David. A ce titre, il n'est pas dit strictement messianique. Mais l'interprétation chrétienne a reconnu un sens messianique aux versets 7 et 12 [14]. L'expression du verset 12 *nashqu bar* a fait couler beaucoup d'encre et suscité d'innombrables interprétations. Le sens «fils» pour le mot *bar,* qui sera courant en

---

14. On notera cependant que lorsque Luc 3, 22 invoque Ps 2, 7, c'est dans le contexte non pas de la naissance, mais du baptême de Jésus.

araméen, ne paraît pas pouvoir être accepté. La traduction : « attachez-vous à ce qui est pur » (retenue déjà par S. Jérôme) paraît la plus probable. Elle met au premier plan l'aspect éthique, d'autant plus riche de sens que la racine *bor* (proche de celle de *bara*, créer) évoque précisément l'innocence, l'intégrité de la création dans sa conception première. On peut, en ce sens, reconnaître à ce verset une allusion messianique.

Le verset 1 du Ps 110, est rapporté par le targum à David et non au messie (*shev limini*, est traduit : « siège », c'est-à-dire « prête attention » au benjaminite, c'est-à-dire « à Saül » : interprétation restrictive et embarrassée, imposée vraisemblablement pour éviter l'interprétation chrétienne). T.B. Sanh 108 b et Rachi le rattachent à Abraham (« Siège à ma droite », car Abraham a été appelé à jouer un rôle d'intercesseur). Il semble bien cependant que ce psaume soit à mettre en rapport avec la promesse faite à David par l'intermédiaire de Nathan et que la tradition chrétienne ait gardé le sens premier du texte en comprenant : « Oracle du Seigneur à mon maître (c'est-à-dire à David) : siège à ma droite (c'est-à-dire sur le « trône de la royauté de Dieu sur Israël », cf. 1 Ch 28, 5, sur lequel tu as été invité à t'asseoir en vertu de l'onction royale) ». Le roi oint sera ainsi le bénéficiaire personnel de la stabilité et de la pérennité du trône de David. Il n'est donc pas interdit de donner à ce verset une portée messianique, même si celle-ci ne s'impose pas au nom du sens littéral. Le messie est comme le « fils adoptif » de Dieu. Son investiture n'est pas terrestre, mais bien céleste, comme celle de Melqisedeq. On sait que ce verset a joué un rôle considérable dans la qualification messianique de Jésus dans le nouveau Testament (cf. Mt 22, 44 ; 27, 11 ; 28, 18 ; Ac 2, 34, 35 ; Ap 19, 11-16).

5. Le livret de l'Emmanuel (Is 6, 1 à 9, 6)

Rien ne serait spécifiquement messianique dans ces chapitres du prophète Isaïe qui ont trait à la naissance du fils d'Achaz, le futur roi Ezéchias, s'il n'y avait, en finale, une allusion au « trône de David » (Is 9, 6). Cet oracle prophétique n'est donc pas messianique au sens strict, puisqu'il s'agit simplement de la naissance du fils du roi. Mais la perspective d'une naissance royale est revêtue en elle-même d'un aspect messianique, comme l'a reconnu l'interprétation traditionnelle juive puis chrétienne, car l'espérance d'Israël est suspendue à la venue d'un monarque qui soit fidèle aux exigences qui reposent sur lui.

Le caractère messianique du texte a été accentué par la traduction du mot hébreu *almah* (Is 7, 14) par *parthénos* dans la Septante. Le mot grec est plus précis que le terme employé dans la Bible. Le mot *almah* signifie « jeune fille nubile en âge d'enfanter ». Il sert aussi à désigner une « jeune fille d'origine princière ou royale » et c'est sans doute là le sens premier du terme dans le rouleau d'Isaïe. S'il ne connote pas ici la virginité, puisqu'il s'agit directement de la naissance d'Ezéchias, le mot *almah* évoque en revanche la fécondité, le secret qui se dissimule en tout engendrement (cf. Gn 24 43 ; Ex 2, 8 ; Pr 30, 19). Il indique donc bien une intervention divine dans la naissance, la part qui échappe à l'homme. De plus le nom donné à l'enfant, Emmanuel, a un caractère symbolique : il montre qu'Isaïe voit dans cette naissance, au-delà de la simple continuité dynastique, une œuvre de Dieu en vue du règne messianique évoqué ailleurs en Is 3, 1-6 et 11, 1-9. On n'oubliera pas non plus que le signe indiqué est principalement d'ordre éthique. Si le prophète annonce la continuation de la dynastie, il annonce aussi l'imminence des catastrophes qui menacent les agresseurs du royaume de Juda, parce que le roi Achaz avait sacrifié son fils aîné à Molokh. Isaïe établit ainsi une opposition entre la signification donnée par le roi à la vie de son fils aîné et celle du cadet. Comme dans tout le courant prophétique, la promesse dynastique faite par Nathan à David est rappelée comme le signe et la garantie de la fidélité à l'Alliance. C'est le sens qu'il faut attacher aussi aux titres messianiques énumérées en Is 11.

6. Le serviteur souffrant (Is 53) et le messianisme prophétique

De toute évidence, les oracles du « serviteur souffrant » d'Isaïe ne saurait être lus dans la ligne de la messianité davidique. S'ils ont été reçus comme messianiques, c'est qu'il existe une autre lignée d'oints, celle des prophètes. Mais il s'agit d'une onction de caractère différent, car celle-ci ne vise plus ici à désigner ni à établir une fonction. Jamais aucun prophète n'a été tenté de s'attribuer, voire d'accaparer, le titre de messie. Le prophète est plutôt le garant du messie ; il l'annonce et le précède. D'autre part il demeure juge à l'égard du roi, comme il reste libre à l'égard du prêtre. Il faut donc rattacher la qualification messianique du « serviteur souffrant » d'Isaïe directement à l'image du prophète, et non pas (comme l'ont voulu à tort Engnell, Burrows) à celle du roi.

Est-on en droit, pour autant, de parler d'un « messianisme prophétique » ? Il s'agit, en effet, d'une donnée différente. La souffrance fait partie de l'expérience personnelle des prophètes du vrai Dieu. L'interprétation juive traditionnelle considère d'abord que la description des souffrances de ce « serviteur » est celle d'un individu, bien qu'il soit difficile de déterminer celui-ci : il s'agirait d'Isaïe lui-même (cf. Is 50, 6), ou bien de Jérémie (Saadia Gaon), ou plutôt encore de Moïse, premier de tous les prophètes (cf. Is 53, 12), dont on sait quelle fut la destinée tragique dans sa fonction d'intercesseur. Mais le chapitre 53 d'Isaïe semble en même temps tourné vers l'avenir et avoir une portée lointaine [15]. Dans le nouveau Testament, l'eunuque de la reine Candace demande à Philippe : « De qui le prophète parle-t-il ? De lui-même ou de quelqu'un d'autre ? » (Ac 8, 34). Le targum d'Isaïe voit aussi dans ce texte une annonce prophétique :

> Voici que mon serviteur le messie prospérera ;
> il sera exalté, grandira, deviendra très puissant.
> De même que la maison d'Israël a espéré en lui durant
> des jours nombreux,
> car leur aspect était misérable parmi les nations
> et leur apparence, différente de celle des fils d'homme,
> ainsi dispersera-t-il des nations nombreuses.
> A cause de lui des rois se tairont, ils mettront leurs mains sur leur bouche,
> car ils auront vu ce qui n'avait pas été raconté
> et ils auront compris ce qu'ils n'avaient pas entendu dire (52,33) [16].

Ainsi, bien que l'image du messie davidique ne soit pas celle d'un « messie souffrant », l'interprétation juive a conféré une dimension messianique à la souffrance du prophète [17]. Cette qualification, de prime abord surprenante, fut rendue possible car à l'attente d'un personnage royal s'ajoutait celle d'un prophète, attente qui est signifiée dans la Bible à deux reprises : a) en Dt 18, 15-18, qui évoque la venue d'un prophète comme Moïse [18] ; b) à la fin du dernier livre prophétique, en Ma 3, 23-24, qui évoque le « retour d'Elie » [19]. L'attente d'un « vrai prophète » est attestée de façon très générale, en

---

15. Cf. P. GRELOT, *les Poèmes du Serviteur. De la lecture critique à l'herméneutique*, Cerf, Paris, 1981, pp. 26-29.

16. Trad. de P. Grelot, dans *l'Espérance juive à l'heure de Jésus*, Desclée, Paris, 1978, p. 219.

17. L'idée d'une souffrance du messie lui-même, bien que non attestée avant l'époque du Nouveau Testament, se rencontre dans le Talmud (cf. T.B. Sanhédrin : « Quel est le nom du messie ? — Le lépreux de l'école de Rabbi, selon Is 53, 4 »). Mais cet aspect sera rattaché surtout à la figure du « messie, fils de Joseph » afin de sauvegarder l'image traditionnelle du « messie, fils de David ». Voir ci-dessous, chap. v.

18. Cf. H.M. TEEPLE, *The Mosaic Eschatological Prophet*, éd. Society of Biblical Literature, 1957.

19. Sur ce thème du « retour d'Elie », voir M.J. STIASSNY, « le Prophète Elie dans le judaïsme », in *Elie le prophète*, vol. II, Desclée De Brouwer, Paris, 1956, pp. 199-255, spécialement § IV : « Le rôle du prophète Elie aux jours du Messie », pp. 241-250.

particulier chez les Samaritains [20], à Qumran, dans le nouveau Testament [21] et dans les écrits judéo-chrétiens [22].

Il existe une autre interprétation courante et bien accréditée qui lit Isaïe 53 comme une description des souffrances endurées par le juste (Sg 2, 10 ; 3 ; 4, 7-19). Le « serviteur » serait alors, dans l'esprit du prophète, l'image du peuple juif persécuté par les nations (cf. Is 41, 8-9 ; 44, 21 ; 45, 4 ; 49, 3). On comprend dès lors que le terme ait pu être interprété dans un sens collectif [23]. Alors que dans le cas du messianisme royal l'attente messianique est fixée principalement sur la venue du « fils de David », l'attente messianique née d'une réflexion sur le sort des prophètes n'est donc pas restreinte à l'attente d'un personnage unique. Aussi l'interprétation s'est-elle développée tantôt dans une ligne personnelle tantôt dans une ligne collective.

7. Le messianisme sacerdotal

A l'attente d'un « vrai roi », à celle d'un « vrai prophète », il n'est pas étonnant que se soit ajoutée aussi celle d'un « vrai grand prêtre »,

---

20. Comme en témoigne encore le *Mémar Marqah* (environ 400 apr. J.-C.), les Samaritains attendaient la venue du messie, selon une conception inspirée par l'image idéale de Moïse, qui avait pu exister anciennement aussi dans le judaïsme biblique, celle d'un « restaurateur » *(taheb)* devant appeler à la conversion et ramener toutes choses dans leur ordre primitif : cf. A. MERX, *Der Messias oder Ta'eb der Samaritaner (Beihefte zur Zeitschrift für die Alttestamentliche Wissenschaft*, 17), Giessen, 1909 ; M. GASTER, *The Sarmaritan Oral Law and Ancient Tradition*, vol. I. *Eschatologie*, Londres, 1932.

21. Cette attente est décrite en Lc 1, 16-17 à partir de Ma 3, 23-24 en des termes tout à fait conformes à ceux de la tradition juive (cf. Si 48, 10 ; T.B. Eduyot VIII, 7 ; textes parallèles en Strack-Billerbeck, IV, 793 c). Elie devait, lors de sa venue, accomplir trois tâches : 1. ramener les cœurs des pères vers leurs fils ; 2. mettre fin aux controverses de sorte que les rebelles se remettent à penser juste ; 3. préparer le peuple au temps du messie en l'appelant à la pureté intérieure.

22. En particulier dans les Pseudo-clémentines : Hom. Clém. III, 17, 1-2 ; 20, 2 ; 21, 1-2 ; 26, 1-6 ; XI, 19, 1-3.

23. Rachi, en Is 52, 13 traduit *avdi* par : « mon serviteur Jacob » et sous le nom du patriarche est englobé tout le peuple. En 53, 4, Rachi commente encore : « Israël a souffert pour que le pardon puisse être apporté aux autres nations. Il fut transpercé par nos transgressions et meurtri par nos péchés. Le châtiment qui était suspendu au-dessus de nous s'est abattu sur nous et Israël a été châtié pour que le monde entier puisse avoir la paix. » Dans d'autres textes classiques, la figure de ce patriarche souffrant, jeté au milieu des nations, n'est plus Jacob, mais Joseph. La référence typologique est modifiée — et ainsi se forme l'image attestée dès le second siècle après Jésus-Christ du « messie, fils de Joseph », dont la venue précède celle du « messie fils de David » — mais la signification constante de cette interprétation est celle-ci : inscrire le sens de la souffrance dans la ligne de l'attente messianique.

d'autant que le grand prêtre est le premier de tous les oints. Quand le Temple de Jérusalem fut détruit, en 587, la fonction du prêtre, qui avait été longtemps de formuler les oracles et d'offrir les sacrifices, cessa et, après le retour de Babylone, elle se modifia. Le prêtre Esdras devient célèbre en vertu de son titre de « scribe ». Il est alors le gardien et l'interprète de la Torah. Le grand prêtre Josué ben Sadoq en vient à assumer une fonction de suppléance dans le gouvernement de la cité. Il est ainsi considéré déjà comme porteur de prérogatives messianiques (Za 6, 11). Mais surtout, quand les grands prêtres hasmonéens abuseront de leur fonction sacerdotale, on verra naître un véritable messianisme sacerdotal [24]. Les écrits de Qumran, où le Messie est désigné comme « fils de Juda et d'Aaron », sont un témoin puissant de ce courant.

C'est précisément à l'époque des rois séleucides et ensuite à l'époque romaine que, du fait des événements politiques qui viennent frapper de plein fouet l'histoire du peuple juif, l'attente d'un messie, qui était restée un peu en sommeil à l'époque perse ainsi que sous le règne des rois lagides, reprend une vigueur nouvelle (cf. 1 M 14, 4-15). C'est pourquoi les principaux témoignages écrits de l'attente messianique datent de cette époque et sont des écrits pseudépigraphes. L'expression de « messie, fils de David », apparaît pour la première fois dans les Psaumes de Salomon [25]. Dans les courants conservateurs représentés par les Testaments des douze patriarches (Testament de Lévi 18, 2-7 ; Testament de Juda 24, 2-5) et dans la secte des Esséniens, en revanche, l'attente messianique se concentre sur la perspective de la restauration préalable du sacerdoce [26]. Elle imprègne enfin les révoltes zélotes et la gravité des conflits politiques et religieux entre le peuple juif et l'Empire romain donne à l'attente messianique un caractère d'imminence. Ce sentiment se trouvait, aux approches de l'ère chrétienne, très largement partagé dans le peuple, au point d'inquiéter le roi Hérode (Mt 2, 1-3. 16-18). Dans le mouvement de repentance prêché par Jean Baptiste sur les bords du Jourdain, cette conviction intense prend une dimension métapolitique et eschatologique [27].

24. A. Qumran, sous l'influence de la lecture du prophète Ezéchiel, l'attente d'un grand prêtre à venir prit une note prophétique et l'espérance d'un retour d'Elie vint se cristalliser sur sa personne (cf. note 11). De là vient sans doute l'identification d'Elie avec Pinhas, l'alliance avec Pinhas étant considérée comme la reprise de l'alliance avec Aaron. (cf. Nb 25, 12-13). Cf. A.N. VAN DER WOUDE, « le Maître de Justice et les Deux Messies de la Communauté de Qumran » in *Recherches bibliques*, IV. *la Secte de Qumran et les origines du christianisme*, pp. 121-134. Cf. Jn 1, 21.

25. Cf. P. GRELOT, *l'Espérance juive à l'heure de Jésus*, op. cit., pp. 94-101. Ces psaumes ont vraisemblablement été en usage dans le Temple de Jérusalem.

26. *Ibid.*, chap. II, § VII : « Le messianisme des esséniens », pp. 85-87.

27. Cf. John P. MAIER, « John The Baptist in Mattew's Gospel » in *JBL*, t. 99, 1980, n° 3, pp. 383-405.

CHAPITRE III

La reconnaissance de Jésus comme messie d'Israël par ses disciples

Reprenant la prédication de Jean-Baptiste, Jésus annonçait le « royaume qui vient » [28]. En l'écoutant, ses disciples s'interrogèrent à son sujet et interprétèrent ses paroles en affirmant que le moment annoncé pour la venue du messie était arrivé [29].

Jésus, au moment de sa fin, ou dans la perspective de celle-ci, n'a pas récusé ce titre. Mais il reste qu'il ne s'est pas proclamé lui-même le messie. Sans aller jusqu'à dire, comme certains le font parfois aujourd'hui, que le christianisme est une religion qui confesse Jésus comme messie alors que pour sa part il a repoussé ce titre, il reste qu'il faut rendre compte de ce fait que lui-même, quand le terme lui fut appliqué en public, s'est maintenu à distance et que c'est à ses disciples qu'il fut réservé de le désigner de ce nom.

Or les disciples n'ont pu confesser Jésus comme messie, qu'avec la conviction rendue possible par l'attente messianique d'Israël, d'une

---

28. Dans *The Kingdom of God in The Teaching of Jesus*, 1963, pp. 185-201, et *Rediscovering The Teaching of Jesus*, Harper and Row, New York 1976, Norman Perrin tend à interpréter les paraboles du Royaume dans un sens plus existentiel qu'eschatologique. La même tendance éthique est exprimée, plus nettement encore, par E. Fuchs et E. Jüngel. En ce sens, la notion de Royaume de Dieu des évangiles serait plus proche de celle des pharisiens que de celle des apocalypses.

29. Cf. Lc 17, 20-21. R.J. SNEED, « The Kingdom of God Is within You », in *CBQ*, t. 24, 1962, pp. 363-382 montre bien que, dans cette déclaration de Jésus, le Royaume de Dieu est déclaré avoir une dimension intérieure et immédiate. Il distingue par ailleurs soigneusement différents niveaux dans le *Sitz in Leben* d'un seul et même texte. La parole peut avoir quatre sens différents : dans la bouche de Jésus parlant en son temps ; dans la vie de l'Eglise primitive ; dans l'Evangile, c'est-à-dire selon l'intention de l'évangéliste en la citant ; dans la vie de l'Eglise ancienne.

« proximité de la fin » (Mc 1, 15). Ce terme, d'importance décisive, bien attesté dans la tradition juive *(hithalta di-geula)*, ne signifie pas que le temps soit arrivé à sa fin (Mc 13, 32), mais que le temps présent doit être interprété en relation avec les événements de la fin [30]. C'est en ce sens qu'ils l'ont confessé, non pas comme un messie — ce que les autorités du peuple juif auraient pu admettre sans difficulté — mais comme le messie [31]. C'est ainsi que les temps fixés par Dieu ont été considérés par eux comme « accomplis » [32] (Mc 1, 15) et qu'on voit apparaître dans le Nouveau Testament les trois titres messianiques classiques, dont l'origine doit être cherchée dans la Bible, mais qui n'ont pris tout leur sens qu'en liaison avec la déclaration de la messianité de Jésus. Si Jésus est le nom qu'il reçut à sa naissance sur terre, « messie » est devenu le nom de sa mission et de sa naissance céleste. Mais ce nom, c'est aux hommes qu'il appartient de le prononcer et « l'heure » de cette manifestation est connue de Dieu seul : ce n'est pas à Jésus qu'il revenait de la révéler.

Le terme de « fils de David » est le plus usuel et bien attesté, bien que tardif. La première discussion sur la qualification messianique de Jésus a porté sur ce titre (Mc 12, 35, 37). Si Jésus ne l'a pas revendiqué [33], c'est peut-être à cause de la fatale ambiguïté d'un titre évoquant une question dynastique et qui avait dans le peuple des résonances surtout politiques. Mais, nous l'avons dit, la question messianique a nécessairement une dimension populaire et un aspect politique. Il semble que la difficulté ait tenu surtout au fait que le titre de « messie, fils de David » était lié à l'idée du messie final qui doit

---

30. Face à T.W. Manson *(The Teaching of Jesus*, Cambridge University Press, 1935, pp. 244-284) et à W.G. Kümmel *Verheissung und Erfüllung*, 1956³, trad. angl. *Promise and Fulfilment*, trad. par D.M. Barton, S.C.M. Press, Londres, 1957), qui soutiennent que Jésus et ses disciples ont cru que la fin des temps était proche et se sont trompés, A. Vögtle (dans *Gott in Welt, Festgabe für Karl Rahner*, Herder, Fribourg, 1964, t. I, pp. 608-667) a démontré de façon convaincante que Jésus n'a jamais établi de délai dans la venue de la fin, comme le prouve surtout Mc 13, 32.

31. Il semble cependant que, dans le cas de Bar Kokhba — comme plus tard à l'occasion de certains « faux messies » comme Sabbatai Zevi au xvie siècle — une partie du peuple juif a bien cru reconnaître le « messie de la fin ».

32. Le terme « accompli » ne signifie donc par conséquent ni que ces temps sont les derniers, au sens terminal du mot, ni que le temps du peuple juif ou celui des nations soient révolus. Mais il signifie qu'un temps nouveau, qui était annoncé, est arrivé.

33. Il semble bien, en effet, que dans les *logia* de Jésus (et dans la « source Q » qui les rapporte, pour autant qu'on peut la reconstituer »), Jésus n'emploie jamais ce terme.

venir rétablir la royauté d'Israël en un temps de grand cataclysme historique et instaurer dans le monde une ère de paix et de justice. Reconnaître que ce temps était arrivé, c'était déclarer que les signes eschatologiques pouvaient déjà être considérés comme réalisés (Mt 11, 2-6 ; Lc 7, 18-23), sans que ceux-ci aient pris l'aspect d'un « signe venu du ciel » (Mc 8, 11-13 ; Mt 12, 38-39. Cf. Is 7, 10-14), tandis que le couronnement messianique resterait attendu pour le jour du jugement, au terme de l'histoire (Mc 13, 5-7. 10. 14-23). Aussi l'attribution à Jésus du titre de « fils de David » prit-elle un caractère tantôt de rumeur dans la foule, tantôt de secret pour les disciples (Mc 8, 31-32). Toutefois la reconnaissance messianique des astres (Mt 2, 3) ne saurait relever de la rumeur (cf. Mc 6, 14), ni de la supputation, ni du plébiscite (cf. Mt 21, 1-11), mais de la prophétie [34].

Le terme de « fils de Dieu » appliqué à Jésus, fait au premier abord moins de difficulté. Non seulement parce que tout homme, par sa naissance, étant créé « à l'image de Dieu », peut être dit « fils de Dieu ». En outre tout israélite est un « premier-né » de Dieu (cf. Ex 4, 22-23, cf. Dt 32, 5-6 ; 18-19 ; Os 11, 1, Jr 31, 20 [35]. Mais surtout ce titre, en tant qu'évoquant la venue particulière d'un envoyé, « fils adoptif », oint par Dieu pour guider son peuple (au sens de Ps 2, 7), représente l'expression la plus précise de l'attente messianique [36]. Il s'agit de celui que Dieu a eu en vue dès avant la création pour en être le couronnement, et à travers lequel il manifeste sa bonté et sa miséricorde pour son peuple [37]. Jésus aurait ouvert la voie à la

---

34. J. FITZMYER, « la Tradition du fils de David au regard de Mt 22, 41-46 et des écrits parallèles », in *Concilium*, n° 20, t. 2, 1966, pp. 67-78 montre bien qu'en définitive c'est le critère des pharisiens (Ps 110, 1, cité en Mc 12, 36 et Ac 2, 34) qui, après la résurrection, a servi de référence dans la confession messianique.

35. Dans la tradition juive : Pirqe Abot 3, 14.

36. Cf. 1 Ch 17, 11-14.

37. Selon M. HENGEL, *le Fils de Dieu*, Cerf, Paris, 1979, les premiers chrétiens ont été « en quelque sorte contraints », à partir du moment où ils interprétaient les paroles de Jésus dans le cadre du judaïsme, d'en venir à l'idée de sa préexistence (pp. 116-119) et de donner au terme biblique « fils de Dieu » un sens nouveau, exprimant son lien unique avec le Père et connotant ainsi l'imminence du salut. Ce terme, loin d'être une concession à l'esprit grec, aurait eu pour effet d'éliminer toute possibilité d'interprétation mythologique (p. 144). Mais l'auteur réintroduit ainsi subrepticement l'opinion qu'il a voulu écarter : l'interférence de l'hellénisme dans l'émergence de ce titre. Il ajoute d'ailleurs que celui-ci aurait, par contrecoup, été une source de scandale pour les juifs, car il aurait aussitôt signifié la mise à l'écart de leur conception de la Loi. On ne saurait suivre ici l'auteur, bien informé au plan positif, dans cette avalanche de conclusions fragiles et sommaires édifiées à partir de l'idée des interférences culturelles. Le scandale véritable est, pour tout homme, le

confession messianique par la façon, au reste normale et accessible à tout juif, selon laquelle il s'adressait au Père. La confession messianique des évangélistes, parlant de Jésus comme du «fils de Dieu» *(ben elohim)* relève ici moins d'une interprétation des événements de l'histoire et du témoignage direct que d'une compréhension intérieure de ses paroles[38]. Mais cette expression doit être entendue selon la lecture que les évangélistes ont faite du Psaume 2. Elle ne signifie pas que Jésus aurait été, au sens humain du terme, engendré par le Père (on ne connaît pas l'expression *bar adonai*) : ce qui est en tout état de cause exclu (bien que l'emploi du même terme «engendré» par le symbole de Nicée-Constantinople pour évoquer cette conception céleste ait fait ensuite l'objet de polémiques de la part des juifs et surtout des musulmans). On peut en conclure que l'accès à la confession de Jésus comme «messie, fils de Dieu» n'a pas relevé des seuls événements extérieurs au sein desquels Jésus s'est manifesté, a été jugé et est mort et ressucité, mais a résulté d'une écoute de la parole dont les disciples ont été les témoins, entendue à la lumière de l'Ecriture. Cette façon de voir est confirmée par le fait que Jésus n'a jamais lui-même revendiqué ce titre et ne l'a pas utilisé comme un titre public ou juridique, si ce n'est peut-être en une seule circonstance, à la question posée par le seul homme qui pouvait par sa fonction être qualifié pour le faire : le grand prêtre — mais Jésus lui répondit en lui parlant du «fils de l'homme» (Mt 26, 64).

Ce dernier terme est le seul qui ait été employé par Jésus pour se désigner lui-même. Certains exégètes ont voulu en réduire le sens simplement à celui d'homme[39]. Ce serait une circonlocution courante,

---

scandale de la croix, et la controverse entre juifs et chrétiens porte sur le fait du «messie crucifié» (cf. JUSTIN, *Dialogue avec Tryphon,* 90, 1). Tout autre fut la position gnostique qui, fondée sur des «engendrements divins» successifs, conduisit à une éclipse totale de l'idée messianique. Pour une critique semblable à la nôtre des conclusions de Hengel, cf. P. VAN BUREN, *Discerning the Way,* Seabury Press, New York, 1980, pp. 82-83.

38. C'est ici que se situe la question clef du messianisme chrétien. Selon C.K. Barret, le kérygme primitif n'a pas non plus présenté d'abord Jésus comme le «fils de Dieu». Ce serait Paul qui aurait suscité les développements ultérieurs reposant sur le terme *huios theou* en soulignant la filiation adoptive que les païens eux-mêmes ont reçue par Jésus. Rien n'autorise à attribuer à Paul seul une foi qui fut partagée par toute l'Eglise primitive et dont témoignent les évangiles. Mais on ne saurait pour autant rejeter aussitôt dans l'hérésie les judéo-chrétiens parce qu'ils se sont montrés attachés aux valeurs éthiques et spirituelles liées à l'idée tellement biblique et pleine de sens d'adoption. Cf. G. STRECKER, «On The Problem of Jewish Christianity», in W. BAUER, *Orthodoxy and Heresy in Earliest Christianity* (éd. par R. Kraft et G. Krodel), Fortress Press, Phidalephie, 1971, pp. 241-285.

39. Cf. G. VERMÈS, *Jésus le Juif.* Desclée, Paris, 1978, pp. 211-221.

fréquente en araméen, permettant à chacun de parler de soi avec humilité, comme n'étant soi-même dans sa finitude pas différent des autres hommes. Jésus ne parlait ainsi de lui qu'en se situant lui-même au milieu des hommes, dans sa condition de créature. C'est là certainement un sens à retenir pour la compréhension du terme, qui colore bien la façon qu'avait Jésus de parler et de se présenter devant autrui. Mais c'est aussi une expression prophétique (*ben adam* : Ez 2, 1, etc. ; Ps 8, 5-6), par laquelle le prophète se désigne en tant qu'interprète de la parole de Dieu afin de rendre les hommes attentifs aux signes. Ici encore, l'expression évoque moins un titre messianique individualisé qu'une façon de parler de la destinée humaine en face de Dieu. Et ce terme avait aussi un sens caché, individualisé et messianique, qui se rencontre en Dn 7, 9-13 (et se retrouvera en araméen sous la forme *bar nastha* dans une section probablement tardive du Livre d'Hénoch 46, 2-4 ; 48, 2-3. 7 ; 61, 4 ; 62, 3. 11-14, ainsi que dans l'Apocalypse d'Esdras, chap. 13) : ce « fils d'homme » est un être préexistant, double céleste imaginal du peuple d'Israël, qui « vient » sur les nuées du ciel en vue de l'écrasement final de la Bête, c'est-à-dire du dernier des Empires [40].

L'amplitude de sens du titre de « fils de l'homme » est immense. Jésus la porte lui-même à l'extrême en parlant du fils de l'homme d'une façon qui tantôt peut ne pas l'impliquer lui-même et tantôt l'implique avec évidence. L'innovation du christianisme est d'avoir fait passer ce terme, qui n'est à l'origine qu'allusivement messianique, au premier plan. Dans le Nouveau Testament, c'est un terme que Jésus est seul à utiliser [41]. Mais nul n'y fait opposition — pas même, cette fois, le grand prêtre — et, véritable paradoxe, le terme paraît toujours compris (sauf cependant en Jn 12, 32-34, où une question est posée sur son sens). L'expression n'est ni ambiguë ni provocatrice.

Restent enfin quelques motifs d'étonnement : le terme est recueilli par les Synoptiques chez lesquels il est courant (50 fois) ; il est fréquent également dans l'évangile de Jean. Mais il est absent dans les

---

40. Dans le Talmud, il est appelé *bar nafle* (*huios nephelôn*, le « fils des nuées », expression tirée de Dn, 7, 13 « Alors vint avec les nuées du ciel un fils d'homme », cf. Sanh. 96b-97a) et est appliqué (par R. Nahman) au messie qui, au temps de l'écroulement, doit venir relever son peuple. Le mot évoque peut-être aussi les *nephilim* (« géants » tombés du ciel mais aussi, vus d'en-haut, « avortons » de Gn 6, 4, et Hénoch VI-X, qui ont joué un grand rôle dans les méditations eschatologiques de la secte de Qumran : cf. *Doc. de Damas* II, 18-21).

41. H.E. TÖDT, *Der Menschensohn in der synoptischer Überlieferung*, 1963² ; trad. angl. *The Son of Man in The Synoptic Tradition*, trad. par D.M. Barton, S.C.M. Press, Londres, 1965, maintient que l'expression, dans la bouche de Jésus, a une résonance apocalyptique.

épîtres de Paul et exceptionnel dans les Actes (une fois, dans la bouche d'Etienne : 7, 56) et dans l'Apocalypse (deux emplois, inspirés directement de Daniel 7). Et, dans ces derniers cas, il est revêtu de son sens eschatologique.

Ce terme, qui évoque la situation de la créature par rapport au Créateur est aussi celui qui désigne l'homme des derniers temps, le nouvel Adam. Or cette expression avait trouvé dans le judaïsme un regain de faveur face au monde païen qui l'entourait. Dans le monde hellénistique, en particulier, on célébrait l'épiphanie et même la déification du souverain comme «divin sauveur». Ce terme consacré par les Séleucides dans des fêtes d'intronisation royale prenant sens de naissance céleste, indiquait ainsi l'apparition d'un héros envoyé à l'humanité pour la sauver. Face à ces prétentions impériales, à coloration syncrétiste et œcuménique, l'espérance messianique juive s'était concentrée sur l'attente de cet «homme des derniers temps» qui, dans son «épiphanie», ne se présenterait que sous un simple visage d'homme.

Jésus, en se présentant, n'a pas voulu être autre chose qu'un homme : et, en cela, il est bien le messie. Or, paradoxe ultime, la communauté chrétienne à ses origines ne semble pas avoir osé utiliser ce terme de «fils de l'homme» — ni non plus les confessions de foi baptismales primitives.

Selon le témoignage des Actes des Apôtres, la communauté chrétienne primitive a confessé Jésus «seigneur et messie» le jour de la Pentecôte (cf. Ac 2, 29-36). Sur quelle base cette déclaration repose-t-elle ? Le titre plus politique de «fils de David» et celui plus spirituel de «fils de Dieu» ont certainement joué un grand rôle dans cette reconnaissance. En effet, il est incontestable que Jésus avait été condamné par le pouvoir romain pour avoir prétendu être le Messie, car Pilate avait mis sur la croix l'inscription «roi des Juifs» (Mc 15, 2 ; 26)[42]. Et les évangiles rapportent que Caïphe avait employé, dans les

---

42. Cf. N. DAHL, *The Crucified Messiah*, Minneapolis, 1974. Si l'expression de «messie crucifié» est conforme aux évangiles, on ne saurait en revanche, sans autre précision, admettre un titre comme celui employé par J. MOLTMANN, *Der gekreuzigte Gott*, Chr. Kaiser Verlag, Munich, 1972 (trad. franç. *le Dieu crucifié*, Cerf, Paris, 1974). Certes, la thèse principale défendue par l'auteur, de la souffrance de Dieu en liaison avec les souffrances de l'homme, est bibliquement tout à fait juste. Elle a ses parallèles dans la mystique juive et dans la pensée rabbinique (cf. P. KUHN, *Gottes Selbsterniedrigung in der Theologie der Rabbinen*, Kösel Verlag, Munich, 1968). C'est à juste titre aussi que, dans ce remarquable ouvrage, Moltmann répond aux «théologiens de la mort de Dieu». Avec une grande pénétration de pensée, il creuse la question brûlante d'Auschwitz (cf. E. WIESEL, *le Chant des morts*, éd. du Seuil, Paris, 1966, p. 202). Auschwitz, en effet, est une sorte

termes mêmes de la confession de Pierre, l'expression de « fils de Dieu » (Mc 14, 61 ; Mt. 26, 63). Ces titres, Jésus ne les avait pas revendiqués. Il ne les a pas non plus refusés. Ils lui ont été appliqués par la voix publique s'exprimant par ses représentants officiels, et les disciples de Jésus, retournant le verdict en confession de foi, ont attribué aux paroles de ces derniers une portée prophétique. Mais le terme de « fils de l'homme » est néanmoins celui qui a joué pour eux le rôle décisif car il n'était pas un titre et avait une portée eschatologique. Inspiré par l'Esprit, Pierre déclare que Jésus est mort, a été enseveli et qu'il a été « exalté par la droite de Dieu » (Ac 2, 33 : cf. Ps 118, 16). La confession de foi de la Pentecôte, en opérant une véritable relecture des textes bibliques, scelle la portée de la rencontre des trois titres et par là donne un élan nouveau à l'attente messianique : le crucifié apparaît alors comme l'oint de Dieu, la figure de la fin des temps, dont Jésus avait évoqué lui-même la venue (cf. Mt 24, 15-31 ; Mc 12, 14-27) et qui doit être reconnue par tous les peuples (cf. Ep 4, 9-10 sur le fondement de Ps 68, 19).

---

de réplique satanique au Décalogue, la dérision sanglante, perpétrée sur le corps et dans l'âme du juif, du Golgotha. N'est-ce pas Elie Wiesel qui a écrit un jour, par un retour d'idées où on ne saurait voir un hasard, que, dans le sacrifice muet des enfants morts à Auschwitz, il voyait « Dieu lui-même suspendu à une potence » (« la Nuit » dans *la Nuit, l'Aube, le Jour,* éd. du Seuil, Paris, 1969, p. 74)? Le judaïsme parle encore de « la Shekhina descendue en exil » et de « l'éclipse de la face de Dieu ». Cf. sur ce point, E. FACKENHEIM, *la Présence de Dieu dans l'histoire,* trad. M. Delmotte et B. Dupuy, éd. Verdier, Lagrasse 1980. Moltmann, dans une intention semblable, reprend le projet d'une authentique *theologia crucis.* Son but est de rappeler l'indicible, à savoir qu'à Auschwitz aussi on pouvait « prier le Shema Israël et le Notre Père » (p. 324) et que l'espérance y fut vivante comme à la croix. Mais le titre de l'ouvrage, repris de Luther, et qui rappelle une tradition qui remonte à Méliton de Sardes, n'est pas sans danger. Dans son réalisme outrancier, il risque de ressusciter les mythes et les méfaits engendrés par la pseudo-théologie du « déicide » ou bien, à l'inverse, de laisser supposer que le soleil de Dieu pouvait briller sur Auschwitz et à la croix comme il brillait lors de la création du monde. Or, dans l'un et l'autre cas, les « ténèbres » ont recouvert le monde. La présence de Dieu en Jésus-Christ et dans le monde ne peut être que confirmée dans la foi ; elle n'est jamais une évidence ontologique, mais une responsabilité pour l'homme. Ce n'est que dans l'appel de cette voix divine qui retentit d'Auschwitz comme de la croix et qui interdit le mal, et dans la fulgurance de la résurrection entrevue, que le nom de Dieu peut être prononcé et se faire entendre.

CHAPITRE IV

La question
de l'ère messianique

Une question nouvelle devait nécessairement venir se greffer sur celle de la confession de Jésus comme messie. Jésus pouvait-il être reconnu comme le messie d'Israël à la suite de sa manifestation au sein du seul peuple juif ? Ou bien ne pouvait-il l'être qu'au terme, encore attendu, de l'histoire, quand il serait enfin reconnu par tous et que les signes eschatologiques de l'ère messianique seraient accomplis ?

Bref, Jésus avait-il ouvert l'ère messianique ? Avait-il inauguré le royaume ou bien celui-ci était-il encore attendu ? L'avait-il instauré déjà et en quel sens ? Si un temps nouveau était ouvert, si un nouvel « éon » avait commencé, était-il le temps du jugement annoncé par les prophètes ?

Certes Jésus a été mis à mort par le représentant officiel de l'Empire. Certes, le pouvoir civil a voulu, à l'instigation des grands prêtres sadducéens, éliminer ce témoin de la foi d'Israël, sans doute parce qu'il pouvait réconcilier autour de sa personne l'attente des esséniens, celle des pharisiens et celle des zélotes. Il reste qu'en définitive, au plan extérieur, la victoire restait aux tenants du pouvoir. Rien n'avait immédiatement changé. La libération d'Israël n'avait pas suivi et le peuple juif n'avait acclamé Jésus comme son messie que le bref instant de sa montée à Jérusalem, acte qui vraisemblablement avait été l'origine des craintes des autorités et le motif de son arrestation. Ce juste, ce témoin de Dieu était mort misérablement sur une potence. Un silence momentané s'était ensuivi au plan politique, mais le monde n'avait pas connu l'avènement de la justice et de la paix attendu pour les jours du messie. Les différentes fractions du peuple juif allaient continuer de se diviser quant à la politique à mener face à l'occupant et même de se déchirer jusqu'à la « haine sans raison »[43].

---

43. Shabbat, 32b.

Cette déception, ce délai constitue en soi un immense problème. En écrivant : « On attendait le Royaume, et c'est l'Eglise qui est venue », l'exégète Loisy n'a pas fait qu'une boutade, il a soulevé une question réelle, très juive, une question très biblique en tout cas. En effet, la question de la venue du messie au cœur de l'histoire ne laisse pas de soulever en même temps celle de l'accomplissement messianique, celle du sens de l'histoire.

Cette question a entraîné, en contexte chrétien, une double réinterprétation de la notion de « temps messianique », et par rapport aux conceptions apocalyptiques, et par rapport aux conceptions rabbiniques.

Par rapport aux conceptions apocalyptiques, il fallait tenir compte du fait que le messie s'était manifesté moins comme un roi que comme un serviteur, moins comme le témoin du Dieu de la justice que comme celui du Dieu de la miséricorde, moins comme le fils du Tout-puissant que comme celui du Dieu-père manifesté par son humilité et son retrait. Les disciples de Jésus comprirent que son règne ne devait pas s'imposer, comme les apocalypses le croyaient, de l'extérieur mais de l'intérieur. Et c'est sous cet aspect surtout que les hommes doivent coopérer à son avènement, tout en demeurant vigilants et attentifs aux signes des temps.

En second lieu, si le rôle du messie est bien l'instauration du « royaume des cieux », comme l'enseignaient les pharisiens, il faut comprendre cet avènement de l'ère messianique comme celle d'un ferment, d'un levain, qui travaille déjà secrètement le monde en son cœur pour le modifier de l'intérieur. Les temps messianiques sont inaugurés mais c'est au terme seulement d'une lente maturation que viendra le royaume attendu. C'est alors seulement qu'aura lieu son avènement, à l'improviste et par effraction. En attendant, l'attente messianique exprime pour les chrétiens, comme pour les juifs, la certitude que le joug du royaume est porté à travers les actes de la vie quotidienne.

Cette double réinterprétation permettait d'étaler la durée de l'ère messianique dans le temps, de la considérer comme inaugurée sans qu'elle soit pour autant scellée, de déclarer les temps « accomplis » sans pour autant que la fin messianique soit encore advenue [44].

---

44. Cette mise en perspective d'une « parousie », qui demeure nécessairement conçue dans la ligne ouverte par le messianisme juif, ne s'est pas faite sans difficulté. De là l'origine du millénarisme, qui était tenu encore au IIIe siècle par des courants importants dans l'Eglise. Ce dernier aura une survie plus ou moins occulte depuis le joachimisme médiéval jusqu'aux eschatologies séculières contemporaines. Cf. H. de LUBAC, *la Postérité spirituelle de Joachim de Flore*, 2 vol., Lethielleux, Paris, 1979 et 1982. Ces espérances millénaristes

Mais celle-ci devait susciter inévitablement une double réaction du côté juif. D'une part, une réponse fut apportée du point de vue apocalyptique. On fit valoir que le messie ne pouvait être advenu puisque les signes de cette venue, ceux que la tradition appelle les souffrances de l'enfantement (*hevlei hamashiah*), ne s'étaient pas accomplis. Le messie, d'autre part, ne saurait être dissocié du peuple d'Israël : un oint est toujours choisi au nom de tous, *pars pro toto*, non pour lui-même. La tradition juive a donc souligné que la venue du messie devait être un temps de rassemblement de tout le peuple sur la terre d'Israël (*qibbutz galuyot*) et qu'il était conforme aux promesses bibliques d'attendre le jour où le peuple tout entier jouerait dans l'histoire mondiale un rôle messianique. Cette interprétation apocalyptique était, certes, difficile à invoquer dans la mesure où cette époque de l'histoire juive était une époque d'épreuves et de dispersion nouvelle et où les signes attendus par le peuple d'Israël étaient loin d'être en vue. Aussi ne fut-elle pas, durant la période talmudique, l'axe majeur de la réponse juive au christianisme. Comme le christianisme assurait à son bénéfice la relève de l'apocalyptique en réinterprétant les événements de la fin des temps à la lumière de la révélation de Jésus-Christ [45], le judaïsme talmudique eut tendance à occulter l'élément apocalyptique [46]. Il ne faut cependant pas en sous-estimer la valeur, car il a stimulé la ferveur de l'attente messianique au sein du judaïsme.

Il faut reconnaître sans aucun doute, dans cette défense du messianisme juif de la part de la communauté juive, une grande part

---

critiquées par saint Irénée, n'ont pu se développer que dans le champ laissé ouvert par la carence d'une réflexion sur le messianisme au sein du christianisme et du fait du manque d'une conception chrétienne du temps chez les Pères grecs jusqu'à Grégoire de Nysse et Philopon.

45. « L'Apocalypse de Jean, écrit F. Mussner, comprend le retour du Seigneur comme un événement nettement "politique", lors duquel l'Antichrist qui, d'après l'Apocalypse, incarne la plus grande puissance politique et économique du monde, est anéanti par le Christ Messie revenant, tandis qu'un ciel nouveau et une terre nouvelle sont suscités. Par là, le messianisme de l'Apocalypse de Jean se tient tout à fait dans la tradition du messianisme biblique et prophétique. Les éléments restaurateurs et les éléments utopiques du messianisme biblique forment, ici aussi, une synthèse achevée. L'histoire trouve sa fin catastrophique, et le monde nouveau de Dieu dans lequel tout sera sain commence, non pas produit par l'activité humaine, mais uniquement par l'action de Dieu et de son Messie. Dans le messianisme chrétien aussi, par conséquent, le messianisme biblique et juif se prolonge. Le messianisme chrétien n'échappe pas à ce cadre » (F. Mussner, *Traité sur les Juifs*, Cerf, Paris, 1981, p. 138).

46. Cf. G. Scholem, *le Messianisme juif. Essais sur la spiritualité du judaïsme*, trad. B. Dupuy, Calmann-Lévy, Paris, 1974, pp. 48-52.

de vérité. Entre judaïsme et christianisme, le débat s'instaura comme un débat sur le sens des événements de l'histoire et, que ce soit de façon directe ou cachée, il a continué depuis lors. Tandis que les chrétiens voyaient un signe et une prédisposition divine en faveur de la propagation de l'évangile dans l'unification préalable de l'Empire romain ainsi que dans la chute de Jérusalem en de l'Etat judéen, les juifs voyaient un contre-signe dans la transformation par Hadrien de Jérusalem en ville païenne [47] : la victoire de l'Empire idolâtre ne pouvait pour eux entraîner le christianisme que sur la voie des compromis et l'avènement de Constantin sera jugé bien davantage comme une victoire de l'esprit romain que comme une victoire du christianisme. De tels événements avaient jeté le judaïsme sur d'autres voies que celles du prosélytisme et de la mission ; ils avaient entraîné l'exil de la Shekhinah dans le monde [48]. Dès lors commença aussi la controverse. Les *testimonia* bibliques cessèrent de jouer le rôle signifiant qu'ils avaient dans le judaïsme [49] et dans le nouveau Testament [50], pour être invoqués à titre de preuves externes. De recueils de signes, les *testimonia* tendirent très souvent à devenir des collections de preuves ou de contre-preuves visant pour chacun à démontrer que l'on a raison. Cette polémique a mené l'apologétique chrétienne en face des juifs dans les traités *Adversus judaeos*, là où elle n'aurait jamais dû conduire : à la négation même, sinon de l'élection du peuple juif, du moins de sa signification dans l'histoire universelle [51]. C'était, de plus en plus, sans que les apologètes s'en soient rendu compte, la négation de l'attitude même de Jésus venu en tant que non-puissance et l'oubli que sa présence dans l'histoire passe désormais par le signe de sa croix. A cela les juifs répondirent par des listes de contre-preuves, niant à leur tour que le messie attendu puisse connaître la souffrance et la mort. Ces discussions alimentèrent les controverses du moyen âge [52].

---

47. Sur ce point, cf. E. FACKENHEIM, *op. cit.*, pp. 62-65.
48. Mekilta de Rabbi Ishmaël, I, 114 ss. Texte cité et traduit dans E. Fackenheim, *op. cit.*, p. 67. On peut lire dans cette ligne l'impressionnante méditation du Maharal de Prague, *le Puits de l'exil*, éd. Berg international, Paris, 1982.
49. Voir, par exemple, le florilège de citations bibliques à portée messianique établi à Qumran (4 Q. Florilégium, trad. fr. dans J. CARMIGNAC, E. COTHENET et H. LIGNÉE, *les Textes de Qumran traduits et annotés*, vol. II, Letouzey et Ané, Paris, 1963, pp. 279-284).
50. Bien que cette question ait été l'objet d'innombrables travaux et suscite aujourd'hui de nombreuses recherches, on ne saurait affirmer qu'il ait existé des recueils établis, comme le croyait Rendell Harris quand il provoqua le renouveau des études sur cette question essentielle.
51. Cf. P. VAN BUREN, *op. cit.*, pp. 138-144.
52. Les textes de cette controverse n'ont guère été étudiés et demeurent

En ce qui concerne l'éthique, les rabbins, portés surtout à souligner la signification permanente de l'attente messianique pour la vie du peuple d'Israël, s'employèrent à rappeler l'obligation pour tout juif de hâter la venue du messie par des actes de moralité et de justice. Dieu, en effet, ne saurait être un magicien ni un démiurge. C'est avec la collaboration de l'homme que doivent advenir les temps messianiques. Or c'est là le fondement de la vocation et de la mission d'Israël. Quelles que soient les fautes qu'a pu commettre le peuple élu, son élection ne saurait jamais être caduque ; elle demeure, même et finalement surtout dans l'exil. Même si l'exil doit être considéré comme un châtiment, celui-ci n'est que provisoire et il est une voie empruntée par Dieu pour ramener son peuple sur les chemins de la fidélité [53]. L'ère messianique, ère de justice et de libération, ne saurait survenir comme un « deus ex machina » par un coup de baguette magique. La « fin des temps » doit être préparée par des œuvres de justice ou des actes de repentance. Le peuple d'Israël a toujours gardé cette espérance, qui fonde sa fidélité à son Dieu, à sa Loi et à son lien avec la terre des promesses et qui constitue depuis le temps des pharisiens la substance de son attente messianique.

---

d'accès difficile, même de nos jours. Pourtant Blaise Pascal, écrivant les *Pensées,* se reportait au *Pugio fidei* composé par Raymond Martin peu après la Dispute de Tortosa (1413-1414). On pourra se reporter, touchant les écrits chrétiens, aux publications de B. Blumenkranz et, touchant les écrits juifs, à J.D. EISENSTEIN, *Otzar Vikkuhim,* New York, 1925 (en hébreu). Cf. D. BERGER, *The Jewish-Christian Debate in The High Middle Ages,* éd. Jewish Publication Society of America, Philadelphie, 1979 ; D.J. LASKER, *Jewish Philosophical Polemics Against Christianity in The Middle Ages,* éd. Ktav, New York, 1977.

53. Cf. B. GROSS, *le Messianisme juif. « L'éternité d'Israël » du Maharal de Prague 1512-1609,* éd. Klincksieck, Paris, 1969, met bien en relief cette signification de l'exil.

CHAPITRE V

Le messianisme juif

1. Le rapport au politique et la question de la mort du messie dans le judaïsme :
messie fils de David et messie fils de Joseph

La question messianique, en tant que question métahistorique et métapolitique, se pose toujours en rapport avec les événements historiques et politiques. Le développement moderne de la réflexion politique, l'idée de la « remessianisation de l'histoire »[54] et le retour des juifs sur la scène politique ont conduit le judaïsme contemporain à rendre un regain d'actualité à la personne du messie fils de Joseph, à côté de celle du messie fils de David dont l'image a toujours été beaucoup plus présente dans la mentalité populaire.

La figure du « messie fils de Joseph » est dans le judaïsme la figure d'un messie qui meurt au combat dans la lutte finale contre Gog et Magog, annoncée par le prophète Ezéchiel[55]. Le messie fils de Joseph et le messie fils de David ne constituent pas deux états ou deux aspects de la même figure messianique. Il s'agit d'un dédoublement réel, de deux moments, c'est-à-dire en quelque sorte de deux personnages devant venir successivement, mais exerçant des fonctions complémentaires. Le messie fils de Joseph doit ouvrir la voie au messie ultime, le messie fils de David. Le messie fils de Joseph est le messie du temps présent, le messie de la guerre, tandis que le messie fils de David sera le messie de la fin, le messie de la paix[56].

Cette thématique s'est imposée dans le judaïsme aux débuts de l'ère chrétienne — non sans un certain rapport avec l'événement de

---

54. Ce thème signifie la remessianisation de l'histoire consécutivement à sa sécularisation. Cf. E. AMADO LÉVY-VALENSI, « la Remessianisation de l'histoire » dans les actes du *Quatrième colloque des intellectuels juifs* intitulé « le Messianisme et les Fins de l'histoire », dans *la Conscience juive. Face à l'histoire, le pardon*, préface d'A. Néher, PUF, Paris, 1965, pp. 73-84.

55. Ez 38-39.

56. L. ASKÉNAZI, « les Conceptions juives du Messie » dans les actes du *Quatrième colloque*, op. cit., pp. 36-48.

Jésus — après l'échec de la révolte de Bar Kokhba (135 apr. J.-C.). Le mouvement d'insurrection contre les Romains déclenché par celui-ci avait été considéré comme un mouvement à portée religieuse en même temps que politique. Bien qu'il ne fût pas de la lignée davidique, Bar Kokhba avait été acclamé par une fraction importante du peuple, et sans doute même par l'illustre Rabbi Akiba, comme une figure messianique. Mais cette mort au combat fut un événement dramatique : elle posait la question de la « mort du messie ». Il fallait donner une explication à cette catastrophe. Les sages la trouvèrent en recourant à une tradition ancienne sur le messianisme de la « maison d'Ephraïm »[57]. Après la division du royaume de David en royaume de Juda et royaume d'Israël, l'attente messianique s'était trouvée partagée en deux tendances, celle du Nord et celle du Sud. Dans le royaume judéen, on tenait que les éphraïmites avaient fait preuve lors de l'Exode d'une hâte et d'un zèle excessifs, d'où avait résulté l'échec final du royaume d'Israël. De là était née l'assurance que la suprématie appartient à ceux qui sont patients, c'est-à-dire au seul Juda. La faute des fils d'Ephraïm, selon le midrash, était due au fait qu'ils se sont séparés du reste du peuple pour se porter les premiers à l'assaut des philistins ; du fait de cette initiative prématurée, ils tombèrent au combat. C'est ce qui est arrivé de nouveau à Bar Kokhba, figure messianique véritable pour avoir voulu politiquement et religieusement reprendre la lutte contre l'impie, mais qui a voulu « forcer la fin » avant que l'heure soit venue[58]. Son échec et sa mort pouvaient néanmoins être considérés comme l'image du « messie, fils de Joseph », qui doit sortir vainqueur de la guerre contre Gog et Magog, tout en mourant dans ce combat.

Un texte talmudique résume tout cet enseignement sur le messie fils de Joseph, messie qui doit mourir, tandis que le messie fils de David est le messie qui doit vivre :

Nos maîtres ont enseigné : le Saint, béni soit-Il, dira au messie fils de David (qu'il puisse se révéler bientôt en nos jours !) : « Demande-moi ce que tu voudras et je te le donnerai », comme il est dit : « Je publierai le décret. Le Seigneur m'a dit : Tu es mon fils aujourd'hui je t'ai engendré. Demande-moi et je te donne les nations en héritage » (Ps 2, 7-8). Mais quand il verra que le messie fils de Joseph, est mis à mort, le messie fils de David lui dira : « Maître

---

57. J. HEINEMANN, « The Messiah of Ephraim and The Premature Exodus of the Tribe of Ephraim », in *Harvard Theological Review*, t. 68, 1975, pp. 1-15. Article repris dans L. LANDMAN, *Messianism in the Talmudic Era*, éd. Ktav, New York, 1979, pp. 339-353.
58. L'expression « forcer la fin » deviendra un thème constant de la réflexion juive sur la venue du messie. Cf. Ketubot 111 a.

de l'univers, je te demande seulement le don de la vie » — « En ce qui concerne la vie, lui répondra-t-il, ton père David a déjà prophétisé à ton sujet comme il est dit : « Il t'a demandé la vie, tu la lui as donnée, de longs jours qui ne finiront pas » (Ps 21, 5)[59].

De là un second trait est apparu : le messie fils de Joseph ouvre la voie au messie fils de David : il préside aux « prodromes de la rédemption » au cœur de l'histoire mondiale, tandis que le messie fils de David doit jouer un rôle différent. Bien que le premier annonce le second, il ne fait qu'esquisser ce que sera ce dernier par l'opposition même entre leurs deux figures et il n'est pas exclu qu'entre eux apparaisse une certaine tension. Selon un midrash extrêmement intéressant, dont la rédaction est de la fin du premier siècle mais dont les sources sont certainement anciennes, les *Antiquités bibliques* du Pseudo-Philon, cette tension est figurée dans la relation de Saül avec David[60]. Pour cet écrit, Saül, benjaminite, était également éphraïmite et il fut une figure messianique puisqu'il est dit dans la Bible « oint du Seigneur ». Mais sa messianité est transitoire. Appelé par Dieu de jour et révoqué la nuit — à l'inverse de David, appelé de nuit, mais qui devra de jour constater que son heure est différée et que sa mission doit être remise à un autre que lui —, il est un vagabond sans domicile, prophète charismatique des combats à venir (1 S 10, 6), et qui hante la demeure du prophète de la paix, Samuel. Il est un guerrier tragique qui connaît l'échec au cœur de ses victoires ; il passe toute sa vie à combattre les Philistins, — que seul David vainquit. La faute de Saül fut d'avoir voulu hausser l'étendue de l'élection jusqu'à la charge de la royauté et d'avoir offert un sacrifice lors de son couronnement[61]. Samuel, qui a eu la faiblesse d'accueillir Saül, réprouva ce sacrifice. Saül n'est pas rejeté mais dénoncé : alors son temps est terminé et celui de David apparaît[62] : David, oint pendant la vie même de Saül, se tenait à l'arrière-plan tandis que le premier régnait encore et poursuivait son œuvre. La figure du « messie dans la guerre » est nécessaire ; mais elle n'est là que pour servir de contre-épreuve à celle du « messie de la paix ».

Le messie fils de Joseph joue ainsi un rôle historique et politique tandis que le messie fils de David se voit réservé un rôle nettement métahistorique et métapolitique. Ultérieurement les commentaires ont

---

59. T.B. Soukka 52 a.
60. A. SPIRO, « Pseudo-Philo's Saul and The Rabbi's Messiah ben Ephraim », in *Proceedings of The American Academy for Jewish Research*, t. 21, 1952, pp. 119-137.
61. Faute que répétera Roboam, 2 Ch 12, 13.
62. Pseudo-Philon, *Ant. bibliques* 56, 3 ; 59, 1-3.

reconnu dans la relation entre les deux fils de Jacob, Joseph et Juda, et en particulier dans leur altercation [63], le paradigme des rapports entre ces deux figures messianiques.

Il faut ainsi, selon la conception juive, considérer deux étapes effectives dans la délivrance messianique, afin de pouvoir distinguer ses deux modalités, celle selon laquelle elle appartient à l'histoire et celle selon laquelle elle échappe à l'histoire. La première modalité, la réalisation politique, la constitution nationale du peuple, la formation du corps d'Israël au cœur de l'exil sous le signe d'une autorité, est celle du messie fils de Joseph. Mais elle correspond à un stade qui devra être dépassé pour parvenir effectivement au salut final. Les commentaires en ont même conclu que le messie fils de Joseph, par le fait qu'il doit mourir, «élimine cette modalité de la manière d'être d'Israël» [64]. Le règne de la justice, la fin des aliénations politiques dans le monde et, à cette fin, l'existence et la reconnaissance par les nations du rôle d'Israël dans le monde sont l'aspect immédiat mais extérieur et public de l'attente messianique, qui relève du messie fils de Joseph. Mais l'attente messianique ne fait pas que barrer le temps des nations, donner un sens à l'en-deçà et sceller l'histoire humaine; elle ne parle pas que du messie qui meurt. Derrière ces événements il y a une autre face; il y a l'aspect intérieur et propre à Israël de l'attente messianique. Une attente qui débouche sur la vie, sur l'au-delà du temps et sur ce qu'on peut appeler son ouverture ultime. Une attente qui annonce la venue du messie fils de David, le messie de la vie.

2. Impatience et patience messianiques dans le judaïsme

Ce dédoublement dans la figure du messie [65] signale la difficulté qu'il y a à faire entrer le messianisme dans les catégories de la pensée. A la limite, le messianisme, comme l'espérance, n'est pas conceptualisable. Il faut toujours établir une distance entre ce qui est, encore ou déjà, de l'ordre de l'intention et ce qui peut être, déjà ou encore, de l'ordre de la pensée. L'attente messianique ne peut être saisie que de façon dialectique, entre un messie fils de Joseph, qui est accessible à la pensée humaine, et un messie fils de David, qui lui demeure inaccessible, entre un messie qui s'engage dans l'ordre des moyens et un messie qui reste de l'ordre de l'intention ou de la fin.

63. Gn 44, 18-19. Cf. Midrash Tanhuma, cité par E. MUNK, *la Voix de la Thora*, Paris, 1969, tome I, pp. 449-451.
64. Maharal de Prague, *Netsah Israël* ch. 37, cité par B. GROSS, *le Messianisme juif*, Paris, 1969, p. 250.
65. Le principal ouvrage sur ce sujet est celui de S. HURWITZ, cf. bibliogr. *infra*.

De ce point de vue encore, le premier est un messie particulariste, c'est le libérateur temporel (*goël*) du peuple juif. Messie caché, image de souffrance, peut-être fantomatique («né le jour de la destruction du temple»; «il est le lépreux parmi les mendiants de Rome», assis devant le château Saint-Ange[66]). En travail au sein de l'humanité, il est au cœur de toute espérance humaine et exprime l'aspect le plus thématisable du messianisme juif. Il doit amener la fin de l'exil, rassembler le peuple, le réconforter dans son attente, le fortifier dans sa fidélité et dans son mérite. Il est la réponse à son impatience, qu'exprime bien ce mot d'un maître hassidique : «Dieu, libère ton peuple! Si tu ne le veux pas, libère au moins les nations!» (Rabbi de Berditchev). Même si l'on souligne le caractère juif du messianisme, celui-ci ne peut se comprendre comme s'il ne concernait que le peuple d'Israël seul : une telle conception serait la source d'un ostracisme juif, tout à fait étranger à l'idée messianique. La libération du peuple juif est en fait solidaire et concomitante de la libération des autres peuples (Am 9, 7). Elle lui rend eschatologiquement une normalité et lui confère son identité. Maïmonide, le penseur médiéval qui a tenté de rendre raison de l'espérance messianique et de la penser dans son rapport avec l'exil, établit un rapport intrinsèque entre les temps messianiques et la fin de l'oppression des nations[67].

Le second messie, le fils de David, est une figure universaliste et il apparaît, par opposition, comme une pure espérance : il est le sauveur ou le salut (*ieshuah*) de l'humanité. Moins saisissable, cet aspect peut-être parfois l'objet d'une certaine occultation. Il n'en reste pas moins l'expression même de la foi d'Israël, sa référence ultime. «Un Israël sans messie, a-t-on dit, serait comme une femme sans enfant.» Aussi cette attente est-elle toujours restée, depuis les temps bibliques, éminemment réelle. En dépit des tendances, latentes chez les intellectuels, à dépersonnaliser la figure du messie, l'espérance juive séculaire s'est toujours exprimée sous la forme de l'attente de la venue du messie. «Patience infinie», puisqu'il tarde, au point de laisser supposer qu'il pourrait ne pas venir[68]. Mais il est grâce et doit venir «même si nul ne le mérite», «au jour où on ne l'attendra pas». Et son nom, objet dans le temps de recherches balbutiantes, livré à l'interrogation passionnée des écoles, a été prononcé dès avant la création du monde[69].

---

66. Berakot 2, 4 et Sanhedrin 98 a.
67. Mishne torah, Hilkot melakhim, chap. XI et XII.
68. Kafka a poussé cette façon de voir jusqu'au paradoxe en écrivant un jour : «Le messie viendra quand il ne sera plus nécessaire, il viendra seulement le lendemain de son arrivée».
69. Pessahim 54 a.

3. Les antinomies de l'ère messianique

En contestant que, dans la Bible, le messie soit annoncé comme devant exercer une fonction nouvelle de médiateur entre Dieu et les hommes [70] et en rappelant que la rédemption doit respecter l'ordre de la création, le judaïsme souligne le rôle imparti à l'homme dans la venue du messie : par ses actes, l'homme peut hâter ou retarder la venue de l'ère messianique. Cette conscience vive de la possibilité d'exercer une influence sur le dessein de Dieu a conduit la pensée juive, depuis l'époque talmudique, à s'interroger sur les signes, parfois contradictoires, et les critères des temps messianiques. On se limitera ici à en indiquer cinq, qui suffiront à tracer les grandes lignes de la méditation juive sur l'attente messianique [71].

1° Depuis toujours, mais plus encore en un temps où l'idée de progrès a été considérée comme l'expression même de la modernité, le messianisme a été présenté comme le terme d'une croissance, d'une germination et d'une maturation, c'est-à-dire comme un avènement moral et spirituel de l'humanité, un moment différent des temps actuels qui serait la conséquence pour l'homme du mérite de ses bonnes actions, même dans l'ordre politique, car « les prophètes, sans exception, n'ont prophétisé que pour l'époque messianique » : tel était déjà, à l'époque talmudique, l'avis de Rabbi Johanan [72]. Mais d'autres regardent l'avènement messianique, au contraire, comme un temps de rupture par rapport à cette dynamique du progrès. Pour ceux-ci, la venue du messie doit procéder de la seule décision de Dieu ; elle est au-delà des intentions des hommes. Aussi le jour de cette venue est-il laissé en suspens : « le messie ne viendra que dans une génération ou bien entièrement juste ou bien dans laquelle l'injustice sera arrivée à son comble » [73]. Contrairement à la vue précédente, l'ère messianique serait alors, non la suite des temps, mais la crise de l'histoire, le

---

70. Cf. Alan E. Segal, *Two Powers in Heaven. Early Rabbinic Reports about Christianity and Gnosticism*, éd. Brill, Leyde, 1977 ; Mauro Pesce, *Dio senza mediazione*, éd. du Centro di Documentazione, Bologne, 1980.

71. Nous nous inspirons dans une large mesure de l'article de E. Lévinas, « Textes messianiques », in *Difficile liberté*, Albin-Michel, Paris, [1]1963, pp. 83-131 (reprise d'une conférence publiée également dans *la Conscience juive. Face à l'histoire : le pardon*, PUF, Paris, 1965, pp. 100-117), que nous espérons n'avoir pas trop simplifié ou trahi.

72. Sanhedrin 99 a.

73. R. Johanan b. Nappaha, Sanhedrin 98 a. Voir aussi la liste des signes messianiques de R. Eliézer b. Hyrkanos, Mishna Sota IX, 15 et Sanhedrin 97 a.

passage à un temps où la politique ne viendrait plus contrarier la morale, le moment où la morale retrouverait son crédit par rapport à la politique et où une voix autre que celle du monde se ferait entendre dans le monde : « Quand donc viendra le messie ? Aujourd'hui, si vous écoutez sa voix (Ps 95, 7) »[74]. Mais ce temps n'aurait alors pas d'autre différence avec le temps actuel que la fin du « joug des nations », c'est-à-dire de la violence et de l'oppression politique[75]. Ce temps signifierait la mise au silence de la politique et le passage au métapolitique : tel serait l'avis de Rabbi Shmouel. Cette alternative entre germination et rupture est indiquée dans les noms des deux fils de Juda : Zerah et Perets (Gn 38, 29-30).

2° En quel sens le temps messianique doit-il être un temps d'accomplissement ? Nouvelle alternative. Selon un premier aspect, les temps messianiques ne peuvent être accomplis que si l'homme a répondu à l'initiative divine : aussi la venue du messie est-elle suspendue au repentir et aux bonnes actions des hommes. L'inauguration des temps messianiques signifie la fin des délais mis par Dieu à son jugement, un temps de grâce. Liturgiquement le temps messianique commence ici à Pessah (Pâque). Mais il manque encore pour son accomplissement la durée de l'action de l'homme agissant dans la liberté. Tel est l'avis de l'école de Rav[76].

En un autre sens, on doit rappeler que le pardon et le salut sont accordés, que l'homme les mérite ou non. La rédemption est offerte, comme dans les « Jours terribles », au temps de Kippour. Le messie vient, inconditionnellement, pour la fête de Souccot (fête des Tabernacles), car « celui qui est en deuil en a assez d'être en deuil ». Et c'est dans sa souffrance que l'homme accède à la liberté. Il se prépare à ce jour sans aucune idée de perfection ou d'accomplissement, et non pas en s'appuyant sur ses qualités morales, mais par sa seule qualité de témoin ou de victime. Tel serait l'avis de l'école de Rabbi Shmouel[77].

3° Que veut dire que le messie « vient » ? Doit-il venir « avec puissance ? » La venue du messie doit-elle modifier le cours de l'histoire humaine ? C'était l'opinion de Rabbi Johanan, car « le monde a été créé en vue du messie »[78]. Mais ce n'est pas un avis qui fait unanimité. C'est le lieu d'une nouvelle alternative. Un tanna, Rabbi Illel, est même allé jusqu'à soutenir que le messie est suffisamment

---

74. SIMÉON bar YOHAI, Sanhedrin 98 a.
75. Shabbat 63 a.
76. Sanhedrin 98 b.
77. Berakot 34 b.
78. Sanhedrin 97 b — 98 a.

venu « au temps d'Ezéchias » comme l'a affirmé Isaïe [79] : il serait donc désormais inutile, comme le rappelait déjà à Saül le prophète Samuel, de s'en remettre à un personnage messianique ; il ne faudrait plus attendre aucun salut par procuration : le temps de la rédemption est un temps où chacun n'attend le salut que de Dieu lui-même. Cette thèse de Rabbi Illel, en tant qu'elle critique les dangers de l'idée de médiation, comporte un élément de vérité, mais a été écartée. La tradition juive a retenu celle qui maintient que le messie vient par la prière (« le monde créé en vue de David » : Rav) ou en vertu de la fidélité à la Torah (le monde créé en vue de Moïse : Rabbi Shmouel) [80]. Elle rappelle que la venue du messie est liée beaucoup plus à ces données cachées relevant de l'intériorité qu'aux événements publics qui se produisent dans l'histoire. En ce sens, le rôle personnel du messie sur la scène publique ne devrait pas être considéré comme l'aspect le plus important de sa venue. Mais le débat sur ce point demeure.

4° Quel sera donc le critère dernier des temps messianiques ? Il ne peut être que de l'ordre de la vérité. Pour les uns, c'est le messie qui doit manifester toute vérité, car « du souffle de ses lèvres, il anéantira les méchants » (Is 11, 4). Mais pour d'autres, le messie viendra « le jour où on répandra une vérité sans dissimuler le nom de celui qui l'a énoncée » [81]. La vérité, répandue, traduite et manifestant sa portée universelle, loin d'être trahie et de cacher son origine, cessera alors de se présenter sous un visage anonyme : elle sera partageable et offerte à tous et elle sera attribuée au Saint-Esprit [82]. Une telle transparence, c'est le messianisme même.

5° Comment, enfin, l'exigence éthique de la Torah sera-t-elle rendue manifeste aux temps messianiques ? Elle le sera quand la Torah ne sera plus le lieu de détournements politiques ou philosophiques ou juridiques, mais apparaîtra comme une « Torah nouvelle » : son exigence propre apparaîtra alors clairement [83]. Mais ceci ne saurait être l'effet d'un progrès moral né d'une ère de « Lumières ». Autant dire

---

79. Sanhedrin 98 b.
80. *Ibid*.
81. E. Lévinas, *art. cité,* p. 119.
82. L'idée d'une Torah nouvelle pour les temps messianiques ou d'une « Torah du messie » (basée sur Midr. Qoh. 52 a sur Qoh 11, 8) court à travers les commentaires traditionnels sur le messianisme. Cf. W.D. DAVIES, *Torah in The Messianic Age and for The Age to Come*, Scholars Press, 1952 et P. SCHÄFER, « Die Torah der messianischen Zeit », in *ZNW*, t. 65, 1974, pp. 27-42.
83. Tanna Debbe Eliahu, chap. 10 (9), éd. Friedmann, p. 48.

que c'est quand la contestation aura été totale et quand l'obscurité sera complète que le messie viendra.

Pour le judaïsme, « faire venir le messie » est un devoir. Le messie est celui qui « fera aboutir toute œuvre commencée et laissée inachevée ». Deux sentences de Rabbi Tarphon, dont la proximité avec les évangiles est frappante, disent : « La journée est courte et l'œuvre est courte et l'œuvre à accomplir considérable ; les ouvriers sont indolents, cependant le salaire est élevé et le maître les presse » (Pirqe Abot II, 20). Et ensuite : « Tu n'es pas obligé d'achever ton œuvre mais tu n'es pas libre de t'y soustraire entièrement. Si tu as bien étudié la loi, ta récompense sera grande et ton maître sera fidèle à acquitter le salaire de ton travail. Mais sache que la récompense des justes est réservée pour le monde à venir » (Pirqe Abot II, 21). La tâche messianique est ici présentée comme une œuvre, à laquelle l'homme est convié. L'essence du messianisme, dans le judaïsme, est en effet de faire aboutir l'œuvre humaine, commencée depuis la création et laissée inaccomplie. Seul le messie viendra mener celle-ci à son terme [84]. Mais en attendant l'homme est appelé à accomplir chaque action comme une tâche (*mitzwa*) messianique. Et cette tâche, en tant qu'elle ne pourra être terminée, est un acte de suprême patience qui, pour les justes qui vivent au milieu des pécheurs, consiste à savoir attendre dans la fidélité l'heure du jugement et, pour les pécheurs, à reconnaître qu'ils ont la possibilité du repentir.

Tandis que le christianisme est le témoin d'un accomplissement advenu en la personne de Jésus-Christ, le judaïsme reste en ce monde le témoin de l'inaccompli. Tel est, semble-t-il, le message spécifique d'Israël qu'il livre par la voix de ses maîtres et de ses prophètes et, plus encore, collectivement, dans sa chair par sa position même au sein des nations. Au regard de la venue du messie, l'existence juive apparaît comme une « existence en sursis » [85] et c'est à ce prix que le judaïsme

---

84. En vertu du double sens de la racine *shalam*, les temps monianiques doivent être à la fois un temps de paix (*shalom*) et de perfection (*hashlamah*).

85. Gershom Scholem a remarquablement exprimé la tonalité propre du messianisme juif et le prix qu'il doit payer pour défendre la survie de l'idée messianique au cœur de l'histoire : « A la grandeur de l'attente messianique répond la faiblesse infinie du peuple juif dans l'histoire mondiale, dans laquelle il a été jeté sans aucune préparation par l'exil... Il y a dans l'espérance quelque chose de grand et en même temps de profondément irréel. Vivre dans l'espérance, c'est pour l'individu se trouver sans pouvoir, ne pouvoir jamais s'accomplir, parce que l'échec réduit à néant précisément ce qui constitue sa plus haute dignité. Ainsi l'attente messianique a fait de la vie juive une *vie en sursis*, où rien n'est jamais acquis définitivement ni accompli irrévocablement. On pourrait dire peut-être que l'attente messianique est exactement le contraire de l'existentialisme, en ce sens que rien de concret ne peut être réalisé dans une existence non rachetée. Il ne faut pas s'étonner que des harmoniques messianiques aient accompagné l'orientation déterminée vers

creuse, au cœur du temps, les antinomies de l'attente messianique et garde à ce titre, en face du christianisme, sa signification originelle.

---

une action qui ne veut plus se nourrir de consolations, comme cela s'est manifesté dans l'utopie du retour à Sion. Cette orientation vers l'action qui, pour la première fois dans toute l'histoire juive, a marqué notre génération, est née de l'horreur et de la déréliction. Aussi ces harmoniques messianiques qui font partie de l'histoire elle-même et non pas de la méta-histoire, ne sauraient être ramenées complètement à l'attente messianique. Cette entrée dans l'histoire pourra-t-elle se réaliser sans mener à l'abîme d'une crise messianique ? Même si, actuellement, cette crise semble virtuellement conjurée, c'est bien la question qu'après un passé grandiose et redoutable, le Juif de ce temps se pose en face du présent et de l'avenir » (G. SCHOLEM, *le Messianisme juif. Essais sur la spiritualité du judaïsme*, trad. B. Dupuy, Calmann-Lévy, Paris, 1974, pp. 65-66). A ce propos, F. Mussner ajoute que l'idée messianique ne joue pas seulement un rôle de sauvegarde « anti-existentialiste » mais aussi « anti-structuraliste » : « Le messianisme veut contredire la thèse qu'il n'y a rien de nouveau sous le soleil et que les structures du monde et de son histoire ne changent jamais au fond, mais tout au plus de nom. Cf. à ce sujet l'intéressante discussion du structuraliste Cl. Lévi-Strauss avec Sartre dans son livre *la Pensée sauvage*, Paris, 1962, surtout dans le chapitre final « Histoire et Dialectique » (F. MUSSNER, *op. cit.*, p. 136, note 104). Mais l'approche dialectique de G. Scholem touchant cette résurgence contemporaine de l'idée messianique dans le judaïsme se clôt par une question aiguë. D'une part, G. Scholem affirme que, depuis Isaac Louria, à travers l'interprétation par Nathan de Gaza de la crise sabbatéenne, puis à travers le hassidisme, le messianisme juif s'est intériorisé : « Comme l'a remarqué Hillel Zeitlin, chaque individu est devenu le rédempteur, le messie de son petit monde propre, mais alors il faut constater que le messianisme, comme force historique effective, a été liquidé. Il a perdu sa force apocalyptique » (*le Messianisme juif*, p. 301). D'autre part, G. Scholem voit l'aboutissement du messianisme juif dans le sionisme. Ce dernier n'est pas simplement, comme on le croit souvent, une manifestation du nationalisme moderne, issu de la Révolution française, une mutation du judaïsme survenue dans le monde ashkenaze ; il est le messianisme juif se réalisant de nouveau, faisant retour à l'extériorité. Le hassidisme, en l'intériorisant, avait neutralisé pendant un certain temps le messianisme. Le sionisme en est le relais dialectique et rend son historicité au messianisme juif. De ce point de vue, le sionisme n'est pas seulement d'origine ashkénaze. Il a une source orientale. Il est l'autre face du messianisme, occultée, pendant toute la durée de l'exil, dans l'existence marrane (cf. *Fidélité et Utopie*, éd. Calmann Lévy, Paris, 1978, pp. 54-58, 63-69). Mais le sionisme apparaît traversé à son tour par l'ambivalence juive à l'égard de l'histoire. Ou bien il conduit à une résurgence sabbatéenne, à une nouvelle aventure messianique, ou bien il n'est qu'un marranisme à l'échelle nationale. Volonté d'authenticité intérieure (M. Buber) et entreprise pleine de dangers au plan mondial (G. Scholem), le sionisme trouvera-t-il son issue dans des événements vérificateurs des signes apocalyptiques ou dans une nouvelle intériorisation messianique touchant le rapport entre l'initiative divine et l'action humaine ? Telle est la question profonde et grave que soulève l'œuvre de Scholem (cf. J. TAUBES, *The Price of Messianism*, communication présentée au Congrès international des études juives à Jérusalem en 1981, à paraître dans les *Mélanges Igaël Yadin*, Oxford, 1982).

CHAPITRE VI

La controverse sur le messianisme entre juifs et chrétiens

En confessant en Jésus de Nazareth le messie d'Israël et en ouvrant aux païens la voie à cette reconnaissance, les disciples de Jésus ont donné à sa venue une portée imprévue, qui n'a pas été acceptée par le judaïsme. L'adhésion des païens a suscité la « jalousie » d'Israël (Rm 11, 11) qui se manifesta dès la naissance du christianisme, mais cette adhésion pouvait devenir aussi la source d'un enorgueillissement des chrétiens, comme Paul leur en a donné l'avertissement (Rm 11, 18-20) — ce qui s'est produit effectivement. L'événement de Jésus crée ainsi entre juifs et chrétiens le paradoxe d'un lien-rupture. Dans le visage du *christos* des nations, les juifs ne reconnaissent pas le *mashiah* d'Israël. Le refus juif est pour les chrétiens un aiguillon et un rappel et le messie chrétien est pour les juifs une écharde dans la chair. C'est en se fondant sur une tradition biblique séculaire, authentique en son fond, que les juifs exercent un jugement critique à l'égard du message chrétien et c'est en rappelant à une interprétation des prophètes, authentique en son fond, que les chrétiens interpellent l'existence juive. Aussi le débat messianique sur l'existence humaine prend-il la forme et la dimension d'une confrontation sur les sources bibliques. Le juif exerce en permanence une fonction de vigilance à l'égard de l'annonce chrétienne et les chrétiens adressent aux juifs une interrogation constante sur leur attente messianique. Ainsi le dialogue séculaire entre juifs et chrétiens est-il, dans sa vérité, un face à face messianique.

Mais l'adhésion des païens a entraîné une divergence entre la conception chrétienne du messianisme et la conception juive. Dans le christianisme, l'accent est mis désormais sur la personne du messie, sur sa mort et sur sa résurrection : le christianisme est une confession de foi. Tandis que le judaïsme reste attaché avant tout à scruter les signes de la venue du messie à partir des rapports historiques entre les juifs et les nations : le judaïsme est une position dans l'existence.

Pour le juif, la confession de foi chrétienne est la source d'une ambiguïté. En effet, si l'avènement messianique a déjà eu lieu, l'attente chrétienne se réduit aux yeux du juif à l'attente de la parousie et le chrétien risque d'abandonner la tâche propre, messianique, qui lui est confiée dans le monde, à César, voire au « Prince de ce monde ». Dans l'interprétation qu'il a faite de la parole de Jésus en Mc 12, 17, en distinguant le spirituel et le temporel, le christianisme aurait fait une grave concession au monde païen. Il risque d'abandonner le monde au pouvoir séculier. Il se serait démis par avance d'une responsabilité inaliénable. Il aurait cessé de prêter attention à la dimension messianique de l'histoire. Le « déjà tout arrivé » l'aurait emporté sur le « pas encore accompli » et, par conséquent, la vie juive consistera à maintenir vive à chaque instant, dans la trame du temps, l'espérance. Mais le chrétien peut demander au juif s'il maintient le potentiel d'espérance pour le monde contenu dans l'attente d'un messie personnel venant dans l'histoire et non pas seulement, et hypothétiquement, à son terme.

Mais avec l'expansion du christianisme, les autorités chrétiennes ont eu tendance à user de l'argument de la victoire de la vérité et ont pesé sur le pouvoir séculier dans le sens d'une mise à l'écart, non seulement des hérétiques, mais encore des juifs. C'est une tentation plus impérialiste que messianique que de viser à un accomplissement du règne de Dieu ici-bas. L'utopie, d'ailleurs jamais réalisée, d'une chrétienté incluant toutes les nations, et en fait n'excluant que le seul peuple juif confiné dans les frontières des ghettos, a forcément été ressentie par Israël comme un danger profond. Jeté au cours de ses dispersions successives à tous les vents de l'histoire, réduit à la condition mythique de l'errance, le peuple juif se considère dès lors dans son existence même comme le paradigme de la condition humaine et comme assigné, ainsi que le fait remarquer E. Lévinas, à une tâche de mise en garde contre la tentation d'identifier l'histoire avec la vérité (tentation qui a trouvé son expression philosophique à l'époque moderne dans la pensée de Hegel).

Or aujourd'hui, à une époque où la situation du peuple juif apparaît directement liée à celle des nations, la controverse sur ce point trouve une nouvelle actualité. Israël à son tour connaît ce que cela signifie de sortir de sa tente et de bâtir la cité. Peuple à part, il doit apprendre aussi ce que c'est que d'être un peuple comme les autres. Il doit comprendre alors qu'en dépit des différences, les tentations rencontrées par le christianisme au milieu des nations (et qu'il avait connues lui-même à l'origine) sont aussi les siennes. L'attente messianique juive apparaît de nouveau inscrite dans la foulée des espérances séculières et tributaire des conflits entre les nations. Jacob se remet à talonner Esaü. Tant que les peuples continuent de se faire la guerre, tant que la loi du monde reste la « dialectique historique », le peuple juif se voit fondé à maintenir que le *mashiah* n'est pas entré dans l'histoire et, au nom de son expérience propre, le peuple juif rattache la reconnaissance de tout avènement messianique à sa propre libération du « joug des nations ».

Marqué par l'expérience indicible d'Auschwitz, le peuple juif porte un jugement extrêmement sombre sur l'histoire. C'est avec cet arrière-plan que le débat talmudique sur la venue du messie retrouve de nos jours son actualité et son acuité. Au chrétien qui affirme que le « soleil de justice » s'est levé sur le monde et que le Christ reviendra quand la prédication de l'évangile aura atteint toutes les nations, le juif répond que l'obscurité s'étend sur l'univers et que « le messie viendra quand les ténèbres seront complètes ».

C'est bien sous ce signe tragique, pourtant, que le dialogue entre judaïsme et christianisme sur le messianisme peut s'instaurer. A une époque où le mépris de l'homme est allé jusqu'à prendre le nom d'Auschwitz, en un temps où l'œcuménicité qui s'instaure entre les nations se fait sous le signe, non de la justice et du droit, mais du camp et de la bombe, le langage de la croix apparaît dans le réel de l'histoire comme scandale pour les juifs et folie pour les nations. Si l'Eglise, en dépit de ses paroles de vérité et de paix, doit se convaincre que les nations n'écoutent pas sa voix, il faudra bien qu'elle en appelle à une autre œcuménicité que celle qui vient de la plénitude des nations, qu'elle se rappelle sa source et apprenne à réentendre les appels du Christ (et les avertissements de Paul) relatifs aux jours qui seront ceux du messie.

La question messianique se manifeste ainsi en notre temps comme le centre de l'histoire. En dépit des incompréhensions et des divergences qui demeurent et semblent insurmontables à vues humaines, le « face-à-face » messianique entre juifs et chrétiens, si occulté, si méconnu soit-il, peut devenir une source d'espérance pour un monde qui oscille entre le progressisme et le nihilisme. Il recèle, à travers la contradiction même, l'attente d'un monde en recherche. Le peuple juif attend l'avènement du messie ; le peuple chrétien attend aussi, pour le jour de la parousie, d'une manière qu'il ignore encore, la reconnaissance publique du messie par les nations et surtout, critère ultime posée par Paul, par le peuple juif. D'ici là, le peuple chrétien reste le « témoin de l'événement » advenu au milieu de l'histoire, témoin de l'événement qui seul peut éclairer la condition humaine et transfigurer la pitoyable histoire du monde ; et le peuple juif reste le « témoin de l'inaccompli », témoin des échecs des nations et de l'espérance qui seule peut sous-tendre le dynamisme des hommes vers un monde meilleur.

Juifs et chrétiens sont, chacun pour leur part, des témoins de l'histoire. L'appel qui monte d'Auschwitz peut de nos jours réveiller le chrétien dans son attente et l'espérance chrétienne de la résurrection peut devenir pour le juif ce qu'elle n'a sans doute jamais été, un aiguillon qui l'appelle à rester ferme dans l'attente du messie. Alors la vérité messianique, la vérité christique obnubilée, pourra luire à nouveau dans la nuit des nations. Et à cet instant, selon l'espérance chrétienne (Rm 11) — espérance qui devrait rejoindre l'espérance juive, mais d'une façon qui nous demeure encore inconnue —, l'heure de la réconciliation messianique entre juifs et chrétiens, heure sans cesse différée jusque là, et qui n'appartient qu'à Dieu (Ac 1, 7), sera en vue.

BIBLIOGRAPHIE

I. ANTHOLOGIES DES TEXTES MESSIANIQUES

R. Pataï, *The Messiah Texts*, Wayne State University Press, Detroit, 1979, 374 pp. (Recueil très complet des textes messianiques juifs, traduits en anglais, inaccessibles autrement.)

G. W. Buchanan, *Revelation and Redemption*, Dillsboro (North Carolina), 1978; 632 pp. (Ouvrage similaire, mais de facture plus classique, classement par thèmes, écrit par un auteur chrétien.)

Even Shmuel, *Midreshei-geulah*, éd. Mossad Bialik, Jérusalem, 1954, 472 pp.

A.Z. Eschcoli, *Hatenuah ha-meshiḥit be-Israël*, éd. Mossad Bialik, Jérusalem, 1956, 418 pp.

(Textes en hébreu, dont beaucoup sont inédits. Tandis que les deux ouvrages précédents s'arrêtent au moyen âge, ces deux derniers livres s'étendent jusqu'à la période moderne.)

II. ETUDES

M.-J. Lagrange, *le Messianisme chez les juifs* (150 av. J.-C. — 200 apr. J.-C.), Gabalda, Paris, 1909. (Etude qui date et qui a besoin d'être complétée par celles de P. Grelot, citées ci-dessous.)

H. Gressmann, *Der Messias*, Göttingen, 1929 (rééd. Olms, Hildesheim, 1982).

S. Mowinckel, *He That Cometh*, Abingdon Press, New York, 1954, 528 pp. (Ouvrage important, analysé par J. Coppens dans la référence qui suit pp. 31-38. Relève de la tendance qui cherche une origine iranienne au thème du « fils de l'homme ».)

L. Cerfaux, J. Coppens, etc., *l'Attente du Messie*, coll. « Recherches bibliques », Desclée De Brouwer, Paris-Bruges, 1954, 190 pp.

Paul Volz, *Die Eschatologie der jüdischen Gemeinde im neutestamentlichen Zeitalter. Nach den Quellen der rabbinischen apokalyptischen und apokryphen Literatur*, Tübingen, 1934, (rééd. G. Olms, Hildesheim, 1966) 458 pp. (Véritable encyclopédie de la question.)

L. Landmann et coll., *Messianism in Talmudic Era*, éd. Ktav, New York, 1979, 518 pp. (Recueil rassemblant 27 articles publiés de 1913 à 1975 sur la question du messianisme à l'époque biblique et dans le Talmud.)

P. Grelot, *les Poèmes du Serviteur*, Cerf, Paris, 1981, 284 pp. (Synthèse très complète de l'exégèse relative aux chapitres 41-44 et 53 d'Isaïe.)

Id., *l'Espérance juive à l'heure de Jésus*, Desclée, Paris, 1978, 272 pp. (Présentation précise des textes exprimant l'attente messianique à l'époque intertestamentaire.)

M.-A. CHEVALIER, *l'Esprit et le Messie dans le bas-judaïsme et le Nouveau Testament*, PUF, Paris, 1958, 154 pp. (Etude limitée à ce thème précis.)

S.H. LEVEY, *The Messiah : An Aramic Interpretation. The Messianic Exegesis of the Targum*, Hebrew Union College, Cincinnati, 1974, 180 pp. (Comme l'ouvrage de P. Grelot, ce recueil manifeste que les Targums tardifs écartèrent le sens messianique de certains textes quand les auteurs chrétiens se mirent à les invoquer.)

J.-J. BRIERRE-NARBONNE, *le Messie souffrant dans la littérature rabbinique*, Geuthner, Paris, 1940, 180 pp. (L'A. montre que le thème du «messie souffrant» n'est pas absent de la tradition juive.)

ID., *Exégèse rabbinique des prophéties messianiques*, Geuthner, Paris, 1939, 5 vol., 739 pp. (Ample florilège de textes tirés de midrashim.)

A. NÉHER, *le Puits de l'exil*, Albin Michel, Paris, 1966. (Exil et messianisme chez le Rabbi Lœw, Maharel de Prague.)

B. GROSS, *le Messianisme juif*, Klincksieck, Paris, 1969, 382 pp. (Exposé du messianisme à l'aide des écrits du Maharal de Prague. Souligne le lien mis par les rabbins entre le messianisme juif et la fidélité à la Torah. Ouvrage très bien écrit et bien conduit qui offre une présentation synthétique du messianisme juif selon une lecture moderne. La question de la personne du Messie et ici laissée un peu au second plan.)

ID., «Messianisme et Eschatologie», in *Encyclopédie de la mystique juive*, éd. Berg, Paris, 1977, pp. 1076-1291.

J. KLAUSNER, *The Messianic Idea in Israël. From its Beginning to the Completion of the Mishnah*, éd. The Macmillan Company, New York, 1965, 543 pp. (Ouvrage paru en hébreu en 1956. Synthèse classique.)

Abba Hillel SILVER, *A History of Messianic Speculation in Israël, From The first to The Seventeenth Century*, éd. The Macmillan Company, New York, 1927, 270 pp. (S'intéresse spécialement aux «calculateurs de la fin».)

J. SARACHEK, *The Doctrine of The Messiah in Medieval Jewish Literature*, éd. Hermon Press, New York, 1932, 1968[2], 339 pp. (Livre précis, mais sans aucun esprit de synthèse ni essai d'interprétation.)

J.H. GREENSTONE, *The Messianic Idea in Jewish History*, éd. Greenwood Press, Westport (Connecticut), 1906, 1973[2], 348 pp. (Ces quatre ouvrages, qui sont des classiques en la matière, dressent une histoire complète des spéculations messianiques dans le judaïsme.)

G. SCHOLEM, *le Messianisme juif. Essai sur la spiritualité du judaïsme*, trad. B. Dupuy, Calman-Lévy, Paris, 1971, 504 pp.

E. LÉVINAS, «Textes messianiques», in *Difficile Liberté*, Albin Michel, Paris, 1963, pp. 83-131, et «Un Dieu-homme?» in *Qui est Jésus-Christ?* Centre catholique des intellectuels français, Desclée De Brouwer, 1968, pp. 186-192, texte repris dans *Exercices de la patience*, n° 1, 1980, pp. 69-74. (Ces deux études, conduites à la lumière des interrogations modernes, sont difficiles mais d'une importance capitale.)

ID., *Sabbatai Sevi. The Mystical Messiah*, Princeton Univ. Press, 1973, 1 000 p. (trad. fr. à paraître aux Ed. Verdier.)

III. LA LITTERATURE CHRETIENNE DES TESTIMONIA

J. Rendel HARRIS, *Testimonies*, 2 vol., Londres, 1916-1920.

P. PRIGENT, *Les Testimonia dans le christianisme primitif. L'Epître de Barnabé I-XVI et ses sources*, Gabalda, Paris, 1961.

J. DANIÉLOU, *Etudes d'exégèse judéo-chrétienne* (Les Testimonia) Beauchesne,

Paris, 1966, 188 pp. ; *les Figures du Christ dans l'Ancien Testament*, Beauchesne, Paris, 1950, 266 pp.

R. Hodgson, « The Testimony Hypothesis », in *JBL*, t. 98, 1979, pp. 361-378.

P. van Buren, *Discerning The Way*, Seatury Press, New York, 1980, pp. 138-144. (Ouvrage fondamental dans lequel la question du messianisme n'est pas traitée pour elle-même, mais l'auteur y aborde en quelques pages le problème des Testimonia et de leur usage au temps de Justin.)

B. CHRISTOLOGIE

I. LA GENÈSE DE LA CHRISTOLOGIE APOSTOLIQUE

par JOSEPH SCHMITT

SOMMAIRE. — Introduction. I. Les fondements de la christologie apostolique. Chap. I. Le fondement immédiat : les premières interprétations de l'événement pascal. Chap. II. Le ministère de Jésus : ses aspects « christologiques » ; A) Les aspects probables : 1. L'exousia de Jésus, a) la critique de la Loi, b) l'appel des disciples ; 2. La proximité de Dieu ; 3. Le Père, Abba. B) Les données controversées : 1. « Le Fils » ; 2. Le Christ-Sagesse ; 3. Le Fils de l'homme. Chap. III. Le fondement judaïque : lecture scripturaire et tradition messianique. Notes et bibliographie.
II. Le Christ des premières Eglises palestiniennes. Chap. I. Le donné prépaulinien : 1. Le « Christ » ; 2. Le « Seigneur » ; 3. Le « Fils de Dieu ». Chap. II. Le matériau prélucanien : 1. Le « juste » ; 2. Le « Serviteur de Dieu » ; 3. Le « Prophète comme Moïse ». Conclusion. Bibliographie générale.

INTRODUCTION

Les recherches des vingt-cinq dernières années sur « le Jésus de l'histoire » et sur les communautés judéo-chrétiennes avant saint Paul [1] ont largement contribué à préciser la genèse de la christologie néo-testamentaire. En dépit des incertitudes et d'une énigme qui pour l'heure persistent, elles commandent dès à présent les conclusions fondamentales que voici :

1. Les thèses dépassées

Sont à écarter définitivement l'une et l'autre explication naguère dominantes et concurrentielles.

a) L'influence de l'hellénisme

L'hypothèse des religions hellénistiques, terrain de culture de la christologie apostolique, ne peut être vérifiée, au niveau de la formation, pour aucun des articles caractéristiques de la foi chrétienne, ni pour l'invocation de Jésus « Seigneur » par exemple ni à plus forte raison pour le titre [2] de « Fils de Dieu ». L'influence de l'hellénisme, là où elle se laisse établir, apparaît occasionnelle seulement et secondaire, à travers les « Septante » ou du moins le milieu judéo-hellénistique.

---

1. Voir pour exemple H. CONZELMANN, *Grundriss der Theologie des Neuen Testaments*, Munich, 1968, pp. 45-112 (le kérygme de la Communauté primitive et des églises hellénistiques), trad. fr. *Théologie du Nouveau Testament*, Centurion-Labor et Fides, 1969, pp. 43-109. Les énoncés de foi et de prière prépauliniens — une vingtaine de fragments traditionnels — sont la source majeure de l'investigation à ce sujet.
2. Cf. M. HENGEL, *Der Sohn Gottes. Die Entstehung der Christologie und die jüdisch-hellenistische Religionsgeschichte*, Tübingen, 1975 ; trad. *Jésus, Fils de Dieu*, Cerf, coll. « Lectio divina », n° 94, Paris, 1977.

b) La «conscience messianique» de Jésus

La thèse au contraire du Christ révélé par Jésus est, en elle-même, d'une justesse foncière. Dans sa teneur reçue elle est néanmoins trop optimiste et à vrai dire trop systématique pour ne pas frôler le postulat théologique. Conscient de sa forte personnalité religieuse, Jésus de Nazareth ne s'applique aucune des désignations de grandeur que le messianisme judaïque a projetées sur le Prophète à venir et que valorisera bientôt la christologie chrétienne. Selon le mot d'un auteur contemporain, sa manière est par principe «non messianique»[3]. Centré sur le «règne» eschatologique «de Dieu», en particulier sur sa «venue» à la fois présente et future, son discours a pour objet premier «le Père», sa sainteté et souveraineté, son dessein de salut exclusif de tout particularisme institutionnel, social et éthique, son triomphe infaillible enfin sur l'adversaire dans la phase décisive, imminente de leur conflit. Or, c'est précisément en regard du Père et du Règne que Jésus se situe, quant à lui, dans son témoignage. Les indications relatives à son identité ne sont que l'envers du message eschatologique. Quatre thèmes connexes, à déterminer, les dominent au jugement de l'exégèse : — la conscience ferme d'être l'instrument élu de Dieu pour l'instauration du salut ; — la proximité unique par rapport au Père sur les plans de la connaissance comme de l'action ; — l'engagement total pour la cause de Dieu, jusqu'au don suprême ; — et, dans l'expérience aiguë du rejet, l'attente confiante de l'intervention libératrice que le Père ne refusera point à son envoyé. Tous ces titres, qui se complètent, caractérisent ce qu'il est convenu d'appeler la «conscience messianique» de Jésus ou ce que d'aucuns nomment d'une désignation plus synthétique la «christologie prépascale»[4] du Nouveau Testament.

2. Formation de la christologie néotestamentaire

L'expression, discutable par certain côté, offre du moins l'avantage de souligner pour l'essentiel la continuité entre le témoignage probable de Jésus sur sa condition propre et la réflexion théologique des églises ultérieures sur le sujet. Au fait, la formation initiale de la christologie ne s'étale pas seulement sur près d'un siècle, du ministère évangélique

---

3. Voir F. Mussner, «Wege zum Selbstbewusstsein Jesu», in *BZ*, nouv. sér., 12, 1968, pp. 161-172.

4. Cf. J. Ernst, *Anfänge der Christologie*, Stuttgart, 1972, p. 8 et *passim*.

aux ultimes écrits apostoliques ; au regard de l'histoire des traditions elle se présente comme un ample développement doctrinal, en profondeur et en largeur, lequel au reste n'est point exempt de clivages réitérés, d'une importance il est vrai diverse.

a) L'événement de Pâques, et l'expérience du Ressuscité en particulier, est le premier tournant décisif du processus ouvert dès la venue de Jésus. Fondement immédiat de la foi des disciples, il est de plus le motif et l'objet premiers de la réflexion naissante. Or celle-ci est christologique dès l'abord[5], et d'ailleurs elle ne cessera guère d'accentuer par la suite cette portée originaire. Dans quelque sens qu'on l'interprète, en effet, comme la « résurrection » ou le retour de Jésus à la vie c'est-à-dire à l'action, ou comme son « exaltation » à la condition céleste, le fait pascal ne peut être que la réponse de Dieu à l'attente de son serviteur, la confirmation de ce dernier dans son témoignage et son action d'hier. La communauté primitive s'autorise de ce principe pour valoriser à sa manière le donné évangélique, qu'elle exprime dans les formes et les vocables du messianisme judaïque contemporain. Ainsi s'expliquent la floraison dès les églises prépauliniennes et la diversité des appellations christologiques anciennes. Nous citons pour indication, et compte non tenu de leur attestation variée, les titres « le Juste », « le Prophète », « le Serviteur », « le Christ », « le Fils de l'homme », « le Seigneur » et « le Fils de Dieu », qui pour des raisons diverses ont tenu une place majeure dans la pensée apostolique. La critique pour l'heure en scrute les sources, la provenance et le sens respectifs. Sa conclusion, si nuancée soit-elle, est somme toute univoque. Malgré son originalité et son large caractère judaïque, la christologie de la première génération chrétienne n'est pas une création apostolique en rupture avec le témoignage de Jésus. Deux groupes de faits en garantissent la continuité foncière avec le donné antérieur : — les dénominations messianiques diversement fondées dans les « faits » (« le Fils de David » et « le Seigneur ») ; les titres enracinés dans les « écritures » (Deutéro et Trito-Isaïe, Ps et Dn), lieux de la relecture biblique de Jésus (« le Juste », « le Serviteur », « le Fils de l'homme »). Ces traits divers ne suffisent point à lever la différence au reste réelle entre la foi au Christ et la foi de Jésus ; ils n'en concourent pas moins à repérer et souligner les lignes communes au témoignage de Jésus et à la réflexion des premières communautés.

---

5. Deux faits complémentaires le soulignent : le contenu christologique des premières formules de foi et de prière et par ailleurs — à part 1 Co 16, 22 — le défaut d'énoncés témoins de l'eschatologie prépaulinienne.

b) L'éclatement de la christologie primitive

L'autre clivage, secondaire, est constitué en revanche par l'éclatement apparent de la christologie primitive dès les débuts de la rédaction des évangiles. L'ample éventail de titres messianiques revalorisés dans les divers textes, témoins probables de la christologie présynoptique[6], ne se retrouve ni dans Mc, ni dans Mt-Lc, ni d'ailleurs dans les écrits johanniques. En dehors d'Ac 1-15, il ne se rencontre qu'à l'état de vestiges épars dans les Epîtres catholiques, l'Apocalypse et certains textes subapostoliques. La tradition évangélique, en d'autres termes, ne rend compte que d'une tranche et d'une étape de la christologie néo-testamentaire. En offrant toutefois diverses lectures également motivées des maîtres thèmes qu'elle a sélectionnés, elle propose à n'en pas douter la réflexion la plus poussée que la chrétienté des années 70 à 100 ait développée touchant la condition du Christ vue dans le contexte de son œuvre salvifique.

L'aperçu qu'à l'invitation des éditeurs nous publions dans l'*Initiation* tient à la fois du compte rendu critique et de l'essai de synthèse. Il vient juste à l'heure où l'exégèse en recherche ne peut ni maintenir encore des positions gravement compromises ni garantir déjà des éléments de vérité mal assurés. Devant opter dès lors entre une restitution constructive des faits forcément aléatoire et une présentation de stricte objectivité, qui réduirait au minimum la part de l'hypothèse, c'est la dernière voie que nous avons choisie, bien que l'exposé en soit plus marqué par la dimension de l'incertitude. D'en accepter néanmoins le risque se laisse motiver largement par l'intérêt critique d'un bilan provisoire de la recherche en cours.

---

6. Deux voies s'offrent à qui étudie la christologie du Nouveau Testament : l'analyse des thèmes ou des titres et la restitution des synthèses apostoliques. Bien que critiquée (Cf. R. SCHNACKENBURG, «Christologie des Neuen Testaments», in *Mysterium salutis*, t. III/1, Einsiedeln, 1970, p. 229 ; trad. *Mysterium salutis*, t. 10, Paris, 1974, p. 15), c'est la première que néanmoins nous suivons : elle répond mieux à l'étude des origines de la christologie apostolique et présente en particulier l'avantage de ne prêter à la réflexion messianique de la première génération chrétienne que l'unité relative de l'objet, du propos et des approches convergentes.●

I. LES FONDEMENTS
DE LA CHRISTOLOGIE
APOSTOLIQUE

La réflexion sur la personne et l'œuvre de Jésus est la condition de toute christologie. Et cependant, au témoignage des sources, le discours sur l'action et la condition transcendantes du Christ Jésus ne devient effectif qu'au lendemain de l'événement pascal.

La raison en est double. L'adhésion des disciples au témoignage de Jésus, pour réelle qu'elle ait été, n'en aura pas moins été trop fragile et d'abord trop superficielle pour durer par-delà l'épreuve de la passion. Faute d'avoir communié en profondeur à la foi de Jésus en Dieu, les Douze n'ont pu assumer de leur côté l'expérience cruciale de l'échec. Pour assentir à Jésus il leur fallut un motif nouveau, supérieur et décisif. Le fait de Pâques et plus précisément les apparitions du Maître rendu à la vie l'ont fourni. La présente esquisse préjudicielle rappelle les conditions dans lesquelles ce nouveau départ fut donné.

CHAPITRE PREMIER

Le fondement immédiat : les premières interprétations pascales

Aspect majeur de l'expérience vécue par les disciples dès le lendemain de la passion, les manifestations du Ressuscité sont à la fois l'objet et le motif de la naissante foi pascale, le maître argument de la prédication initiale et le contenu immédiat de la réflexion judéo-chrétienne. Réflexion doctrinale et homologèse communautaire sont inséparablement liées dès le début. Le premier « cri » pascal [1] implique déjà, il est vrai, une interprétation autorisée de la portée des apparitions.

Or trois thèmes dominent les affirmations les plus anciennes de l'événement pascal.

1. Dieu est l'auteur même de la Résurrection

A la différence des miracles évangéliques, par exemple, œuvres divines opérées par Jésus, le fait de Pâques est, quant à lui, l'œuvre propre du Père accompli sur le Christ. Le principe est élémentaire et commande à vrai dire les divers registres de la théologie apostolique. L'expression, notons-le, en varie selon les milieux culturels de la chrétienté primitive. Les énoncés de frappe araméenne emploient le passif divin — « il a été ressuscité », et, par extension, « il a été livré », « il a été vu » — (cf. 1 Co 11, 23 ; 15, 3b-5 ; Rm 4, 25, etc.), désignation par certain côté révérentielle de Dieu. La forme de l'actif prend le pas, en revanche, dans l'expression hellénistique et dès la tradition prépaulinienne : Dieu est, par périphrase, « Celui qui a ressuscité Jésus d'entre les morts » (cf. 2 Co 4, 14 ; Rm 4, 24 ; 8, 11).

---

1. H. SCHLIER, *Über die Auferstehung Jesu Christi*, Einsiedeln, 1968, parle à juste titre du « cri enthousiaste de la Résurrection ».

Au regard de l'historien des religions la formule est la réplique ponctuelle de la locution cultuelle judaïque « Dieu, qui vivifie les morts » (cf. *la Prière des dix-huit bénédictions*, 2 ; Bar syr 48, 8, etc. : rapprocher 2 Co 1, 9 ; Rm 4, 17, etc.) ; elle indique par là que les temps eschatologiques[2] sont désormais ouverts par l'acte pascal du Père.

2. Le thème du juste persécuté

C'est, toutefois, la portée christologique du motif qui apparaît mise en valeur, et dès le départ. Œuvre par excellence de Dieu et suite immédiate de la mise à mort de Jésus par les dirigeants d'Israël, la Résurrection ne peut pas ne point avoir le sens d'une riposte, d'un désaveu de l'initiative prise par les chefs et d'abord d'une « justification » (cf. 1 Tm 3, 16), par où le Maître est « confirmé » (cf. Ac 2, 22) dans sa mission et son ministère d'hier. Ce thème, qui applique à Jésus la tradition reçue concernant le juste persécuté mais réhabilité par Dieu[3], est d'un caractère fondamental : il contient en germe toute la christologie postérieure.

Encore ne se sera-t-il pas traduit dès l'abord par le rappel, le groupement et la transmission des souvenirs de naguère. Les débuts de la tradition relative à Jésus, à ses dits en particulier, datent, certes, de la première génération judéo-chrétienne ; en l'état présent de la recherche à leur sujet, il serait hasardeux néanmoins de les faire remonter au lendemain de Pâques. En fait, il semble bien que la mise en valeur des données évangéliques ne soit intervenue qu'au temps second de la réflexion apostolique. A l'origine le principe de la résurrection justificatrice aura porté à lui seul la foi en Jésus le Christ. Ainsi s'explique la césure initiale entre le témoignage de Jésus et la christologie naissante et d'abord l'insistance de celle-ci sur la messianité nouvelle, supérieure du Ressuscité.

---

2. D'après la tradition judaïque (cf. Dn 12, 2-3 ; 2 M 7, 9 ; Hén éth. 103, 2 s. ; 51, 1 s. ; 4 Esd 7, 88 s.) et judéo-chrétienne (cf. 1 Co 1, 9 ; He 11, 19 par.) ils seront marqués précisément par la résurrection, partielle ou générale, des morts.

3. Voir sur le sujet G.W.E. NICKELSBURG, *Resurrection, Immortality and Eternal Life in Intertestamental Judaism*, Cambridge et Londres, 1972 (le donné de l'histoire des religions) et O.H. STECK, *Israël und das gewaltsame Geschick der Propheten*, Neukirchen, 1967 (le témoignage de l'histoire des traditions scripturaires). Les deux études, qui se complètent, introduisent excellemment à cet aspect peu connu de la problématique pascale.

3. « Exaltation » et « résurrection »

Une double notation souligne, au reste, l'ampleur de ce thème. Visé par Jésus la veille de la passion dans l'annonce de sa présence à venir au banquet du Règne (cf. Mc 14, 25 par.), l'événement pascal donne lieu, dans l'expression de la communauté primitive, à deux dénominations interprétatives, équivalentes et d'ailleurs contemporaines : les vocables de « résurrection »[4] et d'« exaltation »[5]. Ce dernier, qui présente un caractère plutôt technique que théologique[6], n'est pas sans rapports probables avec les milieux du naissant prophétisme judéo-chrétien, leurs diverses activités communautaires (cf. 1 Co 12, 3 ; Ap 22, 20 ; Did 10, 6 s.) et les « révélations » qu'ils ont eues du Ressuscité (cf. Ga 1, 16 ; Mt 16, 17 ; rapprocher Ac 7, 56). Se référant à la montée pascale du Christ ou à son « élévation » depuis le séjour des morts jusque dans la sphère céleste et divine, il fonde, voire implique les principaux titres et motifs qui, tel le nom de « Seigneur », affirment tôt la condition pleinement transcendante de Celui que le Père a confirmé. En un mot il résume à lui seul l'essentiel de la christologie apostolique. Quant à l'autre vocable, celui de résurrection, il n'est guère d'une charge théologique moindre, bien que déjà il fasse l'objet d'un usage plus courant. Puisé à la tradition apocalyptique, qui l'entend de la rétribution eschatologique et l'applique en priorité aux martyrs, il a de son côté pour lieu reçu la thématique du juste rejeté par les impies mais réhabilité par Dieu. A ce point de vue il ne diffère de son parallèle que par deux aspects somme toute secondaires. La christologie se précise dans le premier d'une dimension eschatologique, qui tend à disparaître ailleurs. Inversement, la présence implicite du thème de la montée céleste du Christ[7] nuance une expression qui, en dépit des apparences, ne désigne pas que le rappel à l'existence. Ces dissonances mises à part, le contenu est égal de l'un et de l'autre vocable.

---

4. Traduction du sémitique *qum* « se lever », l'intransitif *anistanai* « se lever » (cf. 1 Th 4, 14 ; Rm 1, 4) est l'expression apparemment originelle. Le parallèle *égeirésthai/égeirein* — « être réveillé » (cf. 1 Co 15, 4 ; Rm 4, 25, etc.) implique, quant à lui, l'image hellénistique de la mort, sommeil.

5. Le grec *hypsôthènai/hypsoun* (cf. Ac 2, 33 ; Jn 3, 14 et Ac 5, 31 ; Jn 8, 28) répond à l'hébreu biblique *rum* (cf. Is 52, 13, etc.).

6. Contre K. BERGER, *Die Auferstehung des Propheten und die Erhöhung des Menschensohnes*, Göttingen, 1976 — la réaction d'un exégète étranger à une problématique qui, posée en termes faussement pastoraux, a polarisé quelque temps la pensée religieuse chez nous.

7. Deux traits en témoignent : la clause « d'entre les morts », élément du vocabulaire primitif de la résurrection, et la représentation relative à la venue *e caelo* du Christ des apparitions (cf. Ac 7, 56 et 10, 40 s.).

CHAPITRE II

Le ministère de Jésus :
ses aspects christologiques

Héritière du judaïsme ambiant, la Communauté primitive se distingue à l'exemple des autres obédiences palestiniennes par un sens aigu de la tradition. A mesure qu'elle prend conscience de son originalité, elle en fait état pour définir son identité. Les fragments reçus de la première *Epître aux Corinthiens*, 11, 23-25 ; 15, 3-5, sur l'institution de l'Eucharistie et sur les articles majeurs de l'Evangile, sont les vestiges les plus anciens de la naissante tradition judéo-chrétienne. Formés vers les années 40 dans la Communauté d'Antioche à partir de matériaux transmis par l'Eglise de Jérusalem, ils témoignent précisément de la confluence en cours de la réflexion pascale et du donné évangélique dans le domaine en particulier de la première christologie. La convergence, pour l'heure, n'en est qu'à sa forme la plus imparfaite. Souvenir évangélique et foi pascale ne se pénètrent point ; ils se complètent et se précisent indirectement par la simple juxtaposition de l'expérience de naguère et de l'acquis apostolique. C'est le «Christ» qui a souffert la croix rédemptrice... (1 Co 15, 3-4), c'est le «Seigneur» qui la veille de «sa passion» a rompu le pain... (11, 23-25).

Bientôt, dans les lettres de saint Paul et dans la tradition des logia [8], la rencontre des deux courants se fera plus large et plus intime. Le donné évangélique servira de fondement et de norme à la pensée apostolique. Mais surtout la réflexion communautaire envahira la tradition de Jésus au point de l'enrichir et la préciser, de la transformer et l'absorber. Bref, la compénétration de l'une et de l'autre — en matière précisément de christologie — sera telle qu'elle commande désormais à l'exégèse la recherche laborieuse du fond traditionnel primitif.

---

8. L'influence à double sens de la tradition des récits sur les dits évangéliques et inversement des logia sur la tradition prémarcienne aura été un des épisodes les plus déterminants de cette confluence.

Ces remarques préjudicielles expliquent les limites et les incertitudes qu'offre à présent toute synthèse des données fournies par Jésus touchant sa condition propre, messianique ou religieuse. Les indications, en effet, sont occasionnelles, indirectes et sporadiques. Témoin de Dieu, du Règne qui vient et de son éthique, Jésus ne témoigne guère de lui-même. Se situant en regard du Père, il ne livre sa conscience que par lueurs et reflets intermittents, par le style de son action et de son discours, par la manière en particulier dont il s'exprime selon qu'il s'adresse à Dieu, au peuple, aux disciples[9]. Certes, plus d'un dit évangélique — la prière dominicale dans la version de Lc 11, 2-4 en est un exemple — aura été conservé dans sa teneur authentique. Pour l'ensemble néanmoins ce fut l'exception. Dans la plupart des logia l'expression première a donné lieu dans sa transmission à des relectures parfois réitérées et qui variaient par le propos, la forme et le contenu. En d'autres dits d'un caractère extrême, elle aura donné lieu, au contraire, à des réemplois fragmentaires en des compositions d'ailleurs secondaires, de création tantôt rédactionnelle et tantôt communautaire. L'attestation, en somme, est de niveaux divers. Elle souligne la persistance singulière de certaines formes apparemment marquantes de la *vox Jesu*. Il est toutefois des textes qui, en dépit de l'ample consensus sur les critères et les voies de la recherche, restent à ce jour réfractaires à toute conclusion critique. Nous ne pouvons pas ne point en tenir compte. Pour ne pas fausser l'exposé en cédant à la tentation d'en majorer la portée, nous les présentons à part — sous la rubrique des données controversées.

A) LES ASPECTS PROBABLES

Trois thèmes fondamentaux caractérisent les données des évangiles au jugement de la critique. Dans cette initiation pratique il suffira de les mettre simplement en relief avec les principaux textes qui les appuient.

---

9. On lira avec profit l'exposé judicieux de W.G. KÜMMEL, *Jesu Antwort an Johannes den Täufer. Ein Beispiel zum Methodenproblem in der Jesusforschung*, Wiesbaden, 1974, pp. 19-24, sur les critères et en particulier les vocables auxquels se laissent reconnaître les éléments authentiques du fond évangélique.

1. L'exousia de Jésus

Le vocable, reçu dans l'expression théologique contemporaine, désigne l'autorité — sans appel — de Jésus, fondée sur l'immédiateté de son enseignement et la force souveraine de son action. A la différence des « scribes » (cf. Mc 1, 22 par. 27 par.) ainsi que des docteurs habilités à dispenser l'instruction communautaire dans les obédiences parallèles, Jésus n'appuie son discours ni sur quelque tradition d'école (cf. Mc 7, 2 ss. par.) ni à plus forte raison sur des techniques savantes. Il puise, certes, aux Ecritures, voire à toutes les veines de la pensée biblique. Mais, contrairement aux diverses formes de la lecture scripturaire juive et judéo-chrétienne, il a, quant à lui, l'intelligence immédiate et originale du texte, qu'il juge d'emblée à ses références messianiques (cf. Is 61, 1-2 par.) et, s'il y a lieu, à ses insuffisances éthiques (cf. Dt 24, 1 ss. par.). Jésus a un sens unique de la sainteté et de la présence divines. Le principe de sa connaissance comme de sa puissance n'est-il pas dès lors en Dieu même ?

L'expression la plus adéquate de pareille autorité est sans conteste le pronom emphatique de la première personne, employé en corrélation avec la clause d'affirmation dans la tournure « en vérité (amen) je (ego) vous dis... » (cf. Mc 3, 28 par.) [10]. Sans exemple dans le judaïsme contemporain, la formule, dont l'authenticité ne peut être contestée, n'a de parallèle que l'expression paléotestamentaire « oracle de Yahvé » (cf. Is 1, 24 par.) [11], par où le prophète souligne l'autorité divine de sa prédication. Un trait corrobore, au reste, ce témoignage indirect. Dans le dit de Mc 9, 37 b par. Jésus apparaît comme le représentant même de Dieu ; et dans les paraboles de la miséricorde en particulier il justifie son comportement envers le pécheur repenti par la bonté illimitée du Père (cf. Lc 15, 5-7. 9-10. 21-24 et 18, 13-14 ; rapprocher Mt 20, 14-15). L'autorité de Jésus n'a de norme que l'autorité souveraine de Dieu. Deux applications majeures précisent ce principe.

a) La critique de la Loi

Ac 6, 13-14 est le témoin le plus ancien connu de l'attitude négative prise par Jésus envers les institutions religieuses d'Israël et d'abord envers la Loi qui les fonde. Comparé à ses divers parallèles

---

10. Voir J. JEREMIAS, *Neutestamentliche Theologie*, I. *Die Verkündigung Jesu*, Gütersloh, 1971, pp. 43 s. et 239-243, trad. fr. *Théologie du Nouveau Testament*. I. *La Prédication de Jésus*, Cerf, 1975, pp. 47 s., 312-318.
11. Cf. T.W. MANSON, *The Teaching of Jesus*, Cambridge, 1955, pp. 105 ss. et 207 ss.

néo-testamentaires et apocryphes [12], le motif de l'accusation portée contre Etienne — la «destruction du Lieu» saint et l'abolition des coutumes que Moïse a données — ne présente pas seulement Jésus de Nazareth comme l'initiateur de la ligne radicale du judéo-christianisme naissant ; il répond à n'en pas douter à l'ensemble des positions conflictuelles tenues par le Maître touchant la Loi, expression inadéquate de la volonté morale du Créateur [13] et en particulier touchant le divorce [14], le sabbat [15], la pureté [16] et *last not least* l'interdiction du Temple à tous ceux que les obédiences dirigeantes déclaraient frappés d'impureté cultuelle [17]. C'est la dimension socio-religieuse du ministère de Jésus qui est ainsi rappelée par Etienne et dénoncée à nouveau devant le Sanhédrin.

Encore le motif en est-il profondément théologique. Malgré les apparences, Jésus n'agit ni par non-conformisme ni a fortiori par antijudaïsme. Conscient de l'écart grandissant qui se creuse entre la loi de Dieu et ses interprétations traditionnelles, il use de son autorité pour la restaurer dans sa pureté première. Il en annule les dispositions secondaires, concessions aux faiblesses humaines. Et d'abord, il la libère de l'exégèse lénifiante des sages, qui par tradition d'école la dévaluent et l'altèrent.

Les six antithèses de Mt 5, 21-48 précisément le soulignent. Certes le document est sous bien des rapports rédactionnel. Œuvre des scribes responsables de l'église matthéenne, il témoigne en premier lieu du dialogue instauré au sujet de la Loi entre docteurs juifs et judéo-chrétiens dans certains milieux syriens au lendemain de 70. Composé aux fins de la catéchèse communautaire, il présente le commentaire des préceptes dits de la «deuxième table» sous la forme d'antithèses où est opposé à «ce qui a été dit aux anciens» (cf. vv. 21.33) le commandement supérieur du Christ, uniformément introduit aux vv. 22.28.32.34.39.44 par la clause d'autorité «moi, je vous dis». Or, tout n'est point du même niveau secondaire dans cette construction synthétique. Nombre de matériaux remontent aux

---

12. Voir Mc 14, 58 ; Mt 26, 61 ; Jn 2, 19 ; *Evangile selon Thomas*, 71.
13. Sur l'importance majeure de ce thème dans la pensée de Jésus et sur son originalité en regard des tendances parallèles du judaïsme pharisien et sadocite voir H. BRAUN, *Spätjüdisch-häretischer und frühchristlicher Radikalismus*, Tübingen, 1957 (deux volumes).
14. Cf. Mc 10, 2-9 et 10-12 ; Mt 19, 3-9 et 5, 31-32 ; Lc 16, 18.
15. Cf. Mc 2, 27-28 ; Mt 12, 6-8 ; Lc 6, 5 par.
16. Cf. Mc 7, 2-23 ; Mt 15, 1-20 ; Lc 11, 38-41.
17. Visés dans le macarisme (béatitude) des «pauvres» (cf. Lc 6, 20 ; Mt 5, 3), ces derniers sont énumérés dans le dit des œuvres messianiques, Mt 11, 4-6 ; Lc 7, 22-23 (cf. Mt 21, 14.15-16 par.).

diverses veines de la tradition judéo-chrétienne antérieure [18] qui, à une exception près (cf. Lc 6, 27.28 ; Mt 5, 44), les rapportent sans la formule « je vous dis ». Quant à l'antithèse qui structure l'exposé, elle autorise une conclusion similaire : création du rédacteur matthéen, elle met en œuvre des éléments dont le second, fondamental, est le réemploi de l'expression d'autorité effectivement usitée naguère par Jésus [19].

b) L'appel des disciples

A la différence des pharisiens, qui accueillent leurs « disciples », et des esséniens, qui admettent les volontaires de l'alliance à leur Communauté, Jésus choisit souverainement « ceux qu'il veut » : il les « appelle » et les associe d'emblée à sa mission, la proclamation du Règne au peuple. Le fait est attesté directement par l'institution consécutive des Douze (cf. Mc 3, 13-19), dont l'historicité apparaît certaine. L'appel des disciples est ainsi caractéristique du mouvement chrétien naissant, encore que la désignation de *mathètai* puisse n'être pas de tout point originelle. Ne donnerait-il pas de son côté la mesure de l'autorité distinctive de l'Appelant ?

Plusieurs groupes de fragments s'accordent à préciser l'argument, dont l'exégèse de l'heure souligne à juste titre l'intérêt christologique [20]. Nous mentionnons : les récits prémarciens sur l'appel de Lévi (cf. Mc 2, 14 par.) et des quatre disciples près du Lac (cf. Mc 1, 16-20 par.), les dits de la double (cf. Lc 9, 57-62 par ; 14, 25-35 par.) et de la triple tradition (cf. Mc 10, 21 par. 29-30 par.) sur la réponse inconditionnelle de l'appelé, enfin le logion de Mt 19, 11-12, sur le renoncement charismatique au mariage. Or l'analyse de

---

18. A comparer touchant : 1. le divorce : Mt 5, 31-32 ; 19, 3-9 = Mc 10, 3-9. 11-12 = Lc 16, 18 ; 2. la défense de jurer : Mt 5, 33-37 ; 23, 16-22 = Jc 5, 12 = Justin *Apol.* I, XVI, 5 ; 3. le talion : Mt 5, 38-42 = Lc 6, 29-30 ; 4. l'amour des ennemis : Mt 5, 43-48 = Lc 6, 27-28. 32-36.

19. Mt, par exemple, l'emploie d'ailleurs neuf fois dans les textes de la tradition propre (6, 2.5.16, etc.), neuf fois dans les fragments de la double tradition (5, 18.26 ; 8, 10, etc.) et onze fois dans les morceaux de la triple tradition (10, 42 ; 12, 31 ; 16, 28, etc.). Sur l'ensemble de la péricope voir H. Th. WREGE, *Die Überlieferungsgeschichte der Bergpredigt*, Tübingen, 1968, pp. 35-93 ; J. JEREMIAS, *op. cit.*, pp. 240 s., et Chr. DIETZFELBINGER, *Die Anthithesen der Bergpredigt*, Munich, 1975.

20. Cf. par exemple J. DUPONT, *Jésus aux origines de la christologie*, Duculot, Gembloux et Paris, 1975, p. 353 et n. 6.

ces textes [21], de provenances somme toute diverses fonde les conclusions convergentes que voici.

1° L'appel est à l'initiative entière de Jésus. En raison de son caractère inopiné, il a par principe le sens d'une irruption dans l'existence même du sujet.

2° L'interpellation est personnelle et impérative. Dans les fragments les plus anciens elle s'exprime moyennant la forme juive « accompagne-moi » (cf. Mc 2, 14 ; Lc 5, 11 ; Jn 1, 43) et la locution palestinienne « venez, derrière moi » (cf. Mc 1, 17.20). Les deux tournures sont équivalentes et sans doute également primitives. « Accompagner » Jésus, c'est « marcher à sa suite ». L'ordre commande l'engagement. Or, ce dernier est total. Il comprend l'action missionnaire, l'existence itinérante, le risque enfin du succès ou de l'échec — encore incertains à présent. L'appelé, en un mot, s'engage à servir la cause de Dieu en liant son destin propre à celui de Jésus.

3° Aussi la réception de l'appel est-elle immédiate et inconditionnelle. Telle est la teneur majeure des textes, commune aux dits et aux récits. A la parole de Jésus, Lévi « se lève et se met à l'accompagner » (Mc 2, 14). Le motif de la rupture sociale souligne d'ailleurs l'assentiment immédiat à l'appel par le disciple. « Et laissant leur père..., Jacques et Jean partirent à la suite » de Jésus (Mc 1, 20.18 par.). La tradition ne tardera pas à préciser le thème. Au relâchement des liens familiaux (cf. Lc 9, 61-62 par. ; 14, 26 par. ; Mc 10, 29-30 par.) fera suite le renoncement aux richesses (cf. Mc 10, 21 par.), puis dans le judéo-christianisme syrien l'idéal du célibat « en vue du royaume des cieux » (cf. Mt 19, 12). L'ancienneté du motif explique en l'occurrence l'ampleur de son développement.

4° En conclusion, l'appel des disciples au temps évangélique n'a de comparable par tous ces traits que l'envoi des prophètes dans le passé d'Israël. Jésus, en d'autres termes, appelle ses compagnons de mission comme Jahvé appelait jadis des messagers témoins — avec les mêmes exigences, la même autorité, la même présence. La tradition, au demeurant, l'a noté dès le départ. C'est d'après le schéma des récits

---

21. M. HENGEL, *Nachfolge und Charisma. Eine exegetisch-religions-geschichtliche Studie zu Mt 8, 21 f. und Jesu Ruf in die Nachfolge*, Berlin, 1968 ; J. ERNST, *Anfänge der Christologie*, Stuttgart, 1972, pp. 125-145 : « Jünger-schaft und Nachfolge », sont à notre connaissance les rares études à ce jour parues sur la question.

paléo-testamentaires de vocation qu'apparaissent structurés les premiers récits évangéliques d'appel[22].

2. La proximité de Dieu

Instrument de l'action eschatologique de Dieu, Jésus a prêché et
instauré le Règne divin. Dans quelle mesure pouvons-nous cerner
encore la conscience qu'il aura eue dès lors de ses rapports particuliers
avec Dieu ? Trois lignes directrices se dégagent, à ce sujet, semble-t-il,
de l'examen des textes.

a) C'est dans sa lecture des Ecritures que Jésus indique, par le relief
qu'il donne à certains textes et par l'intelligence messianique qu'il en
propose, la compréhension qu'il a de son rôle dans l'œuvre divine. Le
critère, dont les applications sont à vérifier par la recherche, assure en
principe l'originalité de Jésus. Les lieux scripturaires d'Is 52, 13 - 53,
12 ; 61, 1-3 en particulier remontent suivant toute probabilité à la
première origine même de la tradition : le théologien peut à bon droit
s'en autoriser pour présenter les motifs du « messager » messianique,
de la « bienveillance de Jahvé », du « Serviteur » souffrant comme
indicatifs du contexte auquel Jésus aura puisé, au vocable près, le
témoignage relatif à sa personne, son message et son action
eschatologique. On ne peut guère en dire autant, dans l'état
momentané de la discussion, de deux autres contextes scripturaires,
sources présumées de la pensée et de l'expression évangélique — le
motif apocalyptique du « Fils de l'homme » (cf. Dn 7, 13-14) et le
thème apparenté de la Sagesse missionnaire (cf. Si 24, 1-22 par.).
Nous préciserons plus loin les raisons de cette incertitude, due avant
tout à l'insuffisance des recherches en somme récentes sur l'exégèse de
Jésus. Le donné critique est pour l'heure fragmentaire. Il n'en montre
pas moins déjà que Jésus, en référant l'Ecriture à lui, se place
implicitement dans la proximité de Dieu[23].

b) L'emploi par Jésus du comparatif neutre au singulier et dans un
contexte messianique fournit, de son côté, une indication plus précise.

---

22. Voir à ce sujet C. COULOT, *Matériaux pour une étude de la relation
«Maître et Disciple»* dans *l'Ancien et le Nouveau Testament*, thèse U.S.H.
Strasbourg, 1979.
23. J.A. SANDERS, «From Isaiah 61 to Luke 4», in J. NEUSNER (éd.),
*Christianity, Judaism and Other Greco-Roman Cults. Studies for Morton Smith at
Sixty. Part One : New Testament*, Leyde, 1975, pp. 75-106, présente un
exemple de la recherche contemporaine en la matière.

Ainsi présentée, la forme est caractéristique en particulier des dits parallèles sur la «reine du Midi» et sur les «hommes de Ninive», reproduits en Lc 11, 31-32 et dans Mt 12, 41-42 en appendice au logion sur le «signe de Jonas» : «Il y a ici (*hôde*) plus (*pleion*) que Salomon, (...) et il y a ici (*hôde*) plus (*pleion*) que Jonas» (rapprocher Mt 12, 6 et Lc 7, 26 par.). Une double particularité marque cette tournure, dont la frappe sémitique est probable. — L'expression est énigmatique et n'a de similaire qu'en d'autres dits de Jésus (cf. Lc 9, 44, etc.). La comparaison est, en effet, indéterminée pour ce qui est du sujet (l'adverbe de lieu «ici») comme du terme (le comparatif neutre «plus») et sa dimension laissée «ouverte» à dessein [24]. — Or, il est impensable que pareille tournure ait pu être créée au temps postpascal, en des milieux judéo-chrétiens qui, nous le dirons, n'avaient nul motif de voiler ainsi une christologie dès lors explicite, dominante et riche de ses développements. L'authenticité de la formule ne peut être mise en question à cause de la parole de menace qui en est le contexte, c'est l'affirmation messianique implicite qui garantit au contraire l'historicité du logion sur «cette génération» condamnée le jour du jugement par les Ninivite et la reine du Midi. A la différence du recours au Deutéro-Isaïe il indique que sous le rapport de la proximité à Dieu Jésus dépasse en fait les élus de jadis : seul il se situe entre Dieu et Jonas ou Salomon.

c) Un thème complexe corrobore ces données. Jésus sait le dessein de Dieu et en transmet la connaissance aux disciples. Trois fragments majeurs le soulignent, dont le fond au moins remonte à la naissante tradition évangélique : — le dit touchant «le mystère du Règne» et de sa venue présente, «donné» aux disciples mais proposé «en énigmes» seulement à «ceux du dehors» (Mc 4, 11 par.) ; — la béatitude attribuée aux témoins privilégiés de l'action messianique en cours de Jésus, car «bien des prophètes et des justes ont souhaité voir ce que vous voyez et ne l'ont pas vu, entendre ce que vous entendez et ne l'ont pas entendu» (Mt 13, 16-17 par.) ; — enfin, l'action de grâces au «Père d'avoir caché cela (*tauta*) [25] aux sages et aux habiles et de l'avoir révélé aux tout-petits ; oui, Père, car tel a été ton bon plaisir (Mt 11, 25-26 par.). Ces divers logia ne témoignent pas seulement de la

---

24. Voir en particulier K.H. RENGSTORF, art. «Sèmeion», in *TWNT*, t. VII, Stuttgart, 1961, p. 232, lignes 14-35, et F. MUSSNER, «Ursprung und Enfaltung der neutestamentlichen Sohneschristologie. Versuch einer Rekonstruktion», in L. SCHEFFCZYK (ed.), *Grundfragen der Christologie heute*, coll. «Quaestiones Disputatae», n° 72, Fribourg, 1975, pp. 81 ss.

25. Vestige, témoin du contexte original perdu.

prédication authentique de Jésus, de son objet — le « Règne de Dieu »
dans sa venue actuelle —, de ses formes dominantes — la béatitude et
l'antithèse —, ainsi que de ses auditoires déjà divisés ; selon toute
probabilité ils auront été prononcés à une heure cruciale où se précisait
l'échec de la mission galiléenne. La perspective de l'échec, en effet,
n'entrave pas la révélation de Dieu aux petits. Comme le souligne le
dit apparenté de Lc 12, 32, c'est à eux qu'il a plu au Père de « donner
le Règne ».

Mais d'où vient à Jésus cette connaissance immédiate du propos
divin ? Le logion Mt 11, 27 par. donne la réponse à la question :
« Tout (*panta*) m'a été remis par mon Père et nul ne connaît le Fils si ce
n'est le Père comme nul ne connaît le Père si ce n'est le Fils et celui à
qui le Fils veut bien le révéler. » Le fragment, qui fait suite au dit sur
la révélation du Père aux tout-petits, en diffère néanmoins sur deux
points forts : il introduit le motif central de la « connaissance », qui
prend le pas sur le thème marginal de la « révélation » ; mais surtout il
propose le titre christologique « le Fils » — dans la forme absolue du
vocable —, et non sans le présenter en contre point à l'appellation de
« Père ». Assurément, le morceau n'est de provenance ni johannique ni
gnostique ni d'ailleurs hellénistique. Mais, ceci posé, où en situer au
juste l'origine palestinienne ? Deux données en somme probables se
dégagent pour l'heure de la recherche. — Le schéma de la réciprocité
est scripturaire. Dans 2 S 7, 14 et Jr 31, 34-35 ; Ez 36, 21-28 ; Is 52, 6
en particulier il traduit les rapports d'« élection » et de « connaissance »
restaurés entre Yahvé et le peuple aux temps messianiques. Or, c'est
fondamentalement le même sens eschatologique qu'il offre dans le
fragment de Mt et de Lc. Election et connaissance sont les aspects de
la relation majeure entre « le Père » et « le Fils » comme elles le sont à
un niveau inférieur du rapport parallèle entre Dieu et la Communauté
des disciples. Cette relation, notons-le, se distingue dès l'abord par un
caractère exclusif et personnel, que ne manquera pas de préciser au
reste la réflexion christologique ultérieure. — Quant au logion même,
il vient à tout le moins des milieux judéo-chrétiens qui auront formé la
double tradition et dont la christologie fut marquée justement par la
mise en valeur du nexus reçu entre les motifs de l'élection, de la
connaissance de Dieu et de la révélation. Remonterait-il effectivement
à Jésus ? La critique est divisée sur la question [26], malgré le morceau
par certain côté parallèle de Mc 13, 32 par. et l'hypothèse d'ailleurs
probable du sens initialement métaphorique de la dénomination de
« Fils ». Résumant la discussion à son stade le plus récent, L. Goppelt

---

26. Citons entre divers autres E. Sjoeberg, F. Hahn, E. Schweizer, etc.,
contre O. Cullmann, B.-M.-F. Van Iersel, J. Jeremias, S. Légasse.

conclut non sans quelque hésitation : le fragment aura été formé dans la première chrétienté palestinienne « ou peut-être tout de même par Jésus. En tout état de cause, il exprime ce qui fut en fait la motivation du ministère évangélique »[27].

3. Le Père, Abba

Une première précision rend compte de la controverse et d'abord de la disjonction des dits de Mt 11, 25-26.27, groupés dans l'hymne de jubilation.

Le cri en croix de Mc 15, 34 par. mis à part, où l'appel à Dieu est contenu dans la citation du Ps 22, 2, toutes les prières de Jésus qui appartiennent à la strate la plus ancienne de la tradition sont introduites par l'invocation de Dieu sous le vocable de « Père ». Nous relevons, outre le logion de la révélation aux petits dans Mt 11, 25-26, le *Pater* dans la version de Lc 11, 2-4, et la prière à Gethsémani en Mc 14, 36, par. L'originalité de ces textes est double. Semblable ouverture du discours cultuel est inconnue du judaïsme préchrétien et contemporain[28]. Bien plus, l'araméen *abba*, sous-jacent à ses diverses lectures dans les morceaux cités[29] dénote une réaction religieuse particulière à Jésus. Relevant du langage familial, il exprime dans l'usage courant les sentiments d'abandon, de confiance et d'attachement que l'enfant porte au père. Son transfert dans la langue cultuelle, à quelque temps qu'il remonte dans l'éveil de la conscience messianique de Jésus, souligne qu'attachement, confiance et abandon sont précisément, et au plan supérieur, les liens existentiels qui unissent dès lors ce dernier à Dieu. Le vocable, dont l'authenticité est reconnue par l'ensemble de la critique, domine le dialogue de Jésus avec le Père durant tout le ministère évangélique. Il est, à n'en point douter, le témoignage le plus immédiat qui nous soit transmis touchant la conscience que Jésus a eue de sa proximité unique à l'égard de Dieu, auteur de l'œuvre eschatologique.

La génération des disciples en conservera le souvenir aigu. Elle ne conformera pas seulement sa prière sur ce point à celle du Maître (cf. Ga 4, 6 ; Rm 8, 15 ; rapprocher Mt 6, 9, etc.)[30]. La paternité de Dieu, contenu de la conscience religieuse de Jésus, sera tout à la fois le critère auquel les milieux apostoliques mesureront la justesse de leur

---

27. L. GOPPELT, *Theologie des Neuen Testaments, I. Jesu Wirken in seiner theologischen Bedeutung*, Göttingen, 1975, p. 252.

28. Voir J. JEREMIAS, *Abba. Jésus et son Père*, Paris, 1972, pp. 15-26.

29. Cf. *op. cit.*, pp. 61-72.

30. Cf. *op. cit.*, pp. 29-58 ; à comparer L. GOPPELT, *op. cit.*, pp. 251 s.

témoignage du Christ (cf. Mt 26, 42 ; Lc 23, 46 ; Jn 11, 41, etc.) et suivant toute vraisemblance le fondement de leur réflexion sur la pleine condition messianique de ce dernier.

B) LES DONNÉES CONTROVERSÉES

Prière cultuelle et lecture scripturaire sont les formes habituelles du discours messianique dans le judaïsme contemporain des origines chrétiennes. Dans quelle mesure Jésus en aura-t-il dès lors usé pour marquer la singularité de sa mission eschatologique ? Il ne s'est appliqué, on l'a dit, aucun des titres donnés au Messie dans la Palestine de l'époque. En aurait-il du moins suggéré d'autres, à son sens plus adéquats ?

Nous mentionnerons en son lieu les dénominations christologiques qui bientôt prendront appui sur l'exégèse scripturaire et les dits de Jésus. Pour information toutefois, nous présentons ici les arguments pour et contre la provenance prépascale de certains thèmes dont la place reste incertaine dans le développement de la pensée néo-testamentaire.

1. « Le Fils »

Le titre, à ne pas confondre avec son parallèle déterminé le « Fils de Dieu » (cf. Rm 1, 4 a), se distingue par sa forme absolue et d'abord par sa corrélation avec l'appellatif « le Père ». D'un emploi relativement sporadique dans les écrits du Nouveau Testament, il se lit, pour n'en relever que les attestations majeures, dans le dit de la double tradition sur la connaissance réciproque du Père et du Fils (cf. Mt 11, 27 par.) ; dans le logion de Mc 13, 32 par. sur l'ignorance du jour et de l'heure par « les anges dans le ciel » et par « le Fils » ; dans la parabole des vignerons homicides (cf. Mc 12, 6 par.) et dans la formule trinitaire de Mt 28, 19 ainsi que dans une vingtaine de passages du quatrième évangile et des épîtres johanniques[31]. Le lieu théologique des premiers emplois, notons-le, paraît bien avoir été le thème apocalyptique de la connaissance par révélation (cf. Mt 11, 27 ;

31. Voir Jn 3, 17.35.36 (bis) ; 5, 19 (bis).20.21.22.23 (bis). 26 ; 6, 40 ; 8, 36 ; 14, 13 ; 17, 1 (bis) ; 1 Jn 2, 22.3 (bis).24 ; 5, 2 ; 2 Jn 9 ; cf. d'ailleurs Mt 28, 19 ; He 1, 8.

Mc 13, 32 ; Mt 16, 17). Or, où situer au juste cette désignation ? L'argument assez couramment allégué à l'appui de son origine prépascale est fourni par le fragment « archaïque » de Mc 13, 32 : après Pâques, remarque-t-on, « la Communauté n'avait nul intérêt de prêter quelque ignorance au Christ désormais exalté » [32]. On peut du moins en douter. L'eschatologie du morceau est assurément parmi les plus anciennes rapportées dans les épîtres, Ac 1-15 et les évangiles. Mais remonte-t-elle pour autant à Jésus même ? Et ne trahirait-elle pas plutôt la tendance à la motivation théologique du retard déjà subi par la parousie [33] ? En tout état de cause, le relief singulièrement donné à l'infériorité du « Fils » au « Père » et à son égalité avec « les anges dans le ciel » (rapprocher Mc 8, 38) accuse la relecture d'un donné antérieur qui en accentue la teneur apocalyptique. Ce constat suffit, pensons-nous, à infirmer l'argument avancé. Un contre-témoignage le corrobore, du reste, au jugement des commentateurs récents. Le dit parallèle de Mt 11, 27 par., dont nous avons noté l'appartenance à la double tradition, n'offre de son côté qu'un caractère secondaire, et tout d'abord en raison de la christologie du « Fils », dont il semble bien représenter l'attestation première. Nul indice, en effet, de l'immédiateté propre à Jésus dans la désignation de « Fils » en regard du « Père ». Le titre, au fait, dénote une réflexion théologique, qui prend appui sur l'invocation *Abba* (cf. Mc 14, 36 par.) ainsi que suivant toute apparence sur la thématique palestinienne du père qui transmet savoir et pouvoir au fils (cf. Jn 5, 19-20) [34]. Acquis dès avant la tradition commune à Mt et à Lc, il pourrait bien être la création de la chrétienté initiale.

2. Le Christ-Sagesse

Six logia, dont cinq de la double tradition, présentent Jésus comme l'expression de la Sagesse divine. Ce sont les dits de la « jubilation » (cf. Mt 11, 25-26 par.) et de la « Sagesse justifiée par ses enfants » (cf. 11, 19 b par.), l'appel aux accablés (cf. 11, 28-30 par.), les dits de la « connaissance » réciproque (cf. 11, 27 par.) et de la Sagesse missionnaire (cf. Lc 11, 49-51 par.), ainsi que l'apostrophe à Jérusalem persécutrice des prophètes (cf. Mt 23, 37-39 par.). Ces

---

32. Voir L. GOPPELT, *op. cit.*, p. 252.
33. Cf. en particulier J. GNILKA, *Das Evangelium nach Markus*, t. II, Zurich et Neukirchen, 1979, pp. 206 s. et R. PESCH, *Das Markusevangelium*, t. II, Fribourg, 1977, p. 310.
34. Voir d'ailleurs T. Lévi 17, 2 et Hén. hebr. 45, 2 ; 48 C, 7.

fragments, de caractère sapientiel et qui ne varient pour l'essentiel que par leurs nuances dans l'appréciation des rapports entre Jésus et la Sagesse, appartiennent d'après toute probabilité à la même veine particulière de la tradition synoptique, parallèle et d'ailleurs apparentée à l'autre courant du « Fils de l'homme ».

Or deux faits déterminent cette conclusion à notre point de vue fondamentale.

a) Tous les morceaux cités puisent à la tradition sapientielle dans sa teneur judaïque, marquée par le relief donné aux motifs de la Sagesse « en mission » et rejetée, itinérante et persécutée. Au témoignage des textes[35], cette forme accentuée de la Sapience palestinienne et hellénistique s'est maintenue, et non sans que tendent à s'en préciser les traits caractéristiques, depuis le deuxième siècle avant Jésus-Christ jusqu'au second siècle de l'ère chrétienne. Paramètre juif principal de la tradition évangélique, elle a pu influencer en principe la pensée de Jésus comme la réflexion des églises judéo-chrétiennes. Il s'ensuit que l'analyse des fragments est seule habilitée à déterminer dans quelle mesure s'en laisse vérifier la provenance communautaire ou l'origine au contraire dans l'enseignement de Jésus[36].

b) Deux indications, pensons-nous, probables se dégagent à ce sujet des textes dûment examinés. Le dit de Celui qui est « plus grand que Salomon » (cf. Lc 11, 31 par.), le logion de la « jubilation » (cf. Mt 11, 25-26 par.), l'apostrophe à Jérusalem (cf. Mt 23, 37-39 par.) et l'appel aux « accablés » (cf. 11, 28-30 par.) : tous ces morceaux invitent du moins à la conclusion que le thème de la Sagesse, témoin eschatologique de Dieu, paraît bien remonter à Jésus, qui l'aura proposé dans la teneur implicite, avant tout missionnaire et antijudaïque. La tendance à sa mise en valeur christologique distingue en revanche les fragments récents, de création communautaire (cf. Lc 7, 35 par. et Mt 11, 27 par.) comme d'ailleurs, et à des fins moins théologiques, la référence multiple aux données de la tradition sapientielle. La réflexion apostolique ne précise pas seulement le motif évangélique ; elle l'amplifie, nous le verrons, par la part faite aux lieux sapientiels dans la lecture scripturaire.

---

35. Ce sont pour l'essentiel Si 1 et 24 ; Sg 6-9 ; 11 Q Ps^a 18 ; Hén. éth. 37-71 ; IV Esd 5 et Bar syr 48.

36. L'exemple en est donné par F. CHRIST, *Jesus Sophia. Die Sophia-Christologie bei den Synoptikern*, Zurich, 1970 (voir aussi la recension de l'ouvrage par A. FEUILLET in *RB*, 78, 1971, p. 96 s.).

3. « Le Fils de l'homme »

Le vocable est d'origine sémitique. Dans sa forme fondamentale de « fils d'homme » (cf. Ez 2, 1 etc.), il est de sens générique et désigne communément *l'*homme ou *un* homme, ainsi qualifié en raison de son appartenance à l'espèce humaine. Dans la tournure spéciale du singulier emphatique, en revanche, il relève de l'expression messianique (cf. Dn 7, 11-14). C'en est précisément l'acception de principe dans les Synoptiques — 70 emplois —, dans le quatrième évangile — 11/12 attestations — ainsi que dans Ac 7, 56 et Ap 1, 13 ; 4, 14 — les seuls emplois non évangéliques de la désignation. La variante doublement déterminée *ho huios tou anthropou* est comme le calque judéo-hellénistique de l'araméen *bar nasha*. Selon la critique, elle est le premier témoin connu de l'appellation du Messie dérivée de Dn 7, 13. De fait, les parallèles judaïques ne s'en liront que vers la fin du siècle apostolique dans Hén. éth. 37-71 ; IV Esd et Bar syr. (rapprocher Ep. Jacobi apocr.). Or quatre traits marquent la présence du motif dans les textes néo-testamentaires. a) L'expression se rencontre dans toutes les veines de la tradition synoptique, et l'attestation multiple en indique d'emblée l'origine ancienne. b) Le vocable est inséparable du contexte, quel qu'en soit l'emploi : primitif ou communautaire. c) Il fait singulièrement défaut dans le récit même de la Résurrection (comp. Mt 28, 18). Enfin d) il ne donne lieu à aucune mise en valeur ni transmission indépendantes, comme le montre son absence dans l'homologèse (comp. Ac 7, 56) et le culte (comp. Jn 6, 53) des églises judéo-chrétiennes. Ainsi que le souligne un expert en la matière [37], ces données convergentes n'ont d'explication adéquate que « l'hypothèse d'une tradition qui aura conservé ferme le souvenir de Jésus se désignant lui-même comme le Fils de l'homme — et d'une manière qui a dû n'être pas seulement fort impressionnante, mais qui en exprimait la personnalité et n'avait sa pleine signification que dans la bouche de Celui qui s'affirmait ainsi ».

Mais — cette présomption dûment notée — dans quelle mesure le thème, pris dans ses aspects divers, remonte-t-il effectivement à Jésus ? Tel est, pour l'heure, le problème le plus tenace et le plus ardu posé à la recherche dans le domaine de la christologie néo-testamentaire. Nous ne pouvons dans la circonstance en préciser les

---

37. A. Vögtle, cf. « Menschensohn », in *LThK*, 2ᵉ éd., t. VII, Fribourg, 1962, col. 297-300.

termes [38] ni à plus forte raison en récapituler les principaux essais de réponse déjà présentés [39]. Il nous paraît plus indiqué de relever simplement les points où le débat, longtemps confus, commence, semble-t-il, à se clarifier.

a) La conjecture (G. Vermès, etc.) de l'araméen *bar nasha*, désignation périphrastique de la première personne du singulier, apparaît nettement infirmée (R. Le Déaut, etc.) par les textes targumiques contemporains des origines chrétiennes. Même dans les quelques dits (cf. Mt 8, 20 par. ; Mt 11, 19 par. ; Mc 2, 10 par. rapprocher Mt 12, 32 par.) où, s'exprimant à mots couverts, Jésus se vise, voire se désigne lui-même comme « l'homme (que je suis) » ou « un homme (comme moi) », il use à cet effet du générique inclusif « fils *de* l'homme ». Ce dernier n'est pas la préformation du titre christologique, bien que la Communauté ultérieure n'ait point tardé de le comprendre dans le sens messianique.

b) L'emploi titulaire de l'expression en référence à Dn 7, 13-14, remonte à Jésus, et quelle qu'en aura été dès lors la place dans l'apocalypse juive contemporaine [40].

c) Sont authentiques en principe, et sauf vérification complémentaire, les dits du « Fils de l'homme » qui ne se présentent pas comme les répliques de dits parallèles, tenus dans la forme *ego* ou de la première personne en toute occurrence primitive [41], soit et pour information :

— Lc 12, 8-9 par. ; 17, 24.26 par. ; Mc 8, 38 par. ; 14, 62 par. (A. Vögtle) [42] ;

38. Notons pour information qu'ils tiennent à la fois de l'histoire des religions (voir C. COLPE, « Ho huios tou anthrôpou », in *TWNT*, t. VIII, Stuttgart, 1967, pp. 408-422) et d'abord de l'histoire des traditions (cf. G. SCHNEIDER, *Die Frage nach Jesus*, Essen, 1971, pp. 124-128) et de l'analyse littéraire (voir J. JEREMIAS, « Die älteste Schicht der Menschensohn-Logien », in *ZNW*, 58, 1967, pp. 159-172).

39. Cf. L. GOPPELT, *op. cit.*, pp. 228-231 ; S. LÉGASSE, « Jésus historique et le Fils de l'homme, Aperçu sur les opinions contemporaines », in *Apocalypses et théologie de l'espérance*, Congrès ACFEB de Toulouse 1975, Cerf, Paris, 1977, pp. 271-298 ; W. G. KÜMMEL, « Jesusforschung seit 1965, V : Der persönliche Anspruch Jesu », in *ThR*, 45, 1980, pp. 40-84.

40. Rappelons à l'encontre d'une opinion naguère reçue que les Paraboles d'Hén. éth. (cf. 37-71) sont en fait postérieures à la génération apostolique, quoi qu'il en soit au juste de leur provenance — juive ou chrétienne.

41. Voir J. JEREMIAS, *op. cit.*, p. 170 ss. ; C. COLPE, *op. cit.*, pp. 433-444 ; comp. W. G. KÜMMEL, *op. cit.*, p. 74 s.

42. Cf. *op. cit.*, col. 300.

— Mt 24, 27 par. ; 24, 37. 39 par. ; Mc 14, 62 par. ; Mt 10, 23 ; 25, 31 ; Lc 18, 8 ; 21, 36 (d'après J. Jeremias) [43] ;
— Mt 24, 27 par., 30 par. ; Lc 22, 69 par. ; Mt 10, 23 ; Lc 18, 8 ; 21, 36 (C. Colpe) [44].
La convergence de ces conclusions, que fondent des démarches critiques pourtant diverses, est notable.

d) Qui, dès lors, est le Fils de l'homme ? Deux éléments de réponse, d'un caractère inégal, se dégagent des textes. Le premier est probable. La déclaration au grand prêtre dont Mc 14, 62 paraît bien reproduire la forme la plus ancienne (comp. Lc 22, 69), montre qu'au regard de la tradition prémarcienne c'est à lui-même que Jésus s'est appliqué la dénomination de « Fils de l'homme ». Ajoutons que ce témoignage fondamental est corroboré au reste par le dit du reniement dans la teneur de Lc 12, 8-9 par. sous-jacente à la relecture partielle de Mc 8, 38 par. Mais à quel titre Jésus s'est-il dit « le Fils de l'homme » ? Tel est l'autre aspect à présent décisif et cependant incertain du problème. Au fait, Jésus s'est-il désigné ainsi pour annoncer à Israël son action de juge à la fin des temps (voir Mt 24, 27 par., 30 par. ; Lc 12, 8-9 par. ; 17, 24.26 par. ; Mt 10, 23 ; Lc 18, 8 ; 21, 36), pour lui notifier d'abord son exaltation d'après la passion (cf. Mc 14, 62 par.) ou pour souligner dès le départ à l'adresse des disciples la conformité de son échec aux dispositions divines (voir Lc 9, 44 par.) [45]. Ces motivations sont-elles distinctes ou doivent-elles au contraire être tenues pour complémentaires [46] ? De plus, au niveau plus fondamental, quelle fut au juste la clé de la relecture proposée de Dn 7, 13-14 (comp. vv. 18 et 26-27) par Jésus ? L'éventail des hypothèses est large [47] et porte en particulier sur le Messie caché et révélé, transcendant et descendu du ciel, garant du règne et témoin de Dieu, souffrant et exalté, bref et par manière de synthèse sur le Messie dans son abaissement et son élévation. Pour l'heure, aucune des explications ainsi avancées ne rend parfaitement compte de l'ensemble des registres dans lesquels sont à situer les dits de Jésus sur le Fils de l'homme rejeté, justifié et juge.

---

43. Voir *op. cit.*, pp. 170 ss.
44. Cf. *op. cit.*, pp. 433-444.
45. A comparer sur ce point J. JEREMIAS, *Neutestamentliche Theologie*, pp. 264-272 (trad. fr. *Théologie du NT*, pp. 346-357), L. COPPELT, *op. cit.*, pp. 234-241, et C. COLPE, *op. cit.*, pp. 446-449.
46. Dans ce sens voir en particulier L. GOPPELT, *op. cit.*, pp. 231-237, et Ch. PERROT, *Jésus et l'histoire*, Desclée Paris, 1979, pp. 241-272.
47. Cf. A. VÖGTLE, *op. cit.*, col. 299 s.

e) En tout état de cause, il reste que l'apport de la Communauté à la formation des logia sur le Fils de l'homme fut considérable. Se fondant sur leur foi en la résurrection de Jésus, qu'ils présentent comme le fondement de leur réflexion christologique, les premiers milieux judéo-chrétiens attestent l'emploi titulaire de *bar nasha* et l'accentuent non sans l'étendre à des créations nouvelles. Le générique inclusif (cf. Mt 8, 20 par., etc.) est converti en titre messianique. La dénomination Fils de l'homme prend la place de la première personne dans les dits primitifs. Enfin, elle ne tarde point à faire l'objet de réemplois divers en des morceaux formés pour souligner en particulier le rôle à venir du Christ, juge universel[48]. L'évolution s'étend sur près d'un demi-siècle de tradition chrétienne. Tous les services majeurs de la communauté y ont contribué. L'apport du prophétisme judéo-chrétien, cependant, a dû être prédominant, — et quoi qu'il en soit de l'accueil à faire d'ailleurs à certaine thèse récente[49].

---

48. Voir J. Jeremias, *Die älteste Schicht*, p. 166 ss. ; et C. Colpe, *op. cit.*, p. 444-456.

49. Cf. E. Käsemann, « Sätze heiligen Rechts im Neuen Testament », in *NTS*, 1, 1954-1955, pp. 248-260 (= *Exegetische Versuche und Besinnungen*, t. II, Göttingen, 1965, pp. 69-82), trad. fr. « Un droit sacré dans le Nouveau Testament », in *Essais exégétiques*, Delachaux et Niestlé, Neuchâtel, 1972, pp. 227-241.

CHAPITRE III

Le fondement judaïque : lecture scripturaire et tradition messianique

Le témoignage de Jésus est le prélude et le fondement de sa resurrection par Dieu ; à l'inverse, l'événement de Pâques est le confirmatur du fait évangélique, qu'il consomme. Entre l'un et l'autre le lien est essentiel et direct, de réciprocité et de gradation. Or la Communauté primitive, qui en fait l'objet immédiat de sa réflexion, est marquée par un double héritage judaïque, de pensée et d'expression.

1. La tradition messianique

Le premier est donné dans la tradition messianique récente[50]. Dominée par la recherche de figures sotériologiques nouvelles par suite à la déception causée par les insuffisances du sacerdoce aaronide (Ml, Ch), celle-ci est particulièrement vivace à l'approche de l'ère chrétienne dans les divers milieux de la résistance religieuse à la politique d'assimilation suivie par les occupants hellénistiques. Du Deutéro-Zacharie aux textes de Qumrân, les élites d'Israël ne vivent pas seulement dans l'attente des derniers temps qu'introduira la purification du peuple, les représentants du Messie et de la Communauté eschatologique accusent des traits que n'annonçait guère l'évolution antérieure. Trois lignes se dégagent en gros d'un pluralisme messianique qui, au premier siècle avant J.C., tourne à « une effervescence aux multiples formes que le judaïsme n'avait pas

---

50. Voir à ce sujet H. CAZELLES, *le Messie de la Bible. Christologie de l'Ancien Testament*, Desclée, Paris, 1978, en particulier pp. 191-212 : « le Messie des derniers temps », et P. GRELOT, *l'Espérance juive à l'heure de Jésus*, Desclée, Paris, 1978.

encore connue »[51]. 1° Le messianisme davidique, dont les relectures en Za 9, 9-10 ; 11, 4-17 ; 12, 4 - 13 , 1 ; 13, 7-9 offrent par la puissance et l'originalité le caractère d'une résurgence, se retrouve jusque dans les interprétations scripturaires de la Communauté sadocite. 2° Le thème du Messie transcendant, que propose le fragment davidique du « Fils de l'homme », est repris — on l'a vu — dans les relectures apocalyptiques de Dn 7, 18. 26-27 (IV Esd 13 ; Bar syr 29 ; Hén. éth. 37-71), ainsi que déjà dans le fond primitif des logia de Jésus. 3° Quant à l'ancien messianisme sacerdotal, il donne lieu à une revalorisation épisodique à l'époque asmonéenne, dans les milieux du sacerdoce réformiste qui attendent le Messie Prêtre ou d'Aaron (cf. Test. Lévi 18 ; 1 QH 9, 11 ; CD 20, 1) en réponse à l'usurpation du messianisme royal par les successeurs des Maccabées.

Toutes ces lignes trouvent leur prolongement dans le Nouveau Testament et, pour ce qui est du Messie davidique et du Messie transcendant, dès la christologie développée dans les premières églises judéo-chrétiennes. La dimension socio-culturelle de la naissante réflexion communautaire est apparente.

2. L'exégèse « christologique »

L'héritage messianique se précise, au reste, d'une dimension plus formelle touchant les voies que suit en l'occurrence la transmission du donné traditionnel. Du Deutéro-Zacharie (entre 352 et 300 avant J.-C.) aux Commentaires de Qumrān (entre 50 avant et 50 après J.-C.) c'est par la référence au passé et d'une manière plus précise par la lecture scripturaire que se fondent, se nuancent et se distinguent les divers modèles du pluralisme messianique qui fleurit dans le judaïsme préchrétien. Sélectionnés en raison de leur correspondance avec le type de messianisme postulé, les oracles sont mis en valeur moyennant des interprétations appropriées ; groupés en chaînes de *testimonia*, ils sont d'ailleurs associés à d'autres écritures parallèles ou complémentaires, qui les renforcent et au besoin les précisent. Les vestiges de l'exégèse sadocite découverts près de la mer Morte[52] sont les témoins particulièrement représentatifs de la lecture scripturaire au service du messianisme communautaire. Or telle est encore la réaction des premiers milieux judéo-chrétiens dès lors qu'ils traduisent dans leur

51. Cf. H. CAZELLES, *op. cit.*, p. 192.
52. Voir M. DELCOR, « Qumran. Littérature essénienne », in *DBS*, t. IX, Paris, 1979, col. 828-960, en particulier col. 904-910 et 912 s.

langage propre les aspects christologiques de la révélation pascale et du témoignage évangélique. A ce point de vue, l'héritage judaïque joue à plein et spontanément : même référence à la prophétie paléotestamentaire, mêmes lieux scripturaires majeurs, même intelligence par principe messianique des textes, mêmes formes judaïques enfin des interprétations proposées [53]. Unique originalité décisive : c'est Jésus ressuscité qui apparaît désormais comme le centre des Écritures. Rapportés à lui, les oracles de valorisation traditionnelle n'acquièrent pas seulement un sens nouveau ou plénier, que le judaïsme n'a point entrevu ; par leur insuffisance à recouvrir tous les aspects du fait évangélique, ils invitent à la prise en considération d'autres lieux scripturaires, ignorés ou méconnus par le messianisme préchrétien. Nous fournirons en temps voulu les preuves de cet apport chrétien à l'exégèse « christologique » alors traditionnelle.

En somme, le legs judaïque rend compte de deux faits par certain côté contradictoires. En amenant la Communauté primitive à réagir, à la suite de Jésus, contre un répertoire insuffisant des écritures messianiques et d'abord contre leur interprétation à présent inadéquate, il porte en germe tout le développement ultérieur de l'exégèse apostolique. Et cependant, c'est par lui que s'explique directement la reprise des anciennes appellations messianiques, laquelle distingue dans l'immédiat la christologie postpascale du témoignage personnel de Jésus.

---

53. Cf. entre autres J. Schmitt, « Qumran et l'exégèse apostolique », in *DBS*, t. IX, Paris, 1979, col. 1011-1014.

BIBLIOGRAPHIE DE LA PREMIÈRE SECTION

Aspect culminant des recherches sur Jésus, les synthèses relatives à la conscience qu'il a eue de sa condition transcendante sont en somme récentes. Nous signalons :

J. JEREMIAS, *Neutestamentliche Theologie*, Erster Teil : *Die Verkündigung Jesu*, Gütersloh, 1971, pp. 58-80 et 239-295 ; trad. fr. *Théologie du Nouveau Testament*, I. *la Prédication de Jésus*, Cerf, 1975, pp. 47 ss. et 312 ss.

J. ERNST, *Anfänge der Christologie*, Stuttgart, 1972, pp. 125-161.

L. GOPPELT, *Theologie des Neuen Testaments*, Erster Teil : *Jesu Wirken in seiner theologischen Bedeutung*, Göttingen, 1975, pp. 207-299.

J. DUPONT (éd.), *Jésus aux origines de la christologie*, Duculot, Gembloux, 1975.

W.G. KÜMMEL, *Die Theologie des Neuen Testaments nach seinen Hauptzeugen*, Göttingen, 1976, pp. 52-85.

Ch. PERROT, *Jésus et l'histoire*, Desclée, Paris, 1979, pp. 167-287.

F.-J. SCHIERSE, *Christologie*, Düsseldorf, 1979, pp. 30-46.

J. GUILLET, *la Foi de Jésus-Christ*, Desclée, Paris, 1980.

A. VÖGTLE, «Exegetische Erwägungen über das Wissen und Selbstbewusstsein Jesu», in *Gott in Welt*, Fribourg, 1964, pp. 608-667 ; trad. fr. «Réflexions exégétiques sur la psychologie de Jésus», in *le Message de Jésus et l'interprétation moderne*, Cerf, coll. «Cogitatio fidei», n° 37, 1969, pp. 41-113.

II. LE CHRIST
DES PREMIÈRES ÉGLISES
PALESTINIENNES

Œuvre de la première génération judéo-chrétienne, la fondation de la christologie néo-testamentaire s'étale sur les années 30 à 50, entre les débuts de la Communauté à Jérusalem et le ministère de saint Paul.

Deux groupes de textes en témoignent : 1. les énoncés de foi et de prière traditionnels, rapportés dans les épîtres de l'Apôtre et dans lesquels la critique reconnaît à juste titre les vestiges du culte et de la catéchèse dispensés dans les églises prépauliniennes (Jérusalem, Antioche) d'expression hellénistique et palestinienne[1] ; et 2. les matériaux probables mis en œuvre par le rédacteur en Ac 1-15 et qui se remarquent précisément à leur archaïsme doctrinal et littéraire[2]. Pareillement fragmentaires, ces sources n'en sont pas moins d'une valeur en somme inégale : au jugement de l'exégèse contemporaine ne peuvent être mis sur un même plan le témoignage authentique de saint Paul dès le lendemain de l'an 50 et l'information diligente mais diverse d'un auteur de la chrétienté subapostolique, écrivant autour de 90. Nous en tiendrons compte dans la présentation générale des données, foncièrement concordantes.

Des deux côtés, en effet, les titres christologiques dominent et s'appliquent dès l'abord au Ressuscité dans sa condition pascale (Seigneur, Fils de Dieu), soit à Jésus dans sa manifestation terrestre (Fils de David), soit à l'un et à l'autre dans la continuité de leurs présences respectives (Christ, Juste, Serviteur, Prophète). De part et d'autre aussi l'apport est net du messianisme judaïque (Christ, Juste,

---

1. Ils sont une vingtaine de fragments, dont le relevé est donné par J. Schmitt, « l'Autorité de la tradition aux temps apostoliques », in *RevSR*, 53, 1979, pp. 212 ss.
2. Sur l'état présent de la critique des Actes voir G. Schneider, *Die Apostelgeschichte*, t. I, Fribourg, 1980, pp. 82-89, 95-103, 125-129 et *passim*.

Prophète), de la tradition sur Jésus témoignant de lui-même (Serviteur) et d'abord de la révélation pascale (Fils de Dieu et Seigneur). Et cependant, malgré les enracinements divers, tous ces motifs ne sont que les variations parallèles sur le thème de l'abaissement et de l'élévation, centre de la christologie première. Implicitement comprise en chacune des désignations de Serviteur et de Christ, la dualité des pôles est apparente en revanche dans les titres complémentaires de Seigneur et de Juste et soulignée non sans force moyennant l'antithèse Fils de David et Fils de Dieu, qui structure le fragment traditionnel de Rm 1, 3-4 — le vestige le plus marquant de la christologie prépaulinienne.

CHAPITRE PREMIER

Le donné prépaulinien

Le nom de « Jésus » mis à part, trois appellations au moins caractérisent déjà le discours christologique du judéo-christianisme de langue hellénistique et araméenne, lorsque saint Paul rédige ses premières épîtres : les titres parallèles mais non équivalents de « Christ », de « Seigneur » et de « Fils de Dieu ». L'énumération n'est pas chronologique ni d'ailleurs exhaustive, et il n'est guère possible de préciser dans quelle mesure ces trois désignations auront effectivement dominé l'expression doctrinale de la chrétienté antérieure à l'Apôtre. Leur attestation ferme dès la naissante tradition cultuelle et catéchétique annonce, en revanche, leur importance et développement ultérieurs dans la christologie des évangiles.

1. Le « Christ »

C'est dans la « tradition » reproduite par saint Paul dans 1 Co 15, 3-5, et formée suivant toute probabilité autour de l'an 40 par les didascales de l'église d'Antioche à partir d'éléments reçus de la Communauté de Jérusalem que se lit le premier emploi chrétien de la dénomination de « *Christos* » appliquée à Jésus. Un trait sémantique accentue au reste la nouveauté de l'expression. Pris dans la teneur absolue de « Oint », l'adjectif verbal substantivé de *chriô*, qui répond en principe à l'hébreu *mashyah* dans les Septante [3], est usité, dans ses attestations néo-testamentaires comme dans ses parallèles sémitiques, sous deux formes, dont l'une, déterminée par l'article, est d'un sens fonctionnel ou titulaire (cf. 1Q Sa 2, 12 ; Bar syr 29, 3 ; 70, 9 : Mc 8, 29 ; 12, 35 ; 13, 21 par.) alors que l'autre, indéterminée, a la valeur d'un nom personnel. Or sans exemple probable dans les textes judéo-hellénistiques, ce dernier n'a d'attestations certaines que dans

---

3. Cf. Van der Woude et De Jonge, art. « Chriô », in *TWNT*, t. IX, Stuttgart, 1972, pp. 501 s., 502-505.

les écrits de provenance palestinienne, plus précisément dans les textes targumiques et midrashiques ainsi que déjà dans le Document sadocite[4]. Comparé à ses parallèles les plus proches, qui témoignent de la montée du sens nominal, le fragment prépaulinien de 1 Co 15, 3b ss. ne marque pas seulement le début de l'emploi de *Christos* comme dénomination de Jésus ; il pourrait effectivement fournir l'indice que la Communauté d'expression araméenne aura été à l'origine de cette appellation doublement originale.

Le motif de son attribution à Jésus n'est pas d'ailleurs moins singulier. Aux termes de la tradition antiochienne « Christ » est le sujet unique auquel se rapportent également les articles relatifs à la « mort pour nos péchés selon les écritures », à la « sépulture », à la « résurrection le troisième jour selon les écritures » et aux « apparitions à Céphas, puis aux Douze ». Le fait évangélique, en d'autres termes, fonde la messianité de Jésus dans ses moments majeurs comme dans toutes ses dimensions, historique, sotériologique et théologique. L'énoncé, notons-le, se présente comme une synthèse qui met en œuvre diverses données de la tradition première.

Deux formules de catéchèse à l'origine distinctes en sont, au fait, les composantes de base. Portant l'une sur la passion rédemptrice de Jésus (cf. 1 Co 8, 11 ; Ga 2, 21 ; 3, 13 ; Rm 5, 6 ; 14, 15) et l'autre sur sa résurrection d'entre les morts (cf. 1 Th 1, 10 ; Rm 8, 11a ; 10, 9) elles se retrouvent séparément dans la parénèse occasionnelle de Paul en ses épîtres, où elles ne donnent lieu qu'à des variations somme toute secondaires. Or, l'analyse de ces textes autorise les conclusions suivantes.

1° La dénomination de *Christos* — sans l'article — est des éléments fermes des énoncés sur « la mort pour nos péchés ».

2° En revanche, c'est le nom de *Ièsous* qui domine dans les réemplois de la formule pascale, où il ne cède que secondairement devant les désignations parallèles à la charge christologique plus accentuée.

3° C'est sous l'influence directe de l'énoncé sur la passion rédemptrice et en suite de la conjonction de ce dernier avec la formule pascale moyennant l'antithèse « mort-ressuscité » que la dénomination de « Christ » pénètre dans le discours de la résurrection (cf. 1 Co 15, 3-5 ; Rm 6, 3-9 ; 8, 34 ; 14, 9 ; comp. 1 Th 4, 14) et bientôt dans l'ensemble du credo apostolique[5]. On peut en conclure que la

---

4. Voir VAN DER WOUDE, *op. cit.*, p. 500, note 71, où l'auteur tire les conclusions du débat récemment instauré à ce sujet entre J. Jeremias, H. Conzelmann, E. Güttgemanns et I. Plein.

5. Cf. W. KRAMER, *Christos, Kyrios, Gottessohn,* Zurich et Stuttgart, 1963, pp. 22 ss.

Communauté primitive, convaincue que Jésus était le Messie, appliquait néanmoins cet attribut non pas au Ressuscité, qu'elle invoquait d'ailleurs comme le «Seigneur», mais à Jésus dans son ministère terrestre et spécialement dans son rejet ou sa mort «pour nos péchés» (cf. 1 Co 11, 24 par. et Is 53, 5 par.). Elle soulignait ainsi ce qui marquait à son sens le caractère spécifique de la messianité de Jésus. L'emploi nominal de *Mashyaḥ* — *Christos* pourrait, au reste, trahir une intention similaire. Ce stade original est néanmoins tôt dépassé. Dès les premières églises hellénistiques l'appellation, nous l'avons dit, donne lieu à des variations de contenu et d'expression qui se développent suivant deux lignes connexes. La confluence des titres christologiques aura pour conséquences la mise en relief du nom de Christ (*Iésous Christos* dès Rm 8, 34) et son application aux divers aspects de l'action présente et future du Ressuscité. Secondairement, et en continuité avec le motif du Messie, fils de David, déjà compris dans l'énoncé prépaulinien de Rm 1, 3b, s'affirmera en outre la tendance à souligner les fondements bibliques et les parallèles judaïques de la foi au Christ eschatologique et terrestre : le thème apostolique du «règne — intermédiaire — du Christ» (cf. 1 Co 15, 24-28 par.) en est un exemple comme d'ailleurs le motif lucanien du Christ «oint par l'Esprit» (Is 61, 1 dans Lc 4, 18 par.). L'équation absolue «le Christ, le Fils de Dieu» en Jn 20, 31 représente le sommet si ce n'est la fin de cette veine sous bien des rapports fondamentale de la christologie néo-testamentaire.

2. Le «Seigneur»

Deux fragments cultuels d'origine prépaulinienne témoignent de la foi naissante en Jésus : 1° la formule araméenne *Maranatha*, reproduite en 1 Co 16, 22 (cf. v. 23, à rapprocher 11, 26-32) et d'ailleurs en Did 10, 6 ainsi que dans Ap 22, 20 (cf. vv. 17-19) et 2° l'acclamation *Kyrios Ièsous*, rapportée dans 1 Co 12, 3 et, dans la forme de l'homologèse, en Rm 10, 9.

Or ces textes, qui rélèvent de milieux culturels différents, posent à notre point de vue deux questions préjudicielles d'une importance décisive : le problème de leurs antécédents immédiats et d'abord celui de leur corrélation effective. La recherche récente [6] fournit à ce double sujet les données constructives que voici.

---

6. Nous renvoyons aux études pour l'heure fondamentales de J.A. FITZMYER, «Der semitische Hintergrund des neutestamentlichen Kyriostitels», in G. STRECKER (éd.), *Jesus Christus in Historie und Theologie*, Tübingen, 1975, pp. 267-298; ID., «Methodology in The Study of The

a) La différence des énoncés relève d'abord du genre et de la forme littéraires. De quelque manière qu'on la lise — à l'impératif, comme un appel, «notre Seigneur, viens», ou au parfait, comme un constat, «notre Seigneur est venu, est là» —, la formule araméenne est l'invocation que la communauté adresse au Ressuscité, qu'elle présente comme l'objet de son culte et de sa prière. Le parallèle hellénistique est, quant à lui, d'un caractère plus univoque. Employé comme acclamation et comme profession de foi — les deux usages tendent à se confondre en Ph 2, 11 —, il se distingue par la forme absolue du titre et par la mise en valeur de ce dernier comme prédicat. Mais ces traits suffisent-ils à fonder l'hypothèse de la double origine hellénistique et palestinienne, de la croyance au Seigneur Jésus[7]?

b) Un fait socio-culturel éclaire dès le départ la dualité des énoncés cultuels : l'existence de communautés bilingues aux premiers temps de la chrétienté palestinienne, à Antioche par exemple (W. Bousset) et d'abord à Jérusalem (C.F.D Moule). Les traditions sous-jacentes au récit d'Ac 5 à 11 signalent en effet, et ce à diverses reprises, la présence d'«Hellénistes» (cf. 6, 1 ; 9, 29 ; 11, 20) et d'«Hébreux» (cf. 6, 1 ; rapprocher Ph 3, 5 ; 2 Co 11, 22) dans les mêmes centres juifs et judéo-chrétiens de la Palestine des années 30 à 60. La distinction, notons-le, porte sur le langage, en particulier sur l'expression religieuse, simplement hellénistique d'un côté, sémitique (araméenne, hébraïque) *et* hellénistique de l'autre. Or, il est impensable qu'il n'y ait point eu de communication doctrinale pour le moins élémentaire entre l'un et l'autre groupe, que ceux-ci aient appartenu à la même église judéo-chrétienne ou, à la rigueur, aux communautés juive et chrétienne vivant côte à côte dans la même cité . La tension épisodique entre «Hébreux» et «Hellénistes» de Jérusalem (cf. Ac 6, 1-6) ne lève pas la présomption, qui trouve d'ailleurs un appui indirect dans le dialogue d'Etienne avec la Synagogue judéenne (cf. 6, 8-14). Que dans ces conjonctures la dualité des invocations cultuelles tienne directement à la dualité des parlers dans la Communauté hiérosolymitaine, l'hypothèse en apparaît d'autant plus vraisemblable que la construction attributive *Kyrios Ièsous* répond trait pour trait à la forme au reste

Aramaic Substratum of Jesus' Sayings in the New Testament », in J. DUPONT (éd.), *Jésus aux origines de la christologie*, Gembloux, 1975, pp. 73-102, et de C.F.D. MOULE, *The Origin of Christology*, Cambridge, 1977, pp. 35-46.
    7. L'histoire est riche de variations, et jusque vers les années 1975, cf. en particulier les publications récentes de H. CONZELMANN, *Grundriss der Theologie des N.T.*, Munich, 1968, pp. 102 s. et de J. ERNST, *Anfänge der Christologie*, Stuttgart, 1972, pp. 15-21.

connue de l'homologèse judéo-hellénistique et qu'elle est pure encore de toute influence nette du monde et de la pensée grecque.

c) Aussi bien la confession des Hellénistes et l'invocation des Hébreux auront-elles eu de fait une origine commune. Le fondement immédiat en fut sans conteste l'événement même de Pâques compris à la suite des apparitions (cf. Ga 1, 15-16 par.) et à la lumière des écritures (cf. 1 Co 15, 4b) comme l'exaltation suprême (cf. Ph 2, 9-11 ; Rm 10, 9) de Celui qui, mort sur la croix, était rendu désormais à la vie pour le service définitif de la cause divine. Il est remarquable, en effet, que le vocabulaire utilisé par saint Paul, afin de préciser son expérience du Christ à Damas (cf. Ga 1, 16), est emprunté à l'expression apocalyptique relative à la « révélation » messianique, qu'il se retrouve en diverses traditions archaïques (cf. Mt 16, 17, rapprocher Ac 7, 56) et que dans toutes ces attestations il a pour objet de souligner justement l'élévation du Ressuscité à la condition divine. Le thème de l'exaltation pascale de Jésus fonde également les dénominations christologiques de « Seigneur » et, nous le dirons, de « Fils de Dieu ». Or un courant spirituel, plus fondamental, détermine en l'occurrence la théologie de l'élévation pascale. Sensible à la transcendance de Dieu et de ce qui par extension en apparaît comme l'expression directe, le judaïsme reconsidère son vocabulaire religieux et l'emploi qu'il en propose dans l'enseignement comme dans le culte. Dès le deuxième siècle avant Jésus-Christ il tend à réduire l'usage du nom divin, et d'abord de Yahvé, et à le remplacer par un large registre de désignations parallèles, périphrastiques et théophores. L'appellation de « Seigneur » (en hébreu, *adon* ; en araméen, *mara*) en est dès l'abord un élément majeur. Les textes découverts à Qumrân — le *targum de Job* et *l'Apocryphe de la Genèse* en particulier, comme d'ailleurs le Psaume 151 dans sa teneur hébraïque (cf. 11 Q Ps^a 28, 7-8) — précisent où en est la mise en valeur théologique à l'ouverture de l'ère chrétienne. Une double donnée s'en dégage, décisive à notre point de vue. Le titre de « Seigneur » n'est pas seulement appliqué à Dieu dans la forme absolue comme le montrent diverses attestations non sadocites ; dans les textes construits selon le schéma du parallélisme des membres il alterne avec le nom divin 'El, 'Elohá et en est le synonyme. Pareil emploi, notons-le, n'a rien d'exceptionnel [8]. Ses conséquences pour la christologie naissante sont univoques. J.A. Fitzmyer les résume en ces termes : « Impossible désormais d'écarter simplement l'idée, que, appliqué à Jésus, le titre de Seigneur implique » dès le début « une transcendance qui place Jésus aux côtés

---

8. Voir J. A. Fitzmyer, *Der semitische Hintergrund*, pp. 290-296.

de Yahvé, sur un plan de parité si ce n'est d'identité » [9]. C'est, autrement dit, la première affirmation de la divinité du Christ ressuscité.

Les Hellénistes membres de la Communauté à Jérusalem communient avec les Hébreux dans la confession de la même foi au Seigneur divin. L'homologèse *Kyrios* [10] *Ièsous* ne diffère sous ce rapport de l'invocation *maranatha* que par la suppression du suffixe ou du pronom de la première personne du pluriel et par le nom de Jésus donné au sujet du prédicat. Les deux particularités tiennent à la grammaire de la langue grecque [11] et au propos cultuel de l'affirmation christologique. Le relief donné à la dénomination *Ièsous* = *Jeshua* n'a d'égal que dans les premiers énoncés pascals [12] : il souligne l'unité de l'expression judéo-chrétienne, araméenne et hellénistique à ses débuts.

d) La concordance restera néanmoins fondamentale. Au fait, c'est la chrétienté hellénistique qui valorisera la foi au Christ Seigneur à mesure qu'elle affirmera son individualité propre dans le dialogue avec le monde gréco-romain. Deux moments dominent ce développement qui accentue en somme le donné originel. 1° La référence secondaire à Ps 110, 1, dont les traces graduées se lisent dans 1 Co 15, 25 et Rm 8, 34 par., ainsi que dans Lc 22, 69 et Mc 12, 36 s. par., motive par l'Ecriture la parité de Dieu et du Christ dans la même condition de Seigneur. Elle remonte suivant toute probabilité au temps où le judéo-christianisme de langue grecque accordait sa pensée christologique à la tradition biblique et sans doute déjà le texte de la Bible au vocabulaire de la foi qu'il confessait. 2° Dès saint Paul la réflexion théologique précise la relecture scripturaire de l'homologèse reçue. L'ancien titre cultuel de Seigneur, qui a pris le pas sur la dénomination de Christ, tend à devenir le centre d'une synthèse doctrinale qui dépasse largement les aspects de la christologie du moment. Il est appliqué indifféremment au Ressuscité, au Christ terrestre, voire au Fils préexistant (cf. 2. Co 8, 9). La seigneurie de Jésus est ecclésiale (cf. Col 3, 24 par.) et cosmique (cf. Ph 2, 10-11 par.) ; de ce fait, elle est l'objet même de l'œuvre salvifique divine (cf. Ga 1, 3-4). Le thème du Seigneur Jésus a son expression la plus achevée dans la christologie de l'Apôtre. Il est mis en relief

---

9. Cf. *op. cit.*, p. 297.
10. Sur les antécédents hellénistiques, païens et judaïques, du titre voir J.A. FITZMYER, *op. cit.*, pp. 276-290.
11. Voir K.G. KUHN, « Maranatha », in *TWNT*, t. IV, Stuttgart, 1942, p. 475, note 51.
12. Voir W. KRAMER, *op. cit.*, pp. 16-22, 25, 34.

épisodiquement dans les textes témoins de la réaction des chrétiens contre le culte des césars divinisés [13], il n'a guère d'importance en revanche dans le quatrième évangile — sauf 20, 1-29 — et dans les épîtres johanniques.

3. Le « Fils de Dieu »

Tel est l'autre titre motivé par l'élévation pascale de Jésus, celui qui en fait dominera la christologie néo-testamentaire dès avant la rédaction de Mc. Quelle en est l'origine et pour quelles raisons au juste a-t-il été reçu dans le credo des premières églises judéo-chrétiennes ?

Un rappel préjudiciel s'impose. Le vocable « Fils de Dieu », dont l'emploi est courant dans les synoptiques et le quatrième évangile, ne peut être assimilé à l'expression « le Fils », d'une attestation occasionnelle, au reste limitée à la source des logia. L'un et l'autre portent foncièrement sur la filiation divine de Jésus ; ils n'en diffèrent pas moins par leur contexte originaire. La désignation de « Fils » est le corrélatif christologique et — nous l'avons noté — secondaire de l'appellation de « Père », qui en est d'ailleurs le fondement. Apport de la Communauté primitive à la naissante tradition évangélique, elle souligne la relation unique de Jésus à Dieu et se présente comme l'un des vestiges les plus anciens du témoignage apostolique sur la personne et l'œuvre du Christ. La dénomination de « Fils de Dieu », en revanche, est d'une provenance moins interne. Enracinée dans le judaïsme palestinien [14], dans son expression religieuse et sa lecture scripturaire, elle a connu un développement dont trois faits dûment établis autorisent pour l'heure la restitution du moins probable que voici.

Premier fait : c'est le judaïsme de tendance apocalyptique qui, reconsidérant le thème reçu de la filiation divine collective d'Israël, l'entend pour la première fois de l'individu, « le Fils de Dieu » (*bar dy'el*) ou « fils du Très-Haut » (*bar 'elyon*) par élection divine. La preuve est fournie par le fragment araméen de 4Q 243, daté des trente dernières années du premier siècle avant l'ère chrétienne [15] et provisoirement

---

13. Cf. par exemple L. CERFAUX-J. TONDRIAU, *le Culte des Souverains*, Paris, 1957.

14. Voir J. SCHMITT, « Qumrân et la première génération judéochrétienne », in M. DELCOR (éd.), *Qumran, sa piété, sa théologie et son milieu*, Gembloux, 1978, pp. 387-390.

15. Cf. J.A. FITZMYER, « The Contribution of Qumran Aramaic to The Study of The New Testament », in *NTS*, 20, 1973-1974, pp. 382-407.

édité avec commentaire par J.T. Milik [16]. Le morceau, qui présente d'ailleurs des parallèles remarquables avec le récit de Lc 1, 31-35 sur l'annonce de Jésus à Marie, est d'un poids fondamental à notre point de vue, et bien que le contenu n'en paraisse guère messianique. En établissant la présence du vocable de « Fils de Dieu » — au sens individuel et métaphorique du mot — dans le discours religieux du judaïsme préchrétien, il rend caduc le présupposé même de l'explication hellénistique du titre christologique.

Deuxième fait : le judéo-christianisme d'avant saint Paul introduit l'expression dans son credo propre par le moyen de sa lecture pascale de 2 S 7, 12-14, lieu scripturaire du messianisme judaïque. Telles sont en somme les données qui se dégagent de l'énoncé traditionnel reproduit par l'Apôtre en Rm 1, 3b-4a et dont voici la teneur initiale : Jésus, « né de *(ek)* la race de David, établi Fils de Dieu par *(ek)* sa résurrection des morts ». Deux traits caractérisent cette formule, qui n'a de spécifique que son propos christologique : le caractère de paraphrase biblique et la structure graduée, par certain côté antithétique. La résurrection partage la messianité en deux temps d'une inégale importance : le temps provisoire, terrestre et révolu du Christ, « Fils de David », et le temps supérieur, actuel et définitif du Messie, « Fils de Dieu ». La référence à l'événement de Pâques, en d'autres termes, est décisive. Dans la relecture chrétienne de 2 S 7,12 ss. elle est implicitement contenue dans le verbe *qum* (v. 12) au sens par principe ambivalent de « susciter-ressusciter ». Elle commande, de ce fait, l'intelligence pascale de la « filiation divine » (v. 14) promise au descendant de David [17].

Au fait : vue dans le contexte de l'exaltation messianique, la « filiation » du Ressuscité ne répond à aucune des nuances alors connues du vocable religieux. Elle n'est pas simplement métaphorique ; au reste, elle n'apparaît guère non plus adoptive au sens de l'expression théologique ultérieure. C'est pour en marquer précisément le caractère *sui generis* que la tradition postérieure amplifie par deux fois l'énoncé initial par un additif dont la motivation christologique est manifeste. L'antithèse secondaire « selon la chair » (v. 3b) — « selon l'esprit de sainteté » (v. 4a) est d'une provenance certainement judéo-chrétienne ; elle explique moyennant le vocabulaire archaïque du milieu la double messianité de Jésus par la dualité de ses conditions pascale et humaine. L'autre glose, paulinienne, précise : la « filiation » du Christ n'exprime pas seulement sa

---

16. Voir J.A. Fitzmyer, *op. cit.*, p. 391, note 3 ; comp. dans l'immédiat la discussion du fragment aux pages 391-394.

17. Voir J. Blank, *Paulus und Jesus*, Munich, 1968, pp. 250-258.

condition, elle est caractérisée par la possession de la « puissance » divine (v. 4a). A ce niveau la théologie du « Fils de Dieu » apparaît à la mesure du titre cultuel de Seigneur.

Par les relectures dont il porte les marques, comme par son enracinement dans la lecture scripturaire du judéo-christianisme naissant, le fragment prépaulinien de Rm 1, 3b-4a est à coup sûr le témoin le plus représentatif de ce qu'aura été la genèse de certains thèmes christologiques.

Troisième fait : l'expérience vécue par l'Apôtre — et dans une certaine mesure par les autres témoins du Ressuscité — dans les apparitions pascales fut décisive en l'occurrence. La notice autobiographique de Ga 1, 15-16 est le témoin fondamental à ce sujet. Notons-en les termes majeurs : « Quand celui qui (…) m'a appelé par sa grâce a daigné révéler en moi son Fils pour que je l'annonce parmi les nations (…) ». Trois indications se laissent dégager de ce texte au jugement de la critique. 1° La christophanie fut « révélatrice » par définition. Puisé à l'apocalyptique judaïque le vocable « *apokalyptein* » n'est pas d'un emploi circonstanciel. Il est traditionnel (cf. Mt 16, 17) et du moins aussi ancien que l'expression parallèle touchant l'apparition nommée « vision » dans la catéchèse antiochienne rapportée en 1 Co 15, 5. 2° L'objet de la révélation fut christologique et a porté plus précisément sur Jésus « Fils de Dieu ». Cette dénomination ne faisant l'objet que d'une attestation très sporadique dans les premières épîtres de saint Paul (cf. 1 Th 1, 10 ; 1 Co 1,9 ; 15,28) son association au thème de la révélation dénote une intention ponctuelle chez l'Apôtre. Au témoignage de ce dernier, la manifestation du Christ à Damas fut à ce point plénière qu'elle comprenait, outre la dimension de la Seigneurie, l'aspect plus précis de la filiation divine du Ressuscité. 3° La clause insolite « en moi » (comp. Ph 3, 15 et 1 Co 2, 10) souligne, au reste, le caractère intensif de la révélation. L'événement n'a pas seulement atteint l'Apôtre au plus profond de lui-même ; il a irradié sur les divers sujets de sa réflexion religieuse et tout d'abord sur sa compréhension du Christ. La révélation, en d'autres mots, est dynamique et la prise de conscience dont elle apparaît l'objet n'est que progressivement effective.

Il ne semble pas que pareille expérience du Ressuscité ait été de tous points particulière à saint Paul. Deux faits convergents invitent à le penser. On a remarqué des parallèles littéraires entre le morceau biographique de Ga 1, 15-16 et la tradition relative à la primauté de Pierre en Mt 16, 17-19, en particulier la « révélation » du Christ « par le Père », motivée par l'incapacité « de la chair et du sang » d'accéder à la connaissance du « Fils » (rapprocher v. 16). Ces traits singulièrement communs appuient au moins l'hypothèse que le fragment du premier évangile, quoi qu'il en soit de sa formation, se réfère, quant à lui, à l'apparition du Ressuscité, autrement dit à l'expérience christologique de Céphas [18]. L'hypothèse, au reste, est foncièrement corroborée par ce que nous pouvons savoir des voies et des formes de l'accès au Ressuscité dans la génération pascale. La « vision » du disciple ne se distingue guère de la « révélation » parallèle du « prophète ». De part et d'autre se perçoit la même connaissance du Christ dans son exaltation, la même réaction de l'enthousiasme explosif, la même expression enfin, venue de l'apocalyptique contemporaine [19]. A aucun de ces points de vue il n'apparaît possible d'isoler la christophanie adressée à Paul des expériences similaires.

Il reste toutefois que l'Apôtre seul indique dans ses lettres le sens donné à l'expression Fils de Dieu en ce temps second de son emploi christologique. Le vocable, qui à l'occasion prend le pas sur les appellations parallèles de Seigneur et de Jésus-Christ (cf. 1 Co 1, 9), est appliqué aussi bien au Fils « envoyé par Dieu » (cf. Ga 4, 4 ; Rm 8, 3), « né d'une femme » (cf. Ga 4, 4) et « livré pour nous » (cf. Ga 2, 20 ; Rm 5, 10 ; 8, 3.32) qu'au Fils exalté, « objet de l'Evangile » (cf. 2 Co 1, 19 ; Rm 1, 3.9), « aîné d'une multitude de frères » (cf. Ga 4, 6 ; Rm 8, 29) et qui à la parousie « viendra des cieux » (cf. 1 Th 1, 10) en vue de la consommation de toutes choses (cf. 1 Co 15, 28). Par le contenu, la dénomination est récapitulative de l'œuvre divine. Pour être déjà représentative de la christologie apostolique il lui manque pour l'heure une précision en profondeur, dont elle n'offre que des amorces et dont les motifs les plus constructifs ne se lisent d'ailleurs que dans certaines veines connexes de la tradition néo-testamentaire (cf. 1 Co 1, 24 par.).

Un trait mineur précise cette esquisse. Il se peut que le motif du « Fils » en regard du « Père », qui se retrouve dans la source des logia et dans la rédaction marcienne, ait contribué pour une part à la formation du thème d'emblée dominant touchant le Christ, « Fils de Dieu ». En fait, c'est dans le quatrième évangile seulement que les deux courants christologiques (cf. 1, 34.49, etc. ; cf. 3, 35 s. ; 5, 19-27, etc.) apparaissent intégrés avec des mises en valeur diverses dans la même théologie du Père révélé par le Fils. La synthèse ainsi proposée est l'ultime résultat de la réflexion dont nous avons noté les débuts et qui par la suite approfondira le donné apostolique par des apports puisés en particulier à la tradition sapientielle de la Bible.

18. Voir à ce sujet A.M. DENIS, « l'Investiture de la fonction apostolique par "apocalypse". Etude thématique de Ga 1, 16 », in *RB*, 64, 1957, pp. 335-362, 492-515 ; F. REFOULÉ, « Primauté de Pierre dans les évangiles », in *RevSR*, 38, 1964, pp. 1-41, et J. DUPONT, « la Révélation du Fils de Dieu en faveur de Pierre (Mt 16, 17) et de Paul (Ga 1, 15) », in *RSR*, 52, 1964, pp. 411-420.

19. Cf. en particulier J.H. MC DONALD, *Kerygma and Didache*, Cambridge, 1980, pp. 28 ss.

CHAPITRE II

Le matériau prélucanien

La christologie tient une place considérable dans le récit d'Ac 1-15 sur les débuts de l'Eglise de Jérusalem et en Palestine. Elle domine les discours missionnaires de Pierre et des prédicateurs hellénistes, Etienne et Paul. Elle est essentielle à l'exégèse apostolique, quelle que soit d'ailleurs l'écriture commentée. Les données en sont, de ce fait, singulièrement riches et variées. En somme, c'est près d'une dizaine de motifs et de thèmes que l'auteur présente comme marquant le messianisme professé par les premières Communautés judéo-chrétiennes[20].

Ce témoignage, toutefois n'a qu'une valeur fort relative. Luc, qui rédige son écrit vers l'an 90, puise, certes, à la christologie reçue. Mais le donné qu'il met en œuvre apparaît inégal, bien qu'il n'accuse l'influence ni de la pensée paulinienne ni, au reste, de la tradition johannique. Outre les apports récents de la chrétienté hellénistique, il comprend l'héritage complexe des églises palestiniennes, s'étalant sur divers niveaux de la réflexion christologique. Nous relevons — en plus des anciennes désignations de « Fils de David » (cf. 13, 23) et de « Christ » (cf. 2, 36, etc.), de « Fils de l'homme » (cf. 7, 56), de « Seigneur » (cf. 2, 36, etc.) et de « Fils de Dieu » (cf. 13, 33) — les titres par certains côtés complémentaires de « Juste » ou de « Saint », de « Serviteur de Dieu » et de « Prophète », qui persisteront sous des formes variées dans la tradition ultérieure.

1. Le « Juste »

Donnée ferme du messianisme traditionnel dans les milieux prophétiques (cf. Is 9, 6 ; 11, 3-4 ; Jr 23, 5-6 ; 33, 15 s. ; Is 53, 11 ; Za 9, 9), sapientels (cf. Sg 2, 18) et apocalyptiques (cf. Dn 12, 3 ; 1 QH 1,

---

20. Voir G. Schneider, *Die Apostelgeschichte*, I. Teil, Fribourg, 1980, pp. 331 s.

36 ; 15, 15 ; CD 1, 20), le vocable ne devient dénomination du Messie que dans le judaïsme récent, dans les Psaumes de Salomon (cf. 17,32) par exemple, et dans les Paraboles d'Hénoch (cf. 38, 2 ; 53, 6).

C'est le judéo-christianisme d'expression grecque, plus précisément les Hellénistes auteurs de la paraphrase scripturaire qui a servi de source à la rédaction du discours d'Etienne (cf. Ac 7, 2-53), qui a d'abord appliqué le titre à Jésus et dans un sens traditionnel très défini. L'apostrophe finale du morceau (vv. 51-53), dont la provenance prélucanienne est probable, souligne en effet : « lequel des prophètes vos pères n'ont-ils point persécuté ? Ils ont tué ceux qui prédisaient la venue du Juste, celui-là même que maintenant vous venez de trahir et d'assassiner » (v. 52). La mise à mort de Jésus n'est pas un fait d'exception. Suivant une tradition judaïque fondée sur le Deutéronome et restée vivace dans les divers milieux réformistes d'Israël [21], elle consomme en fait l'opposition séculaire du peuple à Dieu, concrétisée précisément dans la persécution chronique des prophètes. L'appel missionnaire des hellénistes aux juifs palestiniens reprend ces principes et les met en valeur dans la christologie qu'il implique. Jésus est « le Juste », à deux titres connexes. Il l'est existentiellement par son destin prophétique de témoin du Père, rejeté, persécuté, anéanti par le peuple (à comparer à la fois Jc 5, 6 et 1 P 3, 18) ; il l'est de surcroît par l'acte pascal, qui, en réponse à l'attente de Jésus en tant que « Juste », l'a confirmé ou réhabilité dans son témoignage de Dieu. Le titre, en un mot, est de contenu synthétique. Se rapportant au Christ dans la passion et dans l'Exaltation, il ne trahit pas seulement le contexte de la naissante prédication apostolique ; il accuse la tonalité marquante de l'appel helléniste aux Palestiniens. Aussi semble-t-il n'avoir été qu'un épisode dans la genèse de la christologie néo-testamentaire. Objet d'un simple réemploi au discours de Pierre au temple (cf. Ac 3, 14), il donne lieu, dès le lendemain sans doute de la polémique antijuive des Hellénistes, à une relecture ponctuelle, motivée par l'influence croissante d'Is 53, 9 et 11 sur la réflexion contemporaine. Dans les fragments hymniques de la première Epître de Pierre, le « Juste » est le Serviteur « qui n'a pas commis de faute » et « est mort pour les injustes » (cf. 3, 18 et 2, 22-23).

---

21. L'étude en a été faite récemment par O.H. Steck, *Israel und das gewaltsame Geschick der Propheten. Untersuchungen zur Überlieferung des deuteronomischen Geschichtsbildes im Alten Testament, Spätjudentum und Urchristentum*, Neukirchen, 1967, pp. 265-269.

2. Le « serviteur de Dieu »

Trois traits caractérisent ce vocable [22], paramètre selon lequel sont à juger toutes les désignations parallèles du Christ dans la première génération chrétienne. 1° C'est un archaïsme, et le plus sensible de la tradition à ses origines. 2° Appliqué à Jésus, il est néanmoins d'une attestation rare, limitée en fait au discours de Pierre au temple (cf. Ac 3, 13.26), à la prière de la Communauté après la comparution des apôtres devant le Sanhédrin (cf. 4, 27.30), à la citation d'Is 42, 1 en Mt 12, 18 et à quelques textes enfin de la littérature subapostolique (cf. I Clém 59, 2 ; Did 9, 2 ; Bar 6, 1 et 9, 2). 3° A la différence des dénominations prépauliniennes, par exemple, il ne conflue — sauf en I Clém 59, 2 — avec aucun des thèmes et des titres parallèles. En raison de leur charge christologique supérieure, ces derniers prennent d'emblée le pas sur l'appellation apparemment première, qui bientôt s'en trouve réduite à l'état de sédiment. Les faits que voici expliquent et précisent ces lignes fondamentales d'un développement qui, sous bien des rapports, n'a guère d'exemple dans la pensée néotestamentaire.

a) Reprenant un usage fermement attesté dans l'Ancien Testament, le judaïsme récent applique, dans la langue cultuelle en particulier, le prédicat « Serviteur de Dieu » — au sens honorifique ou révérentiel de l'expression — aux personnages instruments de Dieu dans son action passée, tels par exemple les prophètes (cf. V Esd 1, 32 ; 2, 1), Isaïe (cf. 2, 18), Jérémie (cf. *ibid.*), David (cf. IV Esd 3, 23), Israël (cf. Ps Sal 12, 6), voire les anges. Le Nouveau Testament (cf. Lc 1, 54.69 ; Ac 4, 25) et les textes subapostoliques (cf. I Clém 39, 4 ; Did 9, 2) sont les témoins occasionnels de pareil emploi, qui aura persisté longtemps dans certains milieux judéo-chrétiens.

L'application du même prédicat à Jésus paraît bien avoir été dès le départ, et durant un temps qu'il est d'ailleurs impossible de déterminer, la réaction obvie — à peine réflexive — de la Communauté à Jérusalem. En décernant à leur Maître le titre honorifique de « Serviteur de Dieu » les disciples soulignent d'emblée qu'ils lui portent une vénération au moins comparable à celle du judaïsme pour les garants d'Israël et son élite spirituelle. Ac 4, 25-30 et Did 9, 2-3, où le prédicat est appliqué indistinctement à David et à

---

22. J. JEREMIAS, « Pais Theou im Neuen Testament », in J. JEREMIAS, *Abba, Studien zur neutestamentlichen Theologie und Zeitgeschichte*, Göttingen, 1966, pp. 191-216, est à ce jour l'étude fondamentale à ce sujet.

Jésus, sont les humbles débuts, ainsi que l'expression « Agneau de Dieu » en Jn 1, 29.36, traduction vraisemblablement fausse de l'araméen *talya' d'Elaha'* [23].

b) La réflexion christologique ne tarde point de préciser le réflexe cultuel. Dans l'immédiat elle se traduit par la mise en valeur du titre par les Chants du « Serviteur » et d'abord par Is 52, 13 - 53, 12. Cette relecture deutéro-isaïenne du prédicat semble bien n'avoir été qu'un épisode dans son éphémère tradition. Du moins aura-t-elle assuré une place de premier plan à l'oracle d'Is 42, 1-7 et à ses parallèles parmi les lieux scripturaires de la naissante exégèse apostolique. Ac 3, 13.26 sont les seuls textes qui en portent encore la trace.

c) la disjonction du prédicat d'avec les poèmes du « Serviteur » dans l'exégèse judéo-chrétienne devient effective dès la tradition antérieure à saint Paul. Il est remarquable, en effet, que les motifs deutéro-isaïens de l'exaltation pascale (cf. 52, 13 ; 53, 10-12) et de la passion rédemptrice (cf. 53, 4-6.11) soient appliqués au « Christ » (cf. 1 Co 15, 3-5) et au « Seigneur Jésus » (cf. Ph 2, 6-11 ; 1 Co 11, 23-25 ; rapprocher Rm 4, 25) dans quatre au moins des énoncés prépauliniens à référence scripturaire. Le fait que la plupart des textes soient les relectures postpascales de dits où Jésus, s'appliquant l'écriture d'Is 53, 4-11 à lui-même, se présentait implicitement comme le « Serviteur » souffrant « pour les multitudes » (cf. Mc 14, 24 par. ; 10, 45 par.) ne peut que souligner la désaffection des premières communautés hellénistiques pour un titre christologique déjà archaïque.

La tradition postérieure accentue l'évolution ainsi amorcée. Le thème du Christ Serviteur se maintient dans la lecture apostolique du Deutéro-Isaïe, laquelle se développe. Le prédicat en revanche disparaît du champ de la catéchèse, ne persistant que dans l'expression cultuelle.

3. Le « Prophète comme Moïse »

Citation fragmentaire de Dt 18, 15.18-20, la désignation est enracinée dans la lecture de l'Ancien Testament traditionnelle dans le

---

23. Voir J. JEREMIAS, *op. cit.*, pp. 194 s. Le plaidoyer de l'auteur en faveur de l'hypothèse d'après laquelle Mc 1, 11, par. serait la paraphrase d'Is 42, 1 (à lire dans la forme de Mt 12, 18) est unilatéral (cf. pp. 192 ss.) et de ce fait peu convaincant. — Sur les antécédents prélucaniens de la prière communautaire dans Ac 4, 23-31, voir pour indication le jugement de G. Schneider, *op. cit.*, p. 355.

judaïsme d'obédience sadocite (cf. 4Q, 175, 1-8 par.), dans le judaïsme samaritain (cf. Pent sam, Ex 20, 21 ss.) et dans le judéo-christianisme de tendance deutéronomique. Les deux attestations dont elle fait l'objet dans Ac 1 à 15 l'indiquent en dépit de leurs conditions littéraires diverses. 1° La citation singulière de Dt 18, 18-20 au discours de Pierre au Temple (cf. Ac 3, 22-24) peut difficilement passer pour être de création lucanienne. Par le caractère confluant (cf. v. 23 = Lv 23, 29) et par la place en première position d'un renvoi global aux écritures concordantes (cf. v. 24), elle rappelle de près la citation similaire de *4Q Testimonia* et remonte d'après toute probabilité à une chaîne scripturaire parallèle de provenance judéo-chrétienne [24]. Ce sont les milieux formateurs du matériau prélucanien qui, précisant le messianisme judaïque, auront proposé la comparaison du Christ à Moïse, de l'Evangile à la Loi. 2° La reprise de l'argument au discours d'Etienne (cf. Ac 7, 37) est certes rédactionnelle. Cependant, elle ne manque guère d'originalité. Développant le parallèle entre Jésus et Moïse, elle présente ce dernier comme la figure du Christ, non sans que l'image de Jésus se projette sur celle du « prophète » de jadis. Moïse est « chef et rédempteur » (v. 35), il opère « signes et prodiges » (v. 36), convoque « l'Assemblée au désert » (v. 38), reçoit et dispense enfin « les paroles de vie » (*ibid.*). Le tableau, qui trahit la main de Luc, est nettement christocentrique. Complémentaire de l'ancien matériau judéo-chrétien, il souligne la vitalité du messianisme deutéronomique jusque vers la fin du siècle apostolique et montre en particulier le parti que — au témoignage concordant de Mt et de Jn — évangélistes, parénètes et théologiens en tirent communément dans les derniers écrits du Nouveau Testament.

Une précision néanmoins s'impose. La mise en valeur christologique de l'écriture Dt 18, 18-20 comporte deux motifs connexes, que ni le fragment d'Ac 3, 22-24, ni le commentaire en 7, 35-38 ne rendent d'une manière pleinement adéquate. C'est la fonction prophétique commune à Moïse et au Christ qui fonde en fait le parallèle entre les deux personnages. Or qu'est-elle au vrai [25] ? Suivant l'exégèse la plus vraisemblable des textes, le prophète est à présent comme jadis l'intermédiaire entre Dieu et le peuple dans la transmission du message de salut, à recevoir sous peine de rejet divin. Au reste, il n'est pas sans intérêt de noter que la citation du Deutéronome tient à

---

24. Comparez sur ce point les exégèses présentées par G. SCHNEIDER, *op. cit.*, pp. 314-329, et J. SCHMITT, « Kérygme pascal et lecture scripturaire dans l'instruction d'Antioche (Ac 13, 23-37) » in J. KREMER (éd.), *les Actes des Apôtres. Traditions, rédaction, théologie*, Gembloux, 1979, pp. 155-167.
25. A comparer F. SCHNIDER, *Jesus der Prophet*, Fribourg, 1973, pp. 89-100.

l'époque une place marquée dans la réaction du judaïsme contre les faux-prophètes et que sa mise en relief dans les Actes pourrait n'être pas sans rapport avec l'activité communautaire des premiers prophètes judéo-chrétiens (cf. 11, 27-30 ; 13, 1-3 ; 15, 32 ; 21, 10-14).

BIBLIOGRAPHIE DE LA SECONDE SECTION

Les exposés sur la christologie postpascale et apostolique varient selon qu'ils portent en priorité sur l'exégèse des textes, le vocabulaire messianique ou les genres socio-religieux. Nous relevons :

J.N.D. KELLY, *Early Christian Creeds*, Londres, 1950.

O. CULLMANN, *Die Christologie des Neuen Testaments*, Tübingen, 1963³ ; trad. fr. *Christologie du Nouveau Testament*, Delachaux et Niestlé, 1958.

V. TAYLOR, *The Names of Jesus*, Londres, 1959.

E. SCHWEIZER, *Erniedrigung und Erhöhung bei Jesus und seinen Nachfolgern*, Zurich, 1962².

F. HAHN, *Christologische Hoheitstitel*, Göttingen, 1963².

W. KRAMER, *Christos-Kyrios-Gottessohn*, Zurich, 1963.

V.H. NEUFELD, *The Earliest Christian Confessions*, Leyde, 1963.

R.H. FULLER, *The Foundations of New Testament Christology*, Londres, 1965.

R.N. LONGENECKER, *The Christology of Early Jewish Christianity*, Londres, 1970.

B. WELTE (éd.), *Zur Frühgeschichte der Christologie*, coll. « Quæstiones disputatae », n° 51, Fribourg, 1970.

J. ERNST, *Anfänge der Christologie*, Stuttgart, 1972, pp. 13-80.

L. SCHEFFCZYCK (éd.), *Grundfragen der Christologie heute*, coll. « Quæstiones disputatae », n° 72, Fribourg, 1972.

G.N. STANTON, *Jesus of Nazareth in New Testament Preaching*, Londres, 1974.

C.F.D. MOULE, *The Origin of Christology*, Londres, 1977.

F.J. SCHIERSE, *Christologie*, Dusseldorf, 1979.

CONCLUSION

Un constat triple se dégage de cet aperçu sur la genèse de la christologie néo-testamentaire.

Dès la fin de la première génération judéo-chrétienne la christologie apostolique apparaît formée dans ses registres et la plupart de ses veines ou composantes essentielles. Son développement postérieur, dont nous avons indiqué à l'occasion les axes majeurs, ne sera que sélection et relecture, approfondissement et précision du même acquis. Par sa finalité et ses garants l'œuvre sera principalement ecclésiale. Or, le fonds judéo-chrétien est composite, hellénistique et araméen. Il n'est guère possible, cependant, de faire le départ précis des apports palestiniens et hellénistes : la Communauté primitive fut biculturelle, et la lecture scripturaire a commandé indifféremment la réflexion des juifs hellénisés et des judéo-araméens. Aussi — et bien que les thèmes décisifs viennent selon toute probabilité de l'Eglise à Jérusalem — les diverses approches puisent-elles, les titres de « Seigneur » et de « Fils » exceptés, à la même tradition du messianisme judaïque.

Et pourtant la discontinuité entre la réflexion apostolique et le témoignage de Jésus est plus apparente que réelle. Pour indiquer aux disciples la grandeur singulière de sa condition religieuse, Jésus fait état de sa proximité unique à l'égard de Dieu, le Père ; récusant le vocabulaire du messianisme reçu, il n'a recours qu'à l'argument prophétique d'une manière d'ailleurs occasionnelle et discrète, moyennant une lecture originale et d'abord sélective des écritures. La Communauté première proclame, au contraire, la messianité du Maître dans le langage du judaïsme ambiant, dont elle ne tarde point de corriger l'insuffisance foncière. La différence en somme est à la fois de la situation, du propos, de la communication. Or c'est le fait de Pâques qui non seulement la justifie, mais en marque la vraie dimension — contingente c'est-à-dire relative.

BIBLIOGRAPHIE

Pour information nous proposons en appendice une liste sélective d'études sur la christologie néo-testamentaire dans son ensemble ; dépassant l'objet du présent sommaire, elle facilitera l'accès aux aspects moins fondamentaux de la réflexion apostolique.

A.W. ARGYLE, *The Christ of The New Testament*, Londres, 1952.

C.K. BARRETT, *From First Adam To Last*, Londres, 1962.

J. BIENECK, *Sohn Gottes als Christusbezeichnung der Synoptiker*, Zurich, 1951.

E. BRANDENBURGER, *Adam und Christus*, Neukirchen, 1962.

F.-M. BRAUN, *Jean le Théologien*, III : *Sa théologie, le mystère de Jésus-Christ*, Gabalda, Paris, 1966.

R. BULTMANN, « Die Christologie des Neuen Testaments », in *Glauben und Verstehen*, t. I, Tübingen, 1933, pp. 245-267 ; trad. fr. « la Christologie du Nouveau Testament », in *Foi et Compréhension*, t. I, *l'Historicité de l'homme et de la révélation*, Seuil, Paris, 1970, pp. 279-299.

L. CERFAUX, *le Christ dans la théologie de saint Paul*, Cerf, Paris, 1951.

J. COMBLIN, *le Christ dans l'Apocalypse*, Paris-Tournai, « Bibliothèque de théologie », 1965.

O. CULLMANN, *Die Christologie des Neuen Testaments*, Tübingen, 1963 ; trad. fr. *Christologie du Nouveau Testament*, Delachaux et Niestlé, 1958.

J.E. DAVEY, *The Jesus of St John*, Londres, 1958.

J. DUPONT, *Essais sur la Christologie de saint Jean*, Bruges, 1951.

R.H. FULLER, *The Foundations of New Testament Christology*, Londres, 1965.

A. GEORGE, « la Royauté de Jésus selon l'Évangile de Luc », in *Sc. Eccl.*, 14, 1962, pp. 7-29. Maintenant : *Etudes sur l'œuvre de Luc*, Gabalda, Paris, 1978, pp. 257-282.

ID., « Jésus, Fils de Dieu, dans l'Evangile selon saint Luc », in *RB*, t. 72, 1965, pp. 185-209 ; *Etudes sur l'œuvre de Luc*, Gabalda, 1978, pp. 215-236.

J. GIBLET, « Jésus et le "Père" dans le quatrième évangile », in *Recherches bibliques*, t. 3, Louvain, 1958, pp. 111-130.

F. GILS, *Jésus Prophète d'après les évangiles synoptiques*, Louvain, 1957.

J. GUILLET, « A propos des titres de Jésus : Christ, Fils de l'Homme, Fils de Dieu », in *Mémorial Gelin*, Lyon, 1963, pp. 309-317.

F. HAHN, *Christologische Hoheitstitel. Ihre Geschichte im frühen Christentum*, Göttingen, 1963.

P. HENRY, art. « Kénose », in *DBS*, t. V, Paris, 1957, col. 7-161.

T. HOLTZ, *Die Christologie der Apokalypse des Johannes*, Berlin, 1962.

W. KRAMER, *Christos-Kyrios-Gottessohn*, Zurich, 1963.

P. LAMARCHE, *Christ vivant. Essai sur la Christologie du Nouveau Testament*, Cerf, Paris, 1966.

G.W.H. LAMPE, «The Lucan Portrait of Christ», in *NTS*, 2, 1955-1956, pp. 160-175.

R.P. MARTYN, *Carmen Christi. Phil II, 5-11 in Recent Interpretation and in The Setting of Early Christian Worship*, Cambridge, 1967.

H. MERTENS, *l'Hymne de jubilation chez les Synoptiques*, Duculot, Gembloux, 1967.

G. MINETTE de TILLESSE, *le Secret messianique dans l'évangile de Marc*, Cerf, Paris, 1968.

W. PANNENBERG, *Esquisse d'une Christologie*, Cerf, Paris, 1971.

J. RIEDL, «Strukturen christologischer Glaubensentfaltung im Neuen Testament», in *ZKTh*, 87, 1965, pp. 443-452.

B. RIGAUX, «la Seconde Venue de Jésus», *Recherches bibliques*, 6, Louvain, 1962, pp. 173-216.

R. SCHNACKENBURG, «Christologie des Neuen Testaments», in *Mysterium salutis*, t. III/1, Einsiedeln, 1970, pp. 227-388; trad. fr. *Mysterium salutis*, t. 10, Cerf, Paris, 1974.

R. SCHNACKENBURG — F.J. SCHIERSE, *Wer war Jesus von Nazareth? Christologie in der Krise*, Düsseldorf, 1970.

E. SCHWEIZER, *Erniedrigung und Erhöhung bei Jesus und seinen Nachfolgern*, Zurich, 1962².

V. TAYLOR, *The Person of Christ in New Testament Teaching*, Londres, 1958; trad. fr. *la Personne du Christ dans le Nouveau Testament*, Cerf, Paris, 1969.

H.E. TÖDT, *Der Menschensohn in der synoptischen Überlieferung*, Gütersloh, 1959.

II. LES CHRISTOLOGIES PATRISTIQUES ET CONCILIAIRES

par JOSEPH DORÉ

SOMMAIRE. — Introduction générale : l'objet, l'époque, l'attitude, l'itinéraire.
I. Le passage obligé à un nouveau régime d'attestation de la foi en Jésus-Christ. Chap. I. Un nouvel âge du témoignage chrétien : 1. Formation du NT ; 2. Le témoignage ; 3. Le discours post-apostolique en deux directions ; 4. La rationalité philosophique. Chap. II. L'évolution du témoignage de la première moitié du IIᵉ s. aux VIᵉ-VIIᵉ s. : 1. Une première période s'étend sur la seconde moitié du IIᵉ s., la totalité du IIIᵉ s. et la plus grande partie du IVᵉ s. ; 2. La fin du IVᵉ s., la totalité du Vᵉ et la première moitié du VIᵉ s. représenteront une deuxième période ; 3. Une troisième période : l'affrontement de deux discours.
II. L'élaboration raisonnée de la profession de foi christologique. Chap. I. Première période : la mise en place des éléments du témoignage à propos de Jésus-Christ : 1. Gnosticisme et docétisme ; 2. Monarchianisme et subordinatianisme. Arianisme et Nicée. Chap. II. Deuxième période : la recherche tâtonnante d'une synthèse équilibrée : 1. Les deux grands schémas christologiques, a) logos-sarx, b) anthrôpos-logos ; 2. Les deux grands conciles du Vᵉ s. et la constitution du dogme christologique, a) Nestorius et Ephèse, b) Eutychès et Chalcédoine ; 3. Le troisième concile christologique : Constantinople II (533). Chap. III. Une troisième période : les commencements d'un nouvel âge : 1. Un nouveau régime d'attestation de la foi en Jésus-Christ ; 2. La fin de l'époque patristique et les annonces de la scolastique.
III. La constitution du discours ecclésial sur Jésus-Christ. Chap. I. Un passage irréversible s'est accompli au registre de la rationalité théologique. Chap. II. La constitution du discours chrétien a contribué à organiser l'institution ecclésiale. Chap. III. Toute théologie de Jésus-Christ doit assumer une tradition historique. Conclusion. Bibliographie.

INTRODUCTION

Quand on passe de l'étude du Nouveau Testament à une enquête à travers les siècles qui ont suivi l'époque de rédaction de ses derniers écrits, un certain nombre de précisions s'imposent.

1. L'objet

Il faut tout d'abord rappeler que si l'enquête porte précisément sur Jésus-Christ, il ne saurait être question d'isoler parmi tous les autres cet «objet» de la foi. Deux raisons à cela. D'une part puisque Jésus-Christ est au centre du credo chrétien, en traiter c'est nécessairement toucher à l'ensemble de la profession de foi. D'autre part, pas plus que ceux du Nouveau Testament, les écrits de la période qui suit immédiatement ne sont, pour la plupart, des traités systématiques exclusivement consacrés à un thème bien délimité.

Il y a certes moyen d'extraire dans les textes que l'on consulte ce qui concerne expressément Jésus-Christ, mais il faut être bien au clair sur le type d'opération que l'on effectue alors. Il s'agit d'une opération délicate car il faut se garder de faire comme si l'on pouvait impunément séparer ce que la foi a justement voulu unir au moment précis où elle se constituait en «discours» (cf. ci-après). Il s'agit même d'une opération qui pourrait être périlleuse voire totalement impraticable ; car si, par exemple, on peut assurément distinguer entre une enquête de théologie trinitaire et une enquête de christologie, il est exclu de désolidariser totalement les deux puisque l'une des insistances majeures des Pères et des conciles à propos de Jésus-Christ porte directement sur la confession résolue et conséquente de son identité de Fils de Dieu.

2. L'époque

Une deuxième précision concerne la durée chronologique que l'on se propose de couvrir et les critères de la délimitation que l'on adopte. C'est « l'époque patristique » — soit, pour faire bref : de la fin du rᵉʳ siècle à Isidore de Séville († 636) pour l'Occident et à Jean Damascène († 749/750) pour l'Orient.

Cette époque se caractérise d'abord comme celle *des « Pères »* c'est-à-dire de ces croyants et témoins (souvent évêques) qui « sont restés, en leurs temps et lieu, dans l'unité de la communion et de la foi et furent *tenus pour des maîtres approuvés* » (Vincent de Lérins). C'est aussi, et par excellence, l'époque *de la Tradition,* entendue non seulement au sens de *ce qui* est transmis mais avant tout au sens de *l'acte même* de transmettre ce qui a été originellement donné aux premiers disciples de Jésus (cf. 1 Co 15, 3). C'est encore, pour ce qui est de la christologie du moins, l'époque *du dogme* c'est-à-dire de la formulation officielle, par la hiérarchie ecclésiale, de l'orthodoxie de la foi ; on le constatera en effet : c'est durant les premiers siècles que se sont tenus tous les conciles proprement christologiques de l'histoire chrétienne, auxquels on doit ce qui devait demeurer jusqu'aujourd'hui « le dogme christologique ». Plus largement, c'est l'époque *de la constitution du « discours » chrétien* ; c'est en effet celle durant laquelle les penseurs et les écrivains chrétiens — rendant d'ailleurs ainsi possible la définition du dogme et contraints souvent par l'hérésie ou la controverse — ont élaboré conceptuellement la confession de foi pour la première fois dans l'histoire, et donc archétypalement pour la suite des siècles. C'est enfin, et ce point est lié aux précédents, l'époque *de l'organisation socio-institutionnelle* de l'Eglise, elle-même liée à son extension *géographique* à travers le monde méditerranéen-« occidental » et à ses affrontements avec les diverses puissances *politiques* du temps.

3. L'attitude

Une troisième précision doit concerner l'attitude ou la disposition d'esprit qu'il est indiqué d'adopter lorsqu'on se met en devoir d'étudier l'époque qui vient d'être délimitée et caractérisée.

Paradoxalement il convient à la fois de consentir à un dépaysement important et de se reconnaître, cependant, radicalement influencé. Le dépaysement est patent. Il n'est pas seulement le fait des genres littéraires ou des expressions conceptuelles ; il tient à la problématique même dans laquelle se construit l'ensemble du discours. C'est clair avant tout sur un point : alors que pour un contemporain Jésus est d'abord un homme semblable aux autres, le problème fondamental des Pères a bien plutôt été de savoir comment, étant Dieu, il a pu être également vrai homme. Ce n'est pas à dire pour autant que les chrétiens d'aujourd'hui puissent faire comme s'ils avaient absolument raison, en l'occurrence, de se sentir spontanément plus proches du Nouveau Testament que de la Tradition des Pères et des Conciles, car c'est un fait que, quels qu'ils soient, ils ont été radicalement influencés par l'époque qui a *suivi* celle du Nouveau Testament. Dans leur manière de considérer Jésus-Christ et de *venir* à une étude de sa figure et de son destin, ils sont en réalité toujours-déjà modelés par ce discours chrétien reçu et officialisé dans et à travers lequel, de fait, le témoignage apostolique s'est transmis de siècle en siècle jusqu'à eux. Et cela non seulement par les actes officiels du magistère, mais par l'ensemble de la catéchèse ecclésiale, des catéchismes d'enfants aux prédications dominicales en passant par l'ensemble de la pastorale sacramentelle... Ne serait-ce que parce que le credo de la messe dominicale n'est autre que celui de Nicée-Constantinople.

4. L'itinéraire

Dernière précision qu'il convient d'apporter : elle concerne l'itinéraire que l'on entend suivre pour enquêter à l'époque retenue, dans la disposition d'esprit indiquée, sur l'«objet» Jésus-Christ. On aura ici trois étapes.

— Dans une première partie, on marquera la *transition* de l'époque apostolique-néotestamentaire à l'âge post-apostolique : on explicitera comment s'opère «le passage obligé à un nouveau régime d'attestation de la foi en Jésus-Christ».

— Une deuxième partie, de beaucoup la plus longue comme il se doit, enquêtera à travers *l'ensemble de l'époque patristique* pour y discerner selon quelles modalités s'est proprement opérée «l'élaboration de la profession de foi christologique».

— Restera alors dans une dernière partie, nécessairement beaucoup plus brève, à tirer à la fois les *conclusions* et les *leçons* qui peuvent résulter, pour la foi et la théologie christologiques d'aujourd'hui, de l'étude de «la constitution historique du discours ecclésial sur Jésus, le Christ».

**

N.B. Compte tenu de l'ampleur de la tâche que l'on a devant soi lorsque l'on se propose de présenter globalement, comme c'est le cas ici, « les christologies patristiques et conciliaires », il est évidemment exclu de prétendre en quelque manière à l'exhaustivité. On est contraint à choisir, le seul problème étant de rester tout au long conséquent avec le choix fait au départ.

Dans ces pages, on a renoncé aussi bien à multiplier les renvois aux œuvres *des Pères* qu'à accumuler les citations de leurs écrits. On a renoncé également à étoffer les références bibliographiques aux ouvrages *sur les Pères* : on se limitera (voir la bibliographie de la fin) à quelques études plus significatives et/ou plus accessibles. Il ne manque pas d'ouvrages, en effet, pour répondre aux légitimes désirs des lecteurs dans ces directions qui, à dessein, n'ont pas été suivies ici.

Car, compte tenu du projet de cette Initiation, on a cru préférable de concevoir cette étude comme une présentation articulée des grandes lignes d'une évolution historique générale et des grands traits d'une problématique théologique d'ensemble. C'est de cette manière, a-t-on estimé, que l'on pouvait au mieux poursuivre sans le répéter, et élargir à l'intention des lecteurs du présent ouvrage, l'excellent travail fait par d'autres ailleurs et auparavant, et dont on se reconnaît volontiers, ici, largement tributaire.

I. LE PASSAGE OBLIGÉ
À UN NOUVEAU RÉGIME
D'ATTESTATION DE LA FOI
EN JÉSUS-CHRIST

Deux choses sont à faire dans cette première partie qui veut être une présentation *globale* de l'étude des christologies patristiques et conciliaires que l'on se propose ici :

— d'abord marquer comment s'est opéré, après la fin de l'époque néo-testamentaire, *le passage* à un nouvel âge du témoignage chrétien ;

— puis présenter *les grandes étapes de l'évolution* à laquelle on assistera, à travers cinq siècles, dans le type de discours christologique auquel on est du même coup ainsi passé.

CHAPITRE PREMIER

Un nouvel âge
du témoignage chrétien

Il est fort instructif de repérer avec quelque précision comment s'est opéré le passage de l'ère apostolique qui a abouti à la constitution du Nouveau Testament, à l'ère post-apostolique qui s'ouvre à la fin du 1er siècle.

1. Formation du Nouveau Testament

Ceux qu'à Antioche on a commencé d'appeler « chrétiens » (Ac 11, 26) ont d'abord été des croyants qui se sont contentés de se rendre témoignage les uns aux autres au sujet de Jésus. Sans chercher à polémiquer entre eux, sans chercher non plus à argumenter ad extra contre qui que ce soit; sans se lancer, en tout cas, dans une quelconque spéculation. Continuant à se rendre au temple et à mener en milieu palestinien la vie de tous les jours, les disciples de Jésus se signalent comme tels dans le simple fait qu'ils se recueillent, vivent et se rassemblent dans le souvenir de Jésus, « en souvenir » de lui, « en mémoire » de lui. Bref, ils méditent ce qui a été « inscrit dans leurs cœurs » aux jours de Jésus (cf. ce qui est dit de Marie en Lc 2, 19); et ils le partagent fraternellement, y trouvant matière à s'exercer à la communion fraternelle et à se conforter mutuellement dans l'espérance (Ac 1, 13-14 et l'ensemble des « sommaires » du livre des Actes).

Progressivement cependant, à la faveur des rassemblements qui s'opèrent ainsi en différents lieux et en diverses communautés, des éléments de « tradition » prennent forme concernant les actes et les paroles de Jésus. Ces éléments se transmettant d'un lieu à un autre et d'une communauté à l'autre, des professions de foi s'élaborent. Extrêmement brèves d'abord, elles prennent bientôt une forme hymnique puis s'assortissent de développements explicatifs en vue de la catéchèse. Un culte spécifiquement chrétien s'organise peu à peu, où l'on célèbre par la parole et dans le rite le mémorial du Seigneur. Et c'est dans ce contexte que se constituent et s'articulent progressivement les traditions apostoliques sur Jésus qui, d'abord orales, trouveront bientôt forme écrite, avant d'aboutir aux textes qui finiront par constituer les récits évangéliques...

Ainsi se forment, à travers la deuxième moitié du Ier siècle, les « écritures chrétiennes » qui, incluant un certain nombre de « lettres apostoliques », seront bientôt reconnues comme « le Nouveau Testament ». A l'époque où ils apparaissent, ce ne sont cependant pas ces textes qui représentent le mode de fonctionnement premier du témoignage chrétien, mais la *prédication vivante* des apôtres de Jésus. De toute manière d'ailleurs, les croyants qui parlent à travers les textes néotestamentaires, en eux et au-delà d'eux, sont encore essentiellement sous le coup du « fait Jésus », dont ils ont été les témoins directs. Parlé ou écrit, le témoignage n'est en conséquence, chez ces témoins, que la transposition et la répercussion de l'expérience vivante de leur rencontre effective avec le Jésus de l'histoire, relue à la lumière de l'événement de sa Résurrection.

2. Le témoignage

Avec la fin du Ier siècle, un changement radical intervient. Non seulement il n'y a plus de témoins directs et donc aucun chrétien ne peut plus faire état d'une expérience historique immédiate de Jésus-Christ, mais le cercle des relations des croyants s'élargit. Ils ne peuvent donc plus se contenter de faire référence au témoignage, jusqu'alors communément admis entre eux, de ceux qui, ayant vu, entendu et touché (cf. 1 Jn 1, 1), peuvent répondre d'emblée de ce qui se dit dans l'Eglise naissante au sujet de Jésus.

Personne ne peut plus répondre « d'autorité apostolique » aux interrogations, perplexités et objections qui naissent autour des chrétiens et en eux. Ainsi sont-ils amenés à prendre la parole à leur propre compte, à s'instituer eux-mêmes témoins, à rendre *raison* à eux-mêmes et devant le monde de l'expérience qui, prétendent-ils, les habite (1 P 3, 15). C'est à eux qu'il revient désormais d'assurer un présent et un avenir à la foi qui leur a été transmise par les témoins originels, qu'ils ont reçue, à laquelle ils se sont attachés, dont ils ont expérimenté la valeur de vérité et de vie, et qu'il leur importe donc de cultiver et de transmettre à leur tour... Et telle est la manière dont on passe progressivement et sans solution de continuité du stade de la proclamation, de la pure prédication : « Nous l'avons vu, vous pouvez donc nous croire... », à un stade qui devra être de plus en plus celui de l'argumentation, voire de la démonstration : « Il a été vu, et nous pouvons le croire *parce que...* »

3. Le discours postapostolique en deux directions

Ainsi en vient-on, déjà au tournant du IIe siècle et certainement en tout cas à partir de 130, à construire ce qui sera proprement un *discours*, un discours post-apostolique. Cela, dans deux directions.

a) Une direction judéo-chrétienne d'abord

Le premier destinataire de la proclamation chrétienne fut évidemment le juif. Or on le voit très tôt réagir, élever une protestation argumentée contre cette proclamation, lui opposer même une dénégation radicale, dont le proclamateur pouvait d'autant moins récuser globalement la pertinence qu'il venait lui-même de la judéité et, pour une part, s'y référait toujours. « Vous prétendez que Jésus est Dieu — mais comment respectez-vous alors la règle fondamentale de la foi en la Révélation, qui est l'unicité absolue de Dieu ?... Comment ne faites-vous pas, en réalité, deux dieux ? »

Face à de telles réactions et mises en demeure, il ne suffisait évidemment plus de répondre purement et simplement par l'histoire : par le fait Jésus et par l'expérience qu'avaient vécue avec lui ses disciples des « jours de sa chair » (He 4, 7). Pour pouvoir répondre, il fallait réfléchir, débattre, argumenter — bref : on se découvrait acculé au *discours*. Et pour avoir quelque chance d'être entendu et peut-être de convaincre, il s'imposait évidemment de se situer sur le terrain même où se situait l'objectant, et que d'ailleurs on ne pouvait pas totalement quitter : la révélation de l'Ancien Testament.

On voit ainsi se constituer dans la première moitié du IIe siècle ce qui est déjà, proprement, une christo*logie* : une christologie *judéo-chrétienne*. Pour tenter de faire reconnaître que Jésus puisse être le Dieu qu'elle le croit être, cette christologie argumente à partir des prophéties de l'Ancienne Alliance ; elle exploite les théophanies ; elle met en œuvre une exégèse de style typologique ou allégorique. Dans ses formes les plus construites, elle est soit de type *angélomorphe* : elle montre le Christ comme l'Envoyé-messager de Dieu ; soit de type *pneumatique* : elle présente le Christ comme habité-investi par l'Esprit de Dieu.

Quoi qu'il en soit, cependant, des thèmes développés et des méthodes employées, un point mérite d'être absolument souligné : on a bel et bien là, en somme, la première forme de la théologie chrétienne, de la christologie post-apostolique. Contrairement à l'opinion qui a longtemps prévalu, selon laquelle le judéo-christianisme était la première des déviations hérétiques ; contrairement aussi aux dires de Harnack pour qui la théologie n'aurait commencé qu'avec l'utilisation de la philosophie grecque par les Pères Apologistes, il faut affirmer que l'on a réellement affaire ici à une forme de *pensée* proprement chrétienne. Elle se veut effectivement démarquée par rapport à l'ancien Israël et le recours qu'elle fait au judaïsme n'est pour elle que le moyen, adapté à l'interlocuteur qu'elle se reconnaît, de développer une doctrine proprement chrétienne, de constituer en discours l'authentique foi chrétienne. On est seulement passé à de nouvelles *tentatives* d'expression de la foi, à un nouveau mode d'attestation, à un nouvel âge du témoignage chrétien.

Une leçon nette se dégage de là, qu'il est capital d'enregistrer pour la foi et pour toute théologie à venir. C'est immédiatement après l'époque néotestamentaire que l'on découvre l'impossibilité où l'on est de s'en tenir à la pure et simple répétition de ce qui a été transmis : que l'on se découvre obligé de passer résolument au registre du *discours*, élaboré à ses propres risques et périls. Que tout cela demeure insatisfaisant et risqué est trop clair. Aussi bien l'évolution se poursuivra-t-elle : il faut d'ailleurs évoquer immédiatement une deuxième direction de la recherche.

b) Une direction helléno-chrétienne ensuite

Après le juif, le païen — c'est-à-dire, compte tenu de l'aire d'expansion du christianisme naissant : le grec. L'effet de la rencontre avec ce nouveau partenaire fut analogue à celui que l'on vient de reconnaître à l'affrontement avec l'interlocuteur juif. Analogue et donc semblable : ici encore, la référence à l'histoire, au fait Jésus et à l'expérience qu'en avaient faite les témoins oculaires ne pouvait aucunement suffire et il fallait donc se mettre à argumenter. Analogue et donc différent : cette fois, le terrain de l'argumentation ne pouvait plus être l'Ancien Testament ; ce devait être, ni plus ni moins, la philosophie.

De sorte que non seulement le terrain commun se déplaçait, mais il « rétrogradait » en quelque sorte : les présupposés admis d'emblée de part et d'autre comme base du débat se réduisaient ; il fallait aller chercher plus profond ce sur quoi on « s'entendait » ! Car si la présentation de Jésus comme Fils de Dieu et Dieu conduisait les juifs à accuser les chrétiens de remettre en cause le monothéisme, elle amenait les grecs à les soupçonner de retomber dans la mythologie. La proclamation de la filiation divine de Jésus évoquait en effet de soi, maintenant, les coucheries des dieux de l'Olympe, où l'on voit l'union d'un dieu et d'une femme (qui n'était pas toujours elle-même une divinité) donner naissance à un héros, à un demi-dieu ou à une divinité de second rang. Une nouvelle fois donc, quoique d'un tout autre point de vue, il fallut se mettre en devoir d'élaborer un discours.

Et de même que la confrontation avec le judaïsme avait amené à développer le thème du Christ comme Envoyé-*Messie* selon des implications restées jusqu'alors inaperçues de la foi en Jésus-Christ, de même le dia*logue* avec l'hellénisme aboutit à faire présenter le Christ comme le *Logos*. Comme la « Pensée » même par laquelle Dieu « crée », organise et gouverne le monde, ouvrant ainsi la voie à toute intelligibilité. On peut dater approximativement de 150 l'exploitation systématique du thème de Logos par la théologie/christologie chrétienne.

Inutile d'insister ici sur ce qu'on peut appeler la (les) « logologie(s) » chrétienne(s) : elle(s) connaîtra (ont) un grand avenir par la suite. Il suffit, pour l'heure, d'enregistrer qu'avec la présentation du Christ comme Logos s'opère, dans le témoignage chrétien, une mutation de toute première importance. Un passage s'accomplit, ainsi, du monde de la particularité juive auquel on en restait évidemment avec le judéo-christianisme, à la culture grecque dont la résonance est universelle. Or ce passage a de soi pour effet de faire définitivement transiter le discours chrétien, tel qu'il a déjà commencé de se constituer, au registre qui est proprement celui de la rationalité. Là encore d'ailleurs, et il faut le souligner avec netteté, l'ouverture à l'hellénisme (et à tout le champ réflexif qu'il ouvre lui-même) ne marque pas une perversion, voire *la* perversion congénitale du christianisme ainsi qu'on a parfois voulu le prétendre. Elle a été, pour la foi chrétienne comme telle, en même temps que nécessité de situation, condition même d'existence et chance d'avenir.

4. La rationalité philosophique

Bref : passage à l'ordre du *discours* avec le judéo-christianisme déjà, passage au registre de discours de la *rationalité philosophique* avec l'helléno-christianisme bientôt : dans les deux cas on a authentiquement affaire à un registre de fonctionnement de la foi chrétienne et non de soi ou nécessairement à une déviance ou à une dénaturation. Certes on n'en est encore qu'à des tentatives, et des risques sont encourus voire des erreurs commises. Mais d'une part tout cela se situe dans la ligne d'orientations déjà nettement repérables dans les écrits du Nouveau Testament (dont, parallèlement, le canon se met progressivement au point) ; et d'autre part ce n'est que plus tard que se « normalisera » l'expression de la foi... mais cette normalisation elle-même ne sera ni sans tâtonnements ni sans risques et il sera toujours éclairant, pour la suite, de revenir à ce moment natif où se

cherchent encore avec humilité et audace à la fois les voies d'une
fidélité qui puisse «possibiliser» l'avenir.

JUSTIN († vers 168), «le plus important des apologistes grecs du
II⁰ siècle» (J. Quasten), est un bon témoin de ce double passage par
lequel s'est accompli l'entrée dans ce que l'on a appelé ici «un nouvel
âge du témoignage chrétien», cet âge qui est celui de la mise en
discours de la foi et donc de la fondation de ce qui est, proprement, la
théologie — ici : la christologie. Débattant d'abord avec les Juifs dans
son *Dialogue avec Tryphon*, il présente Jésus comme Messie :
argumentant précisément sur la titulature du Messie dans l'Ancien
Testament, il ne lui applique en tout et pour tout que trois fois le nom
de Logos dans cet ouvrage, même s'il le fait alors de manière très
suggestive. Mais, affrontant ensuite dans ses deux *Apologies* la
philosophie grecque dont il avait été l'adepte fervent, c'est au contraire
le titre de Logos qu'il exploite, en usant alors abondamment — non
sans quelques imprécisions ou flottements, d'ailleurs, en plusieurs
passages.

L'évolution du témoignage (milieu IIᵉ-fin VIIᵉ S.)

Une fois accompli le passage que l'on vient de marquer, on est entré dans l'âge postapostolique, qui sera précisément celui des *Pères* et qui verra la tenue des seuls *conciles christologiques* de toute l'histoire chrétienne. Parce qu'elle a son unité, l'époque qui est ainsi ouverte (et qui sera donc, tout ensemble, celle des christologies «patristiques *et* conciliaires») demande expressément à être considérée pour elle-même dans sa *globalité*, avant de l'être dans le détail de son déploiement et de ses acquis. Il n'en reste pas moins qu'elle est traversée de courants, marquée par des déplacements, des ouvertures et des progressions qui permettent d'y déceler un développement et d'y repérer des étapes. Il sera donc utile, avant de considérer l'un après l'autre les enseignements et les courants, les auteurs et les écoles, de marquer nettement les seuils principaux qui ont été franchis à travers l'évolution du témoignage rendu à la foi en Jésus-Christ durant tout l'âge patristique et conciliaire de la christologie c'est-à-dire, rappelons-le : jusqu'aux VIᵉ-VIIᵉ siècles.

Il semble que l'on puisse en fait distinguer trois grandes périodes :

1. Une première période s'étend de la seconde moitié du IIᵉ siècle à la plus grande partie du IVᵉ

Jusqu'à l'ouverture de cette période, l'âge apostolique une fois révolu, et même si elle en était venue à fonctionner déjà sur un mode nouveau, la foi avait dans une très large mesure l'initiative. C'est elle-même qui, pour se faire entendre et recevoir selon ce qu'elle est, faisait le choix de transposer son affirmation première sur un registre qui était nouveau par rapport à la matérialité des langages du Nouveau Testament, qu'il s'agisse de la théologie judéo-chrétienne de l'Envoyé de Dieu ou, à plus forte raison, de la théologie helléno-chrétienne du Logos. Or à partir de la deuxième moitié du IIᵉ siècle, quelque chose va changer.

D'une part, de l'extérieur même de la foi, une (ou des) interprétation(s) va (vont) être tentée(s) du fait Jésus-Christ. Ici, ce ne sera plus la foi qui proposera d'elle-même sa propre transposition ; ce sera « l'autre » qu'elle a face à elle qui, se trouvant lui-même affronté au fait Jésus et s'y intéressant dès lors à un titre ou à un autre, l'interprétera de son propre point de vue à lui.

Cela donnera, en particulier, le *gnosticisme* et le *docétisme,* qui seront justement présentés ci-après comme indices de l'attitude signalée ici.

Et d'autre part, de l'intérieur même de la foi, on verra des croyants qui, ayant la double caractéristique de se prétendre chrétiens et d'avoir perçu l'importance de la rationalité et la spécificité de ses lois propres dans leur contexte de pensée, tenteront du fait Jésus-Christ une interprétation qui aboutira à gauchir profondément la compréhension qu'en avait la foi... et qui amènera donc à une réaction massive de l'orthodoxie.

Cela donnera, surtout, le *monarchianisme* et le *subordinatianisme,* avec l'opposition qu'ils rencontreront aux conciles de Nicée (325) et de Constantinople I (381).

2. De la fin du ɪᴠᵉ siècle à la première moitié du ᴠɪᵉ siècle

Jusqu'alors, la compromission de la foi avec la rationalité a été réelle mais elle est, en fait, restée notablement limitée. En particulier, une certaine réserve est demeurée à l'égard de l'emploi de la terminologie et de la rationalité philosophiques. Certes le témoignage chrétien a bien commencé à se doter d'une rationalité, mais on se défiait toujours d'une certaine technicité. On n'aurait pu, en effet, que l'emprunter à la culture païenne c'est-à-dire à la philosophie. Or l'on sentait bien que la réflexion philosophique avait sa logique propre, qui risquait, si on lui ouvrait résolument la porte, d'entraîner loin. D'autant que la preuve était déjà faite, avec l'arianisme du ɪᴠᵉ siècle par exemple, que la contamination n'était pas illusoire, et qu'elle pouvait même aboutir à des résultats catastrophiques.

Une nouvelle fois, les choses vont changer. C'est résolument, désormais, que des chrétiens, surtout à partir de 380, vont se mettre non plus seulement à utiliser quelques concepts philosophiques, mais à se lancer dans une articulation et une organisation logiques de leur discours. Cet effort discursif voudra assurément demeurer au service de la confession de foi ; mais, peu à peu, il prendra consistance et cohérence au point de déboucher dans une conceptualisation assez systématique de l'ensemble de la foi transmise par les Apôtres et professée dans les Eglises.

Aux nécessités qui deviendront ainsi de plus en plus celles de l'intelligence croyante elle-même, viendront du reste s'ajouter, pour pousser les chrétiens cultivés dans le sens d'un effort réflexif résolu, les exigences de la controverse avec de nouvelles hérésies, assez élaborées intellectuellement pour plusieurs d'entre elles. On aura ainsi « l'âge d'or » des christologies patristiques et conciliaires, avec le développement de véritables « écoles » christologiques — Alexandrie et Antioche principalement —, et avec la tenue des trois grands conciles christologiques de l'histoire de l'Eglise : Ephèse (431), Chalcédoine (451) et Constantinople II (553).

3. L'affrontement de deux discours

Mais à cette deuxième période en succédera encore une troisième, qui marquera d'ailleurs la transition avec l'époque suivante, celle des christologies de la tradition théologique scolastique classique. Avec cette troisième période, on accède à un nouveau palier de l'évolution amorcée dès le IIe siècle et poursuivie comme il vient d'être dit à travers quatre siècles.

Cette fois, ce n'est plus à proprement parler la foi comme telle qui se confronte à la culture païenne. Ce à quoi on assiste, c'est bien plutôt à l'affrontement de deux discours globaux. D'un côté, on a une foi désormais vraiment organisée en un discours déjà largement constitué comme tel ; et de l'autre, on a le(s) discours, également constitué(s) comme tel(s) évidemment, d'une rationalité philosophique.

On arrivera ainsi, au terme de la période « patristique et conciliaire », à un point terminal qui se présente, au fond, comme l'inverse de ce qu'avait été le point de départ. Non plus, comme alors, quelques concepts philosophiques apparaissant dans un langage demeuré massivement scripturaire ; mais, désormais, un discours certes théologique mais hautement conceptualisé et rationalisé, où l'Ecriture n'apparaîtra plus que sous la forme de citations plus ou moins éparses... auxquelles s'adjoindront de plus en plus, d'ailleurs, des citations des « Pères ». Ce qui montrera bien qu'alors l'âge patristique sera clos, et qu'un autre type de fonctionnement du témoignage et, proprement, du discours chrétiens aura, dès lors, commencé.

II. L'ÉLABORATION RAISONNÉE DE LA PROFESSION DE FOI CHRISTOLOGIQUE

Il s'agira maintenant d'enregistrer, au fur et à mesure de leur apparition, les déterminations essentielles que les Pères et les conciles ont apportées à l'expression de la foi chrétienne en Jésus-Christ, à la «profession de foi christologique». Si l'on parle ici de l'élaboration *raisonnée* de cette profession de foi, c'est pour souligner que l'on assiste à une opération *rationnelle,* qui va se déployer à travers plusieurs siècles selon une *logique* précise, qu'il convient de repérer soigneusement. Il est clair qu'en si peu de pages, on ne pourra présenter qu'un survol rapide.

CHAPITRE PREMIER

Première période :
mise en place du témoignage

On peut dire que cette période comporte essentiellement deux
moments :

— dans le premier moment — gnosticisme et docétisme — ce qui est
en cause, c'est la vérité de l'*humanité* du Christ ;
— dans le second moment — monarchianisme et subordinatianisme
— ce qui est en cause, c'est la vérité de sa *divinité*.

« Humanité » et « Divinité » : tels sont précisément les « éléments »
dont le titre ci-dessus annonce que cette période a eu pour résultat de les
« mettre en place ».

1. Gnosticisme et docétisme

Il faut bien se rendre compte qu'à ses origines, l'Eglise a eu
finalement autant de peine (bien qu'à des époques différentes) à faire
valoir l'intégrité de l'humanité de Jésus-Christ qu'à affirmer sa
divinité.

La première crise à laquelle la première communauté dut faire face
fut même une « hérésie » qui mettait en cause, aussi étonnant que cela
puisse paraître à un contemporain, la réalité de l'humanité du Christ et
même, tout simplement, la réalité de son corps. C'est d'ailleurs dans
les écrits pauliniens et johanniques eux-mêmes que l'on peut relever
les premières escarmouches des combats chrétiens contre ce qu'à
certains égards il faut bien appeler, mais ce point sera précisé ci-après,
les premières « hérésies » christologiques : le gnosticisme et le
docétisme.

a) le gnosticisme

A la base des courants gnostiques, dont la diversité est d'ailleurs extrême et dont les grands noms sont Marcion et Valentin, il y a un dualisme radical : l'opposition esprit/matière, qui a sa source dans un vieux fonds de pensée oriental, et qui se répercute à l'échelle de l'ensemble d'une vision du monde, c'est-à-dire aussi bien au plan de l'histoire universelle qu'à celui de l'existence individuelle.

Cosmologie. — La matière est la « création » d'un Dieu (de dieux ?) imparfait(s), souvent assimilé(s) au Dieu de l'Ancien Testament ; elle relève d'un démiurge inférieur au Dieu suprême qui, quant à lui, n'a rien à voir avec elle ; il faut même, tout compte fait, la considérer comme la « substantialisation » du mal.

Anthropologie. — L'âme spirituelle des hommes est présentement, sur la terre, asservie par le corps à la matière — plus ou moins d'ailleurs, ce qui détermine, en fait, plusieurs « classes » d'hommes.

Sotériologie. — Dès lors, le salut ce sera la libération de (au sens de : l'arrachement à) cette matière et la remontée, vers les sphères divines, de la parcelle spirituelle, de l'étincelle divine qui est en l'homme. Naturellement, ce salut ne pourra intervenir non seulement que *pour* l'esprit, mais que *par* l'esprit ; il s'opérera par mode de connaissance ou de savoir : par la *gnôsis* — où interfère certes un élément mystique accentué, mais qui représente un au-delà de la croyance, de la *pistis* des non-initiés — qui apportera la réponse aux questions fondamentales que pose l'existence humaine : d'où vient l'homme ? où va-t-il ? qui est-il ? d'où vient le mal ? d'où peut venir le salut ?

Or, toujours selon les spéculations gnostiques, c'est grâce à l'intervention d'un intermédiaire, d'un médiateur privilégié dans l'échelle des « éons » qui s'étagent entre le monde céleste et le monde terrestre, que devait être apportée la connaissance salvifique. Ici évidemment, les ratiocinations gnostiques pouvaient recouper le message chrétien de la rédemption par Jésus et il s'opérera de fait une fusion entre les deux, d'où résulta chez certains auteurs un syncrétisme qui défigurait totalement la profession de foi chrétienne.

Puisque la matière est mauvaise et le salut affaire de pure connaissance, il ne pouvait être question ni de création du monde par Dieu ni d'histoire du salut : on rejette l'Ancien Testament en bloc, se mettant ainsi dans l'impossibilité de manifester aussi bien la différence que la continuité avec le Nouveau Testament, et l'on déploie une conception à la fois individualiste et élitiste du salut. Il ne pouvait être question non plus ni de valorisation du corps : voir par exemple les *encratites,* qui interdisaient de manger de la viande et tenaient des positions totalement négatives sur la sexualité ; ni de résurrection de la chair. Ni, et c'est là ce qui importe en l'occurrence mais il convenait de montrer tout ce qu'une telle dénégation impliquait, d'incarnation de Dieu en Jésus.

b) Le docétisme

Il s'agit d'abord, semble-t-il, d'une séquelle du gnosticisme, à incidence plus directement christologique.

D'après les spéculations gnostiques et docètes, Jésus est descendu du monde céleste pour permettre aux hommes, prisonniers de ce bas monde, leur remontée vers les sphères divines par un salut qui, étant de pure connaissance, ne sera rien d'autre que l'arrachement à la matière. La coupure est si radicale entre le monde céleste divin et le monde terrestre de la matière, que Jésus, venu du premier, n'a pu posséder un corps véritable, un corps semblable à celui des hommes « ordinaires ». Le penser, c'est se laisser tromper par les apparences : d'où le nom de « docétisme » donné à cette séquelle christologique du gnosticisme (du grec *dokein,* sembler, paraître).

A vrai dire d'ailleurs, il faut le préciser pour n'être pas trop incomplet, il semble bien que le docétisme ne soit pas réductible à une séquelle gnostique. Car ici, en réalité, le courant gnostique venu du dehors de la foi s'est trouvé rejoindre un courant repérable à l'intérieur de l'Eglise chrétienne elle-même, où l'on voyait certains cercles réagir vivement, au nom de la très haute idée qu'ils se faisaient du Logos divin, contre l'affirmation d'une véritable Incarnation. Quoi qu'il en soit cependant de cette dernière précision, on peut au moins dire ceci : pour les docètes, Jésus n'avait qu'un corps de pure apparence, qu'une apparence de corps ; ou alors qu'un corps céleste, éthéré, qui n'a fait que « passer » à travers Marie comme un rayon de lumière céleste. Corps « céleste » en ce sens qu'il emprunta quelque chose aux sept cieux que le Logos dut traverser pour venir rejoindre les hommes en ce bas-monde. Conception très « cosmique », on le voit, de l'Incarnation. Il n'a pas véritablement souffert, il n'a pas véritablement été crucifié, il n'est pas véritablement mort... ni, bien sûr, ressuscité.

Finalement, mettant en cause la notion même de salut et de sauveur chrétiens, gnosticisme et docétisme s'attaquaient à l'essentiel de la foi chrétienne. C'est la raison pour laquelle cette première « hérésie » christologique fut la grande affaire de l'Eglise du IIe et au moins du début du IIIe siècles : on peut dire que le docétisme a vraiment représenté *la* tentation du christianisme, au moment où il affrontait massivement la gentilité, le monde grec.

Le premier des Pères à contrer le gnosticisme et le docétisme est le premier de ceux qu'on appelle les « Pères Apostoliques », saint IGNACE d'ANTIOCHE. Il le fait d'abord en se rapportant à l'histoire même de Jésus, c'est-à-dire au témoignage que les premiers disciples ont rendu au réalisme de l'Incarnation : Jésus est vraiment né de la Vierge Marie selon la chair, il a vraiment souffert, il est vraiment mort et il est vraiment ressuscité. Mais Ignace ne s'en tient pas à ce point de vue historique-événementiel. Il déploie aussi un type d'argumentation théologique qui gardera jusqu'aux IVe -Ve siècles un poids déterminant dans la pensée chrétienne, l'argumentation sotériologique, qu'on peut ici présenter comme ceci : si ce n'est qu'apparemment aussi que Jésus a été homme, alors ce n'est qu'apparemment que les hommes sont sauvés ; mais, à l'inverse, si Jésus a été vraiment homme, alors c'est dans toutes les dimensions de l'être-homme que se joue le salut. La corporalité est si peu indifférente au salut que, d'une part, elle est promise un jour à la résurrection, et que, d'autre part, dès maintenant même, la profession de foi doit s'inscrire dans le comportement corporel lui-même — cela, éventuellement, jusqu'au martyre.

C'est IRÉNÉE de LYON toutefois, le premier grand théologien de l'Eglise, qui a mené le véritable combat contre le gnosticisme, dans son considérable ouvrage en cinq livres, l'*Adversus haereses* (vers 180). Il l'a fait en déployant sa fameuse théorie de la *récapitulation* (anaképhalaïôsis). Il y a unité entre l'œuvre de la Création et l'œuvre de la Rédemption, à travers tout l'Ancien et tout le Nouveau Testament. Et cette unité se réalise et se révèle dans le Christ, parce qu'il est à la fois Verbe Créateur et Verbe Incarné-Rédempteur, par qui toutes choses ont été créées et sont ramenées à l'unité, récapitulées dans l'unité qu'avait brisée la faute du premier Adam : le Christ *réunit en résumant/réassumant par une répétition qui restaure,* car tel est précisément le sens complexe du maître mot de la théologie d'Irénée, cet *anaképhalaïôsis,* repris de Rm 13, 9 et Ep 1, 10.

Mais justement, pour être réassomption, répétition et restauration et, ainsi, récapitulation, ce salut s'accomplit dans l'histoire des hommes, et donc le Verbe devait prendre et a effectivement pris une humanité véritable c'est-à-dire très précisément : historique, corpo-relle. Ici encore, l'argumentation est à base historique et à ressort sotériologique : si, étant Dieu, le Verbe s'est fait homme, c'est pour que les hommes eux-mêmes soient divinisés. De sorte que si Irénée aboutit bien à une considération de type et de portée ontologiques : le Christ est, selon lui, vrai homme et vrai Dieu dans l'unité, il ne s'agit là, en vérité, que de l'*aboutissement* d'un discours dont le « nerf » véritable est ailleurs : dans une perspective de part en part sotériologique. Irénée s'inscrit toujours dans le droit fil du témoignage néotestamentaire.

Avec TERTULLIEN, on change de siècle : (on entre dans le iiiᵉ siècle) et de continent (on passe en Afrique). Chez lui encore, on a une insistance nette sur le réalisme de l'Incarnation ; mais la préoccupation ontologique prend plus d'importance, et l'homme des formules qu'est ce premier grand théologien latin forge déjà un vocabulaire appelé à un grand avenir. Il parle, pour le Christ, de « una persona » et de « duae substantiae » ou « duae naturae ». Nonobstant l'unité de « personne », il y a dans le Christ *deux* « natures » ou « substances », deux « natures » « complètes » ou « parfaites » : celle du Verbe qui existe de toute éternité avec le Père, un avec lui par « essence » ; et celle d'un homme véritable, c'est-à-dire comportant âme et corps véritables. Deux natures « distinctes », chacune gardant ses propriétés. Deux natures « unies » ; unies de telle façon qu'elles se manifestent au-dehors sous un unique « visage », une unique « figure extérieure », que Tertullien appelle « persona ». (Dans le latin courant de l'époque, le mot signifie « masque », « amplificateur de la voix humaine » : cf. « personare », « faire sonner à travers ».)

Quoi qu'il en soit de ces dernières perspectives, qui ne seront véritablement prolongées que bien plus tard, on peut conclure ainsi :

— l'acquis de ce premier moment de la première période de la réflexion christologique est celui-ci : le Christ a un *vrai corps*.

— on s'appuie, pour le dire, sur l'histoire de Jésus, mais dans une préoccupation à dominante nettement sotériologique.

Cela enregistré, on peut en venir au deuxième moment de ce que l'on a appelé ici la première période de l'époque patristique.

2. Monarchianisme et subordinatianisme

Si le début du iiiᵉ siècle voit s'imposer l'affirmation de la vérité du corps du Christ (c'est-à-dire la vérité de l'Incarnation, restée contestée comme on vient de le voir à travers tout le iiᵉ siècle et le début du iiiᵉ siècle), le reste du iiiᵉ siècle et tout le ivᵉ siècle sont occupés par des débats trinitaires. Pratiquement, on peut dire que le ivᵉ siècle est le siècle trinitaire par excellence, de la même manière que le suivant, le vᵉ siècle, peut être reconnu comme le siècle christologique par excellence.

Siècle trinitaire que le ivᵉ siècle en effet, puisqu'il compte les deux grands conciles trinitaires de l'histoire chrétienne, qui sont d'ailleurs les deux premiers conciles œcuméniques :

— Nicée (325), qui s'occupe de la divinité du Verbe (incarné en Jésus),

— et Constantinople I (351), qui élargit la considération à la divinité de l'Esprit.

Puisqu'il s'agit ici d'une étude christologique et non pas trinitaire, il ne sera parlé que de Nicée (et de ce qui le prépare et l'explique). Pour faire bref, on peut dire que Nicée tient essentiellement dans l'affirmation de l'«homoousie» (identité de substance) du Fils ou Verbe avec le Père. Comment en est-on venu à une telle affirmation et en quel sens l'a-t-on posée ? Une nouvelle fois, on a voulu répondre et couper court à une série de contestations. Contestations que, désormais, on peut expressément appeler hérésies au sens formel du terme car s'il y avait bien eu auparavant les dénégations et divagations des gnostiques, ceux-ci n'étaient pas à proprement parler des hérétiques. Puisqu'ils n'admettaient pas la «règle de la foi» dans la mesure où ils refusaient son «article» fondamental : «je crois en un seul Dieu», ils n'étaient pas déviants par rapport à une «orthodoxie» minimale à laquelle ils auraient acquiescé : ils étaient «ailleurs»; ils pensaient selon une vision du monde tout autre que celle que proposait la foi.

Les contestations dont il va s'agir maintenant se sont orientées principalement dans deux directions : le monarchianime et le subordinatianisme.

a) Le monarchianisme

Pour faire bref, on peut lui reconnaître deux formes, d'ailleurs étroitement apparentées comme on le verra : le patripassianisme et le modalisme. Mais il sera éclairant, avant de les présenter, de dire un mot d'un autre courant : l'adoptianisme.

L'adoptianisme : Ce courant, qui connaîtra une certaine reviviscence au VIᵉ siècle, a présenté des formes diverses. Mais, qu'on se place d'un point de vue juif (les *Ebionites*) ou d'un point de vue rationaliste (PAUL DE SAMOSATE), le raisonnement est, grosso modo, fondamentalement le même. Il n'y a qu'un seul Dieu, créateur et maître de l'univers. Jésus, par conséquent, ne peut pas être Dieu. Il n'est, à la vérité, qu'un homme ordinaire, né de l'union de Marie et de Joseph. Simplement, il a vécu plus saintement que tous les autres, et il a prononcé des paroles et réalisé des actions plus extraordinaires que tous les autres. Pourquoi ?
— Pour la raison qu'il était spécialement «élu» de Dieu. De toute manière ses privilèges n'en ont pas fait un être divin mais simplement un fils adoptif privilégié de l'unique Dieu (d'où le nom d'«adoptianisme»). Sa mission est celle d'un prophète et sa fonction salvifique se ramène à celle de l'exemple.

Si l'on a fait figurer ici l'adoptianisme dans la proximité du monarchianisme dont il va être question maintenant, c'est que les deux courants ont en commun de valoriser l'unicité de Dieu de manière telle que la divinité du *Fils comme tel* se trouve niée. Mais il s'agit, à vrai dire, de positions commandées par des perspectives toutes différentes. Tandis que l'adoptianisme nie la divinité du Fils (le Christ n'est qu'un homme) dans une perspective « christologique », le monarchianisme la nie, lui, dans une perspective nettement « trinitaire » (car, comme on le verra, le Christ est bien considéré comme Dieu, mais pas comme « dieu » de quelque manière réellement distinct du Père).

Le monarchianisme patripassien ou « patripassianisme » : Ici, à la ressemblance de ce qui se passait dans l'adoptianisme, on professe résolument qu'il n'y a qu'un seul Dieu ; mais, à la différence de ce même courant, on admet aussi d'emblée la divinité du Christ. Quant à accorder ensemble ces deux données, on ne voit pas d'autre possibilité pour le faire que d'affirmer que si le Fils est certes Dieu, il n'est en réalité qu'une manifestation particulière, en Jésus, de l'unique Dieu, lequel est par ailleurs et d'emblée confessé comme Père. On prétend ainsi sauver la « monarchie » divine ou l'unicité (*monos* = un seul) du « Principe » (*archè*) ; d'où le nom de « monarchianisme ».

A strictement parler, puisqu'il n'y a qu'une seule « réalité » divine, puisque le Fils n'est en vérité aucunement distinct du Père, puisque le Fils n'est finalement qu'un autre nom du Père, il n'y a pas à reculer devant les conséquences qui en résultent à propos de ce qu'on appelle l'Incarnation : comme le prétendent NOËT et PRAXÉAS, « le Christ est le Père lui-même, et c'est le Père lui-même qui est né, qui a souffert, et qui est mort ». D'où le nom de « patripassianisme » donné par les historiens des dogmes à ce versant du courant monarchianiste.

Le monarchianisme modaliste ou « modalisme » : Le modalisme, dont le représentant principal est SABELLIUS (IIIe siècle), se présente au fond comme une radicalisation et une extension à la fois de la position monarchianiste. Radicalisation parce qu'on procède ici avec plus de rigueur et de logique ; extension parce qu'on étend désormais à l'Esprit ce qu'on limitait jusqu'alors au Père et au Fils.

Il n'y a qu'un seul Dieu, mais il s'est révélé, au cours de l'histoire du salut, sous trois *prosôpa* (masques, figures, visages), qui ne sont que des manifestations successives, que des modalités différentes d'apparition *pour nous*, que des désignations diverses (utiles de notre côté à nous mais sans répondant effectif en Dieu) d'une seule et unique réalité en elle-même indistincte, celle du seul et unique Dieu. Il ne s'agit donc aucunement de ce qu'on appellera plus tard des

« personnes » (en reprenant essentiellement d'ailleurs, entre autres, le terme « prosôpon » !), mais simplement de modes, de modalités. D'où le nom de « modalisme ».

Si tel est le monarchianisme, on va constater qu'il n'y a pas rupture de continuité entre ce courant de pensée et la deuxième ligne de contestation, faite pourtant d'un point de vue exactement contraire, vers laquelle il convient maintenant de se tourner.

b) Le subordinatianisme

On peut relever que tous ceux qui ont combattu le monarchianisme sous ses différentes formes ont été portés, pour lui faire pièce, à insister, au contraire, sur la distinction Père/Fils ou Père/Verbe. C'est dire que pour éviter une manière de comprendre l'unité ou l'unicité de Dieu qui mettait en péril la divinité du Fils manifesté en Jésus, ils risquaient, par contrecoup, sinon d'absolutiser la pluralité (trithéisme, qui s'est cependant rencontré dans l'histoire du dogme trinitaire), du moins de ne pas affirmer le « un » et le « trois » sur le même plan, si l'on peut s'exprimer ainsi. C'est-à-dire qu'ils risquaient de tomber dans l'autre tendance, symétrique du monarchianisme, qui a toujours guetté la théologie trinitaire (et particulièrement la théologie du Verbe, qui nous concerne plus directement ici) : le subordinatianisme.

La tendance subordinatienne : Dans l'explication du rapport du Verbe ou Logos au Père (on ne s'occupera vraiment de l'Esprit que plus tard), on relève effectivement très fréquemment, au IIIe siècle et au début du IVe siècles, des tendances subordinatiennes ; et cela même à l'intérieur de l'orthodoxie. Il s'agit d'inclinations à ne reconnaître au Verbe qu'une existence « seconde » (celle d'un « deutéros théos »), à ne voir en lui qu'une réalité divine inférieure, entièrement sub-ordonnée (et voilà le « subordinatianisme »), et donc inégale, à celle du Père.

D'une part en effet on a noté que, dans sa condition incarnée, le Fils s'est comporté comme constamment référé à celui qu'il nomme son Père, comme constamment et en tout, paroles et actes, dépendant de lui. Et d'autre part, lorsqu'on s'efforce de comprendre cette divinité que l'on a appris à reconnaître en Jésus et qui se présente donc sous le visage d'une dépendance filiale, on est handicapé par le fait qu'on estime, à l'époque, ne pouvoir la conceptualiser qu'en référence aux catégories qui sont utilisées lorsqu'on parle d'un autre type de « production » qui, à côté de la filiation, est aussi considérée comme ayant sa source en Dieu : la production du monde, la création. De sorte que le Fils ou le Verbe est alors vu, en quelque sorte, comme le premier « temps » de la manifestation de Dieu « à l'extérieur » de lui-même. La tentation est grande en effet, dans un tel contexte de pensée, de se représenter la « production » du Fils en similitude plus ou moins marquée avec la production du monde ; et cela d'autant plus que le Nouveau Testament lui-même a souligné l'intervention du Verbe dans la création (cf. Col 1, 15 : le « premier-né de toute créature »). On risque d'en venir à ne plus voir dans le Fils ou Verbe qu'une créature, si élevée soit-elle au-dessus des autres : qu'une réalité créée, et non pas un être proprement divin.

A cette tentation, ceux que l'on appelle « les Pères » n'ont pas cédé, en ce sens qu'ils ont toujours continué à professer la divinité du Fils que le Nouveau Testament leur attestait révélé en Jésus, quand bien même ils ne parvenaient pas à en rendre véritablement compte au niveau de leur formulation théologique comme telle. C'est un fait, malgré tout, que s'ils n'ont jamais réduit le Verbe à être lui-même « créature », ils lient toujours étroitement, avant Nicée, le Verbe à la création : ils ne se posent pratiquement pas la question du Verbe « pour lui-même » ou « en Dieu ». Un danger en découlait dès lors pour eux : que soit compromise la gratuité absolue de la création et de l'appel des hommes à l'état filial, et compromis aussi ce qui paraît bien conditionner cette gratuité, à savoir l'indépendance interne de la vie trinitaire. Bref, il y avait le risque que ne soit plus reconnu pleinement ce caractère gratuit de l'amour de Dieu pour l'homme qu'un Irénée avait, bien qu'à un autre niveau, si fortement souligné.

A cette tentation, en revanche, a cédé, au début du IVe siècle, un prêtre de l'église d'Alexandrie (mais qui avait fréquenté l'« école » d'Antioche) : Arius.

L'arianisme, absolutisation du subordinatianisme, et Nicée (325)

ARIUS : A l'éternel problème de la théologie trinitaire : comment concilier la Trinité attestée par l'Ecriture avec l'unicité rigoureuse de Dieu, Arius prétend apporter une réponse définitive, fondée sur un principe qui lui paraît irréfutable.

— Dieu est unique, inengendré, éternel, immatériel, immuable : il ne peut rien communiquer de lui-même : ce serait pour lui encourir une division de sa substance. (Telle était déjà l'opinion des gnostiques, mais c'est aussi celle du sens commun : si Dieu est Dieu, comment pourrait-il véritablement se donner lui-même à l'homme ?)

— Dès lors, tout ce qui existe « en dehors » de ce Dieu conçu donc comme le Principe sans principe, n'est pas et ne peut pas être Dieu, mais seulement créature de Dieu.

— Pour autant il ne faut pas en déduire que toutes les créatures sont sur le même plan : parmi elles, il en est une qui jouit d'un statut tout à fait spécial,

- parce qu'elle est la première à être posée dans l'être,
- et parce qu'elle est utilisée par le Dieu unique comme instrument médiateur dans la création de toutes les autres.

Cette créature, d'exception certes mais créature quand même (même si les ariens hésitent à employer le terme à son propos), c'est le Logos, le Verbe... qui s'est précisément manifesté en Jésus comme sujet à toutes sortes d'ignorances, de mutabilités et même de souffrances — donc comme manifestement non divin. Convergence qui mérite d'être relevée : selon l'interprétation arienne du moins, le témoignage scripturaire sur Jésus vient ainsi rejoindre la réflexion philosophique sur l'être de Dieu, et lui prêter main forte !

NICÉE : Devant l'arianisme — dont l'importance est comparable, dans l'histoire du christianisme, à celle de la Réforme à l'orée des temps modernes, du moins, spécifions-le pour exclure toute équivoque, quant à l'extension géographique et aux répercussions politiques —, la conscience chrétienne s'est mobilisée. Et cette fois c'est, pour la première fois, à un concile général que l'on a recours pour faire face : le concile de Nicée (325), premier des conciles œcuméniques, qui a tenu à exprimer la foi sous la forme d'un symbole, le « symbole de Nicée ».

Deux choses surtout sont à remarquer dans ce symbole :

— D'une part sa volonté de fidélité à l'Ecriture comme au témoignage premier et normatif rendu à l'histoire du salut accompli en Jésus. Ici encore, autrement dit, on s'accroche d'abord à l'événementiel du fait Jésus-Christ ; mais on adopte aussi un point de vue résolument sotériologique, en fidélité stricte à l'annonce du Nouveau Testament et dans la ligne de l'argumentation développée dans le même sens avant tout par ce précurseur de Nicée que fut ATHANASE D'ALEXANDRIE (que suivra, après coup, ce défenseur de Nicée que fut HILAIRE de POITIERS). Cette volonté de ne pas décrocher de la foi traditionnelle se marque nettement, par exemple, dans l'insistance mise sur le « pour nous les hommes et pour notre salut » et dans le fait que le symbole ne fait pas usage du terme « Verbe/Logos » : on préfère le titre de « Fils », qui apparaît plus scripturaire et moins abstrait ou philosophisant.

— D'autre part, la nécessité où l'on s'est trouvé, cependant, d'innover, et de recourir, malgré tout, à la philosophie, du moins à un terme philosophique, celui d'« ousie », qui apparaît deux fois :

1° lorsqu'on énonce que le Fils est l'« unique engendré du Père, c'est-à-dire né *de l'ousie du Père* » (« Dieu de Dieu, lumière de lumière, vrai Dieu de vrai Dieu, engendré, non pas créé ») ;

2° lorsqu'on affirme l'« *homoousie* » du Fils avec le Père.

C'est dire que, bon gré mal gré, il a bien fallu en arriver à se hisser au plan ontologique, et ne pas s'en tenir, comme on l'aurait souhaité, à une perspective d'histoire du salut. Quand on en vient à affirmer que le Fils est depuis toujours présent en Dieu en tant que Dieu sous la raison de Fils (Origène et, en Occident, Tertullien), il faut bien en arriver, en effet, à se poser la question de savoir ce qu'il en va, alors, de l'être de Dieu. Et donc, pour traiter cette question, il faut bien recourir à une terminologie et à une conceptualité plus élaborées. Or cela renvoie, qu'on le veuille ou non, du côté de la philosophie, lors même qu'on veut, parlant de la vie intra-trinitaire, s'en tenir à l'Écriture, dans une perspective sotériologique ! A Nicée, on s'oriente dans cette direction en gardant toujours une vive conscience du caractère second et « résultant » du point de vue ontologique sur le Christ et sur Dieu. Mais on verra bientôt s'opérer ici un changement de perspective significatif.

Après Nicée : Un mot suffira ici sur Constantinople I (381), deuxième concile œcuménique : *mutatis mutandis*, il étend à l'Esprit ce que Nicée avait dit du Fils (sans toutefois pousser la conceptualisation aussi loin : le mystère est abordé ici vitalement, par le biais de l'adoration liturgique et dans le contexte d'une expérience majeure de vie ecclésiale : « il est Seigneur et il donne la vie », « avec le Père et le Fils il reçoit même adoration et même gloire »). La préoccupation christologique n'est pas absente pour autant : Constantinople I tient à réassumer l'enseignement de Nicée contre le subordinatianisme du Fils, et, même, il condamne plus nettement que lui l'autre grande hérésie trinitaire, le monarchianisme... De sorte que, du point de vue de l'élaboration du dogme trinitaire, Constantinople I et son symbole (connu sous le nom de « symbole de Nicée-Constantinople » et toujours en vigueur dans la liturgie d'aujourd'hui) marquent en quelque sorte l'apogée. Et de sorte que c'est à bon droit que le IVe siècle peut être présenté, ainsi qu'on l'a dit plus haut, comme le siècle trinitaire par excellence. Son acquis peut se résumer ainsi : Jésus, Fils/Verbe incarné, est *vrai Dieu*.

On laissera maintenant la Trinité pour continuer l'enquête sur le versant proprement christologique. Avant de le faire, il n'est toutefois pas sans intérêt historique ni portée théologique de souligner que le triomphe de la divinité du Logos n'est pas allé sans entraîner quelques périls. Ayant en effet à lutter pour faire prévaloir la divinité du Logos incarné/révélé en Jésus, la spéculation théologique aura tendance, dans le domaine proprement christologique auquel elle va maintenant se consacrer, à considérer davantage la divinité du Christ que son humanité. Et cela n'ira pas, la suite le prouvera, sans inconvénients graves.

Il est révélateur, en tout cas, que ce soit dans le contexte même des débats sur la Trinité que soit apparue la très remarquable hérésie apollinariste, l'hérésie d'Apollinaire de Laodicée, cet ami d'Athanase, adversaire comme lui d'Arius, mais qui, emporté par son élan dans le combat pour la divinité du Verbe, en vint à minimiser l'humanité du Christ.

Dans le simple fait que les canons de Constantinople I, concile trinitaire, tiennent à mentionner Apollinaire, c'est-à-dire ne condamnent pas seulement les deux grandes hérésies trinitaires mais aussi la première grande hérésie spécifiquement christologique, se manifeste déjà qu'il n'y a pas de rupture de continuité entre la foi trinitaire élaborée au IVᵉ siècle, et la foi christologique dont l'élaboration ne s'effectuera véritablement qu'au siècle suivant. De la même manière d'ailleurs que Nicée et Constantinople I enjambent déjà, ainsi, sur la christologie, de la même manière Ephèse et Chalcédoine, les deux grands conciles christologiques, reviendront eux-mêmes sur la Trinité. C'est dire qu'entre le problème trinitaire et le problème christologique il n'y a pas de discontinuité sur le plan historique. On ne va pas tarder à vérifier qu'il n'y en a pas, non plus, sur le plan dogmatique et théologique.

Deuxième période : recherche d'une synthèse

Le IVe siècle s'est révélé tout à fait capital sur le plan de l'élaboration du dogme trinitaire ; il n'a pas été en mesure d'effectuer le même travail de synthèse en ce qui concerne la christologie. Deux questions au moins restaient en effet à éclaircir après les acquisitions réalisées précédemment du point de vue dogmatique :

— d'une part : suffit-il d'affirmer, comme on l'a fait depuis la fin du premier moment de la première période, la vérité du corps du Christ pour faire pleinement justice à l'intégrité de son humanité — plus simplement : pour le déclarer vraiment « *vrai* homme » ?

— et d'autre part : comment est-il possible de rendre compte un tant soit peu de la manière dont s'opère l'articulation, dans le Christ, de l'aspect humain et de l'aspect divin, désormais tous les deux expressément reconnus — plus techniquement : quel est le *mode* de l'Incarnation ?

Ainsi posées, les deux questions restent assurément marquées par la perspective sotériologique, qui commande toute l'époque patristique. Mais, notamment depuis Apollinaire, le souci de comprendre ce que l'on croit s'est nettement accentué : on souhaite y voir plus clair sur le « comment » de cette union, en Jésus, de l'humain et du divin, dont on perçoit de mieux en mieux l'importance du point de vue du salut. Mais ce n'est qu'au Ve siècle que la spéculation théologique et la formulation dogmatique arriveront, sur ces points, à maturité.

En attendant, tout en s'occupant préférentiellement, comme il a été dit, du problème trinitaire, le IVe siècle s'essayera à diverses investigations de ces deux questions proprement christologiques. Il s'orientera surtout dans deux directions :

— il y aura la voie qui part du Verbe préexistant en Dieu pour le voir s'incarner dans le monde (cf. le prologue de Jean), et qui prendra ici la forme du schème dit « Verbe-chair » (*Logos-sarx*) ;

— et il y aura la voie qui part, au contraire, de l'humanité historique concrète de Jésus pour rendre compte de son union avec le Verbe de Dieu (cf. les évangiles), et qui prendra la forme du schème dit « homme-Verbe » (*anthrôpos-Logos*).

Il faut noter toutefois que les deux voies ne sont pas absolument parallèles : il y aura interférence et interaction de l'une sur l'autre.

1. Les deux grands schèmes christologiques

a) La christologie de type « Logos-sarx » en christologie unitaire

A qui croyait à la réalité du corps du Christ (acquisition essentielle faite au cours de la première période) et voulait rendre compte de l'unité, en Jésus-Christ, de l'élément divin et de l'élément humain, l'Ecriture pouvait paraître apporter une réponse claire : « Le Verbe s'est fait chair » (*ho Logos sarx égénéto*).

Mais, de très bonne heure, on comprit la formule dans un sens erroné. Au lieu en effet de comprendre le mot *sarx* comme il avait été pensé, c'est-à-dire en référence à l'hébreu *basar* qui désigne la totalité du composé humain vu sous son aspect de faiblesse et de fragilité, on eut tendance à le comprendre à partir du grec. Cela conduisait, en vertu de l'anthropologie dualiste de l'hellénisme, à en faire l'équivalent de ce que la mentalité contemporaine courante appelle « le corps », au sens de l'individualité biologique concrète. Dans ces circonstances, la formule « ho Logos sarx égénéto » entraînait à conclure que le Christ ne possédait pas d'âme humaine, que le Logos lui-même en tenait lieu chez lui. Il faut relever cependant que, tout le monde n'étant pas Apollinaire ou apollinariste, les Alexandrins ne sont pas toujours allées jusqu'au bout des conséquences de cette approche hellénisante. Sans doute d'ailleurs une influence stoïcienne a-t-elle, aussi, interféré ici, en inclinant à comprendre que le Logos jouait en Jésus le rôle du principe vital et rationnel. (Noter de ce point de vue, au IIIᵉ siècle, le cas particulier d'Origène, qui a toute une théorie de la préexistence de l'âme humaine du Christ.)

Quoi qu'il en soit, Arius, qui insistait du reste aussi sur le « *est devenu/s'est fait* », soulignait le fait que le Verbe est devenu « chair » et non pas « homme ». Autant qu'on peut le présumer car on ne possède aucun écrit de lui, Arius semble avoir professé que le Verbe ne faisait plus qu'une seule « ousie » ou *physis* avec la chair du Christ, et qu'il remplaçait proprement, en lui, l'âme humaine. En conséquence d'ailleurs il devenait ainsi le sujet de toutes les faiblesses et souffrances ou passions (*pathè*) de Jésus, ce qui montrait bien qu'il n'était en lui-même ni impassible ni immuable, donc qu'il n'était pas Dieu — du moins pas au sens fort et précis du mot.

Toutefois c'est APOLLINAIRE de LAODICÉE qui donna tout son lustre à ce schème.

Anti-arien résolu, il tente de mieux assurer encore que les autres anti-ariens l'union de l'humanité et de la divinité en Jésus, Verbe incarné. Dialecticien redoutable — « au regard d'Apollinaire, dira très injustement Harnack, Athanase est un enfant » —, il estime qu'il ne peut y avoir d'unité dans le Christ que si l'un des éléments qui le « composent » ne forme pas en lui-même un « tout complet », un être parfait. Car jamais deux êtres complets, et en ce sens « parfaits », ne pourraient, pense-t-il, former une unité stricte. Dès lors, comme il ne peut pas être question pour Apollinaire d'en rabattre sur la perfection, c'est-à-dire sur la divinité du Logos, c'est l'humanité du Christ qu'il « réduit » : le Christ, estime-t-il, n'était pas un homme complet ; il avait bien un corps et une âme-principe vital, mais il n'avait pas d'âme rationnelle ; le Logos lui en tenait lieu.

L'incarnation du Logos n'est pas une humanisation, c'est l'apparition de l'homme céleste, de l'idée exemplaire de l'homme, de l'homme-Verbe caché en Dieu (1 Th 3, 16). Il n'y a dans le Christ qu'une seule « ousie », qu'une seule *physis*, qu'un seul *prosôpon*, qu'une seule « hypostase » : celle du Verbe de Dieu. (On s'en rend compte : tous ces termes ont ici une signification peu différenciée ; à quelques nuances près ils désignent tous, en somme, « ce qui existe de fait ».) Et donc, faisant fonctionner le même schème qu'Arius, Apollinaire aboutit à une position totalement différente. Si Arius avait tendance à réduire le Logos à une position de créature, Apollinaire, lui, aboutit à résorber, partiellement au moins, l'humanité de Jésus dans la divinité du Verbe. Alors qu'Arius estimait que reconnaître dans le Logos le sujet des « passions » de Jésus manifestait sa passibilité, donc sa mutabilité, donc sa non-divinité, Apollinaire estime pour sa part que si c'est le Fils de Dieu qui nous sauve, c'est à lui-même qu'il faut attribuer les passions : il faut donc professer l'union la plus étroite qu'il soit possible de concevoir entre le Verbe et l'humanité de Jésus.

Une nouvelle fois, la conscience chrétienne se mobilisa, et cette fois ce sont les Cappadociens qui entrent en scène : BASILE de CÉSARÉE, plus encore GRÉGOIRE de NAZIANZE, et surtout GRÉGOIRE de NYSSE. Ce dernier rédige même, sur les problèmes soulevés ici, un traité dans lequel, à la suite d'Irénée, d'Origène, d'Athanase, il reprend, entre autres, l'argument traditionnel : ce qui n'a pas été assumé n'a pas été sauvé. Si donc le Christ n'avait pas d'âme humaine, il n'a pas guéri la nôtre ! Après plusieurs synodes, les conciles de Constantinople I, puis de Chalcédoine, enregistreront le nouvel acquis de la réflexion christologique : *vrai homme*, le Christ n'a pas seulement un vrai corps humain, mais aussi *une âme humaine rationnelle véritable*.

Il serait toutefois gravement inexact de réduire la christologie du type « Verbe-chair » aux exploitations nettement forcées qui viennent d'en être présentées. Elle représente une ligne d'approche et de présentation du mystère qui peut ouvrir et a ouvert de fait une « voie christologique » parfaitement orthodoxe. Il faut maintenant en dire un mot.

La christologie de type Verbe-chair est une christologie *unitaire*

— Elle *part* du Logos et s'efforce de situer, en rapport avec lui, son humanité.

— Elle représente la voie propre à l'école d'*Alexandrie,* laquelle est résolument anti-arienne.

— Elle est influencée philosophiquement par l'« idéalisme » platonicien/néo-platonicien. Elle développe une exégèse à caractère surtout spirituel et allégorisant (Origène !). Son grand texte est *Jn* 1, 14.

— Son avantage est d'abord de bien mettre en valeur l'unité de l'être du Christ ; mais il est surtout, par ce moyen, de bien manifester que, dans l'Incarnation, et plus largement dans tout ce qui arrive à l'homme Jésus, le Verbe lui-même est impliqué. Au point qu'on en viendra un jour à dire : « unus de Trinitate passus est » ! Quelque chose « arrive » à Dieu même, dans ce qui se passe et advient en et pour Jésus.

— Elle verra sa consécration au concile d'*Ephèse* (431).

— Mais son danger, c'est d'unir jusqu'à confondre, d'insister tellement sur l'unité au bénéfice du Logos, qu'elle risque de méconnaître l'intégrité de l'humanité et même, à la limite, de l'absorber dans la divinité. C'est ce qui arriva, à la lettre, au docétisme et partiellement à l'apollinarisme déjà présentés. Elle atteindra sa figure la plus développée dans le *monophysisme* (Eutychès) avec sa séquelle le *monothélisme*.

— Dans ses excès, elle sera massivement contrée à *Chalcédoine* (451), qui condamnera formellement, entre autres, Eutychès.

Face à ce premier type de christologie, il faut maintenant présenter le second : on peut d'ailleurs dresser un parallèle assez rigoureux.

b) La christologie de type « anthrôpos-Logos » ou christologie dualiste

— Elle *part*, elle, de l'humanité historique concrète de Jésus-Christ telle qu'elle apparaît dans les évangiles, et donc considérée comme une humanité complète, c'est-à-dire comportant une âme humaine. A partir de là, tout son effort est de faire valoir l'unité de cette humanité avec le Logos divin.

— Elle représente la tendance propre à l'école d'*Antioche*, où l'on est tout aussi résolument anti-arien qu'à Alexandrie, mais où l'on est, en plus, sous l'influence notamment de Rome et du pape Damase, résolument anti-apollinariste. Certes la tradition théologique antiochienne est moins brillante, moins rayonnante et moins unifiée que celle d'Alexandrie, et elle a aussi une moins longue histoire. Mais avec DIODORE de TARSE, THÉODORE de MOPSUESTE, THÉODORET de CYR, JEAN CHRYSOSTOME et... NESTORIUS, on est autorisé à parler d'une école. On se reconnaît un « fondateur », le saint martyr Lucien d'Antioche (ou Lucien de Samosate, dont Arius aurait été le disciple) ; on se réfère sans cesse aux « anciens », surtout Théodore ; et la réflexion que l'on déploie a ses caractéristiques propres par rapport à celles qui apparaissent à Alexandrie.

— Elle sera de plus en plus influencée philosophiquement par le « réalisme » aristotélicien. Elle développe une exégèse à caractère littéral nettement marqué.

— Son avantage est de bien mettre en valeur la distinction, dans le Christ, de l'humanité et de la divinité. Elle trouve sa première expression, assez maladroite, donc facilement soupçonnable, chez Diodore de Tarse († 394), puis chez le très remarquable Théodore de Mopsueste († 428) et chez Théodoret de Cyr († vers 466). (Il ne faut sans doute pas majorer le dualisme de Diodore lui-même, malgré le fait qu'on a cru pouvoir discerner chez lui l'interférence de la théorie dite « des deux fils ». Cette dernière expression est en effet surtout une formule de combat qu'Apollinaire employa pour discréditer ses adversaires antiochiens, les accusant de juxtaposer en réalité deux fils en Jésus-Christ.) En tout cas, bien des éléments de la tendance dite antiochienne, qui est donc une tendance dualiste ou « diphysite » c'est-à-dire insistant sur la dualité des natures, sont intégrés d'une façon parfaitement équilibrée chez les Cappadociens et plus encore chez les Latins en général, qui restent marqués par les positions notablement dualistes de Tertullien. On peut citer tout particulièrement le pape saint LÉON le GRAND (440-461), qui jouera un rôle très important par rapport au concile de 451.

— Elle verra sa consécration au concile de *Chalcédoine* (451).

— Mais son danger, c'est de distinguer jusqu'à séparer au point de ne reconnaître, en Jésus-Christ, qu'une pure juxtaposition entre humanité et divinité prises concrètement ; au point même, à la limite, de refuser la divinité pour mieux faire droit à l'humanité. Les excès de cette tendance ont trouvé leur expression la plus marquée sinon chez Nestorius lui-même, du moins ce qu'on a coutume d'appler « *le nestorianisme* ».

— Dans ses excès, elle sera expressément contrée à *Ephèse* (431).

2. Les deux grands conciles du vᵉ siècle et la constitution du dogme christologique

Reste alors, pour achever la présentation de cette deuxième période, à voir comment, au vᵉ siècle, les deux schèmes du ivᵉ siècle, au départ parfaitement légitimes, mais respectivement durcis par *les deux plus grandes hérésies proprement christologiques* de l'histoire du dogme, ont fini, dans une certaine mesure et temporairement au moins (car le débat reprendra par la suite !), par s'articuler et se synthétiser au plan du dogme défini alors par *les deux grands conciles christologiques* de l'Eglise :

— Ephèse, s'appuyant sur le schème Verbe/chair (Cyrille d'Alexandrie) réagira contre l'absolutisation du schème homme/Verbe par le nestorianisme ;

— Chalcédoine, s'appuyant sur le schème homme/Verbe (les Antiochiens et Léon), réagira contre l'absolutisation du schème Verbe/chair par Eutychès et, avant lui, Apollinaire.

a) Nestorius ou l'absolutisation du schème « homme/Verbe »,
   et Ephèse (431)

Nestorius

DOCTRINE : Dans la mesure où il est possible de la reconstituer, la christologie de Nestorius apparaît comme une exploitation radicale du schème « anthrôpos/Logos » ou « homme/Verbe ». Prêtre d'Antioche devenu patriarche de Constantinople, Nestorius intervient après les acquisitions christologiques déjà enregistrées et il admet, en Jésus, et la divinité du Verbe et l'intégralité du composé corps-âme rationnelle.

Son problème, c'est de concilier les deux en leur assurant leur « perfection » respective. Il utilise à leur sujet le terme *prosôpon*. Ne pouvant concevoir une nature (divine ou humaine) qui n'ait pas son *prosôpon*, c'est-à-dire son aspect extérieur, sa figure concrète particulière et son « hypostase », c'est-à-dire sa réalité concrète et concrètement subsistante, il parle de deux *prosôpa*.

Pour assurer l'union, l'unité des deux prosôpa ainsi nettement différenciés, il en fait intervenir un troisième, qu'il appelle « prosôpon d'union » et auquel il attribue en quelque sorte la fonction de négocier sans cesse l'articulation des deux autres.

L'inconvénient de cette solution, c'est naturellement que l'union ainsi réalisée n'est au fond qu'accidentelle, morale, psychologique ; et donc, en stricte rigueur de termes, l'être de Jésus n'est pas véritablement un, puisque ses éléments composants ont sans cesse à être harmonisés par une sorte de conciliation postérieure aux deux termes à concilier. Pour se faire comprendre, Nestorius emploie d'ailleurs des comparaisons qui confirment bien cette interprétation : il évoque l'union de l'homme et de la femme, le rapport qui existe entre le temple et la statue qu'il abrite, ou le vêtement et l'homme qui le porte.

MOTIVATIONS ET CONSÉQUENCES : Mais si Nestorius tendait ainsi, fût-ce malgré lui, à diviser le Christ, c'est parce qu'il avait la conviction que la raison profonde pour laquelle l'arianisme niait en Jésus la divinité du Verbe, c'était l'attribution au Verbe lui-même des « passions » humaines. Si le Verbe a ignoré et souffert, disait déjà Arius (comme, avant lui, les gnostiques), affichant par là un sens « primaire » de la transcendance de Dieu, il ne peut pas être Dieu. Qu'à cela ne tienne, répond Nestorius : n'attribuons les passions qu'à « l'homme que portait le Verbe », et non pas au Verbe lui-même ! Ainsi sa divinité sera-t-elle sauve, point qui importait suprêmement à l'anti-arien qu'était Nestorius... Mais la conséquence était, naturellement, qu'il fallait bien admettre, alors, une certaine séparation entre le Verbe divin et l'homme Jésus, le Verbe ne pouvant être le sujet d'attribution de ce qui arrivait à Jésus.

De cela, bien sûr, il résultait que l'on ne pouvait plus aucunement faire jouer ce que, en termes techniques, on appelle depuis l'époque patristique la « communication des idiomes » (à ne pas confondre avec la théorie des « appropriations », en théologie trinitaire). En première approximation, on peut dire qu'on désigne ainsi la convention de langage selon laquelle, lorsqu'on reconnaît l'unité stricte de l'être du Christ, on peut attribuer au Verbe ce qui ne vaut de prime abord que de l'homme Jésus. Ainsi est-on conduit à dire, par exemple, que le Verbe est né et que le Fils de Dieu a souffert, est mort, est ressuscité, etc. Mais du même coup évidemment on s'aperçoit qu'il s'agit en réalité d'infiniment plus que d'une simple convention de langage. Il s'agit en stricte rigueur de termes d'une manière d'exprimer la conviction de foi suivante, qui est de la plus haute importance et de la plus grande portée : en vertu de l'unité stricte de l'être du Christ, il faut attribuer au *Verbe de Dieu lui-même* en tant que « personne », en tant que sujet dernier d'attribution, tout ce qui vaut de l'homme Jésus, et inversement. Il en résulte alors : d'un côté que Dieu lui-même apparaît réellement engagé dans tout le devenir historique de cet homme ; et de l'autre que, à son niveau et à sa manière propres, l'humanité de Jésus apparaît participer réellement à l'activité et à l'œuvre salvifiques qui de soi sont le propre de Dieu, et du même coup — mais coment le comprendre ? — au « statut d'existence » et à la « condition » mêmes du Verbe-Fils de Dieu.

Le titre « Théotokos » : Or, n'admettant pas dans le Christ une unité véritable, Nestorius en vint à rejeter cette communication des idiomes sur un point particulier, qui alerta tout de suite la conscience chrétienne : il refusa d'employer le terme de « Théotokos » à propos de Marie. C'est-à-dire qu'il refusa d'appeler Marie « Mère de Dieu », se contentant de la désigner comme « Christotokos », mère du Christ ou, plus précisément, mère de cet homme qui est uni d'une façon toute spéciale au Verbe et en qui Dieu habite. (A noter, cependant, que, dans l'esprit de Nestorius, habitation dit plus que « simple présence dans » : il y a selon lui *synapheia*, concours, conjonction entre l'homme et le Verbe.)

De sorte que, au bout du compte, il faut dire que pour Nestorius (ou du moins pour le « nestorianisme » !) le Verbe de Dieu n'a pas été engendré de Marie, le Verbe de Dieu ne s'est pas véritablement incarné, le Verbe de Dieu n'a pas vraiment souffert. Il a seulement habité en cet homme qui lui a seulement fourni son visage, sa figure, son masque, son extériorité, son personnage — bref : son *prosôpon* humain. Simplement, par un mouvement de bonté insigne, il a pris sur lui, fait sien, considéré comme le concernant lui-même, tout ce qui est arrivé à l'homme-Jésus. D'où l'appellation d'« union morale », par opposition à ce qui serait une union « physique » ou « selon l'être » ou... « hypostatique », puisque tel est le terme qui sera retenu et fera fortune par la suite.

Cyrille d'Alexandrie

Une protestation de la foi : Face à Nestorius, patriarche de Constantinople, se dressa Cyrille, patriarche d'Alexandrie. Soucieux, en bon alexandrin qu'il était, de défendre l'unité rigoureuse de l'être du Christ, il refuse la simple juxtaposition ou la conjonction purement accidentelle : il se bat pour le terme « Théotokos ». Il faut bien reconnaître cependant qu'emporté par son élan anti-nestorien et ne disposant pas d'une conceptualité très adéquate, Cyrille a là des formules contestables — auxquelles il renoncera d'ailleurs lui-même par la suite — qui, sous prétexte d'assurer mieux l'unité du Christ, finissent par donner parfois l'impression d'une fusion, en lui, de l'humain et du divin. Toute la difficulté vient, pour Cyrille, de ce qu'il n'a pas, dans son vocabulaire, de termes distincts pour désigner ce qui est « deux » et ce qui est « un » dans le Christ. (Mais ne pas avoir de vocabulaire « tout fait » est plutôt positif, dans la mesure où c'est le signe que l'on accepte de poursuivre la recherche tant que l'on n'a pas trouvé !)

UN PROBLÈME DE CONCEPTUALISATION : Alors que pour la Trinité et depuis les Cappadociens, on fait couramment, en grec, la distinction entre d'une part *ousia-physis*, qui donneront en latin *essentia-natura*, et d'autre part *prosôpon-hypostasis*, qui donneront en latin *persona*, Cyrille, pas plus qu'aucun de ses contemporains, ne pense à utiliser la même distinction en christologie. Alors qu'on en viendra bientôt à parler, à propos du Christ : d'*une « personne »* (*prosôpon*, puis, surtout, *hypostasis*) pour désigner l'individu concret, la réalisation concrètement existante, l'être subsistant, et de *deux « natures »* (*ousiai* et, surtout, *physeis*) pour désigner les deux principes d'opération et, en deçà, les deux principes d'être à partir desquels se forme l'unique être concrètement subsistant ; alors que, dès le IIIe siècle, Tertullien parlait déjà de « una persona » et « duae naturae vel substantiae » — Cyrille, lui, parle d'« union physique », d'« union selon la nature »... ou, éventuellement, d'« union selon l'hypostase », mais en comprenant l'expression comme synonyme des deux précédentes puisqu'il ne fait pas réellement de distinction entre ces termes. Il parle même de « l'unique nature du Verbe incarné » (« *mia physis tou théou logou sésarkôménè*), formule déjà présente chez Apollinaire ! A la décharge de Cyrille, il faut cependant signaler que, en tout cela, sa position est singulièrement compliquée par le fait que les « Orientaux », Théodore de Cyr en particulier, ont le parti pris de lire systématiquement ses textes dans une perspective apollinariste, alors que pourtant ils savent pertinemment que le patriarche d'Alexandrie récuse résolument les positions de l'évêque de Laodicée.

UN DÉBAT PASSIONNÉ ET CONFUS : Inutile de s'étendre davantage, ici, sur les questions terminologiques aussi bien que sur les nombreuses passes d'armes qui eurent lieu entre Cyrille et Nestorius et, plus largement, entre Antioche et Alexandrie, le pape Célestin de Rome y intervenant lui-même à l'occasion. On se contentera de signaler que tous ces débats et les nombreuses tractations auxquelles ils donnèrent occasion aboutirent une nouvelle fois à la convocation d'un concile général, qui sera le troisième concile œcuménique : Ephèse (431).

Ephèse

Ce premier concile œcuménique à caractère proprement christologique homologue la position cyrillienne tout en se démarquant par rapport aux excès ou imprécisions de vocabulaire du patriarche alexandrin. A l'inverse, il condamne la position de Nestorius. Il tient à reprendre expressément le « Théotokos », et c'est par là qu'il exprime indirectement l'essentiel de sa prise de position : en prenant à son compte un cas où joue typiquement, et sur un point déterminant, la communication des idiomes.

Intentionnellement, il ne rédige ni symbole (il réassume celui de Nicée-Constantinople), ni canons, ni définition de foi. Il se contente d'homologuer les lettres de Cyrille, au moins la deuxième, adressée à Nestorius en 429 (*kataphluarousi*). Une troisième lettre, adressée aussi à Nestorius et contenant les fameux « douze anathématismes » de Cyrille a certainement été lue devant les Pères du concile, mais il reste douteux qu'elle ait été adoptée au même titre que la deuxième, comme expression officiellement reconnue de la foi christologique.

L'acquis du concile, en tout cas, qui fait explicite référence à Nicée pour la divinité du Verbe, et qui sera lui-même repris à Chalcédoine, tient en ceci : contrairement à ce que prétendait Nestorius, le Christ est *un et le même*, et, en vertu de la stricte unité de son être, c'est à bon droit que Marie, sa mère, peut être dite « Théotokos ». (A vrai dire d'ailleurs, la référence à Nicée porte sur beaucoup plus que sur une simple référence à la divinité du Verbe. Dans le symbole de ce concile en effet, c'est le même « sujet grammatical » qui est « sujet ontologique » à la fois de ce qui touche à la divinité [« né du Père, consubstantiel »] et de ce qui touche à l'humanité [« né de la Vierge Marie »]. A la suite de Cyrille, les Pères de Chalcédoine ont bien vu la chose, et c'est pour cette raison qu'ils ont accepté sa deuxième lettre... Déjà Théodore de Mopsueste, dans l'explication du symbole qu'il donne en ses « homélies catéchétiques », avait fait remarquer que ce qui y est dit de la *divinité* « accroche » directement sur ce qui est dit de la naissance, de la souffrance, etc. — donc sur l'*Incarnation* du Verbe.)

b) Eutychès ou l'absolutisation du schème Verbe/chair
  et Chalcédoine (451)

Eutychès

LA REPRISE DU DÉBAT : Le débat christologique reprend vers 448-449, à cause d'un personnage influent à Constantinople, moine pieux mais un peu borné, qui sera d'ailleurs très vite dépassé par les événements qu'il aura contribué à déclencher : EUTYCHÈS. Il s'était donné pour tâche de pourfendre l'hérésie nestorienne. Mais, ses moyens étant nettement moins sûrs que ceux de Cyrille pour mener une telle campagne, il en vint à déformer radicalement les positions cyrilliennes et, plus largement, alexandrines, dont il ne se faisait pourtant pas faute de se réclamer. Il finit même par adopter une position pratiquement symétrique de celle que représentait le nestorianisme... mais tout aussi contestable qu'elle du point de vue de l'orthodoxie christologique.

Pour dénoncer en effet la séparation ou du moins la juxtaposition prônée selon lui par Nestorius, il se fit le champion de la confusion et du mélange, dans le Christ, de l'humain et du divin. Reportant en somme au niveau de la nature et de ses propriétés la communication des idiomes, il estimait que parler de deux « physeis » aussi bien que de deux « prosôpa » serait, en réalité, diviser le Christ. Il ne retint donc qu'une seule « physis » ou nature (d'où le nom de « monophysisme » donné à sa position). L'union, expliquait-il, se fait bien « *ék duô physéôn* », c'est-à-dire « *à partir de* deux natures », mais non pas « *én duô physésin* » c'est-à-dire « *en* deux natures » : *après* l'union, il n'y a plus qu'une seule nature, la divine ; car la nature humaine se trouve alors transmuée, dissoute même en la nature divine. S'accrochant avec entêtement à ces formules comme à une bouée de sauvetage, le bon moine, qui ne pouvait guère pousser plus loin la conceptualisation, s'employa alors à multiplier les comparaisons jugées par lui éclairantes : après l'union, la nature humaine serait semblable à la goutte d'eau perdue dans la mer (l'expression est de Grégoire de Nysse), au fer qui est passé par le feu, etc. (Cette deuxième comparaison, qui remonte à Origène et à laquelle on recourt largement en Orient jusqu'à nos jours, n'est cependant pas totalement dénuée d'intérêt, dans la mesure où c'est en gardant ses propriétés que le fer passé dans le feu en reçoit de nouvelles. Son arrière-fond ne serait-il pas, d'ailleurs, le Buisson ardent d'Ex 3 ?)

L'EXTENSION DU DÉBAT : Si Eutychès était resté seul de son bord, il est probable qu'il n'aurait guère suscité de réactions. Malheureusement, Eutychès eut l'appui du trop bouillant patriarche d'Alexandrie Dioscore et celui de l'empereur lui-même, Théodose II qui, s'étant mêlé de l'affaire, adopta la position monophysite. Dès lors bien sûr les choses prirent une tout autre importance. Réuni à Constantinople, un concile local ne clarifia pas la situation. Il ne fut pas dénué d'importance pourtant, dans la mesure où il donna au pape Léon le Grand l'occasion d'adresser au patriarche Flavien de Constantinople une lettre célèbre connue sous le nom de «Tome à Flavien», qui représente un bel échantillon de théologie latine, manifestement très proche de la ligne antiochienne et de ton déjà chalcédonien.

Une nouvelle fois, péripéties et tractations se multiplièrent. Elles finirent par conduire, ici encore, à la solution d'un concile général : quatrième concile œcuménique, qui se tint en 451 à Chalcédoine, et qui représente le deuxième concile christologique de l'histoire de l'Eglise chrétienne.

Chalcédoine

A la différence des Pères d'Ephèse, ceux de Chalcédoine élaborèrent une formulation dogmatique sous la forme d'un texte qui se présente comme une «définition» de la foi christologique. Extrêmement dense et précise quoique laborieuse et contrastée, cette définition tente de faire converger, mais épurées en quelque sorte par leur rapprochement même, et avec un effort manifeste de clarification terminologique et un essai de synthèse conceptuelle équilibrée, les deux lignes (aboutissant aux deux schèmes ci-dessus repérés) qui s'étaient jusque-là concurrencées et même, parfois, violemment exclues : l'alexandrine et l'antiochienne.

HISTOIRE : C'est au cours de la cinquième session du concile que la formule dogmatique a été élaborée. Le conflit entre les deux tendances ayant atteint un sommet le 22 octobre, il devint clair qu'on était devant un choix : ou Léon le pape, ou Dioscore, nouveau patriarche d'Alexandrie, qui s'était rallié aux positions monophysites. Fallait-il parler d'«une nature», comme Dioscore ou de «deux natures», comme Léon ? Plus précisément encore, car le débat s'était finalement noué autour de ces formules : fallait-il dire que l'union se fait «*en une* seule nature à *partir de* (ék) deux natures»... ou bien qu'elle se fait «*en* (én) *deux* natures» ?

Pour sortir de l'impasse, on constitua une commission mixte, composée de représentants des deux bords. C'est elle qui élabora la définition de foi qui finit par rallier les suffrages des membres du concile et par obtenir l'approbation sans réserve du pape Léon répondant, le 21 mars 453, à la lettre que lui avaient adressée, avant de se séparer, les Pères de Chalcédoine.

STRUCTURE : Une première partie rappelle la foi des conciles antérieurs, à laquelle on se veut intégralement fidèle : on rapporte le texte complet des conciles des symboles de Nicée et de Constantinople I.

Mais, parce que de nouvelles hérésies sont apparues depuis et qu'une nouvelle prise de position est donc devenue nécessaire, on consacre une deuxième partie :

— d'une part, à la récusation
• et de l'erreur de Nestorius, qui divise le Christ ;
• et de l'erreur d'Eutychès qui, à l'inverse, fusionne en lui l'humain et le divin ;
— d'autre part, et corrélativement, à l'homologation
• contre la première, des lettres de Cyrille
• contre la seconde, du Tome de Léon à Flavien.

Pour finir, on propose ce qui est proprement la nouvelle formulation dogmatique (voir en *Annexe* pp. 260-261) :

— un premier temps (I) affirme la « perfection » de l'« humanité » et de la « divinité » : le Christ existe « en deux natures » ;
— un deuxième temps (II) affirme « l'unité de ces deux natures » : le Christ existe « en une seule personne ou hypostase ».

CONTENU : Il est manifeste que viennent converger dans le texte du concile, qui n'a pas ménagé ses efforts pour les harmoniser, les deux lignes théologiques auparavant affrontées et concurrentes :

D'abord la ligne antiochienne. L'hérésie qu'il s'agissait à Chalcédoine de contrer étant en premier lieu le monophysisme, on comprend que la première préoccupation du concile soit d'affirmer nettement la dualité des natures et leur perfection, c'est-à-dire leur intégrité respective. C'est fait à quatre reprises et de quatre manière différentes ; on précise que les deux natures demeurent *après* l'union, et que cette union se réalise donc *en* deux natures, « sans confusion ni changement » (premier couple d'adverbes).
La ligne antiochienne, qui s'exprimait, on l'a dit, à l'aide du schème « anthrôpos/Logos », est consacrée ici : Jésus-Christ n'est pas seulement vrai Dieu, il est vrai homme... Mais on consacre en apportant une précision majeure : on ajoute un peu plus loin dans le texte qu'il

est cela dans l'unité d'une personne. Il n'est plus question ni d'«unique nature» ni d'«union physique» (à partir de deux natures qui, ensuite, fusionneraient en une seule). Les formules cyrilliennes les plus équivoques sont laissées de côté. Cyrille lui-même avait d'ailleurs eu la sagesse d'y renoncer lors de l'«Acte d'union» de 433, où l'on était arrivé à une entente entre alexandrins et antiochiens, la disponibilité exemplaire de Jean d'Antioche ayant joué de concert avec la magnanimité du Cyrille de l'époque.

Il y a «*deux natures*» en Jésus : c'est, selon Chalcédoine, la vérité de l'antiochénisme.

Mais aussi la ligne alexandrine. Si attaché qu'on soit en effet à souligner, contre Eutychès et ses adeptes qui tendaient à tout confondre, la vérité de l'antiochénisme, on est parfaitement conscient de son risque congénital ; on prend donc soin, en un deuxième temps, d'écarter expressément ce risque.

Affirmant deux «physeis-ousiai-natures», la théologie nestorienne aboutissait en fait à deux «prosôpa-personnes», surmontées en quelque sorte par un «prosôpon d'union», ce qui risquait bien de n'assurer qu'un semblant d'unité, une unité au plan seulement de la personnalité extérieure (*prosôpon*) et de l'action (par les *physeis*). Ici au contraire, on précise que l'union se fait «sans division ni séparation» (deuxième couple d'adverbes), dans l'unité d'«une seule personne» (*prosôpon*) ou d'une seule «hypostase» (*hypostasis*), la synonymie des deux termes étant expressément déclarée. Désormais, par conséquent, il n'est plus question d'entendre «prosôpon» autrement que comme un équivalent d'«hypostase» : à ce stade, les deux termes désignent tous les deux l'individu concrètement existant, la réalité personnelle subsistante.

Cette fois c'est bien la ligne alexandrine, laquelle s'exprimait on s'en souvient à l'aide du schème «Logos/sarx», qui est consacrée. On reprend l'expression de Cyrille : «le même» (au début : «un seul et même Fils» ; vers la fin ; «un seul et même Fils unique» ; et dans le premier temps (I) déjà, deux fois «le même») ; et on mentionne le «Théotokos» de Cyrille et d'Ephèse. Mais, là encore, on consacre en précisant : on a désormais une terminologie pour désigner exclusivement l'élément unitaire et unifiant : le «prosôpon», l'«hypostasis», la personne *ou* hypostase.

S'il y a deux natures, elles se rencontrent «*en une seule et même personne ou hypostase*» : c'est, selon Chalcédoine, la vérité de l'alexandrinisme.

IMPORTANCE : De sorte que l'apport spécifique de Chalcédoine, l'acquis du deuxième concile christologique est celui-ci : sans cesser d'être un et le même (Ephèse), le Christ est vrai Dieu et vrai homme, homme «parfait» *et* Dieu «parfait», il est *deux natures en une seule personne.* Cherchant à la fois l'équilibre de la pensée et la clarté de l'expression, cette formulation sera transmise à travers les siècles et reçue dans l'Eglise comme expression authentique et régulatrice de la foi chrétienne en Jésus-Christ. C'est dire son importance au double plan historique et théologique.

Tous les historiens des dogmes soulignent que la terminologie latine, telle que saint Léon l'utilise, l'ayant reçue d'une tradition qui remonte à Tertullien avec son concept de «persona», a joué ici un rôle clarificateur décisif.

Il n'en reste pas moins cependant qu'en complétant Ephèse pour répondre au monophysisme dont la «patrie» était l'alexandrinisme, et en suivant Léon qui, comme tous les latins, penche plutôt nettement dans le sens de l'antiochénisme, Chalcédoine a été reçu très tôt comme mettant surtout en valeur, dans le Christ, la *dualité* (des natures unifiées dans la personne). Or cette accentuation donnera par la suite aux alexandrins — dont ce n'était pas la tendance ! — l'impression d'avoir été quelque peu méconnus et d'être restés les parents pauvres de l'opération de 451. C'est dire que si, avec Chalcédoine, l'essentiel du dogme christologique a, comme la suite le vérifiera, certainement trouvé sa formulation, bien des clarifications s'imposeront, qui susciteront encore des conflits.

3. Le troisième concile christologique : Constantinople II (533)

a) *Après Chalcédoine...*

Il est hors de question de se lancer ici dans une étude de détail des événements et péripéties, des positions et oppositions, qui ont suivi le concile de Chalcédoine.

Qu'il suffise de noter ceci :

Entre autres courants, on vit fleurir alors une vaste tentative, d'inspiration assez nettement monophysite, pour «concilier» les formules de Chalcédoine avec celles des formules cyrilliennes que le concile n'avait justement pas homologuées. Dénommée *néo-chalcédonisme* par les historiens des dogmes, cette tentative visait évidemment à revaloriser le point de vue alexandrin, que Chalcédoine paraissait maintenant avoir notablement minimisé. On s'employa dès lors à faire condamner les représentants les plus gênants de la tradition antiochienne, les fameux «trois chapitres» : Théodoret de Cyr, Ibas d'Edesse et le chef de file du courant antiochien à l'époque, Théodore de Mopsueste.

Sous la pression de l'empereur Théodose et malgré les réticences du pape Vigile (qui voulait tout d'abord qu'on s'en tînt à Chalcédoine), tout cela finit par aboutir à un cinquième concile œcuménique et troisième concile christologique, qui se tint, de nouveau, à Constantinople, en 553.

b) *Constantinople II*

Sans qu'il ait à proprement parler formulé de définition dogmatique, ce concile se présente à la fois :
— comme une homologation du néo-chalcédonisme, de tendance alexandrine,
— et comme une condamnation des « trois chapitres », d'obédience antiochienne.

Il finit par recevoir une approbation (circonspecte) du pape Vigile. Son acquis fondamental peut être présenté ainsi : *restant distinctes, les deux natures existent concrètement dans l'unité d'un être composé, l'homme-Dieu* (notion d'« hypostase *composée* »).

Quoi qu'il en soit, bien plutôt que par la matérialité de ses énoncés, c'est par sa position *logique* dans l'histoire de la formulation du dogme christologique, que Constantinople II paraît mériter de retenir plus spécialement l'attention du théologien.

LE POINT D'ABOUTISSEMENT DE TOUTE UNE ÉVOLUTION. Quand on y regarde d'un peu plus près, on s'aperçoit en effet que ce concile se situe d'une certaine manière au point d'aboutissement de tout un mouvement dialectique, qui court en fait à travers toute la longue et lente mise au point du dogme christologique, une fois close l'ère néotestamentaire. Il suffira, pour s'en rendre compte, de reprendre rapidement une vue globale des étapes majeures selon lesquelles s'est progressivement effectuée, à travers pratiquement cinq siècles, cette mise au point dogmatique.

Dans une première période, on a donc procédé à une « mise en place des *éléments* » : on a « assuré » successivement la vérité de l'*humanité* de Jésus-Christ (*vrai corps*, puis *vrai homme*), puis la vérité de sa *divinité* (*vrai Dieu*)

A suivi une deuxième période, dont l'effort fut de tenter *une synthèse* de ces éléments distincts que la foi déclarait unis dans le Christ.

C'est ainsi que, d'abord, *Ephèse* s'attacha à préciser comment s'est faite l'union, c'est-à-dire considéra l'*acte* de l'union lui-même, disant que le Verbe avait assumé dans sa propre personne divine (« selon l'hypostase ») la nature humaine qu'il tenait de Marie. Ici donc, la distinction des deux natures était bien prise en compte certes ; mais elle n'était, en fait, que présupposée, tout le poids de l'affirmation portant en réalité sur l'union — comme l'exigeait d'ailleurs l'opposition au nestorianisme qu'il s'agissait justement, à Ephèse, de contrer. Jésus-Christ est *un et le même* : tel est, on l'a dit, l'enseignement d'Ephèse.

Dès lors le risque était d'estomper la dualité, de considérer en somme qu'*après* l'acte de l'union il n'y avait plus vraiment de distinction. Il devenait du même coup dialectiquement nécessaire, par conséquent, de poser la distinction.

C'est précisément ce que fit *Chalcédoine* qui, quant à lui, prit en considération le *résultat de l'acte* d'union : l'*état* de ce qui se trouvait uni. Contre le monophysisme qui tendait à tout confondre, on affirma cette fois la distinction, non certes sans prendre en compte l'*unité*, mais en se contentant en quelque sorte de la rappeler comme *acquise* et allant donc maintenant de soi. Jésus-Christ est *deux natures en une seule personne* : ainsi peut se résumer la prise de position de Chalcédoine.

L'essentiel de l'affirmation portant de fait, ici, sur la *distinction*, le risque était maintenant de donner à penser qu'une certaine dichotomie demeurait entre les natures une fois l'union faite. Il devenait du même coup nécessaire de re-poser l'union.

C'est justement ce que se proposa de faire *Constantinople II*, qui s'attacha pour sa part, au *mode d'existence* de cet être uni et composé qui résulte de l'acte d'union de deux éléments distincts. Ce concile fit valoir que si, dans le Christ, les deux natures sont différentes et demeurent distinctes, elles n'ont cependant de réalité effective et concrète que dans l'indivision.

Tant et si bien que l'on peut dire ceci : affirmant que, *restant, distinctes, des deux natures existent concrètement dans l'unité d'une même hypostase (composée)*, le troisième concile christologique *réconciliait finalement dans l'unité existentielle concrète de Jésus-Christ*, l'union dans la personne et la différence des natures qui avaient été successivement « établies » au préalable.

UN SEUIL. On le voit : considéré dans cette dynamique, Constantinople II paraît bien représenter *un seuil*. Puisqu'il aboutit à une mise en valeur résolue de l'unité concrète de l'être de Jésus-Christ, tout porte à penser qu'il met le sceau à cette deuxième période des « christologies patristiques et concilliaires » qui se proposait justement d'opérer la « synthèse » des « éléments » qu'une première période était parvenue à dégager avec netteté. Autrement dit : à s'en tenir du moins au point de vue de la *logique* de constitution du *discours* christologique, on est fondé à formuler l'interrogation suivante : Constantinople II ne marque-t-il pas le point culminant ? Comment pourrait-il y avoir une autre étape, et quelle pourrait-elle être dans la mesure où, avec ce concile, paraît bien avoir trouvé son terme le mouvement didactique qui, tout au long, a structuré le déploiement effectif du discours ecclésial sur Jésus-Christ ? Bref : comment ne pas considérer que, pour ce qui est du moins de la christologie, la « définition » dogmatique proprement dite est achevée avec Constantinople II ?

A cette hypothèse, que porte donc à formuler le repérage qui a été fait ci-dessus de la *logique de constitution historique du discours* christologique de l'Eglise, un constat *historique* vient d'ailleurs apporter un confirmatur significatif. C'est la face *anthropologique* du mystère du salut qui, en Occident du moins, va de plus en plus retenir l'attention du magistère. Du point de vue magistériel et conciliaire en effet, le débat christologique proprement dit s'estompera peu à peu avec la fin de l'époque patristique. Après que le pélagianisme et Augustin, puis le IIᵉ Concile d'Orange (529) se soient consacrés à une réflexion sur la grâce et le péché originel, il n'y aura plus, à vrai dire, ni hérésies ni conciles christologiques ; et c'est sur les problèmes de la justification et de la foi, des sacrements et de l'Eglise, que se joueront, bien des siècles plus tard, le protestantisme et le Concile de Trente.

Est-ce à dire que Constantinople II marque absolument la fin de l'ère des christologies patristiques et conciliaires (et non pas seulement le point d'aboutissement de ce qui a été présenté jusqu'ici comme une *deuxième période* dans l'élaboration de ces christologies) ? — Les choses ne sont pas aussi simples, car il faut bel et bien faire état, encore, d'une *troisième* période...

CHAPITRE III

Troisième période : un nouvel âge

On sera d'autant plus bref dans la présentation de cette troisième étape des christologies patristiques et conciliaires, que l'on va être conduit, en fait, à lui reconnaître tous les caractères d'une période de transition à un nouvel âge du témoignage chrétien : celui de l'époque « scolastique ».

1. Un nouveau régime de l'attestation de la foi en Jésus-Christ

N'y a-t-il pas quelque arbitraire à prétendre, comme on l'a fait ci-dessus, que la définition dogmatique à propos de Jésus-Christ trouve en somme son point culminant et même son terme avec Constantinople II ? Comment pourrait-on oublier qu'à Constantinople II a succédé un CONSTANTINOPLE III qui est lui aussi un concile œcuménique, porte lui aussi sur le mystère du Christ... et se tient en 680-681, soit plus d'un bon siècle après la fin de l'époque présentée ici comme celle où s'achève la constitution du dogme christologique ? La coupure ainsi effectuée apparaît d'autant plus contestable qu'en fait Constantinople III a énoncé des affirmations qui paraissaient à maints égards de plus de poids que celles de Constantinople II puisqu'on a bel et bien, cette fois, une véritable définition de foi. Et une définition dont l'importance se marque à deux traits : elle porte sur l'existence dans le Christ de deux volontés — précision qui n'est évidemment pas négligeable du point de vue de la foi chrétienne ; et son approbation par Rome fait d'autant moins de doute qu'elle fut élaborée avec la participation de deux légats pontificaux dûment mandatés par le pape Agathon. Qu'est-ce qui peut fonder dès lors à mettre une césure après Constantinople II ?

Quelle que soit la pertinence des questions qui viennent d'être posées et des considérants qui les soutiennent, il n'en reste pas moins indiqué, semble-t-il, de faire effectivement place à une troisième et dernière période dans ce que cette deuxième partie de la présente étude intitule « l'élaboration raisonnée de la profession de foi christologique ». Les affirmations christologiques que l'on voit paraître après Constantinople II paraissent en effet revêtir un caractère de nouveauté à *trois* plans au moins.

a) D'abord dans la problématique

Ce n'est pas le prurit du paradoxe mais l'analyse objective qui oblige à le dire : la nouveauté ici, c'est qu'il n'y a plus, véritablement, de nouveauté ! Il ne s'agit évidemment pas de nier l'évidence. Il va de soi que les discours christologiques d'après Constantinople II ne se sont pas contentés de reproduire mot à mot ceux d'avant et, dans cette mesure, il est clair que matériellement et littéralement parlant ils manifestent bien une telle originalité. Ce que l'on vise ici est beaucoup plus profond : fondamentalement, rien ne change plus dans la *manière* dont on pose, traite et résout le problème christologique ; c'est sans sortir de la problématique reçue de la période précédente, que les discours christologiques disent ce qu'ils disent de Jésus-Christ. Et c'est précisément là qu'est la nouveauté : dans cette absence de nouveauté dont on peut faire le constat *quant à la problématique* selon laquelle se constituent les énoncés, quoi qu'il en soit de la nouveauté éventuelle de la matérialité de leurs dires.

Maintenant qu'après avoir mis en place les *éléments* du mystère du Christ [= 1ʳᵉ période], on a manifesté qu'il s'agit d'affirmer leur *union* (Ephèse), leur *distinction* (Chalcédoine) et leur *unité dans la différence* (Constantinople II) [= 2ᵉ période], on est arrivé — ou plutôt : on est revenu — [= 3ᵉ période] à la considération de l'*existence effective* dont on était parti avec le Nouveau Testament : celle de Jésus-Christ considéré dans la réalité effective de son être et de son devenir historiques concrets. Maintenant donc s'arrête la dialectique selon laquelle le dogme s'était engendré ; et l'on en restera au niveau que l'on a atteint, puisque c'était précisément celui vers lequel tendait *effectivement* toute la dynamique qui avait sous-tendu l'élaboration progressive du discours. Ce sur quoi désormais on réfléchira, ce sera sur la constitution concrète, sur l'« équipement » et le « fonctionnement » concrets de cette existence concrète, de cet existant concret dont il est désormais bien acquis qu'il est l'unité (dans la personne) d'une différence (des natures) sans cesse maintenue.

On fera une investigation, qui certes conduira à des précisions nouvelles et à des énoncés nouveaux, mais on en restera au niveau où l'on est parvenu : on ne passera pas à un autre niveau. Le monothélisme (qui suscitera Constantinople III) tiendra qu'il y a une seule volonté dans le Christ mais, voulant réassumer l'unité affirmée à Ephèse et Constantinople II, il ne contestera aucunement qu'il y ait dans le Christ deux natures distinctes quant à leur essence, comme l'avait enseigné Chalcédoine. C'est bien la preuve que, admettant sans problèmes l'acquis de la période précédente, on ne cherche pas à infléchir la problématique qui l'avait caractérisée. Puisqu'à la fois on ne fait plus évoluer la problématique et qu'on passe à d'autres problèmes, on se démarque effectivement de ce qui caractérisait la période précédente, et l'on passe donc à une nouvelle période. La chose va d'ailleurs se confirmer à deux autres plans encore.

b) Ensuite dans la modalité

D'un côté on assiste à *une invasion progressive de la philosophie* dans la théologie. Du même coup le discours de cette dernière se systématise de plus en plus, au point que la confrontation qui continue de s'opérer entre la confession chrétienne et les partenaires qu'elle se reconnaît ne joue pas (ou plus), à proprement parler, entre la foi comme telle et la philosophie, mais entre un (ou des) discours systématique(s) de la foi, et la (ou les) philosophie(s). Quelle(s) philosophie(s)? — A vrai dire, on assiste à un engouement assez général pour Aristote, par le relais, en particulier, de l'*Isagogê* de Porphyre. C'est net, en Occident, dans le cas de Boèce († 525) et, en Orient, dans celui de Léonce de Byzance († 542), le plus important théologien de la première moitié du vi⁰ siècle. Avec un Jean Philopon, le constat peut même être étendu à Alexandrie où, pourtant, la toile de fond reste bien encore le néo-platonisme.

D'un autre côté, et il s'agit d'une conséquence du trait précédent, c'est un fait que, dans les procédures employées pour traiter la confession de foi au moment où l'on vise plus résolument que jamais sa structuration en discours, *on s'appuie de plus en plus sur « les Pères »*. C'est bien le signe qu'on s'estime de quelque manière démarqué par rapport à eux, et que l'on a conscience d'être en train de passer à un nouveau régime d'attestation de la foi en Jésus-Christ, qui caractérisera une autre époque. A cet égard, et plus précisément, on peut d'ailleurs enregistrer deux caractéristiques du discours : commençant, donc, à faire jouer un « argument patristique », on a tendance, en fait, à ne se référer qu'à des florilèges de leurs écrits ; faisant référence, d'autre part, aux hérésies, on a tendance à les reconstruire abstraitement. Il se manisfeste bien par là que l'on ne se trouve plus exactement dans le contexte qui était celui des Pères, et des hérésies contre lesquelles, par les conciles œcuméniques notamment, ils avaient combattu. On n'est plus au niveau du simple témoignage rendu à la foi ancienne, et technicisé seulement dans l'exacte mesure où des hérésies acculaient à la précision et à la formulation conceptuelles. On n'est plus au stade du dégagement lent et progressif, peineux et risqué, des implications de la foi apostolique face à la contestation d'hérésies actuellement professées. On est passé à une nouvelle situation, qui a entraîné une nouvelle modalité du discours. Ce que l'on vise désormais, c'est la structuration formelle et systématique d'une foi en Jésus-Christ qu'une tradition riche d'au moins cinq siècles transmet maintenant sous la forme d'un discours déjà constitué, dont il ne peut pas être question de continuer à déployer la dynamique de constitution, mais dans l'intelligence systématique duquel il s'agit cependant de véritablement progresser.

c) Dans la motivation enfin

Il est tout à fait notable qu'interfère de plus en plus nettement, désormais, une motivation politique au sens large de ce terme. Motivation « politique-politique » si l'on peut dire, d'abord : le poids des interventions impériales s'accuse dans la convocation et la tenue de ces assemblées d'évêques que sont les conciles, et l'on souligne avec complaisance l'importance de l'unité dans la confession de foi comme facteur d'unification des populations de l'empire. Bien davantage et surtout, motivation « politique-ecclésiale » : s'apercevant de plus en plus que le langage auquel ils recourent pour traduire leur foi peut être cause de divisions parmi les chrétiens, on négocie le discours de sorte que les expressions qu'il donne de la confession chrétienne soient susceptibles de recueillir le plus large consensus. Le souci de l'unité des croyants, de l'unité de l'Eglise, interfère comme un facteur important dans la tâche qui consiste à donner une expression authentique au *contenu* de la profession de foi comme telle.

De ce point de vue il est tout à fait typique que le monothélisme, apparu dans les premières décades du VIIᵉ siècle, ne naisse pas du monophysisme par évolution interne à la problématique doctrinale elle-même et par la seule dynamique interne au mouvement dialectique selon lequel s'est constitué antérieurement le discours christologique. A la vérité, avec Sergius († 638), patriarche de Constantinople d'origine syrienne, le monothélisme naît « du désir de ramener les monophysites à l'unité » (J. Liebaert). Selon Sergius, il y a bien dans le Christ *deux natures distinctes* quant à leur essence, ce qui renvoie à l'orthodoxie chalcédonienne. Mais, du fait que le Logos incarné existe avec la nature humaine dans l'unité d'un seul être concret et du fait qu'il n'y a donc en lui qu'un seul sujet d'attribution de tout l'agir, à savoir le Verbe lui-même, il faut déduire qu'il n'y a dans le Christ qu'une seule activité et donc qu'*un seul principe d'activité...* ce qui fait droit, cette fois, à la perspective alexandrine. Dès lors il faut parler d'une seule énergie ou puissance d'action (mono-énergisme) et, en decà, d'une seule volonté ou faculté de vouloir et principe d'action (mono-thélisme). Bref : l'hérésie, ici, se présente assez nettement comme une tentative de compromis doctrinal visant en quelque sorte à « récupérer » les monophysites et, ainsi, à assurer l'unité de la société ecclésiale, laquelle sera susceptible, si tout va bien, de contribuer puissamment à l'unité de la société civile elle-même.

Evidemment, il faudrait ici à la fois circonstancier beaucoup et nuancer quelque peu car, en réalité, on passe insensiblement d'une position qui reconnaît l'existence réelle de facultés dans la nature humaine de Jésus mais leur dénie tout mode effectif d'opération propre, les cantonnant en fait dans une passivité totale, à une position qui nie purement et simplement leur existence... Mais, plus importante, une fois encore, que la matérialité des positions tenues, il y a la motivation que l'on peut discerner à leur arrière-plan ; et ici aussi, un changement est manifeste. Certes, c'est bien antérieurement que d'une part avaient commencé de jouer des considérants politiques et plus précisément l'intervention impériale, et que d'autre part le souci de l'unité ecclésiale était à l'œuvre ; mais, à vrai dire, tout cela interférait par rapport à des hérésies que n'engendrait véritablement rien d'autre que la dynamique interne à un effort soutenu d'appréhension du mystère de la foi lui-même. Maintenant en revanche, les données fondamentales de la foi étant mises en place et le niveau ultime étant atteint dans la dialectique de sa constitution en discours, l'hérésie — le monothélisme — ne se présente pas comme un nouveau moment interne de cette dialectique ; elle résulte directement d'une intention « politique » qui se déploie sur les deux plans que l'on a distingués avec ce terme. C'est d'autant plus net si l'on fait le rapprochement avec le néo-chalcédonisme, qui avait donné le ton à la fin de la période précédente avant de susciter Constantinople II : il n'était né, lui, de rien d'autre que du désir de concilier les formules de Cyrille et celles de Chalcédoine, c'est-à-dire qu'il s'était constitutivement déployé dans le cadre d'une problématique expressément doctrinale.

On peut conclure : c'est à trois plans au moins que s'accuse, vers la fin de l'époque patristique et conciliaire du discours christologique, un changement qui oblige à faire état en elle d'une troisième période. L'intérêt d'une telle distinction n'est nullement négligeable : elle permet de faire apparaître que c'est dès la fin de l'époque patristique et en son sein même, donc sans rupture de continuité avec elle, que s'effectue graduellement le passage à un nouveau registre, encore, de fonctionnement du témoignage chrétien. Ce registre sera précisément celui par lequel se caractérisera l'époque suivante, celle de la théologie scolastique classique.

Car on peut tout aussi bien, et de manière finalement tout aussi fondée, dire équivalemment les deux choses suivantes. On peut parfaitement dire que l'époque scolastique s'amorce au vie siècle, avec Boèce pour l'Occident et Léonce de Byzance pour l'Orient ; mais l'on peut dire aussi qu'elle commence au ixe siècle, avec la grande renaissance carolingienne. Après quelques siècles de nuit intellectuelle, c'est bien en effet sur la lancée de ceux qu'on peut à bon droit désigner comme « *les derniers Pères* », que se déploiera selon toutes ses dimensions le fonctionnement d'un nouveau registre du témoignage chrétien. Ces derniers des Pères dont les noms sont : Bède, Cassiodore et Isidore de Séville du côté occidental ; Léonce, Maxime le Confesseur et Jean Damascène du côté oriental — et que l'on peut donc considérer, en somme, comme les premiers scolastiques, *les premiers théologiens de la scolastique*. Leur réflexion sera, d'ailleurs, exploitée à travers tout le moyen âge.

2. La fin de l'époque patristique et les annonces de la scolastique

On se contentera ici de quelques indications. Elles porteront sur les points les plus marquants de la réflexion chez quatre des auteurs les plus significatifs de cette troisième période qui, on l'a dit, revêt nettement, à maints égards, le caractère d'une période de transition.

a) On a déjà signalé, pour l'*Occident,* le nom de Boèce († 525). Ayant assez systématiquement recouru à Aristote pour développer l'intelligence théologique des dogmes chrétiens, cet auteur aura une influence marquante à travers tout le moyen âge. Sa définition de la personne restera célèbre et saint Thomas lui-même y fera référence, quitte à la compléter : « persona est rationalis naturae individua substantia. »

b) En *Orient,* on a déjà retenu le nom de Léonce de Byzance († 542), qui s'aide lui aussi des catégories aristotéliciennes pour développer, dans une perspective nettement ontologique, toute une théorie de l'Incarnation. C'est lui qui lance l'expression « union hypostatique », laquelle connaîtra par la suite le succès que l'on sait. Il y a dans le Christ deux natures mais une seule personne ou hypostase, qui est celle du Verbe ; il faut dès lors comprendre que la nature humaine *n'existe, dans le Christ, que dans et par l'hypostase du Verbe,* et il faut donc considérer qu'elle est en elle-même an-hypostasiée, mais qu'elle est én-hypostasiée dans l'hypostase du Verbe. D'où, entre les deux natures (ou « physeis »), une union qui n'est pas « physique » mais précisément « hypostatique ». « La nature implique l'idée d'être (simplement) ; l'hypostase implique de plus l'idée d'être à part ; la première désigne l'espèce, la seconde l'individu ; la première porte le caractère de l'universel, la seconde sépare du commun le propre. » (PG 86, col. 1281,3.)

c) Il faudrait marquer un long temps d'arrêt près de MAXIME LE CONFESSEUR († 662), théologien de premier ordre, grand adversaire du monothélisme et, plus largement, du monophysisme. Resté jusqu'à une époque toute récente relativement peu étudié, il apparaît de plus en plus, au fur et à mesure que progresse la connaissance de son œuvre, comme un représentant éminent de la grande tradition ecclésiale de l'Orient. Par sa bonne connaissance des Pères qui l'ont précédé, par sa perspicacité dans le discernement des enjeux des débats christologiques encore en cours à son époque aussi bien que par l'originalité, la fertilité et le caractère profondément unifié de sa propre réflexion théologique, par la netteté de ses prises de position et finalement le courage qu'il manifeste dans le service de ce qui lui paraît être la vérité, il tient une position de choix à l'issue de l'ère patristique.

Insistant beaucoup sur la dignité que confère à l'homme sa *liberté* mais soulignant nettement d'autre part, entre autres sous l'influence du Pseudo-Denys, l'abîme qui le sépare de la transcendance absolue de Dieu, Maxime présente le Christ comme celui qui, étant à la fois et vraiment homme et vraiment Dieu, rouvre à l'homme les voies de la divinisation que Dieu avait en vue dans son acte créateur lui-même, mais que le péché avait compromises. La médiation ainsi accomplie par le Christ n'est toutefois pas considérée sur un plan statiquement ontologique. C'est en entraînant dans le dynamisme de son hypostase divine (filiale) la libre volonté humaine qu'il assume en propre en prenant une nature humaine concrète (et qui s'inscrit dans le devenir historique d'une existence humaine authentique), que le Christ ouvre aux hommes l'accès au salut. Celui-ci se présente comme la possibilité offerte à tout homme d'orienter sa propre liberté dans le sens d'une référence à Dieu qui fera dès lors de son existence une existence filiale dans et par le Fils. Ainsi, grâce à la vie du Christ, la liberté humaine que le péché avait détournée de Dieu peut-elle se retrouver elle-même dans la poursuite de sa destination première ; et ainsi la divinisation ne sera-t-elle pas hétérogène à ce qui est « appelé » par la constitution même de la natue humaine, prise comme telle.

C'est dans cette perspective d'une christologie *dynamique*, que

Maxime est amené à mettre au point le concept d'«opération théandrique». Celui-ci étend au domaine de l'agir ce que celui d'«union hypostatique» exprime au plan de l'être. Dans le Christ il convient de distinguer opérations divines et opérations humaines, mais les secondes (aussi bien que les premières) sont prises en charge par l'unique personne, l'hypostase filiale, du Verbe. Si la perspective est ontologique, il s'agit, on le voit, d'une ontologie essentiellement dynamique. Finalement, thème central de la théologie de Maxime, aussi bien du côté du Christ que du côté de l'homme, la divinisation est *une œuvre de la charité*.

d) Pour finir, troisième représentant de la grande tradition orientale pour cette période, il faut signaler Jean Damascène († vers 749), qui marquera en quelque sorte le point d'aboutissement de toute la réflexion christologique en Orient. Continuant en effet sur la lancée de ses devanciers ci-dessus évoqués, il s'attaque, avec toute la pénétration et la rigueur d'un esprit bien formé philosophiquement, à dégager les principales conclusions que, selon lui, la théologie peut tirer de la doctrine de l'union hypostatique, aussi bien au plan de l'activité et plus largement de la psychologie du Christ, qu'au plan encore plus général du langage et du culte chrétiens. On a de cette manière avec lui le meilleur représentant de « la troisième période » de l'âge patristique. En effet : maintenant que depuis la fin de la seconde période l'essentiel du dogme est formulé sur l'union, sur la distinction et sur l'unité assurant et assumant la distinction des natures selon l'hypostase divine du Verbe, toute l'attention se concentre sur la modalité de constitution et le fonctionnement concrets de l'unique personne du Verbe Incarné. Or tel est précisément le point de vue de Jean Damascène.

La meilleure preuve de cette position particulière de ce « dernier des Pères », c'est qu'il a pu être présenté comme « le saint Thomas de l'Orient ». Aussi bien est-on fondé, en conséquence, à clore sur son nom l'enquête que se proposait la deuxième partie de cette étude des « christologies patristiques et conciliaires ».

III. LA CONSTITUTION
HISTORIQUE
DU DISCOURS ECCLÉSIAL
SUR JÉSUS, LE CHRIST

Quelles conclusions, quelles leçons même convient-il de tirer, pour la foi et la théologie christologiques, d'une enquête historique comme celle que l'on vient d'accomplir ? — Procédant de sorte que la brièveté nécessaire ne compromette pas trop la pertinence requise, on ramènera à trois les points qu'il paraît souhaitable d'enregistrer dans cette troisième partie, qui prendra du même coup forme et signification d'un bilan prospectif.

CHAPITRE PREMIER

Le passage
à la rationalité
théologique

1. Un choix résolu

Le premier enseignement qu'il convient de tirer des christologies patristiques et conciliaires est immédiatement lié au simple fait de leur existence. Ce fait suffit en effet à attester qu'il est et sera toujours impossible, en matière de foi chrétienne, de prétendre s'en tenir à la seule Ecriture. C'est dès la fin de l'âge apostolique que les croyants se sont trouvés en quelque sorte acculés à la *réflexion* et à l'*argumentation*. Au départ, ils ont cru pouvoir limiter la compromission avec la philosophie à quelques formules ou concepts (*logos, ousia*) : malgré le pas franchi à Nicée avec l'homoousios, Constantinople I voudra encore se tenir le plus près possible du langage du Nouveau Testament. Mais, ayant mieux aperçu que la rationalité a sa logique propre, on en est rapidement venu à choisir résolument d'en jouer le jeu, à partir du moment où l'on a clairement réalisé qu'il y allait non seulement de la crédibilité de la foi ad extra, mais de sa survie chez les croyants eux-mêmes.

Il convient d'ailleurs de le souligner : ce choix en faveur de la rationalité a d'autant plus de portée qu'il a été effectué malgré un risque grave dont on avait parfaitement conscience. On risquait de voir des adeptes du christianisme s'en détacher pour deux raisons au moins : les uns parce qu'ils refuseraient tout langage surajouté à celui de l'Ecriture ; les autres parce qu'ils s'autoriseraient de ce qu'on reconnaissait ne pouvoir s'en tenir à la seule Ecriture pour proposer des interprétations de la foi qui la dénatureraient totalement. Que de tels risques n'aient pas dissuadé les Pères et les conciles de « passer » à la rationalité, représente à coup sûr une haute leçon : c'était, fût-ce bon gré mal gré, loger l'annonce de la foi des Apôtres à l'enseigne du courage et de la générosité de l'intelligence.

2. Un statut inconfortable

Une deuxième leçon de l'époque patristique est indiquée toutefois dans le statut précis qu'elle a concrètement fait à cette rationalité à laquelle elle est ainsi venue. Il s'agit pour elle d'une rationalité qui n'a rien d'impérialiste ou de judicatoire, ni en première ni en dernière instance.

Qu'ici la rationalité ne soit pas judicatoire en première instance, cela se marque au fait qu'elle ne se donne pas à elle-même l'objet sur lequel elle réfléchit. Elle accepte de le recevoir d'une instance qui non seulement la précède, mais à l'égard de laquelle elle se reconnaît radicalement obligée : l'Ecriture. C'est au point que l'intelligence ne se donne en la circonstance nulle autre tâche que celle de déployer l'intelligibilité qui est immanente au Nouveau Testament lui-même, en tant qu'il rend témoignage à un Jésus qu'il annonce comme le Christ de Dieu.

Or un tel « objet » n'est pas de ceux vers lesquels la raison se sait spontanément portée, de ceux auxquels elle se trouve naturellement accordée. Alors qu'elle est par essence faculté de l'universel, c'est à une donnée d'ordre historique, donc à un particulier et même à un singulier, qu'elle se trouve ici affrontée pour tenter d'en rendre « raison ». Naturellement, conformément à son mouvement propre, la raison pouvait, ici comme ailleurs, ne viser qu'à soumettre à sa loi l'objet qu'en un premier temps elle avait cependant accepté de recevoir d'ailleurs : elle aurait pu n'avoir de cesse qu'elle ait ramené à la généralité et à la souveraineté du concept la particularité concrète de Jésus et de son destin. Mais précisément, en son régime « patristique », elle se refuse tout aussi bien à être dernière que première instance. C'est un fait qu'à chaque fois qu'une question s'est posée à propos de Jésus-Christ, c'est toujours pour la solution qui apparaissait intellectuellement la plus paradoxale, que la réflexion des Pères a fini par opter, préférant l'inconfort de la raison à la réduction du mystère. La chose se vérifie d'Irénée à Cyrille et bien après, en passant par Athanase et bien d'autres. Plutôt que de sacrifier l'intégralité humaine de Jésus là où nier soit la vérité de son corps soit l'existence en lui d'une âme humaine pouvait permettre de rendre plus facilement compte de l'unité de son être ; plutôt que de diviser cet être ou de remettre en cause la vérité de sa divinité sous prétexte qu'à le faire on sauvegardait mieux la notion que l'on se fait de la transcendance de Dieu en le tenant soigneusement à l'écart des limitations et négativités de l'existence et de la condition humaines — plutôt que tout cela, les Pères ont préféré laisser le dernier mot à ce que leur paraissait annoncer le témoignage christologique de l'Ecriture. Et cela quand bien même ils ne disposaient pas (ou pas encore) des termes et des concepts qui leur auraient permis de se justifier adéquatement de procéder ainsi. C'est bien parce que telle était leur conception de la rationalité (et de son régime en matière de foi chrétienne c'est-à-dire d'abord dans le traitement du témoignage apostolique), qu'ils ont cru devoir et pouvoir professer cette conviction fondamentale qui décide pour eux de tout, alors qu'elle ne peut pourtant qu'apparaître totalement paradoxale à la pure rationalité humaine : que Jésus-Christ est à la fois vrai Dieu et vrai homme ; qu'une vraie nature humaine et la propre nature de Dieu s'unissent en un unique Jésus-Christ, par lequel dès lors Dieu même apparaît totalement engagé — comme Dieu ! — dans le concret de la condition d'homme et l'effectivité de l'histoire du monde.

3. Une perspective sotériologique

Mais pourquoi avoir fait choix de donner un tel statut à la rationalité (cf. 2) après l'avoir, pourtant, si résolument choisie (cf. 1) ? — Pour une seule raison, qui fournit d'ailleurs un troisième enseignement à enregistrer soigneusement : parce que ce que l'on veut tirer au clair d'un bout à l'autre de l'époque patristique, c'est *la question du salut des hommes*. Tout problème posé à propos du Jésus-Christ du témoignage apostolique est immédiatement (re)formulé de la sorte : quelle solution adopter à son sujet, si l'on veut être *logique* avec l'affirmation centrale du Nouveau Testament, que l'on a accueillie dans la foi et suivant laquelle Jésus est le Sauveur des hommes ? Le fameux « argument sotériologique », que l'on a vu jouer ci-dessus tant de fois, court en fait à travers toute l'époque des Pères et des conciles. Il constitue même, peut-on dire, le nerf ou le ressort de toutes les christologies qu'ils ont proposées. Car tel est bien la leçon première de l'Ecriture reprise par les Pères : la foi en Jésus-Christ ne se présente pas d'abord comme un enseignement à comprendre, à expliquer et à systématiser. Elle s'offre d'abord et par-dessus tout comme une vérité qui libère pour un *salut* et pour une *vie*. Elle s'avère certes lumière pour l'intelligence, mais seulement lorsque cette dernière renonce à une judicature qui n'aurait d'autre issue qu'un orgueil prométhéen ou un nihilisme déclaré : seulement lorsqu'elle consent à un acquiescement qui, en son événement même et dans la pratique et l'expérience de vie qu'il induit, fait découvrir que si l'intelligence aussi est promise au salut, le salut n'advient cependant pas *par* l'intelligence. Le salut advient par l'esprit lorsqu'il s'ouvre à une *grâce* que le concept comme tel ne peut pas concevoir, parce qu'elle est don de Dieu et don de Dieu à l'homme tout entier. Mais cette grâce illumine de fait l'intelligence, lorsque celle-ci accepte de s'y rendre accueillante et de juger de tout à sa lumière. Ainsi les Pères ont-ils compris le rapport de la foi à l'intelligence, et ainsi la rationalité théologique.

Il est clair que l'époque actuelle ne pose plus du tout la question de l'être-homme comme aux temps des Pères, et que la perspective d'un possible salut n'est plus guère familière à beaucoup de contemporains. Il est donc exclu que recueillir la leçon des Pères sur le salut et son annonce signifie qu'on puisse ou qu'il faille se contenter de reprendre et de répercuter comme tel leur enseignement à son sujet. Reste que, sur ce point aussi, leur héritage est précieux. Il invite à ne pas désespérer de la condition d'homme mais à en chercher la vérité et le « sens » bien au-delà des canons édictés par une pure rationalité, qu'elle se veuille triomphante ou qu'elle s'avoue désespérée. Il invite à chercher « le sens » de l'existence : dans la direction d'*une vérité à faire* pour un salut à accueillir ; sur la voie d'*une grâce* à recevoir par un acte qui est à la fois humilité réfléchie de l'esprit et sursaut lucide d'espérance ; dans la recherche d'*un Dieu* qui n'est dit se révéler que « pour nous les hommes et pour notre salut », dans l'acte et le mouvement de venir pour, avec et parmi nous, en Jésus-Christ.

Telle est donc ici, finalement, la leçon des Pères : la foi en Jésus-Christ relève d'une *rationalité* et appelle par conséquent une mise en *discours ;* mais cette rationalité et ses discours ne seront adéquats à la Vérité de leur « objet », et donc ne seront proprement *théologiques* que s'ils reconnaissent et manifestent cet objet comme Voie et comme Vie, car il ne se présente lui-même que comme ce salut que les hommes cherchent, sans pouvoir toujours l'espérer et y croire.

Discours chrétien
et Institution ecclésiale

Ce serait cependant manquer quelque chose d'essentiel que de s'en tenir au plan du discours et de sa rationalité propre comme discours théologique. Tout discours a des conditions, des implications et des effets au plan social ou sociologique, c'est-à-dire au plan des institutions au sein desquelles, par et pour lesquelles il s'élabore. C'est spécialement net pour l'époque des Pères (qui est donc, aussi, celle des conciles christologiques). Il y a, là encore, leçon à retenir.

1. Le problème d'une régulation de la foi

Tout au long de l'époque patristique, le problème a été, on l'a amplement vérifié dans ces pages, de trouver des formulations de la foi en Jésus-Christ qui soient à la fois adaptées aux questions nouvelles et aux contestations inédites du présent, et fidèles à la foi héritée des premiers disciples de Jésus. C'est dire que s'est trouvé posé du même coup le problème d'une régulation de ces formulations : Quelle instance, douée de quelle autorité, pourrait assurer que, en même temps qu'apte à répondre précisément aux questions de l'aujourd'hui, telle expression sera effectivement fidèle à « la foi catholique reçue des Apôtres » ? Qui serait habilité, et pourquoi, à trancher en l'occurrence entre des propositions diverses ? Qui serait fondé, et pour le faire comment, à prendre la responsabilité d'exclure de la communion ecclésiale (ou de faire en sorte que s'en excluent en fait d'eux-mêmes) ceux qui ne se rallieront pas aux nouvelles formulations de la foi ancienne ? Bref : qui trancherait non pas seulement ce qu'il faut croire mais comment il faut exprimer ce qui est à croire (ce qui sera *le dogme*) ; et, corrélativement : qui déciderait non pas seulement que l'on exprime mal ce qui est à croire, mais que telle expression inadéquate a déjà, de fait, retranché celui qui s'en fait le champion de la communauté des croyants (ce qui sera l'*hérésie*) ?

On voit bien que toutes ces questions, et d'autres similaires, sont de fait posées dès lors qu'est soulevé le problème d'une formulation rigoureuse, adéquate, et par là normative, de la foi. Et l'on voit bien, aussi, en quoi ces problèmes posent ou reposent, et en tout cas rendent inévitable celui de l'organisation générale et du fonctionnement concret de l'institution ecclésiale comme telle. Il est capital en soi et il demeure éclairant pour aujourd'hui de bien saisir comment l'Eglise des premiers siècles s'est de fait organisée pour affronter les nécessités que lui imposait ainsi à elle-même l'exercice de sa responsabilité quant à une annonce à la fois efficace et fidèle de la foi apostolique.

2. Des professions de foi baptismales au « canon » de la foi

Une première régulation de la profession de foi chrétienne s'est d'abord mise au point dans le cadre de la liturgie baptismale avec l'introduction du *symbole* (dit justement : « symbole de la foi »). C'est la profession publique du symbole de telle église, en réponse à l'invitation expresse d'un ministre qualifié, qui permet au catéchumène de devenir chrétien par le rite du baptême. C'est dire que le vouloir-être chrétien est inséparable d'un vouloir-s'agréger à telle communauté de chrétiens. C'est dire aussi qu'étant signe et facteur de rattachement à une communauté, le langage chrétien en sa forme de symbole baptismal a pour effet, par la profession publique qui en est faite, de faire exister et croître l'Eglise comme rassemblement visible et organisé.

Peu à peu cependant, le symbole va recevoir dans les églises une autre signification et jouer un autre rôle, avec d'autres effets. Il va progressivement recevoir pour fonction de permettre un discernement de l'orthodoxie et, par là, une discrimination entre croyants et déviants, et même entre communautés fidèles et communautés hérétiques. Dès le second siècle, on voit un saint Irénée se préoccuper très fort, au sein de « la grande Eglise » et pour elle, de ce qu'il appelle une « règle de vérité » qui soit un « canon » de la foi exprimant les articles fondamentaux de la profession de foi chrétienne. Aussi bien, au cours du IIIe siècle surtout, les différentes églises se mettent-elles en devoir de se doter d'un symbole. Ayant fonction de résumé normatif de la foi (sous le contrôle de la hiérarchie locale), ces symboles ecclésiaux passent d'ailleurs d'une formulation du type « je crois » (symboles baptismaux) à une formulation de type « nous croyons ».

3. Le symbole de Nicée

Mais vient l'arianisme... Face à lui, le problème du discernement prend de tout autres proportions! Il apparaît bientôt tout à fait clairement, en effet, que ce n'est pas à l'échelle des communautés locales que pourra être contrôlée et maîtrisée une telle hérésie, compte tenu de l'ampleur qu'elle est en train de prendre à travers une partie toujours plus large de l'empire. Ainsi l'idée prend-elle corps, qu'il conviendrait de faire appel à la plus ample consultation des églises qui soit concrètement envisageable; et c'est ainsi que l'on en arrive à la solution d'un concile général réunissant non plus seulement les évêques d'une province donnée (synodes locaux, conciles particuliers) mais, pour la première fois dans l'histoire chrétienne, un éventail si large de responsables d'églises de différentes provinces, que l'on pourra considérer Nicée comme le premier concile *œcuménique* de l'Eglise.

Mais précisément, que se passe-t-il à Nicée? On y est tout de suite conduit à une constatation nette : aucune des formulations officielles de la foi jusque-là proposées, aucun des symboles usités dans les églises dont les évêques se trouvent rassemblés, n'est apte à faire pièce à l'hérésie montante. Il faut tenter autre chose; il faut accepter de s'engager sur une formulation qui sera sans doute nouvelle puisque l'Ecriture et sa tradition ne suffisent plus, sur une formulation qui sera sans doute pour une part étrangère à l'expression de la foi jusqu'à maintenant reçue puisqu'il s'agit de répondre à des interlocuteurs qui en appellent à la raison et à ses lois propres — mais qui aura l'avantage d'être claire et clarificatrice, et sera à ce titre susceptible d'être admise par toutes les églises comme règle objective de la foi, comme symbole commun à tous les chrétiens... Et c'est ainsi qu'après bien des hésitations et bien des débats on en vient à proposer l'*homoousios* et à l'insérer dans l'un des symboles en présence, que l'on avait préalablement décidé de prendre comme texte de base et référence commune. Au bout d'une cinquantaine d'années, atermoiements et réticences ayant été surmontés dans les différentes églises comme ils l'avaient été d'abord parmi les évêques réunis à Nicée, tout le monde, dans l'orthodoxie, consent à adopter le symbole nicéen et son *homoousios*, de crainte que de le refuser ne donne des gages à l'arianisme et ne mette donc en péril la divinité du Verbe incarné en Jésus. De sorte qu'à la fin du IVe siècle il n'y a plus qu'un seul symbole officiel : celui de Nicée(-Constantinople).

4. Vers l'organisation d'un magistère

Ce n'est pas à dire pour autant que seront définitivement classés les problèmes de régulation de la foi ! Certes, dès qu'un problème se posera par la suite, on tiendra, pour le régler, à s'en rapporter au symbole de Nicée : tous les conciles postérieurs, en particulier, y feront explicite référence. Mais on s'apercevra vite que lui non plus ne suffit pas à permettre de faire face dans la clarté et avec fruit aux interrogations et déviations nouvelles. Il faudra donc chercher autre chose encore : un autre type, d'autres types de mise en discours de la foi. Or il faut bien voir qu'eux aussi ne verront le jour et n'auront d'efficacité que dans la mesure où ils émaneront de l'institution ecclésiale et où ils contribueront pour leur part à l'organiser et à la conforter dans ses organisations.

Constantinople I peut encore se contenter de reprendre le symbole de Nicée, quitte à en resserrer légèrement la formulation sur un point (on supprime le : « c'est-à-dire de la substance du Père » jugé désormais superflu — mais non l'« homoousios », qui réapparaît un peu plus loin !) et à s'étendre beaucoup sur un autre (la divinité du Saint-Esprit). Mais Ephèse déjà doit aller au-delà : sans proposer eux-mêmes un texte nouveau, les Pères qui y siègent déclarent expressément se rallier à une lettre de Cyrille (au moins) et rejeter formellement une lettre de Nestorius. Quant à Chalcédoine, il lui faut bien élaborer lui-même une formulation inédite, qui se présente proprement, cette fois, comme une *définition dogmatique :* « le saint et grand concile œcuménique... *a défini* ce qui suit... » ; « nous croyons... » [suivent les textes des symboles de Nicée et de Constantinople !] ; « *nous enseignons tous d'une seule voix...* » [suit la « définition » de foi que propose pour sa part le concile] ; « quant à ceux qui oseraient composer une autre foi... ils sont exclus (ou)... anathèmes ».

Ainsi le symbole en vient-il à s'assortir de « définitions », et les définitions conciliaires elles-mêmes à s'assortir d'anathématismes. Au bout de quelque temps, et c'est précisément cela qui spécifie ce qui a été présenté ici comme une troisième période de l'époque des Pères et des conciles, on voit des courants théologiques se constituer, des hérésies naître et des conciles se tenir avec pour objectif non seulement de rallier le plus grand nombre d'adhésions mais également de réconcilier des formulations et des langages divergents, afin de sauvegarder ainsi l'unité et d'assurer la concorde. Le phénomène conciliaire recevra de plus en plus de considération et prendra de plus en plus d'autorité et, concomitamment, le recours aux papes ou leurs interventions verront croître leur importance et leur impact.

Autrement dit plus on va et plus interfère, dans le témoignage chrétien, le souci de l'unité du corps ecclésial — et plus aussi, à la fois comme moyen et comme résultat, s'organise et se structure l'institution ecclésiale. Car plus se déclare alors la nécessité d'instances régulatrices, et plus s'affirme donc la réalité d'un magistère. Bref : de plus en plus jouera, dans le discours chrétien, la composante institutionnelle, s'affirmera le lien langage/société. Nouveau legs et nouvelle leçon de l'époque patristique à celles qui suivront.

CHAPITRE III

Assumer une tradition historique

Ce qui vient d'être présenté éclaire les *conditions* qui, depuis l'époque des Pères, sont celles de la réflexion qui porte directement sur Jésus-Christ : la christologie. C'est ce qu'il convient, pour finir, de préciser.

1. Les paramètres du discours christologique

S'il faut en croire les premiers siècles chrétiens, la théologie de Jésus-Christ ne sera l'affaire ni d'une simple piété, si bien inspirée soit-elle, ni d'une pure rationalisation, quelle qu'en soit la subtilité. Trois paramètres au moins sont appelés à interférer dans la constitution du discours christologique : une adhésion de *foi*, appelant une *réflexion* conséquente (et inversement), les deux appelant à leur tour une gestion correcte du rapport constitutif qu'elles entretiennent avec le lieu dans lequel, en fait, elles se jouent : *l'Eglise*.

Autrement dit : se proposant de réfléchir sur un témoignage de foi qui la précède et qu'elle reçoit, la théologie de Jésus-Christ ne peut aucunement s'accomplir autrement que comme assomption d'une tradition. Cette théologie devra à la fois *répondre aux* questions que l'aujourd'hui ne cesse de poser à la foi des Apôtres et des Pères, et *répondre des* questions que continuent de poser à un monde trop tenté par toutes les formes de repli et de confort, la figure et le destin de celui dont témoigne depuis les premiers siècles l'Eglise des croyants : Jésus-Christ, le salut qu'il offre et le Dieu qu'il révèle.

2. Les rapports à la prédication et aux dogmes

Si telle est la responsabilité de la théologie portant sur Jésus-Christ, il est clair que celle-ci va d'emblée se trouver devant une tâche très précise.

Il va s'agir pour elle de négocier correctement le *discours réflexif* en lequel elle consiste par rapport à deux autres types de discours qui ont toujours actualité pour elle : le premier, par rapport auquel les Pères et les conciles ont eu eux-mêmes à se situer puisque c'est celui du Nouveau Testament, est le *discours de la prédication ;* et le second, auquel l'époque patristique et conciliaire a donné le jour, est le *discours dogmatique.*

Le langage de la prédication rappelle sans cesse à la théologie qu'elle est, et constitutivement, à la fois née d'une annonce et orientée vers elle. La théologie peut certes aider ce langage à se garder aujourd'hui de l'approximation et du piétisme, mais c'est lui qui en retour l'appellera elle-même à ne pas verser dans l'abstraction. Elle devra donc ne pas cesser de s'y rapporter. Quant au langage dogmatique, s'il est là pour rappeler la théologie à sa responsabilité historique et sociale à l'égard de la tradition et de l'institution ecclésiales, la théologie ne pourra pas avoir pour seule fonction de le répéter. Le reconnaissant d'abord pour ce qu'il est dans le passé qui l'a élaboré, elle sera fondée à rappeler les instances qui l'énoncent présentement à un juste examen de leur responsabilité spécifique à l'égard de l'ensemble de la communauté croyante et en elle. Chargées de veiller et d'œuvrer à l'unité du corps ecclésial dans l'apostolicité de la confession de foi, ces instances ont à la fois la mission de susciter la recherche de l'intelligence dans la réception de la foi *à transmettre,* et celle de soutenir la créativité dans la transmission de la foi *reçue.*

3. Les leçons du déploiement historique de la christologie

Ce qui précède concernant davantage les conditions et la responsabilité du discours christologique tel que l'époque des Pères et des conciles apprend à le comprendre, il faut compléter en disant comment cette même époque en éclaire *la constitution et le déploiement effectifs.*

Premier élément à noter : la dialectique historique selon laquelle s'est constitué le dogme christologique comporte déjà comme telle un enseignement. Un premier intérêt est, négativement si l'on peut dire, d'alerter sur les manières jugées erronées par la tradition ecclésiale de comprendre le témoignage de l'Ecriture sur Jésus : n'est-il pas clair, en effet, que tout lecteur du Nouveau Testament reste tenté par le docétisme et le subordinatianisme, par le nestorianisme et le monophysisme, tant il est vrai qu'en l'occurrence aussi se vérifie, au moins dans une certaine mesure, le principe suivant lequel « l'ontogénèse reproduit la phylogénèse » ? Mais il y a aussi un autre intérêt à enregistrer ici : positivement, l'ordre dans lequel s'est mise au point la formulation officielle de la foi chrétienne donne une indication claire sur ce qu'on peut appeler une hiérarchie des vérités de la foi. Ce n'est sans doute pas un hasard si l'Eglise s'est d'abord préoccupée du Dieu-Trinité, du Christ Jésus et de l'Esprit Saint ; et ce n'est pas un hasard non plus si elle a estimé que, une fois qu'a été formulé un symbole reçu dans toutes les églises, une certaine règle (ou canon) de la foi se trouvait fixé, auquel on ne pouvait ajouter quelque chose qu'en passant à un autre mode d'expression officielle de la foi. Sur l'articulation interne de la confession de foi, sur le principe d'organisation de sa mise en discours théologique comme sur la pédagogie de son annonce kérygmatique et catéchétique, il y a évidemment là une leçon décisive, quoique trop souvent oubliée.

Un deuxième point invite à reconsidérer soigneusement un usage fort répandu pourtant dans les discours christologiques classiques et courants jusqu'à nos jours : l'usage de prendre Chalcédoine pour point de départ de la réflexion théologique sur le Christ, et donc de donner pour tâche essentielle sinon exclusive à cette réflexion d'étayer et d'expliquer la définition de 451. C'est déjà un problème que de *partir* d'un énoncé magistériel quand lui-même se reconnaît subordonné à l'Ecriture ; mais c'en est un autre que de partir de cet énoncé magistériel-là. Car procéder ainsi c'est faire comme si le développement dogmatique et les définitions christologiques s'étaient arrêtés à Chalcédoine. Or ce n'est pas le cas puisqu'ils se sont poursuivis au moins jusqu'à Constantinople II. Compte tenu de la nature du processus qui y a conduit (cf. ci-dessus pp. 232 ss.), la prise en considération effective de ce concile comme d'un au-delà historique de Chalcédoine ne peut qu'avoir des incidences marquantes sur la manière de comprendre et de construire le discours christologique.

Reste une dernière donnée : l'évolution *dogmatique,* que l'on a donc pu suivre ici tout au long des six siècles dans son déploiement *historique,* est aussi rationnelle et *logique* (cf. le titre de la deuxième section de cette étude (p. 203) : « L'élaboration raisonnée de la profession de foi christologique »). Ce n'est pas seulement du côté de *l'acte* d'adhésion personnelle par lequel elle se traduit en chaque croyant mais aussi de par la constitution historique *du discours* selon lequel elle se propose elle-même à une telle adhésion, que la foi en Jésus-Christ s'accomplit parmi les hommes comme un « culte » qui selon Rm 12, 1 n'est « spirituel » (trad. B.J. et TOB) qu'en étant rationnel (*rationabile* obsequium : Vulgate) et logique (*logikèn* latreian : texte grec). C'est en étant intelligente, en se faisant intelligence, que la foi chrétienne s'est historiquement constituée en discours dogmatique. Là est la raison pour laquelle c'est par un acte qui ne peut être lui aussi que d'intelligence, que la même foi pourra être authentiquement reçue et professée aujourd'hui comme hier, et demain comme autrefois.

CONCLUSION

A chaque fois que dans l'histoire de la théologie chrétienne est demeurée vivante la référence aux Pères (et, par eux, aux Ecritures), il en a résulté une grande vitalité de la pensée et du discours. A travers le moyen âge jusqu'à l'époque contemporaine, en passant par le xvie et le xviie siècles, on peut dire que les grands moments (ou renouveaux) de la théologie sont assez directement liés à d'effectifs retours (et ressourcements) aux Pères.

Deux remarques, semble-t-il, peuvent toutefois être faites à ce sujet. Tout d'abord ce n'est que là où elle n'a pas détaché l'enseignement des *conciles* du terreau vivant de la tradition *patristique* qui est le leur, que la théologie s'est elle-même avérée vraiment vivante. En second lieu : c'est à la théologie de la grâce, des sacrements et de l'Eglise plutôt que directement à la théologie du Christ lui-même, que les retours aux Pères ont, le plus souvent du moins, permis de se revitaliser. Est-ce précisément parce que les christologies postérieures ont trop eu tendance à ne lire les Pères qu'à partir des « points d'arrivée » conciliaires (Chalcédoine surtout) ? Est-ce parce qu'à absolutiser ainsi en quelque sorte les énoncés magistériels en vertu de leur autorité et de leur « perfection » mêmes, et à dévaloriser corrélativement les tâtonnements et tentatives qui les avaient pourtant rendus possibles, on risquait du même coup de ne plus être porté soi-même par la tradition dynamique et vivante qui les avait engendrés ?

Une autre tendance paraît aller s'accentuant, en tout cas, depuis déjà quelques décennies : celle qui consiste à reprendre à partir de leurs propres sources — judéo- et helléno-chrétiennes —, elles-mêmes resituées dans le contexte scripturaire, les christologies patristiques et conciliaires. Ce qui a été exposé dans les pages qui précèdent permet de penser qu'il peut y avoir là pour les discours christologiques la chance d'une réactivation et d'une revitalisation encore plus accentuées que celles que l'on peut déjà constater aujourd'hui. Il apparaît de plus en plus clair, en effet, que ce n'est pas en ravissant par avance la parole aux générations qui les suivraient, que les Pères ont parlé de Jésus-Christ. L'espace de parole, de réflexion et de discours qu'ils ont ouvert en scrutant et transmettant comme ils l'ont fait le témoignage apostolique sur Jésus le Fils de Dieu Sauveur des hommes, demeure un champ toujours offert à l'intelligence et à la foi des croyants.

ANNEXE

Définition du Concile de Chalcédoine
Structures et sources du passage principal

A la suite des saints Pères,
nous enseignons donc tous unanimement à confesser
UN SEUL ET MÊME FILS   Acte d'Union (433)
NOTRE SEIGNEUR JÉSUS CHRIST :   Jean d'Antioche

I.   LE MÊME   Cyrille
1. parfait en divinité
           parfait en humanité

       LE MÊME

2. Dieu vraiment   Tome de Léon
           à Flavien
           et homme vraiment

           (fait) d'une âme raison-
nable
et d'un corps

3. Consubstantiel au   « Symbole » d'union
Père en sa divinité   de 433
           consubstantiel à nous en
son humanité, sem-
blable à nous en tout   ... Addition scriptu-
hors le péché   raire (He 4, 15)

4. Engendré du Père
avant les siècles
en sa divinité

           mais aux derniers jours
*pour nous et pour notre
salut* (engendré) de Ma-
rie, la Vierge, *la
THÉOTOKOS* .... (Ephèse)
en son humanité

EN DEUX NATURES .... Formule léonienne

Sans confusion ni changement . . . . contre Eutychès
Sans division ni séparation . . . . contre Nestorius
adverbes cyrilliens

II. La différence des natures n'est nullement supprimée par l'union — 2ᵉ lettre de Cyrille à Nestorius. Lettre de Flavien à Léon

mais au contraire les propriétés de chaque nature restent sauves et se rencontrent *EN UNE SEULE PERSONNE* — Tome de Léon à Flavien

ou HYPOSTASE . . . . — Lettre de Flavien à Léon

non pas (un Fils) partagé et divisé en deux personnes mais *UN SEUL ET MÊME FILS UNIQUE* — Lettre de Théodore

DIEU, VERBE, SEIGNEUR, JÉSUS-CHRIST
comme autrefois les prophètes l'ont dit de lui
comme le Seigneur Jésus-Christ lui-même nous en a instruits,
et *comme* le symbole des Pères nous l'a transmis.

(Trad. Th. CAMELOT,
Éphèse et Chalcédoine, Orante, Paris, 1961.)

BIBLIOGRAPHIE

Ainsi qu'il a été dit dès le début, on a renoncé de propos délibéré dans ces pages, d'abord par manque de place, à renvoyer systématiquement aux textes et aux ouvrages auxquels elles ont pourtant puisé. On se contentera ici de quelques indications qui permettront à qui le désirera d'établir lui-même sans peine, sur les points abordés, la bibliographie souhaitée tant à propos des écrits des Pères eux-mêmes qu'en ce qui concerne les études contemporaines à leur sujet.

1. Sont tout d'abord à signaler deux dossiers universitaires auxquels, en son origine, la présente étude doit beaucoup :

P. HENRY, *Compléments de christologie* (Notes de cours ad instar manuscripti, Institut Catholique de Paris), à quoi il convient d'ajouter *Etudes sur la Trinité* (ibid.) ;

J. MOINGT, *Constitution du discours chrétien* (Polycopié en 1970, Faculté de théologie de la Compagnie de Jésus de Lyon-Fourvière).

2. Permettront une première prise de contact :

— avec la bibliographie d'ensemble, le relevé clair et présenté de manière pédagogique de J. WOLINSKI : «Pour une approche de la christologie des Pères de l'Eglise», in J. DORÉ et al., *Jésus, le Christ et les chrétiens*, Desclée, coll. «Jésus et Jésus-Christ», série annexe n° 2, Paris, 1981, pp. 290-296 ;

— avec l'esprit des Pères, deux études d'accès aisé : G. AULÉN, *le Triomphe du Christ* (préface de L. Bouyer), Aubier-Montaigne, coll. «Foi Vivante», n° 124, Paris, 1970, pp. 7-117 ; et H. TURNER, *Jésus le Sauveur*, préface et choix de textes par J.-P. Jossua, Cerf, coll. «Lumière de la foi», n° 18, Paris, 1965.

3. Fourniront le moyen d'aller aux principales études patrologiques et à l'essentiel des sources patristiques elles-mêmes, deux présentations d'ensemble des christologies des premiers siècles :

P. SMULDERS, «Développement de la christologie dans le dogme et le magistère», in *Mysterium salutis*, trad. fr. vol. 10, Cerf, Paris, 1974, pp. 237-347 ;

J. LIEBAERT, *l'Incarnation*, I. *Des origines au Concile de Chalcédoine*, Cerf, coll. «Histoire des dogmes», t. II, fasc. I/a, Paris, 1966.

4. Sont spécialement à recommander, en français, sur l'histoire et l'enseignement des conciles christologiques les deux très précieux ouvrages suivants :

I. ORTIZ DE URBINA, *Nicée et Constantinople*, Orante, coll. « Histoire des conciles œcuméniques », n° 1, Paris, 1963 ;

Th. CAMELOT, *Ephèse et Chacédoine*, *id.*, n° 2, 1961.

5. Permettra une étude plus poussée, l'œuvre du spécialiste de la christologie des Pères, A. GRILLMEIER :

Le Christ dans la Tradition chrétienne, Cerf, coll. « Cogitatio fidei », n° 72, Paris, 1973 (bibliographie abondante).

Mit ihm und in ihm. Christologische Forschungen und Perspektiven, Herder, Fribourg-Bâle-Vienne, ²1978.

Jesus der Christus im Glauben der Kirche. Herder, Fribourg.

— Seul paru à ce jour : Bd I. *Von der apostolischen Zeit bis zum Konzil von Chalcedon (451)*, 1979 (édition revue et augmentée de l'édition dont *le Christ dans la Tradition chrétienne*, Paris, 1973, est une traduction).

— Sont annoncés : Bd II. *Die Zeit vom Konzil von Chalcedon bis zu Papst Gregor dem Grossen († 604)* et Bd III : *Die Entwicklung bis zur Zeit Kaiser Karls des Grossen (Frankfurter Konzil von 794)*.

6. D'une production abondante d'études patristiques spécialisées on retiendra encore, en français, les quelques titres suivants, classés par ordre chronologique des auteurs ou périodes ici traités :

J. DANIÉLOU, *Théologie du judéo-christianisme. Histoire des doctrines chrétiennes avant Nicée* I, Desclée, Tournai, 1961.

ID., *Message évangélique et culture hellénistique*, id., 1961.

ID., *les Origines du christianisme latin*, Cerf, Paris, 1978.

A. BENOIT, *Saint Irénée. Introduction à l'étude de sa théologie*, PUF, Paris, 1978.

M. HARL, *Origène et la fonction révélatrice du Verbe incarné*, « Patristica Sorboniensa », 2, Seuil, Paris, 1958.

H. CROUZEL, *Théologie de l'image de Dieu chez Origène*, Aubier, coll. « Théologie », n° 31, Paris, 1956.

L. BOUYER, *l'Incarnation et l'Eglise corps du Christ dans la théologie de saint Athanase*, Cerf, coll. « Unam Sanctam », n° 11, Paris, 1943.

F. BOULARAN, *l'Hérésie d'Arius et la « Foi » de Nicée*, 2 vol., Letouzey et Ané, Paris, 1972.

G. JOUASSARD, « Un problème d'anthropologie et de christologie chez S. Cyrille d'Alexandrie », in *RSR*, 1955, pp. 361-378 ; ID., « S. Cyrille d'Alexandrie et le schéma de l'Incarnation Verbe-Chair », *ibid.*, 1956, pp. 234-242 ; ID. « Impassibilité du logos et impassibilité de l'âme humaine chez S. Cyrille d'Alexandrie, *ibid.*, 1957, pp. 209-224.

R. DEVREESSE, *Essai sur Théodore de Mopsueste*, coll. « Studi e Testi », n° 151, Città del Vaticano, 1948.

M.-J. Nicolas, « la Doctrine christologique de saint Léon le Grand », in *RThom*, 1951, pp. 609-669.

A. Riou, *le Monde et l'Eglise selon Maxime le Confesseur*, préface de M.-J. Le Guillou, Beauchesne, coll. « Théologie historique », n° 22, Paris, 1973.

J.-M. Garrigues, « la Personne composée du Christ d'après Maxime le Confesseur », in *RThom*, 1978, pp. 181-204.

    * Pour la lecture des textes patristiques eux-mêmes on pourra utiliser le guide fourni par C. Mondésert, *Pour lire les Pères de l'Eglise dans la collection « Sources chrétiennes »*, Cerf, Paris, 1979.

    7. Enfin, autour de Chalcédoine, le concile christologique majeur, considéré dans son passé, son présent et son avenir, on recommandera :

J. Liebaert, « Valeur permanente du dogme christologique », in *Mélanges de science religieuse*, 1981, pp. 97-126 ;

et spécialement, in *Visages du Christ (RSR, 1977)* : R. Marlé, « Chalcédoine réinterrogé », pp. 15-44 ; B. Sesboüé, « le Procès contemporain de Chalcédoine. Bilan et perspectives », pp. 45-80 ; C. Kannengiesser, « Avenir des traditions fondatrices. La christologie comme tâche au champ des études patristiques », pp. 139-168.

III. CHRISTOLOGIE DOGMATIQUE

par BERNARD LAURET

SOMMAIRE. — *Introduction.* Le rôle central de la christologie : foi et histoire : 1. L'approche classique par « en haut » ou du début ; 2. L'approche par « en bas » ou de la fin ; 3. L'approche messianique : accomplissement et figure, a) paradoxe de la résurrection : accomplissement inachevé, b) le jeu des figures : récit et loi, c) le messianisme selon l'Esprit. Conclusion.

Chap. I. La résurrection de Jésus crucifié : 1. Les pratiques liturgiques jusqu'au IVᵉ s. ; 2. La résurrection du Crucifié au centre de l'Ecriture.

Chap. II. La vie messianique de Jésus : 1. Une vie énigmatique ; 2. L'enseignement : a) les exigences éthiques, b) les paraboles ; 3. Exorcismes, guérisons et pardon des péchés : les miracles, révélation et pardon des péchés. 4. La question de l'autorité, la conscience de Jésus, la prétention messianique de Jésus.

Chap. III. L'événement pascal et pentecostal : A) Les repas de Jésus et le repas du Seigneur : 1. Une mémoire anticipatrice ; 2. La figure. B) La mort de Jésus sur une croix : 1. L'événement historique ; 2. La figure : a) les interprétations testamentaires de la mort Jésus, b) le passage du corps de Jésus au corps du Christ. C) Résurrection, Ascension, Pentecôte, Parousie : 1. la résurrection et l'histoire : a) la recherche historico-critique, b) les modèles néotestamentaires ; 2. la figure : a) le corps absent, b) une nouvelle création, c) le Corps du Christ.

Chap. IV. Jésus-Christ : 1. L'Incarnation du Verbe de Dieu ; 2. La révélation de Dieu dans notre histoire ; 3. La résurrection de l'humanité.

Excursus I : La christologie au centre de la question chrétienne de Dieu ; *II.* Nicée (325), premier concile christologique et « éclipse » du messianisme ; *III.* Quel récit ? Bibliographie.

INTRODUCTION

Toute foi chrétienne tire son originalité de sa référence à Jésus. Mais quel Jésus ?

A notre époque de pluralisme culturel et théologique les images de Jésus foisonnent, aussi bien chez les chrétiens qu'ailleurs. Parmi les premiers déjà on peut constater un large éventail d'opinions : depuis celles et ceux qui identifient totalement l'enseignement de l'Eglise avec celui de Jésus jusqu'aux personnes qui opposent l'un à l'autre ou celles qui témoignent d'une piété plus spontanément centrée sur Dieu sans trop s'attarder à Jésus. Quant à la diversité des formes culturelles où s'expriment chrétiens et non-chrétiens, nous rencontrons une grande variété de perceptions[1] : des écrits (romans, récits populaires, ouvrages scientifiques, pamphlets, livres de piété, bandes dessinées, etc.), des émissions de radio ou de télévision (à propos de fêtes liturgiques, de films, de débats d'actualité), des créations artistiques (passions, music-hall, chansons, films, peintures), des groupes divers. Les chrétiens ne sont pas les seuls à donner la parole à Jésus. Nous avons affaire à des discours concurrents, non seulement entre chrétiens, mais aussi en dehors de toute référence confessionnelle. Face à ces langages éclatés est-il possible de présenter un discours théologique, une christologie ? De quel Jésus parle-t-on ?

Dans cette *Initiation* il est question de Jésus comme *Christ*. La christologie dogmatique s'efforce de présenter l'origine de la foi

---

1. Ph. REGEARD, *Jésus a tant de visages. L'imagination dans l'expérience de la foi*, Centurion, Paris, 1980 (qui met en valeur le travail de l'imagination comme forme du désir) ; G. BESSIÈRE, J.-P. JOSSUA, A. LION, M. PINCHON et A. ROUSSEAU, *Dossier Jésus. Recherches nouvelles*, Châlet, Paris, 1977 ; B. SESBOÜÉ, *Jésus-Christ à l'image des hommes. Brève enquête sur les déformations du visage de Jésus dans l'Eglise et dans la société*, DDB, Paris, 1978 ; *Que dites-vous du Christ ? (De saint Marc à Bonhoeffer)*, éd. par G. Bessière et les Equipes enseignantes), Cerf, Paris, 1969 ; H. KÜNG, *Etre chrétien*, Seuil, Paris, 1968, pp. 136-157 : « Christ de la piété, du dogme, des illuminés, des poètes et des romanciers » ; P.G. TOSCANO, *Il pensiero cristiano nell'arte*, Bergame, 1960 (3 vol.).

chrétienne dans la personne de Jésus de Nazareth Messie comme celui qui a réalisé l'alliance historique de Dieu avec nous. C'est pourquoi cette Initiation présente ensemble messianisme et rédemption : la réalisation de l'alliance divine avec nous s'articule à la façon dont l'histoire est arrachée à sa perte grâce à l'envoi du Serviteur parfait, le Fils, et de l'Esprit. Celui-ci permet l'appropriation diversifiée de cette œuvre par tout un peuple. Ainsi le discours christologique ne supprime-t-il pas l'éclatement des discours sur Jésus. Il les légitime même théologiquement. Mais il propose une cohérence dans la pratique historique de Jésus et des chrétiens selon une mise en perspective qui est messianique comme nous aurons à l'expliquer : réalisation de l'alliance de Dieu dans notre histoire et constitution d'un peuple témoin. Autant dire que la christologie dogmatique se doit d'expliquer en quoi Jésus révèle *Dieu* et instaure une *Eglise* en notre *histoire*.

Tout discours christologique touche ainsi l'ensemble du mystère de la foi [2]. Ce n'est pas pour autant un discours englobant qui dispenserait d'une théologie plus vaste : doctrine de Dieu, ecclésiologie, anthropologie, pratique chrétienne, etc. Mais toute la foi chrétienne tire sa cohérence d'une personne historique, inséparable d'un peuple et de la révélation du dessein de Dieu dans notre histoire. Nous tâcherons d'être rigoureusement fidèles à cette visée, en sachant qu'elle n'est pas la seule possible.

Les deux premiers exposés de théologie néo-testamentaire et patristique ont montré la diversité des christologies dans leur constitution historique. Avec le pluralisme culturel et théologique actuel le discours théologique que nous développons ici est situé à un moment où l'Eglise, comme l'humanité, doit faire face à des choix historiques déterminants pour l'avenir. C'est l'histoire qui encore et toujours reste à faire. Cette christologie s'articule donc à une pratique chrétienne, elle-même diversifiée (des chrétiens traditionalistes aux communautés de base retrouvant la tradition inventive de l'Evangile) et à un monde en recherche. Tous ces partenaires tiendront un discours stérile ou fantaisiste sur Jésus s'ils ne l'exposent pas à la vérification par l'histoire [3], celle de Jésus de Nazareth et celle des

---

2. E. Schillebeeckx, *le Christ, sacrement de la rencontre de Dieu*, Cerf, Paris, 1967.

3. M. Bellet, *Au Christ inconnu*, DDB, Paris, 1976, qui invite à la lucidité sur soi-même quand on évoque Jésus. M. Légaut oppose expérience spirituelle (foi en Jésus) et doctrine (christologie) d'une façon qui demande à être nuancée cependant : cf. *Deux chrétiens en chemin... Nouvelle rencontre du P. Varillon et de M. Légaut au Centre Kierkegaard*, Aubier, Paris, 1978, pp. 97 ss. En tout cas, le rapport à l'histoire terrestre de Jésus est ce qui

femmes et des hommes qui s'en réclament aujourd'hui. Le choix de cette christologie parmi d'autres doit confirmer sa vérité par sa force à ouvrir l'histoire de Jésus et la nôtre.

L'histoire est donc le lieu natif de la foi. Et l'évolution de l'importance accordée à l'histoire explique aussi la diversité des approches christologiques dans la tradition théologique plus récente. Plus précisément, cette référence à l'histoire de Jésus est si déterminante qu'elle a provoqué une sorte de révolution copernicienne (une de plus!) en christologie et, par contrecoup, en théologie, puisqu'il est devenu courant depuis une vingtaine d'années d'opposer deux sortes de christologie : l'une « par en haut » et l'autre « par en bas ». Nous verrons donc d'abord la vérité et les limites de cette opposition avant d'en venir à une approche plus résolument messianique.

1. L'approche classique par « en haut » ou du « début »

Il s'agit du modèle que l'on peut dire dominant et « classique » en théologie, car il a déterminé la réflexion christologique depuis les grands conciles christologiques jusqu'aux années récentes et il fournit encore aujourd'hui des points de repère incontournables. Selon cette perspective, la christologie part d'en haut : de Dieu vers l'homme. Elle ne part donc pas du Jésus historique mais du Fils éternel qui se fait homme, du Dieu Trinité dont tout découle : l'Incarnation du Verbe, la compréhension de sa personne et de sa mission. Nous avons alors la séquence courante en théologie scolastique : Trinité — Création — Chute (péché originel) — Incarnation du Verbe, Dieu et homme parfait, qui restaure l'humanité dans son statut primitif d'avant le péché pour lui procurer la vie éternelle.

La force de ce modèle — outre sa prééminence progressive à partir du vᵉ s. jusqu'à nos jours et donc son autorité dans la Tradition chrétienne — vient de ce qu'il affirme clairement, à la suite de Léonce de Byzance, l'unité de la personne de Jésus-Christ, fondée dans la personne éternelle du Verbe. Il explique ainsi la portée divine et humaine de tous ses actes (actions théandriques). Cette vigueur d'explication s'allie à la rigueur doctrinale qui était nécessaire pour

distingue le plus nettement les évangiles apocryphes et le canon du NT : H. Koester, « One Jesus and Four Primitive Gospels », in *Harvard Theological Review*, t. 61, 1968, pp. 203-247, repris dans *Trajectories Through Early Christianity*, J.M. Robinson et H. Foester ed., Fortress Press, 1971, pp. 158-204.

vaincre, après des siècles de lutte, le docétisme et la gnose, qui relativisaient l'humanité de Jésus, et pour éviter le dualisme qui aurait réduit à néant l'originalité de Jésus, vrai homme et vrai Dieu. L'*Incarnation* constitue l'événement générateur de ce schéma et, dans tout autre modèle, ce terme reste indispensable pour dire l'origine, l'unité et l'identité de la personne de Jésus.

Cependant, cette position, née à la suite d'affrontements doctrinaux, s'est durcie et sclérosée lorsque les théologiens postérieurs ont systématisé ce qui était le résultat d'une confrontation vitale de l'expérience spirituelle de l'Eglise face aux hérésies. C'est ainsi que ce schéma par « en haut » a traité de l'humanité de Jésus selon un raisonnement logique qui ne tenait pas compte de la complexité de l'Ecriture : il fut établi par exemple que, en vertu de ses deux natures, Jésus possédait une conscience qui était limitée humainement mais illimitée par suite de sa divinité, excluant toute sorte d'ignorance et de doute, incluant même « la vision béatifique » alors que les Evangiles n'hésitent pas à parler de l'ignorance de Jésus et de sa foi. De même, la résurrection fut-elle attribuée au Verbe lui-même, tout-puissant, — son « plus grand miracle » — alors que le Nouveau Testament affirme toujours que c'est Dieu (le Père) qui a ressuscité son Fils, la résurrection étant à la source de la reconnaissance de la divinité de Jésus.

Ainsi les critiques de cette christologie « descendante », surtout depuis Pannenberg[4], ne se sont pas privés de montrer que ces thèses, non seulement étaient opposées à l'Ecriture en sous-estimant la richesse de l'humanité de Jésus, mais aussi qu'elles se donnaient au départ ce qu'il fallait montrer, à savoir la divinité de Jésus. Ajoutons que cet argument scripturaire et théologique est encore renforcé si on le situe historiquement en montrant que la christologie par en haut tirait sa force d'un certain modèle cosmologique et ecclésiologique par lesquels il se comprend bien.

a) Un modèle cosmologique

Dans l'antiquité, en effet, l'existence de Dieu (ou des dieux) n'est pas remise en cause, car elle est la clef de voûte d'une cosmologie, indissociablement théologique et physique, que l'on pense l'origine du monde selon une vision émanatiste (surtout néoplatonicienne) ou créationniste (biblique) (cf. Excursus I). Dieu, en haut, est la cause

---

4. W. PANNENBERG, *Esquisse d'une christologie*, Cerf, Paris, 1971, pp. 30-35.

première de tout et peut intervenir dans le déroulement des causes secondes en bas (y compris par toute une série d'intermédiaires où les anges ont leurs correspondants dans les sphères célestes). Selon cette construction du monde, il n'est pas difficile d'admettre que 1. Dieu existe, 2. qu'il s'incarne et 3. que l'Incarnation commence par un miracle (la naissance virginale) puisque Dieu est la Cause première de tout ce qui se produit dans le monde physique. Or la révolution scientifique du XVIIᵉ siècle va chercher à comprendre l'univers de plus en plus selon un enchaînement de causes naturelles, où Dieu n'a plus sa place, et selon des lois expliquées mathématiquement. Dans ces conditions le miracle apparaît de plus en plus comme insensé et Dieu comme inutile ou du moins sans lieu. Déjà Spinoza, dans son *Tractatus theologico-politicus* (1670) veut expliquer l'AT sans faire appel aux miracles, que Hume, au XVIIIᵉ siècle, exclura totalement. Laplace déclarera enfin qu'il n'a pas besoin de «l'hypothèse» Dieu pour expliquer l'univers. La religion entre alors dans l'ordre du «surnaturel» et du «*méta*physique» invérifiable et le schéma par «en haut» perd donc de sa crédibilité en même temps que l'Eglise se voit contestée dans son autorité «*sur*naturelle».

b) Un modèle ecclésiologique

En effet, cette christologie d'en haut s'est développée dans une Eglise qui, de plus en plus s'est posée comme étant elle-même au-dessus de la société, lui dictant ses règles de conduite et ses buts, dépositaire de l'enseignement et de l'autorité du Verbe Incarné[5].

Depuis le concile Vatican II, dans l'Eglise catholique, il est devenu courant de faire la critique d'une ecclésiologie bâtie sur un modèle christologique et non pas sur une pneumatologie[6]. Par modèle

---

5. J.-F. O'GRADY, *Models of Jesus*, Doubleday, New York, 1981, p. 53. Cf. La bulle *Unam sanctam* d'Innocent III, citée dans R. SEEBERG, *Lehrbuch der Dogmengeschichte*, WBG, Darmstadt, t. III, 1959⁶, pp. 302-303 et Y. CONGAR, «l'Ecclésiologie, de la Révolution française au Concile du Vatican, sous le signe de l'affirmation de l'autorité», in *l'Ecclésiologie au XIXᵉ siècle*, Cerf, Paris, 1980, pp. 77-114.

6. Un point de vue orthodoxe : N. LOSSKY et N. NISSIOTIS, *le Saint Esprit*, Genève, 1963, pp. 85-106. Nombreux articles depuis. Cf. Y. CONGAR, «"Pneumatologie" ou "Christomonisme" dans la tradition latine», in *Ecclesia a Spiritu Sancto edocta*. *Mélanges Mgr Philips*, Gembloux, 1970, pp. 41-63. Voir aussi, *infra* les chapitres de pneumatologie et d'ecclésiologie ; Y. CONGAR et J. ZIZIOULAS, dans les *Eglises après Vatican II*. *Dynamisme et Perspective*, Beauchesne, Paris, 1981.

christologique on entend ici justement une théologie conçue en termes de pouvoir : Dieu le Père a envoyé son Fils unique dans le monde pour revêtir la condition humaine et accomplir sa mission dans une obéissance parfaite ; pour continuer cette mission, le Christ fonde lui-même l'Eglise aux jours de sa vie prépascale et institue Pierre, des apôtres, et des évêques qui instituent eux-mêmes d'autres collaborateurs.

Dans ce modèle, la communication est réduite à une suite de délégations de pouvoirs de type pyramidal, sans dialogue possible ou, comme on le dit aujourd'hui, sans *feed-back*[7]. Nulle part il n'est question de peuple ou de communauté qui aurait un rôle actif. Le principe divin, réduit à l'autorité suprême, est seul actif ; l'homme est passif, y compris l'homme Jésus. Cette christologie est celle d'une Eglise qui se pose en rivale d'un monde qu'elle voudrait se soumettre : elle se définit comme société, voire contre-société et non pas communion. L'Esprit n'y a plus aucun rôle puisqu'il est remplacé par une théologie de la grâce conférée par le seul Christ-tête.

A ce modèle, on a opposé à juste titre une Eglise façonnée par l'Esprit Saint. Mais il ne faudrait pas croire qu'on puisse juxtaposer une ecclésiologie de type pneumatologique et une christologie sans Esprit Saint. On ne peut concevoir d'un côté l'Eglise comme communion de personnes libres et d'Eglises locales ayant chacune leur personnalité propre et, en même temps, prêcher dans ces Eglises un Christ dont l'humanité est entièrement passive, énervée de son autonomie humaine, et qui ne serait qu'un moyen pour le Verbe de réaliser la volonté du Père.

Il faut montrer au contraire comment l'Esprit Saint joue un rôle indispensable dans l'humanité de Jésus et pour nous : de même que l'Esprit permet à l'humanité de Jésus de s'ouvrir entièrement à Dieu et aux hommes tout en approfondissant sa personnalité, de même l'Esprit permet à des croyants et à des communautés de s'approprier la richesse du Christ selon leur personnalité propre. C'est pourquoi nous avons une diversité de christologies dans le NT et non pas une seule. L'Esprit permet la diversité des appropriations de l'événement Jésus-Christ par des personnes libres et des Eglises locales tout à la fois autonomes et en communion entre elles. Ces diverses christologies du NT sont en cohérence avec l'expérience spirituelle de l'Eglise.

---

7. G. DEFOIS, *Révélation et société. Etude critique de la constitution conciliaire « Dei Verbum » et des fonctions sociales de l'Ecriture*, thèse dact. Institut Catholique de Paris, 1974. Cf. *RSR*, 63, 1975, pp. 457-504.

Inversement, on peut constater que la christologie commence à se constituer en raisonnement autonome en même temps que l'Eglise se structure en institution qui sépare de plus en plus ministères et droit de son mystère sacramentel et de son enracinement pneumatologique dans le peuple de Dieu : c'est aux xiᵉ et xiiᵉ siècles que l'on repère des ruptures ou des mouvements de fond importants : dissociation entre l'Eglise et l'Eucharistie, ordinations aux ministères sans charge pastorale (ministères absolus), théologie de l'Eglise répartie dans les chapitres de christologie et, d'une façon autonome, dans les traités des canonistes, en même temps que se constitue un droit canon centralisé et plus détaillé. Or c'est au xiᵉ siècle que paraît le *Cur Deus homo ?* de saint Anselme, instituant en théologie l'autonomie d'un discours christologique qui, plus tard, en scolastique, éclatera parfois en deux traités : la *christologie* proprement dite — ou *de Verbo incarnato* — qui traitera de la personne composée de Jésus-Christ, Fils de Dieu assumant une nature humaine, et un traité de *sotériologie* ou *de redemptione*. Ce second traité vient compléter le traité de christologie — considérée souvent selon un raisonnement métaphysique et déductif — par une réflexion mettant l'accent sur le rôle de l'humanité de Jésus, et particulièrement de sa mort, dans notre salut lui-même interprété en termes de grâce intérieure et pleinement déployé dans l'au-delà (salut de l'âme).

c) Une christologie centrée sur l'Incarnation et la mort rédemptrice

Il est courant de dire aujourd'hui que cette christologie par en haut ou du début est centrée sur l'*Incarnation* dont tout dérive. C'est vrai, mais le pôle principal s'accompagne d'un pôle secondaire : la *mort rédemptrice*. Chacun de ces pôles permettant la constitution d'un « traité » : christologie au sens étroit du terme et sotériologie, ou bien traitement de la sotériologie à l'intérieur de la christologie mais au seul chapitre de la mort rédemptrice [8]. Cette dissociation entre christologie et sotériologie appauvrit à la fois la compréhension de la personne de Jésus dans son humanité et notre implication dans son destin, puisque le salut est acquis par la seule mort du Christ et au bénéfice de la seule âme qui doit se trouver en état de grâce au moment de la mort. Cette vue du salut appauvrit également notre humanité et dévalorise l'histoire. En effet, si l'homme doit sauver sa seule âme, pourquoi

---

8. Par exemple Louis Le Grand, *Tractatus de Incarnatione Verbi divini*, dans le *Theologiae Cursus completus* de Migne, t. IX, Paris, rue des Maçons-Sorbonne, 1837, Dissertatio VIII : « De satisfactione Christi », col. 849-925. Rappelons que ce cours de théologie est dû au concours de théologiens catholiques de toute l'Europe.

vivre sur terre ? Et l'Eglise ne se trouve-t-elle pas alors en marge des luttes humaines et soupçonnée de prêcher la résignation ? Là encore comme dans la christologie la sotériologie se trouve en décalage par rapport à l'Ecriture. En effet, Jésus n'a pas eu recours lui-même au vocabulaire du salut[9] d'origine hellénistique et répondant à des préoccupations plus individuelles et morales sur le salut de l'âme. Pour Jésus, l'achèvement de l'homme, ce n'est pas le « salut », mais l'entrée dans le Royaume qui vient et qui va transformer le monde. Autrement dit, le salut, c'est « suivre Jésus ». Ce thème de la « suite de Jésus » ou imitation a eu une très grande importance dans la spiritualité chrétienne, même lorsqu'elle n'était pas réfléchie en sotériologie. Pourtant cette « suite de Jésus » va jusqu'à la mort, et, comme l'a fait remarquer D. von Allmen, implique l'idée de « substitution ». Mais alors que celle-ci, dans la sotériologie dogmatique à partir de S. Anselme et plus encore dans la tradition luthérienne a été réduite à la substitution pénale (ou rédemption vicaire) par laquelle Jésus nous délivre de la colère de Dieu en prenant sur lui nos péchés et en nous en lavant par sa mort, il s'agit ici d'une substitution initiatique : « je peux suivre Jésus, marcher sur le même chemin que lui, dans l'abaissement, parce que d'abord il s'est mis à ma place pour m'ouvrir le chemin[10] ».

Il n'est pas étonnant que ces défauts de la christologie par en haut aient incité les théologiens contemporains à renverser ce schéma et à partir d'en bas, du destin historique de Jésus, comme nous allons le voir. Cela ne veut pas dire que tous nos contemporains, en particulier les nouvelles générations, soient passés par cette étape. Certains n'en ont même pas la moindre idée, ayant découvert par eux-mêmes directement l'homme Jésus. Mais il faut comprendre cette étape de la pensée théologique pour comprendre les christologies actuelles, d'autant plus que cette première approche continue d'être familière au plus grand nombre des chrétiens et qu'elle garde un moment de vérité.

2. L'approche par « en bas » ou de « la fin »

A l'inverse de l'approche par en haut, qui descend de Dieu Trinité et, plus précisément du Verbe qui s'*incarne*, l'approche par en bas

---

9. J. SCHMITT, *la Genèse de la sotériologie apostolique*, dans *RevSR*, 1977 (LI), pp. 40-53 ; cf. G. GRESHAKE, « Der Wandel der Erlösungsvorstellungen in der Theologiegeschichte », in *Erlösung und Emanzipation*, coll. « Quaestiones disputatae » n° 61, Herder, Fribourg, 1973, pp. 69-101.
10. *L'Evangile de Jésus-Christ*, Clé, Yaoundé, 1972, p. 84.

prend son point de départ dans le *destin historique* de Jésus pour découvrir en lui le Fils de Dieu et la révélation de Dieu culminant dans la *résurrection*. On pourrait penser qu'il s'agit là d'une démarche ancienne, propre au Nouveau Testament et en particulier aux synoptiques. En fait, ce qu'on appelle aujourd'hui « christologie par en bas » désigne un retournement qui s'explique par des raisons historiques et théologiques profondes ayant amené la remise en question de la christologie par en haut. Historiquement et culturellement, en effet, la christologie par en haut s'inscrit dans une cosmologie et une théologie intimement liées que la révolution scientifique du xviie siècle a remises en question, comme nous l'avons vu. Mais il y a plus.

Parallèlement, en effet, à la physique et à la critique philosophique de la connaissance (en particulier celles de Hume et Kant), les *sciences historiques et philologiques* commencent à se développer et sont appliquées à la Bible. Dans un premier temps, cette nouvelle attention aux textes, dans leur langue originale, avait profité à la réforme protestante et humaniste en opposant l'autorité de l'Ecriture divine aux raisonnements scolastiques. Mais, dans un deuxième temps, la *lettre* de l'Ecriture va se trouver distinguée de son interprétation théologique pour être étudiée dans sa matérialité et son historicité. Du coup, c'est le principe luthérien de la « clarté » de l'Ecriture qui est remis en question à son tour. Ainsi Richard Simon, dans son *Histoire critique du Vieux Testament* de 1678 fait-il remonter la rédaction du Pentateuque non pas à Moïse, mais aux scribes du temps d'Esdras, introduisant ainsi la *distance historique* dans la lecture biblique. Ce livre est mis à l'index et détruit dans le royaume de France (R. Simon réussit cependant à le rééditer aux Pays-Bas). En 1689, il publie l'*Histoire critique du Nouveau Testament* et, en 1693, une *Histoire critique des principaux commentateurs du Nouveau Testament* qui provoqua une réponse violente et passionnée de Bossuet dans sa *Défense de la Tradition des Saints Pères*. R. Simon distingue un sens littéral, souvent ambigu, décelé par la recherche historico-critique sur la lettre de l'Ecriture, et un sens spirituel mis en valeur, dans la foi, par la tradition des Pères et de l'Eglise. Bossuet n'accepte pas cette ambiguïté de la lettre, qui ne pourrait pas dirimer le débat entre Arius et Athanase : « Tout ce jeu de M. Simon n'aboutit visiblement qu'à faire voir contre toute la théologie, qu'on ne peut rien conclure des livres divins [11] », alors que, pour lui, « c'est une tradition constante et universelle dans l'Eglise, que les preuves de l'Ecriture sur certains

---

11. *Défense de la tradition et des Saints-Pères*, éd. Lachat, Vivès, Paris, 1862, vol. IV, p. 37.

mystères principaux sont évidentes par elles-mêmes encore que les hérétiques aveuglés et préoccupés n'en sentent pas l'efficace »[12]. Là où R. Simon voulait instaurer une *distinction* entre lettre, d'une part, et sens théologique ou spirituel chrétien, d'autre part, ne serait-ce que pour favoriser le dialogue avec les juifs, Bossuet voit une *opposition* et une attaque de la Tradition, des Pères et de toute la théologie, « comme si la théologie, c'est-à-dire la contemplation des mystères sublimes de la religion, n'était pas fondée sur la lettre et sur le sens naturel de l'Ecriture ou que les sens qu'inspire la théologie fussent forcés et violents, et que ce fussent choses opposées d'expliquer théologiquement l'Ecriture et de l'expliquer naturellement et littéralement »[13].

En fait la question de la lettre et du sens est complexe[14], mais ce débat entre Bossuet et R. Simon montre combien le début de la recherche historico-critique a ébranlé le rapport de la réflexion croyante à la tradition de la foi. C'est d'ailleurs la Tradition que Bossuet veut défendre puisqu'il la croit attaquée par R. Simon sur sept point principaux, dont les quatre derniers sont fondamentaux pour notre sujet : les preuves de l'Ecriture, l'autorité de l'Eglise, la théologie et la preuve de la messianité de Jésus par les prophéties (ce qui touche directement la christologie, puisque toute l'apologétique chrétienne depuis les origines a fondé la divinité de Jésus et sa messianité sur l'accomplissement des prophéties).

La critique biblique va se poursuivre sur d'autres voies également, en particulier par la *philologie*. C.G. Heine (1729-1812) développe le concept de mythe pour la littérature grecque, J.C. Eichhorn (1752-1827) l'applique à la « mythologie juive » et J.P. Gabler (1753-1826) cherche à distinguer faits et mythes dans l'histoire de Jésus. Ce mot « *mythe* » prendra des sens divers chez les historiens de la religion, exégètes et théologiens, dans les deux derniers siècles, mais,

---

12. *Ibid.*, p. 59.
13. *Ibid.*, p. 95.
14. Cf. P. Beauchamp, « Exégèse aujourd'hui : histoire et grammaire », in *les Quatre Fleuves*, n° 7, 1977, pp. 68-81 (maintenant dans : *le Récit, la Lettre et le Corps*, Cerf, Paris, 1982, pp. 15-37) ; P.-M. Beaude, *l'Accomplissement des Ecritures. Pour une histoire critique des systèmes de représentation du sens chrétien*, Cerf, Paris, 1980.
Cf. également : P. Vanel, « l'Impact des méthodes historiques en théologie du XVIᵉ au XXᵉ siècle », in *le Déplacement de la théologie*, Beauchesne, Paris, 1977 ; M. de Certeau, « la Formalité des pratiques. Du système religieux à l'éthique des lumières », in *l'Ecriture de l'histoire*, Gallimard, Paris, 1978. Et sur les exigences de l'exégèse pour la théologie : J. Blank, « Exegese als theologische Basiswissenschaft », in *ThQ*, 1979/1, pp. 1-23, avec bibliographie.

en théologie, il sera toujours à comprendre en relation avec le Jésus historique.

En effet, la *question du Jésus historique* est posée la première fois de façon cinglante et polémique par un pamphlet de Hermann Samuel Reimarus [15] (1694-1765), que l'auteur n'osa d'ailleurs pas faire paraître de son vivant et dont Lessing publiera des extraits (1774-1778). Pour Reimarus, le christianisme repose sur une tromperie : Jésus fut un juif qui voulut soulever le peuple contre le Sanhédrin et les pharisiens, amis des Romains, et instaurer le Royaume de Dieu. Après sa condamnation à mort et son échec (reconnu dans le cri sur la croix), ses disciples volèrent son cadavre, proclamèrent sa résurrection et transformèrent sa prédication du Royaume en attente du monde futur apocalyptique. Cet écrit de Reimarus inaugure le divorce moderne entre « Jésus de l'histoire » et « Christ de la foi » (sans employer encore ces expressions qui seront définies d'abord par D. Fr. Strauss [16] pour la critique rationaliste puis par M. Kähler [17] pour la théologie). En d'autres termes, la « christologie » dogmatique « d'en haut » se trouve qualifiée d'invention. En même temps, c'est l'autorité de l'Eglise qui se trouve attaquée, alors que nous sommes en plein siècle des Lumières confiant en l'émancipation de l'homme, grâce à la raison, du « joug de la pensée métaphysique et théologique » [18] (encore que l'Aufklärung allemande n'ait pas eu cette coloration antireligieuse qui caractérise les Lumières en France).

La christologie par en bas n'est pas encore née pour autant, car la personne de Jésus va se trouver soumise alors à un double traitement parallèle ou antagoniste.

Du côté rationaliste, le destin de Jésus tend à n'être plus qu'une histoire sans théologie. Mais ce pari est difficile à tenir. Comment faire, en effet, puisque les Evangiles ne fournissent pas un document historique neutre, mais transcrivent l'expression de la foi des premières communautés chrétiennes ? C'est donc l'imagination qui va

---

15. H.S. REIMARUS, *Apologie oder Schützschrift für die vernünftigen Verehrer Gottes,* Francfort sur le Main, 1972 (trad. fr. non critique : *le Dessein de Jésus et de ses disciples,* Paris, 1778). Il parut entre 1774 et 1778 sous forme de fragments : *Fragmente eines Wolfenbüttelschen Unbekannten.*

16. D.Fr. STRAUSS, *Der Christus des Glaubens und der Jesus der Geschichte. Eine Kritik des Schleiermacherschen Lebens Jesu,* 1865.

17. *Der sogenannte historische Jesus und der geschichtliche, biblische Christus,* Leipzig, 1892 (réimprimé dans la *Theologische Bücherei,* Munich, 1953 et 1961); 2ᵉ éd. Leipzig, 1896 et 1928.

18. E. CASSIRER, *la Philosophie des lumières,* Paris, 1966, p. 182 (sur ce contexte on peut toujours consulter les ouvrages de P. HAZARD, en particulier *la Crise de la conscience européenne (1680-1715),* Boirin, Paris, 1935, 3 vol.)

suppléer à la foi ! De nombreux auteurs rationalistes du XIXᵉ siècle développeront leurs « vies de Jésus » dans un cadre *romanesque* pour donner sens aux quelques faits historiques que nous connaissons sur Jésus : l'imagination cherche à donner un sens naturel à des faits dépourvus de sens une fois dépouillés de leur perspective théologique. L'imagination alors s'exerce à plein pour expliquer les miracles de Jésus, sa résurrection (le vol du cadavre), l'enseignement, etc. Ou bien le roman cède la place à la *philosophie systématique*. L'œuvre la plus célèbre dans ce cadre est *la Vie de Jésus* (1835)[19] composée par D. Fr. Strauss. Celui-ci donne un sens plus précis et plus positif que ses contemporains au mythe et à la légende en y voyant un revêtement à forme historicisante d'idées religieuses (en particulier celles qui tendent à glorifier un héros). Aussi, d'après lui, faut-il débarrasser les Evangiles de tout ce qui est extraordinaire (naissance virginale, miracles, résurrection) et retrouver le Jésus historique. En même temps, il radicalise la critique rationaliste des premières vies de Jésus qui limitaient le mythe à l'incarnation et à la résurrection, Il étend donc le mythe à *toute* la vie de Jésus : celui-ci a été l'occasion pour tout le genre humain de prendre conscience de l'unité du divin et de l'humain, alors que Hegel, théologien classique sur ce point, voyait en Jésus un moment historique qui fait du christianisme la réconciliation de l'universel et du particulier. Un autre hégélien de gauche, F. Baur, dans la dernière période de sa vie, déclarera que l'enseignement du christianisme — l'unité du divin et de l'humain — tient par lui-même, que Jésus ait existé ou non[20]. Feuerbach en tirera les conclusions en demandant le remplacement de la théologie par l'anthropologie.

A. Schweitzer a fait l'histoire de ces essais pour en déclarer la faillite[21], car chaque auteur attribue à Jésus ses propres conceptions, sans nous livrer le « vrai » Jésus non dogmatique, affranchi des Eglises.

---

19. *Das Leben Jesu*, 2 vol., Leipzig, 1835-6. Plus tard il écrivit une autre vie pour un public populaire mais cet ouvrage est d'une moindre importance. Trad. fr. *Vie de Jésus*, Ladrange, Paris, 1839-1840 (4 vol.) et *Nouvelle vie de Jésus*, J. Hetzel et A. Lacroix, Paris, 1864 (2 vol.).

20. Sur la non-existence de Jésus, par exemple P.-L. Couchoud, *le Mystère de Jésus*, F. Rieder, Paris, 1924.

21. *Von Reimarus zu Wrede. Eine Geschichte der Leben-Jesu-Forschung*, Tübingen, 1906, 2ᵉ éd : *Geschichte der Leben-Jesu-Forschung*, 1913 (réédité en livre de poche, Munich, 1966). En français, un résumé très suggestif dans E. Trocmé, *Jésus de Nazareth vu par les témoins de sa vie*, Delachaux, Neuchâtel, 1971, pp. 9-22. Sur les limites de l'ouvrage de A. Schweitzer : W. Reumann, « The Problem of Lord's Supper As Matrix for A. Schweitzer's Quest of The Historical Jesus », in *NTS*, t. 27, 1980-81, pp. 475 s.

Du côté des théologiens plusieurs tentatives vont essayer de surmonter le divorce entre Jésus de l'histoire et Christ de la foi[22]. Fr. Schleiermacher (+ 1834) est le premier théologien moderne à avoir tenu un cours sur la vie de Jésus pour l'articuler à une théologie s'appuyant sur la subjectivité à la fois personnelle — le sentiment religieux de dépendance par rapport à Dieu — et communautaire : la piété de la communauté ecclésiastique. Ce faisant, il veut se démarquer des vies de Jésus libérales (autant chrétiennes que juives) qui perçoivent en Jésus un prophète juif ou un sage. Mais il est aussi le premier à remettre en cause le dogme néo-chalcédonien, fondement de la christologie par en haut, qui fait du Verbe éternel le fondement de la personnalité divine et humaine ; il cherchera à comprendre l'unité de la personne à partir de la conscience. Mais Schleiermacher, ce «Père de l'Eglise du xxe siècle», dira Barth tout en s'opposant à lui, ne cherche pas à réconcilier «Christ de la foi» et «Jésus de l'histoire» puisque ce dernier désigne alors le produit d'une exégèse peu scientifique, produit de l'imagination et du désir d'émancipation contre l'autorité de l'Eglise. Dans ces conditions, un théologien, Martin Kähler, prône le divorce entre Jésus de l'histoire et Christ de la foi. Dans un opuscule de 1892, il affirme que la foi s'intéresse au seul Christ ressuscité du kérygme (la première prédication chrétienne) et non pas au «Jésus historique» reconstruit de façon hasardeuse. Ce divorce sera renouvelé de façon plus argumentée au xxe siècle par R. Bultmann, sur d'autres bases. En effet, R. Bultmann est l'un des fondateurs de l'école socio-littéraire dite de «l'histoire des formes (littéraires)» (Formgeschichte), dont l'initiateur pour l'AT est H. Gunkel.

Parmi les différents genres littéraires, Bultmann met en relief le kérygme[23] qui proclame Jésus comme Christ et qui a son Sitz im Leben (emplacement institutionnel) dans les premières communautés chrétiennes. Or c'est ce kérygme, produit de la foi, qui a marqué tous les textes évangéliques concernant Jésus. Il n'est donc pas possible, selon lui, de dire quelque chose de certain sur le Jésus historique. De plus, du point de vue de la foi, il est absurde de s'appuyer sur ce Jésus

---

22. On se reportera à une histoire de la théologie moderne. En français, aperçus utiles dans : R. MEHL, la Théologie protestante, PUF, Paris, 1966 ; H. HOLSTEIN, «la Théologie entre les deux guerres», in 2 000 ans de christianisme, t. 9, Paris, 1976, pp. 127-135 ; M. NEUSCH et B. CHENU, Au pays de la théologie. A la découverte des hommes et des courants, Centurion, Paris, 1979 ; G.W. BROMILEY, Historical Theology : An Introduction, T & T Clark, Edimbourg, 1978.

23. Cf. tome I, Introduction : théologie biblique (P. Beauchamp) ; L. MALEVEZ, «Jésus de l'histoire et Interprétation du kérygme», in NRT, t. 91, 1969, pp. 785-808.

historique car ce serait vouloir fonder la foi, grâce de Dieu, sur un savoir humain et donc mettre en cause le principe réformateur de la justification par la foi seule. L'Ecriture est avant tout «Parole de Dieu» qui nous provoque à la conversion. Pour respecter le texte même de l'Ecriture il propose des principes d'interprétation existentiale qui passent par le programme de *démythisation*. Le mot mythe prend ici un nouveau sens : c'est la narration en termes d'événements du monde et de l'humain de ce qui est proprement supramondain et divin (ainsi l'incarnation, la résurrection, etc.). La foi ne s'intéresse pas à l'image mythique du monde, car elle naît de l'écoute de la Parole de Dieu seule, qui permet de faire passer de l'existence inauthentique à l'authenticité et permet de vivre de façon résolue l'obéissance à Dieu, sans s'appuyer sur un savoir ou ce qu'on peut faire dans le monde pour en tirer une quelconque gloire ou assurance devant Dieu.

L'interprétation bultmanienne tirait les conséquences, en théologie, de la révolution scientifique : son programme de démythisation suppose que Dieu intervienne non pas directement dans le monde marqué par le déterminisme, mais indirectement pour donner sens à la liberté humaine (cf. Kant). Mais les conséquences de cette position sont trop restrictives pour la foi, car celle-ci devient chez Bultmann une pure affaire subjective et privée, sans articulation à l'histoire. Ainsi, l'opposition entre science et foi, qui s'était développée au cours des siècles précédents, produit ici un nouvel effet, cette fois à l'intérieur de l'objet même de la foi, en opposant le Jésus de l'histoire et le Christ de la foi, celle-ci devenant étrangère au monde. Par contrecoup, comme au XIXe s., la christologie ecclésiastique se trouvait opposée à la vérité scientifique qui voudrait établir la figure historique de Jésus. C'est, en fait, en réaction contre cette position qu'est née la christologie par en bas dont l'expression la plus nette a été formulée par W. Pannenberg dans son *Esquisse d'une christologie* (1964 ; trad. fr. 1971). Il est allé au plus loin, en sens inverse, en faisant de l'histoire le fondement nécessaire — mais non suffisant, car elle suppose aussi la grâce de Dieu — de la foi[24].

Mais avant Pannenberg, qui critique l'herméneutique existentielle et individualiste de Bultmann, la position bultmanienne avait été dénoncée par d'autres théologiens et exégètes : si l'on sépare Christ de la foi et Jésus de l'histoire, la foi en Jésus n'a plus aucun fondement historique et elle est soupçonnée alors d'être une invention humaine, un nouveau « mythe ».

---

24. Sur Pannenberg : I. Berten, *Histoire, révélation et foi. Dialogues avec W. Pannenberg*, Cep, Bruxelles, 1969 ; D. Muller, *Parole et Histoire. Essai de théologie fondamentale en dialogue avec W. Pannenberg*, thèse, Neuchâtel, 1981.

Le raisonnement *théologique* est à la base de la « *nouvelle quête du Jésus historique* » [25] bien différente de celle du XIXᵉ s., car elle veut relier une recherche historique et exégétique rigoureuse à une réflexion théologique. Mais, notons-le, ce raisonnement théologique s'appuie sur ce qui avait fait la force de l'argumentation scientifique, de R. Simon à Bultmann : la considération du *texte* de l'Ecriture. Cependant, le texte n'est plus considéré seulement sous la forme de genres socio-littéraires distincts, dont le plus déterminant serait le *kérygme*, mais comme un ensemble dont le lien est fait par le *récit écrit*. C'est un disciple de Bultmann, E. Käsemann, qui dans une conférence célèbre de 1953 montre que la chrétienté primitive a interprété le Christ glorifié de Pâques à partir de son abaissement et inversement : « En identifiant le Seigneur abaissé avec le Seigneur élevé, la chrétienté primitive manifeste qu'elle n'est pas capable de décrire son histoire en faisant abstraction de sa foi. Toutefois, en même temps, elle déclare qu'elle n'a pas l'intention de remplacer l'histoire par un mythe, de substituer une créature céleste au Nazaréen [26]. » C'est encore Käsemann qui réhabilite le *récit* en disant que la première communauté n'a pas dû « seulement prêcher le kérygme de Jésus, mais aussi le raconter [27] ». C'est le récit qui forme le lien entre les différentes formes littéraires et donc donne *sens* à des faits en les situant entre une *origine* et une *fin*, mais lesquelles ? Cette origine et cette fin orientent l'histoire de la Genèse à l'Apocalypse, débordant ainsi le cadre d'une chronologie (cf. *infra* paragraphe 3 = « l'approche messianique »).

Comme l'approche par en haut, la christologie par en bas a son moment de vérité : tout comme l'incarnation, le *destin historique* de Jésus constitue un fait incontournable. Toute christologie moderne part désormais du destin historique de Jésus, dont le sens est fourni par la tension entre, d'une part, les événements types de la vie de Jésus (prédication du Royaume, miracles, etc.) et la conscience qu'il a de détenir une autorité sans égale, et, d'autre part, la *résurrection* qui devient l'événement clé authentifiant les actes et la conscience de Jésus. L'accent ne porte plus sur l'incarnation, mais sur la vie et la

---

25. En particulier G. Ebeling, « Die Bedeutung der historisch-kritischen Methode für die protestantische Theologie und Kirche », in *ZThK*, t. 47, 1950, pp. 1-46. Cf. J.M. Robinson, *A New Quest of The Historical Jesus*, SCM, Londres, 1959 et *le Kérygme de l'Eglise et le Jésus de l'histoire*, Labor et Fides, Genève, 1961, 1967² (traduction de *Kerygma und historische Jesus*). Sur les travaux plus récents avec bibliographie : J. Dupont, Introduction à : *Jésus aux origines de la christologie*, ouvrage collectif éd. par J. Dupont, Duculot, Gembloux, 1975.
26. « Le Problème du Jésus historique », in *Essais exégétiques*, Labor et Fides, Genève, 1972, p. 154.
27. « Les Débuts de la théologie chrétienne », *ibid.*, p. 188.

mort comme procès et la résurrection comme réhabilitation qui révèle le Dieu Trinité. Cette démarche est plus satisfaisante à la fois du point de vue exégétique et du point de vue théologique puisqu'elle prend au sérieux l'originalité biblique de la révélation de Dieu dans une histoire et parle davantage à la piété en proposant en Jésus un modèle à la fois pour l'individu et pour une « Eglise servante et pauvre », les yeux fixés sur la promesse de Dieu. Le salut n'est plus réduit à la vie intérieure de la grâce, mais il est référé à son sens évangélique initial : l'accueil du Royaume de Dieu et la « suite de Jésus » en ce monde, dans l'espérance d'un renouvellement radical grâce à la résurrection. L'Eglise sera jugée sur son agir et non pas seulement sur son enseignement. Les théologies de la libération, à partir de la fin des années 60, ont particulièrement insisté sur cette redécouverte concrète du salut et sur « l'orthopraxie »[28].

Cependant, l'approche christologique par en bas n'est pas entièrement satisfaisante pour la foi si l'on entend affirmer que le *récit de l'histoire* de Jésus est un récit suivi chronologiquement et qui nous mène nécessairement à Dieu. Là encore, c'est l'articulation entre *histoire* et *foi* qui doit être éclairée, sinon on peut de nouveau se contenter d'un Jésus purement humain — le libérateur, le marginal, le sage, l'homme pour les autres, etc. — ce qui ne rend pas justice à la dimension théologique de l'Ecriture. Bien des théologiens parlent donc de la complémentarité des deux approches (W. Pannenberg lui-même, W. Kasper, J. Moltmann, etc.). B. Sesboüé rend bien compte de cet accord en affirmant :

Une christologie qui se voudrait exclusivement d'en bas donnerait en définitive à penser qu'en Jésus Dieu s'est donné un Fils et non qu'il nous a donné son Fils, et que Jésus est un homme fait Dieu et non pas Dieu fait homme. Le problème ne peut donc être de choisir entre deux types de christologies qui seraient opposées, mais de savoir les articuler l'une à l'autre. Sur ce point deux choses demeurent acquises : dans l'ordre de la recherche et de l'exposé, la christologie d'en bas doit précéder la christologie d'en haut, car elle représente un temps premier de la révélation ; mais la christologie d'en haut doit exercer ensuite une relecture nécessaire de ce premier mouvement, afin d'en dévoiler pleinement toutes les implications. Les deux mouvements s'établissent alors dans une solidarité circulaire qui leur permet de s'éclairer et au besoin de se corriger mutuellement[29].

---

28. Par exemple G. GUTIERREZ, *Teologia de la Liberacion. Perspectivas*, Cep, Lima, 1971 ; *Théologie de la libération*, Lumen Vitae, Bruxelles, 1975 ; L. BOFF, *Jésus-Christ libérateur*, Cerf, Paris, 1974, p. 54 ; E. SCHILLEBEECKX, *Concilium*, n° 96, 1974.

29. « Esquisse d'un panorama de la recherche christologique contemporaine », in *le Christ hier, aujourd'hui et demain. Colloque de christologie tenu à l'université de Laval (21 et 22 mars 1975)*, Presses de l'université, Laval, 1976, pp. 18-19.

En admettant l'existence d'une « christologie implicite » dans le destin historique de Jésus avant même la « christologie explicite » des premières communautés chrétiennes, il faut bien que ce soit dans l'approche historique de Jésus que soit donné « l'En haut » divin, si l'on ne veut pas encore une fois séparer foi et histoire, selon le vœu d'un exégète : « Au total notre souhait serait de voir la christologie d'aujourd'hui élaborer une vie de Jésus de type purement historique, puis se construire elle-même par une analyse serrée de la foi post-pascale, analyse qui discernerait à chaque étape dans quelle donnée de fait se lit le signe de la dimension "trans-historique" du Christ [30]. » Mais qu'est-ce que ce « trans-historique », cet « En-Haut », qui doivent pourtant être perceptibles historiquement ? Le schéma spatial « par en bas » et « par en haut » ne permet pas de sortir du dilemme. D'ailleurs, la *résurrection* qui est le pôle générateur de l'approche par en bas est un événement où l'en-bas et l'en-haut sont mêlés et, de plus, refluent sur toute la vie terrestre de Jésus jusqu'à l'incarnation. Il faut donc chercher une articulation plus satisfaisante autour d'une forme de *récit* qui relie histoire et foi. Comme le dit W. Kasper à propos de ces deux approches :

La christologie nous place ainsi devant un des problèmes les plus fondamentaux de la pensée en général, à savoir la question de la relation entre l'être et le temps. Dans la christologie il ne s'agit donc pas seulement de l'essence de Jésus Christ, mais de la compréhension chrétienne de la réalité d'une manière très générale. La question historique de Jésus Christ revient ainsi à la question de l'histoire universelle [31].

3. L'approche messianique : accomplissement et « figure »

Les deux approches par en haut et par en bas n'expliquent pas le rôle que joue la *résurrection* à la fois pour la naissance de la christologie (Jésus reconnu comme Christ) et pour la constitution du Nouveau Testament. L'approche par en haut peut se réclamer de l'Evangile de Jean et donc de la problématique du Logos qui fut dominante pour la solution des grandes crises christologiques. Cependant elle appauvrit le ive Evangile soucieux de montrer la révélation du Logos à l'« heure » de la croix et de la glorification de Jésus [32]. De même, l'approche par en bas, qui peut se réclamer jusqu'à un certain point des Actes et des synoptiques, explique difficilement comment le destin historique de

30. A.-L. Descamps, in *Jésus aux origines de la christologie, op. cit.,* p. 46.
31. *Jésus le Christ,* Cerf, Paris, 1976, p. 52. C'est aussi l'approche juive.
32. Thüsing, cité par Sesboüé, *op. cit.,* p. 31.

Jésus est théologique de bout en bout, révélation de Dieu, dépendant de la résurrection qui lui donne sens. La résurrection constitue un événement tellement nouveau comme événement, bien que son contenu soit en connivence avec l'Ancien Testament, qu'elle provoque le renouvellement de l'Ancien en Nouveau Testament. C'est qu'il en va, dans la résurrection du Crucifié, de la réinterprétation de l'ensemble de la réalité en relation à Dieu : non seulement haut et bas, mais début et fin (« être et temps » dit Kasper), et donc accomplissement : « l'ancien monde s'en est allé ».

a) Paradoxe de la résurrection : accomplissement inachevé

La résurrection se donne comme un événement paradoxal, non seulement dans son rapport à l'histoire, puisqu'elle échappe à la constatation empirique (cf. *infra* chap. IV), mais aussi dans sa signification, puisqu'elle fait envisager l'histoire à partir de sa fin (apocalypse).

En effet, la résurrection n'est pas un événement parmi d'autres dans le destin de Jésus puisqu'elle joue un rôle central dans l'interprétation aussi bien de l'Ancien que du Nouveau Testament (cf. chap. 1). Elle ne fait pas que poser un terme à la vie terrestre de Jésus, mais elle reflue sur toute sa vie pour la rendre messianique en plénitude : elle confirme que cet homme était bien le Christ, Fils de Dieu, en accomplissant les promesses de Dieu et en inaugurant un monde nouveau. Aussi, c'est la vie de Jésus en elle-même qui paraît paradoxale, car elle ne se situe pas sur une ligne chronologique continue[33], mais réinterprète les promesses faites aux Patriarches, l'Exode et le rôle de la Loi, le destin du peuple juif et celui de l'humanité (nouvelle création). C'est bien parce qu'il y a re-création que l'AT — de la Genèse aux apocalypses — se trouve accompli et c'est aussi parce que cette re-création est inachevée que le NT s'achève lui-même sur l'Apocalypse, qui clôt l'un et l'autre Livre sur la même espérance de résurrection plus vaste. C'est aussi à cause de cet inachèvement que la religion juive conserve sa légitimité dans l'histoire du salut, à côté de la foi chrétienne qui se greffe sur elle. Ainsi donc, la résurrection apparaît bien à la fois comme *accomplissement* (de la vie de Jésus et de la Loi ancienne) mais aussi comme *inachèvement* : un seul ressuscité, premier-né d'une multitude de frères et prémices du monde nouveau. Cette tension

---

33. C'est ce qu'a bien mis en relief, pour l'A.T., A. NÉHER dans son ouvrage *Amos. Contribution à l'étude du prophétisme*, Vrin, Paris, 1950. On se reportera également à l'œuvre d'O. CULLMANN, en particulier *Christ et le temps*, Delachaux et Niestlé, Paris, 1947.

entre l'accomplissement et son inachèvement ouvre un *entre-deux* et donc des différences qui permettent le jeu de la signification par le biais de la *figure*. Celle-ci, en effet, établit des liens entre différents termes et événements de l'histoire selon une vision familière à l'Ancien Testament ; elle fonde aussi notre implication dans cette histoire en train de se faire, comme nous le verrons plus loin à propos de la loi qui s'articule au récit de l'Exode pour l'achever. C'est pourquoi la résurrection n'est pas seulement kérygme, mais clef d'un récit énigmatique, celui de la vie de Jésus et de la nôtre, car, selon l'apocalyptique qui clôt le livre (AT et NT), c'est la fin qui donne sens à notre histoire encore inachevée.

On peut affirmer, dit Käsemann, que seule l'Apocalyptique a rendu possible une pensée historique sur le terrain du christianisme. Car, de même que pour elle le monde a un commencement et une fin définis, l'histoire aussi se développe à ses yeux dans une direction déterminée, sans se répéter, structurée par la succession des périodes qu'il faut seulement distinguer entre elles. Ainsi chaque fait isolé reçoit sa place certaine, son caractère unique et sa mise en ordre dans l'ensemble, qui sont les critères de la pensée historique. Il en résulte aussi la nécessité de ne pas seulement prêcher le Kérygme de Jésus, mais aussi de le raconter [34].

b) Le jeu des figures : récit et loi

L'apocalypse, qui clôt le livre, donne un sens au récit à partir de la fin. La résurrection, événement de la fin, donne un sens à l'ensemble de la vie de Jésus. Mais pour fonder cet effet rétroactif de la résurrection sur toute la personne de Jésus, il faut que les événements de cette vie et l'autorité de Jésus se prêtent de l'intérieur à cet accomplissement ultérieur. Sinon, la résurrection pourrait apparaître comme un « deus ex machina » ou, au mieux, comme une confirmation de l'autorité messianique de Jésus, mais sans être reliée à sa personne.

C'est pour comprendre le lien entre destin pascal (la résurrection, entre croix et Pentecôte) et cheminement de Jésus avant Pâques, que nous faisons appel à la figure. A condition de ne pas réduire celle-ci à une correspondance entre l'en-bas et l'en-haut, comme, par exemple, entre la Jérusalem terrestre et la Jérusalem céleste, ni à une typologie apologétique ou platonicienne [35]. En fait, la figure est un *entre-deux*

---

34. « Les Débuts de la théologie chrétienne » dans *Essais...*, p. 188.
35. Il faut distinguer en effet :
— l'usage apologétique des citations de l'AT par les chrétiens (cf. B. LINDARS, *New Testament Apologetic. The Doctrinal Significance of The Old Testament Quotations*, SCM, Londres, 1961 ; — le développement de la typologie chez les Pères, elle-même très diverse (relecture de l'AT en termes

entre un événement et un autre, qu'ils soient situés dans l'histoire, comme l'Exode et l'Exil, ou à ses termes, comme la création et la nouvelle création. C'est un espace à trois dimensions. Cet entre-deux spatial et temporel s'incrit dans l'ensemble du cosmos et de l'histoire, dans le temps, l'espace et le langage qui donne sens. Jésus transfiguré apparaît entre Moïse et Elie, la Loi et les prophètes, qui témoignent de l'éclat du nouvel Adam : on ne peut dire Jésus comme Christ autrement qu'en voyant se réfléchir en lui Adam, Moïse et l'Exode, le serviteur souffrant lié au destin de tout un peuple, et donc réfléchir sur cet entre-deux qui relie ces figures et Jésus. Jésus n'est jamais seul, hors-lien avec une histoire. La théologie chrétienne est toujours interprétation d'une *tradition* qui a commencé avant elle.

En effet, c'est *dans l'Ancien Testament* lui-même que s'instaure le jeu des figures, puisque l'histoire s'interprète comme la reprise, la transformation (il ne s'agit pas d'un retour cyclique des mêmes choses) et l'accomplissement d'événements : l'Exode fait comprendre la création et la reprend en attendant une création nouvelle. Il ne suffit donc pas, pour dire l'originalité de Jésus, d'affirmer qu'il accomplit l'Ancien Testament. Cette idée d'accomplissement doit s'affiner en passant par la compréhension de ce qui la commande dans le jeu des figures, d'abord avec l'articulation entre récit et loi (nous suivrons ici la lecture de l'Ecriture et l'interprétation de la figure par P. Beauchamp).

En effet, les grands événements de l'AT, l'Exode en premier, ne se présentent pas dans un *récit* continu. Le récit est lui-même inaccompli en s'articulant à une *loi* : le récit de l'Exode se prolonge par les dix commandements et leur mise en pratique, tout comme la création est liée à l'observation du sabbat. Ainsi, l'Exode ou la création apparaissent comme des archétypes, dans des récits originaires, en fondant une loi qui nous fait participer à leur achèvement : c'est à nous d'accomplir la libération de l'Exode en refusant l'esclavage que serait la transgression des dix commandements. L'événement passé est donc *figure* de l'avenir et cette figure se particularisera en s'accomplis-

---

d'accomplissement, utilisation allégorique d'événements de l'AT pour éclairer le NT, relecture platonisante, etc.) ; — les nouvelles recherches entreprises depuis quarante ans environ, en particulier avec L. GOPPELT, *Typos. Die typologische Deutung des AT im Neuen*, Bertelsman, Gütersloh, 1939 (Darmstadt, 1969) ; J. DANIÉLOU, *Sacramentum futuri. Etudes sur l'origine de la typologie biblique*, Beauchesne, Paris, 1950. Cf. l'important ouvrage collectif : *Vergegenwärtigung*, Ev. Verlagsanstalt, Berlin, 1955. — Nous suivrons ici la perspective ouverte par P. Beauchamp à partir d'un travail sur les classes d'écrits et l'unité du Livre : cf. le premier tome de cette *Initiation* et «la Figure dans l'Un et l'Autre Testament», in *RSR*, t. 59, 1971, pp. 209-224 (réédité dans *le Récit, la Lettre et le Corps*, Cerf, Paris, 1982, pp. 39-69).

sant. Ainsi la figure fait-elle le lien entre l'universel et le particulier : elle est ce qu'il y a de plus *universel* puisqu'elle recouvre l'ensemble du monde entre son début et sa fin (la création est figure de la nouvelle création apocalyptique) et de son histoire (puisque l'Exode est figure de la libération d'un peuple, témoin pour *tous* les peuples) ; elle est aussi ce qu'il y a de plus *particulier* puisqu'elle se réalise avec le dernier individu qui passera du monde ancien au monde nouveau, de l'esclavage à la liberté. C'est d'ailleurs la *prophétie* qui relie l'archétype à l'histoire en individualisant la figure : le prophète annonce le nouvel Exode après l'exil, dans le don d'une loi nouvelle et d'une nouvelle alliance. C'est aussi le prophète qui vit en lui-même la reprise des figures anciennes et leur accomplissement, de sorte qu'elles prennent la forme unique et irremplaçable du particulier.

Si Jésus est l'*unique*, c'est parce qu'il inaugure vraiment le passage du monde ancien au monde nouveau, dans son histoire personnelle mais aussi dans un destin qui permet l'universalisation grâce au don de l'Esprit. Et pour le faire mieux comprendre, le *Nouveau* Testament montre qu'il « récapitule » (selon l'expression paulinienne chère à Irénée) l'histoire de l'alliance ancienne à travers ses figures : Adam, les patriarches, Moïse et l'Exode, Elie, Jérémie, le Serviteur souffrant (peuple et individu), l'alliance nouvelle et en définitive l'univers puisqu'il est Tête d'un corps nouveau, nouvelle création (nous y reviendrons dans le chap. III, de la Cène à la Pentecôte). C'est pourquoi la résurrection porte à la fois la marque de l'*achèvement* du monde ancien et de la triple alliance vétéro-testamentaire (Noé, Abraham, Moïse) et la marque d'un *inachèvement* : le monde nouveau est inauguré, certes, mais en attente de son achèvement (Parousie). Une telle transformation ne peut être que l'œuvre conjointe de la Parole et de l'Esprit. Comme nous aurons à le voir de façon constante, la Parole et l'Esprit, par lesquels Dieu crée le monde en le faisant sortir du chaos, sont de nouveau à l'œuvre pour le recréer. Bien plus, Dieu se donne alors pleinement, personnellement, dans sa Parole et son Esprit. C'est dire qu'il s'agit, dans la vie de Jésus, d'un *récit* qui ne se situe pas sur une ligne continue puisque l'histoire est sans cesse reprise à son origine et reliée à sa fin.

Le jeu des figures ne se réduit donc pas à la réalisation d'une Idée qui se concrétiserait soudain en Jésus, « Universel concret » [36], ce qui nous ferait retomber dans le schéma par en haut, au détriment du respect de l'histoire et de l'Ecriture. Le jeu des figures ne nous oblige

---

36. Selon l'expression de Nicolas de Cues : cf. J. DOYON, « la Christologie de Nicolas de Cues », in *le Christ hier, aujourd'hui et demain*, op. cit., pp. 171-189.

pas à entrer dans un mode de pensée systématique à la manière de Hegel qui a bien vu que la vérité s'effectuait historiquement par des figures, mais subordonne celles-ci à une logique de l'universel motivée par la négativité, dans une perspective idéaliste. La perspective biblique voit davantage l'accomplissement des figures en Jésus au long d'une *histoire personnelle et collective*, dans des *corps*, par le mouvement d'obéissance qui qualifie la liberté et, ainsi, réalise la vérité de la figure en accomplissant la loi divine de libération et en achève le récit. Il s'agit d'une obéissance qui exige toutes les ressources de la liberté puisqu'elle accomplit l'achèvement qui reste à inventer. C'est donc dans sa vie humaine que Jésus se réalise comme Christ, achèvement de la figure ou des figures, Messie. Christologie et sotériologie sont ainsi intimement liées, puisqu'il n'est pas possible de comprendre la façon dont Jésus accomplit les figures comme Messie sans nous affirmer en même temps comme impliqués dans ce mouvement d'accomplissement du monde et donc voués à l'interprétation [37]. Ce messianisme-là se réalise dans l'obéissance libératrice et non dans l'affirmation de la Puissance de Dieu.

c) Le messianisme selon l'Esprit

La christologie qui est développée dans cette *Initiation* se situe dans une ligne messianique, c'est-à-dire dans une conception *biblique* des rapports des *croyants* à *l'histoire*, qui ne peut séparer dogmatique et éthique.

Après vingt siècles de christianisme on reste confondu par la diversité contradictoire des interprétations données à l'Evangile : en son nom on a justifié la pauvreté et la richesse, l'Inquisition et le martyre, la transformation du monde et son mépris, la colonisation et la coopération. C'est dire combien les rapports des croyants à l'histoire passée ne peuvent que jeter le trouble sur le rôle de la foi dans l'histoire qui se fait aujourd'hui. La crise d'identité [38] du christianisme

---

37. Sur l'*interprétation* : cf. J. Granier dans l'Introduction, tome I. En christologie : E. Schillebeeckx, *Expérience humaine et foi en Jésus-Christ*, Cerf, Paris, 1981, chap. I. « The Story from which the Christ of dogma is fashioned is not the story of the historical Jesus, but the story of his followers through the ages interpreted as the story of the saving Christ » (M. K. Hellwig, « From The Jesus of Story to The Christ of Dogma », in *Antisemitism and The Foundations of Christianity. Twelve Christian Theologians Explore The Development and Dynamics of Antisemitism within The Christian Tradition*, éd. by A.T. Davies, Paulist Press, New York, 1979).

38. Cf. Ch. Duquoc, *Christologie. Essai dogmatique*, t. II, Cerf, Paris, 1972, p. 8 ; J. Moltmann, *le Dieu crucifié*, Cerf, Paris, 1974, chap. i ; W. Kasper, *Jésus le Christ*, Cerf, Paris, 1976, pp. 11-16.

trouve ici l'une de ses racines. Or il n'est pas d'autre moyen de comprendre le cœur du christianisme que de méditer sur la façon dont Jésus est perçu comme Christ, Messie, puisque ce titre donne le sens biblique de l'histoire. Il n'est pas de point plus brûlant pour la foi chrétienne que la compréhension qu'elle a du messianisme.

En donnant à ce paragraphe le titre de « *messianisme selon l'Esprit* » nous entendons bien situer le messianisme dans la ligne biblique en faisant du christianisme l'héritier fraternel d'un judaïsme toujours vivant : il ne faudrait pas s'interdire de parler de messianisme en christianisme sous prétexte que ce terme est ambigu, particulièrement aujourd'hui dans les sociologies du tiers monde et des religions. Oublier le messianisme c'est renier l'héritage biblique et juif et, après Auschwitz et les Goulags de toutes sortes, risquer de faire de l'antisémitisme « l'autre côté » ou « la face cachée » de la christologie selon l'expression d'une théologienne catholique Rosemary Ruether [39] (cf. Excursus II ci-dessous). En parlant de messianisme *selon l'Esprit,* nous n'entendons pas réduire le messianisme chrétien à une réalité purement intérieure, selon l'interprétation dominante pendant des siècles et que G. Scholem [40] reproche à juste titre au christianisme, mais au contraire montrer dans le don de l'Esprit de Jésus l'accomplissement d'une transformation de l'histoire en train de se faire avec Dieu.

Nous rappellerons donc d'abord l'originalité du messianisme biblique ; puis nous écarterons tour à tour la vision sécularisée et la vision purement intériorisée du messianisme — l'une et l'autre pouvant ressortir à une approche par en bas et par en haut ; enfin, nous dirons la légitimité biblique du messianisme chrétien selon l'Esprit et dans l'histoire. Nous nous bornerons à ce qui touche la christologie en renvoyant à la section de cette *Initiation* consacrée au messianisme.

Le messianisme biblique : une vision théologique de l'histoire

Manifestement, le récit biblique ne propose pas une vue progressive et optimiste de l'histoire, une sorte de louange du progrès dans le temps, mais bien un drame : l'histoire est hantée par le péché, c'est-à-dire par le refus de s'inspirer de Dieu, non pas pour suivre un

---

39. *Faith and Fratricide : the Theological Root of Anti-Semitism.* A Crossroad Book, Seabury, New York, 1974. Le débat est approfondi et nuancé dans *Antisemitism...*(note 37).

40. *Le Messianisme juif. Essais sur la spiritualité du judaïsme,* Calmann-Lévy, Paris, 1974, pp. 23 s. 68.

chemin tracé à l'avance qui supprimerait la liberté et la responsabilité créatrice de l'homme image de Dieu et souverain sur terre, mais pour ne pas se fourvoyer dans ce qui est contraire à la fin de l'histoire. Du point de vue théologique, le messianisme est l'inverse du péché : il signifie que l'histoire est visitée par Dieu pour être arrachée au péché et à l'errance fatale. L'histoire du monde n'est pas laissée à elle-même.

Cette compréhension théologique du messianisme doit être précisée dans une confrontation à l'*histoire* beaucoup plus *ambiguë* de ce qu'il représente.

Historiquement, en effet, le messianisme biblique est d'abord *royal, davidique et nationaliste*[41]. Il en est ainsi jusqu'à l'époque de Jésus. Cela n'exclut pas l'existence d'autres courants messianiques non davidiques, sacerdotaux ou prophétiques. Mais il faut d'abord noter cette persistance du messianisme royal et nationaliste, qui mise sur une restauration du royaume d'Israël et d'un peuple pur respectant pleinement la Torah et célébrant le culte du Temple. C'est à cause de cette ambiguïté que Jésus a refusé le titre de Messie durant toute sa vie, car ce messianisme nationaliste, politique et religieux à la fois, peut facilement être investi par les désirs les plus illusoires de l'homme. En effet, la sociologie des religions nous a rendus lucides sur les mécanismes sociaux de ce phénomène.

Critique sociologique du messianisme et sécularisation

Pour la sociologie des religions et du tiers monde le messianisme correspond à l'attente d'un sauveur providentiel qui instaurerait une société parfaite. Une telle attente risque d'être le produit quelque peu délirant d'une société en proie à de grosses distorsions internes par suite d'une mutation rapide due à des pressions externes très fortes. Tel fut le cas d'Israël en proie à la division en royaume du Nord et royaume du Sud, aux visées des grandes puissances, à l'exil et à l'occupation étrangère avec ses tentatives d'hellénisation païenne. Or Jésus n'a pas voulu jouer ce rôle de sauveur providentiel qui dispenserait l'homme de sa liberté. *Le Messie* de Rossellini a bien mis en relief le contraste entre le messianisme politique (les premières séquences) et le messianisme énigmatique de Jésus. Ch. Duquoc a parlé «d'antimessianisme» de Jésus relayé d'ailleurs par un oubli du messianisme dans l'Eglise. Et il l'explique ainsi : «n'est-ce pas l'originalité même du "messianisme" de Jésus qui serait à la source du désintérêt rapide qui se produirait dans l'Eglise à l'égard de la

---

41. Cf. P. GRELOT, *l'Espérance juive à l'heure de Jésus*, Desclée, Paris, 1978 ; H. CAZELLES, *le Messie de la Bible. Christologie de l'AT*, Paris, 1978.

signification originaire de ce titre [42] ?» Pour Ch. Duquoc, Jésus a refusé le messianisme parce que celui-ci consiste à priver l'homme de ses responsabilités en lui promettant un messie providentiel qui serait chargé à sa place de lui procurer sur terre le bonheur dont il rêve. Ce messianisme serait donc une aliénation et un nouveau piège du désir, qui pourrait même détourner la révolte vers un cadre religieux imaginaire. En revanche, si Jésus est appelé Messie, à cause de sa passion et de sa résurrection, «c'est équivalemment reconnaître que tous les modèles messianiques sont épuisés quant au déchiffrement de l'action de Dieu dans le monde. Seule justifie devant Dieu et s'accorde à l'espérance prophétique la conformité créatrice de notre pratique à la pratique de Jésus terrestre» [43].

Ch. Duquoc essaie ainsi d'expliquer d'une part le *refus par Jésus* du messianisme davidique et nationaliste et d'autre part *l'oubli dans l'Eglise* de la perspective messianique. L'un et l'autre sont exacts, cependant ils n'ont pas même signification et ne sont pas à mettre en parallèle. En effet, entre ce *refus* et cet *oubli* il faut expliquer pourquoi l'Eglise primitive a *messianisé* Jésus non pas pour laisser tomber le messianisme mais pour le «relever» au point que nous-mêmes continuons à faire du titre de Christ — Messie — une sorte de qualificatif propre de Jésus : il est Jésus-Christ. Pourquoi ? Et si le titre de Christ est justifié, *l'oubli* de la dimension messianique dans les siècles suivants est tout à la fois sélectif et contradictoire : l'argumentation des Pères et des théologiens a continué à parler du messianisme, mais sous l'angle apologétique de l'accomplissement des prophéties, alors que d'autres chrétiens, marginaux pour la plupart, — les «révoltés de l'apocalypse» [44] — ont tiré le messianisme évangélique dans le sens du millénarisme. Cet *oubli*, ambigu et contradictoire, n'est donc pas du tout parallèle au *refus* de Jésus explicable historiquement. La position de Ch. Duquoc est vraie si l'on réduit le messianisme au seul courant davidique et nationaliste en l'interprétant selon les sociologies actuelles du tiers monde d'une part et, d'autre part, des théologies de la sécularisation [45] et de la démythisation. Celles-ci insistent sur le fait que la grandeur de Dieu est d'avoir créé l'homme libre et responsable de sa propre histoire (autonomie de la création), sans avoir recours à un merveilleux aliénant pour l'humanité et indigne de Dieu. «Le christianisme refuse tout messianisme parce

---

42. «Le Messianisme de Jésus», art. «Messianisme», in *Catholicisme hier, aujourd'hui, demain*, Paris, 1980, col. 19.

43. *Ibid.*, col. 27.

44. N. COHN, *les Fanatiques de l'apocalypse*, Julliard, Paris, 1962.

45. Cf. *les Deux Visages de la théologie de la sécularisation*, ouvrage collectif, Casterman, Paris-Tournai, 1970.

qu'il juge que c'est dans la transformation pratique de l'histoire par les sujets de l'histoire que l'homme justifie son existence devant Dieu. (...). Aucun paradis n'apparaîtra jamais si nul ne s'efforce de l'installer en vérité et non dans le désir» (*ibid.*).

Mais alors, si le christianisme refuse «*tout* messianisme» pourquoi continuer à nommer Jésus *Christ*? Et s'il «épuise tous les modèles messianiques», ne vaudrait-il pas mieux laisser tomber ce titre messianique vide de sens au risque d'exclure, dogmatiquement, de la postérité ambiguë de Jésus ces fameux «révoltés de l'apocalypse»? De plus, si la vie chrétienne consiste à conformer sa pratique à la pratique de Jésus, de façon créatrice mais séculière, en quoi consiste la valeur *exemplaire* de la pratique de Jésus? On ne résout pas la question historique du titre messianique de Jésus et, de plus, on retrouve le problème théologique de fond : en quoi la foi en Dieu interpelle-t-elle l'homme sans remettre en cause son autonomie comme acteur de l'histoire? C'est justement ce problème que veut résoudre le messianisme et il faudrait donc expliquer pourquoi le *refus* de Jésus est suivi de sa *messianisation* après Pâques alors que le messianisme davidique et nationaliste étaient toujours aussi vivaces et source d'ambiguïté à ce moment-là? Il y a donc *réinterprétation possible et moins ambiguë* du messianisme. Le terme «d'antimessianisme» prête donc à confusion, mais nous sommes d'accord pour parler, avec Duquoc, de «sens messianique renouvelé» et de «vraie vie messiani-que» débouchant sur le don de l'Esprit [46], sans lesquels la vie chrétienne pourrait se passer de sa référence au Dieu de Jésus et perdre ainsi son identité *chrétienne*.

Le messianisme sublimé et intériorisé

A l'inverse de la position liée à la «sécularisation», il y a la solution relativement classique que l'on peut qualifier de «sublimation». Ainsi, J. Coppens, éminent spécialiste biblique de cette question, fournit une autre explication du *refus* par Jésus du messianisme davidique nationaliste et de la *messianisation* de Jésus par les premiers chrétiens : Jésus a fait passer le messianisme du plan terrestre au plan céleste.

Grâce à la reprise après Pâques de la relecture messianique introduite par leur Maître, les apôtres peuvent concevoir sans difficulté la dignité et le rôle du Messie comme appelés à se réaliser désormais sur le plan céleste et par conséquent associer sa Seigneurie à celle même de Dieu. C'est la notion ainsi *transformée et sublimée* du Messie et de l'attente messianique qui permit à son

---

46. *Ibid.*, col. 23.

tour à l'Eglise de la valoriser et de l'accepter définitivement dans ses croyances[47].

Cette position est tributaire d'un point de vue théologique inverse de celui de la sécularisation et situe le salut sur le plan céleste sans pouvoir valoriser la pratique terrestre de Jésus. En effet, si Coppens nous met sur une voie importante en parlant du rôle joué par la « relecture messianique » développée par Jésus lui-même interprétant les Ecritures avec ses disciples, il n'explique pas la signification *terrestre* de la pratique de Jésus qui ne renvoie pas à un messianisme purement céleste ou intériorisé. Jésus, en prêchant le Royaume de Dieu, a réellement voulu transformer les rapports entre les hommes en ce monde et permettre la venue du monde nouveau selon Dieu, sans limiter son action au monde présent. Cependant, cette transformation concerne aussi bien les rapports économiques (éloge de la pauvreté, remise des dettes, justice) et sociaux au sens large (ne pas juger, aimer son prochain, etc.) que les médiations religieuses (Temple, Loi). On ne peut donc pas dire que Jésus ait transposé le messianisme du plan terrestre au plan céleste et purement intérieur. Et, de ce point de vue, il faut bien constater un *oubli* de ce messianisme-là pendant toute une partie de l'histoire de l'Eglise qui a davantage insisté sur le salut dans l'au-delà que sur la transformation du monde, vidant ainsi de l'intérieur le mot « salut ». La séparation entre christologie (centrée sur l'Incarnation) et sotériologie (purement substitutive et centrée sur l'au-delà ouvert par la mort de Jésus) consacre alors cette vue qui coupe le christianisme de ses racines juives et de son articulation à l'histoire qui se fait (cf. Excursus II). Or la position de Coppens n'explique ni cet *oubli* ni la *discontinuité* entre le *refus* par Jésus du messianisme et sa *messianisation* après Pâques. Si le messianisme de Jésus avait été purement céleste et sublimé, comment expliquer une telle violence de la part de certaines autorités juives et romaines pour s'opposer à lui ? En revanche, il y a bien eu *réinterprétation* et *transformation* du messianisme par Jésus, sans que nous puissions parler de « sublimation » au sens d'un passage du terrestre au céleste. Cette opposition cosmo-théologique entre terrestre et céleste n'est guère adéquate à l'événement de la résurrection et à l'interprétation de l'histoire en termes de figures. La discontinuité n'est pas entre terrestre et céleste mais entre monde ancien et monde nouveau inauguré par le destin pascal de Jésus (mort-résurrection-pentecôte). Cette transformation n'est pas de « sublimation » mais de « spiritualisation » au sens fort où l'Esprit de Dieu n'est pas opposé à la matière

---

47. *Ibid.*, col. 18.

mais transforme le monde de l'intérieur, respectant la consistance de la création et l'autonomie de la liberté humaine en les aidant à correspondre au dessein créateur, au monde renouvelé selon Dieu, au Royaume de Dieu. Le *refus* de Jésus avant Pâques s'explique par sa conviction de l'inauguration du monde nouveau qui fait éclater le nationalisme religieux au nom de Dieu (d'où la mission auprès des païens)[48] et dénie au Temple et à la Loi la capacité exclusive à instaurer le Royaume de Dieu.

Mais la *messianisation* de Jésus après Pâques s'explique aussi par la conviction des premiers chrétiens selon laquelle Jésus a bien *inauguré* le Royaume de Dieu puisque Dieu lui-même lui a donné raison en le ressuscitant et en répandant son Esprit sur jeunes et vieux, juifs et non-juifs. C'est l'événement pascal et pentecostal qui explique à la fois la continuité et la discontinuité entre le *refus* de Jésus et sa *messianisation*, révélant la plénitude du messianisme, dont nous faisons *mémoire* par la foi-espérance-charité.

Légitimité du messianisme selon l'Esprit

Le messianisme arrive à un nouveau départ par un premier accomplissement dans le destin de Jésus. En lui coïncident l'appel de Dieu, puisqu'il parle et agit avec son autorité, et la réponse de l'homme à qui Dieu laisse la responsabilité de mener l'histoire. Point n'est besoin de craindre le terme de « messianisme ». Au contraire. Il dit bien le mode indirect de la présence de Dieu dans notre histoire et le respect de la liberté humaine. C'est pourquoi le destin messianique de Jésus n'apparaît comme tel qu'après son passage par la croix et la résurrection : dans la croix Dieu apparaît comme impuissant, ne se substituant nullement à la liberté humaine, et, dans la résurrection, la foi reconnaît que Dieu confirme la vie de Jésus comme destin messianique, c'est-à-dire comme transformation des relations entre les hommes selon le dessein de Dieu répandant son Esprit pour recréer le monde. Croix et résurrection articulent ainsi foi et histoire.

Ajoutons que cet événement pascal-pentecostal donne son contenu au messianisme biblique en ce qu'il a de formel dans les textes de l'Écriture. En effet, le messianisme biblique, à travers ses multiples formes, exprime l'articulation entre l'histoire du monde et la foi en Dieu intervenant dans l'histoire pour la sauver de la ruine. Certes, il existe des textes tardifs, apocalyptiques, qui expriment l'intervention

---

48. Cf. U. WILCKENS, *Die Bekehrung des Paulus als religionsgeschichtliches Problem*, ZThK, t. 56, 1959, pp. 273-293.

directe de Dieu pour «remettre les pendules à l'heure» dans ce monde, sans passer par l'action des hommes : il s'agit alors d'une situation extrême — finale — du monde, dont la situation est dépeinte d'une façon semblable à celle qui précéda le déluge. Mais, originellement, le messianisme est *d'abord royal*, qu'il soit attente d'un descendant de la dynastie de David ou d'un nouveau David eschatologique accomplissant la figure de David. Cette configuration royale du messianisme fait craindre à certains la confusion politico-religieuse et donc, par principe, écarter la vision messianique. Ce serait jeter le bébé avec l'eau du bain. On aurait tort de rejeter le titre christologique par excellence, alors que les premières communautés n'ont pu définir autrement Jésus : il est Christ, Messie. Et tout titre christologique — Seigneur et Fils de Dieu, en particulier — passe par le messianisme (cf. chap. IV). Le risque de confusion politico-religieuse est l'envers dévoyé d'une affirmation centrale dans la Bible : la Parole de Dieu n'est pas prononcée en vain (comme la pluie, elle doit féconder la terre ; Dieu sera fidèle à son alliance). Ainsi, du simple point de vue formel, on peut faire remarquer, à la suite de P. Beauchamp, que le *roi*, qui représente le *peuple*, est le vis-à-vis de la Loi et des prophètes : le roi-peuple est interpellé pour *mettre en pratique dans l'histoire la Loi et la parole des prophètes* (cf. le rôle de la Sagesse, troisième grand ensemble scripturaire avec la Loi et les prophètes). S'il en est ainsi, on comprendra que le messianisme, d'une part, ne suppose pas que Dieu se substitue à l'homme et, d'autre part, qu'il n'admette pas de séparer le Messie du peuple, ou, en l'occurrence, Jésus du peuple et de l'Esprit, selon la perspective prophétique du messianisme royal, surtout après l'Exil : «le peuple nouveau d'après l'Exil deviendra porteur de l'Esprit : Is 44, 3 ; il aura dans sa bouche, tout comme David (2 S 23, 2) les paroles de Yahvé : Is 61, 16 (cf. le trito-Isaïe 59, 21) ; il possédera même dans son cœur la Loi de Yahvé : 51, 7 » (J. Coppens, «Messianisme», *op. cit.*, col. 14). Le peuple tout entier peut être dit messianique parce que l'un de ses membres, *dans l'histoire,* a permis à l'Esprit de prendre entièrement possession de son humanité. C'est par l'Esprit que ce destin unique nous concerne tous. La nécessité formelle rejoint ici la nécessité historique. Jésus ne peut être reconnu comme Messie qu'après la Pentecôte, le don de l'Esprit.

En situant la christologie dans une perspective résolument messianique et en comprenant ce terme non pas dans les sens établis par ailleurs mais d'après l'Ecriture, l'enseignement et le destin pascal de Jésus, la foi est inséparable de l'histoire. Ainsi nous respectons l'originalité du *récit biblique* et le jeu des figures (cf. *Excursus III*).

Conclusion

Il reste à articuler la recherche historico-critique et la théologie qui s'appuie sur le jeu des figures. C'est la complexité et l'ambiguïté du *récit* biblique qui permet cette articulation. A cause de ses ambiguïtés et parce qu'il interpelle à partir d'événements contingents, le récit pose des questions et appelle une argumentation qui développe la portée de ses virtualités historiques.

Pour relier le récit à cette argumentation plus large, on peut distinguer formellement trois aspects :

a) la mise à jour et le relevé des *pratiques* de Jésus et de l'Eglise (prédication, actions typiques) ;

b) l'organisation de ces pratiques dans un ensemble *institutionnalisé* (ce qui suppose donc aussi une mise à jour des rapports de force et des antagonismes en cause dans la société juive du temps de Jésus) ;

c) l'explication de ces pratiques et de ces ensembles dans des *discours* argumentés et variés qui, en définitive, doivent dépasser la simple justification de pratiques sociales et s'articuler à la vision du monde qui se dit, bibliquement, dans le jeu des figures.

Ces trois points de vue interviendront d'une manière souple dans les différents chapitres, mais surtout dans le deuxième consacré à la pratique du Jésus terrestre, avant Pâques. Cependant, comme tout le récit de sa vie est animé par une intrigue qui tire son sens de sa fin et parce que l'ensemble du discours en tient compte, nous suivrons le plan suivant.

Dans un premier chapitre, nous partirons de la *résurrection de Jésus crucifié* comme *cadre d'interprétation* de son destin et nous y reviendrons dans l'avant-dernier chapitre comme *événement*. La résurrection du Crucifié, en effet, est non seulement à l'origine historique du Nouveau Testament mais en conditionne toute l'écriture.

Entre la résurrection comme cadre d'interprétation et la résurrection comme événement, les Evangiles placent *la vie messianique de Jésus* (chap. II) : ce récit obéit à une logique propre, une intrigue qui est messianique et qui pose la question de l'autorité de Jésus d'une façon qui ne pourra être tranchée que par *l'événement pascal et pentecostal* (chap. III) que nous reprendrons selon la pratique liturgique du « triduum pascal », sans le séparer de la Pentecôte, comme l'exige le chapitre I.

Enfin, dans un dernier chapitre, il restera à énoncer l'identité de la personne de Jésus-Christ pour les croyants, grâce à la doctrine de l'incarnation et donc la reconnaissance de la filiation divine, mais en surbordonnant celle-ci au titre messianique — Christ — qui nous inclut dans cette histoire de salut.

Dans notre démarche, il n'est pas possible de juxtaposer discours dogmatique et recherche historique exégétique. Les deux sont articulés à partir de l'Ecriture grâce au récit et au jeu de la figure. L'exégèse historico-critique vise à déterminer des unités littéraires qui découpent des pratiques et des discours qui les expliquent. Lorsqu'elle se prononce sur l'historicité d'un événement, elle donne les règles ou critères de cette reconstruction historique. Le Jésus de l'exégèse est donc un *objet construit*, à partir de documents et de règles d'interprétation, comme tout autre objet historique. Il en est de même en théologie, mais de façon souvent inavouée alors qu'il est important de donner ses règles d'interprétation sous peine de s'exposer à l'arbitraire : d'où l'utilité de cette Introduction. Cependant, cet objet construit est aussi un objet *croyable* qui nous *implique* comme sujets. C'est autour de ce croyable que tout se joue et que s'opère un renversement. Car ce croyable nous fait passer de la recherche historique qui aboutit à du vraisemblable à une réalité qui suscite une tradition et convoque à l'existence une communauté de croyants. C'est alors que Jésus vivant — Christ — échappe à la situation d'objet construit et se trouve être lui-même sujet organisateur du croyable. Ainsi il empêche toute clôture sur soi de la reconstruction et du sens. C'est par un événement que Jésus échappe à une reconstruction historique close : la croix pascale. Jésus apparaît sujet vivant au moment même où il disparaît de l'histoire[49]. Par cette «rupture instauratrice» s'instaure sa présence paradoxale comme Christ. Il faut donc partir de cet événement pour accéder à lui. C'est d'ailleurs ainsi que le récit biblique est restitué à sa dimension de texte d'Ecriture pour un corps social et non pas réduit à une suite d'unités littéraires disparates.

---

49. M. de CERTEAU, «la Rupture instauratrice ou le christianisme dans la culture contemporaine» in *Esprit*, juin 1971, pp. 1177-1214 et «la Misère de la théologie», question théologique (note discutable et à discuter)», in *la Lettre*, n° 182, oct. 1973, pp. 27-31.

CHAPITRE PREMIER

La résurrection
de Jésus-Christ crucifié

Pour connaître la personne de Jésus dans la foi, nous puisons aux traditions qui témoignent aujourd'hui de lui comme d'un Vivant. Pour cela nous partons des pratiques du corps social, l'Eglise, qui s'autorise du texte biblique. Ainsi faudrait-il commencer par décrire les différentes pratiques chrétiennes qui font remonter leur légitimation à Jésus et à l'Ecriture, dans la liberté que confère l'Esprit. Faute de pouvoir résumer toutes ces pratiques individuelles et institutionnelles (rites individuels et collectifs, conduites, enseignements, services sociaux, etc.), nous partirons des pratiques liturgiques, parce qu'elles visent à représenter la personne et l'œuvre de Jésus et parce que la prière de l'Eglise est une voie d'accès indispensable à l'intelligence de Jésus-Christ. De là nous remonterons à leur légitimation dans l'Ecriture. Partout la Pâque du Crucifié est au centre.

1. Les pratiques liturgiques jusqu'au IVe siècle

Si nous remontons les siècles à rebours à partir d'aujourd'hui, nous arriverons à une concentration initiale sur une seule fête — la Pâque —, alors qu'aujourd'hui nous connaissons une grande diversité de fêtes liturgiques consacrées aux différents événements de la vie de Jésus, de la conception à l'Ascension (événements dont beaucoup sont redoublés dans le culte marial, particulièrement entre le XVIIe s. et nos jours).

Du Ier au IVe s., l'Eglise ne connaît en règle générale qu'une seule grande fête que l'on peut appeler la «Pâque pentecostale» ou «le grand Dimanche» selon l'expression de saint Athanase (*Lettre festale* 1, 10) [50]. Le nom de *Pâques* s'applique à l'ensemble qui va du

---

50. R. CANTALAMESSA, *la Pâque dans l'Eglise ancienne*, P. Lang, Berne, 1980, avec bibliographie, pp. XXXII et 60. (Dossier utile à consulter.)

vendredi soir, et parfois du jeûne qui le précède, jusqu'à la fête de la célébration de la résurrection qui dure une cinquantaine de jours et se nomme *Pentécostè*.

Avec la célébration eucharistique commencent les cinquante jours de joie de la Pentécostè. Durant cette période, ni jeûne ni génuflexion, ni quelque autre pratique pénitentielle n'ont cours. Prières et chants s'expriment sur un ton joyeux et plein d'allégresse... l'objet de cette fête est l'exaltation du Seigneur, son « assomption » (Lc 9, 51), qui inclut sa résurrection, son ascension, l'envoi de l'Esprit (Parousie du Saint-Esprit), ainsi que la ferme espérance de sa parousie glorieuse[51].

Il y aurait à nuancer cette vision synthétique de la Pâque dans l'Eglise ancienne. D'autres que Casel ont plus souligné la diversité que l'unité, rappelant les diverses interprétations de l'Ancien Testament et allant même jusqu'à opposer deux conceptions de la Pâque néo-testamentaire : l'une, célébrée le 14 Nisan (d'où le nom de « Quarto-décimans » donné à ses fidèles), en Asie Mineure surtout, et faisant porter l'accent sur la passion et l'attente de la Parousie ; l'autre, celle des Romains, célébrée le dimanche et centrée sur la Résurrection et la commémoration des événements historiques du salut. Cette opposition a été durcie dans la formule « Dort Pascha, hier Ostern »[52]. (Là, la passion, ici, la Pâque) ce qui est excessif, car on reconnaît aujourd'hui que dans l'une ou l'autre tradition, la mort n'est jamais célébrée sans la résurrection et inversement. D'ailleurs, jusqu'à la fin du IIIe s., c'est la tradition asiatique centrée sur la mort du Christ qui prévaut, d'où la fausse étymologie donnée au terme pascal : « Pascha ex passione. » Mais Origène, avec l'école d'Alexandrie, rappellera le sens premier : la Pâque signifie « passage », et ajoutera d'idée d'une troisième Pâque, céleste et définitive, plus parfaite que celle du Christ. Ainsi peut-on discerner des évolutions différentes dans l'Eglise grecque (avec des pratiques plus diversifiées en dehors de l'Eglise assez unifiée d'Alexandrie) et dans l'Eglise syriaque, davantage centrée sur l'eucharistie, alors que la tradition latine combinera diverses traditions : passage, immolation, eucharistie. Mais la vision de Casel reste juste en ce qui concerne son appréciation d'une évolution très nette depuis une fête unique à deux pôles (Pâques et Pentecôte) jusqu'à une diversification de fêtes qui étalent dans le temps différents aspects de la Pâque pour en faire autant de célébrations liturgiques : la descente aux enfers, le samedi saint, l'octave de Pâques, l'Ascension,

---

51. O. Casel, *la Fête de Pâques dans l'Eglise des Pères* (1934), Cerf, Paris, 1963, p. 69.
52. Par exemple C. Schmitt, cité par Cantalamessa, p. XV.

la Pentecôte. Celle-ci apparaît déjà comme jour séparé au IIᵉ s., mais n'est comprise au sens restreint de don de l'Esprit qu'au vᵉ s. tout en faisant toujours partie du temps pascal.

Ainsi l'Eglise des quatre premiers siècles ne connaît qu'une seule grande fête qui est la «fête» du Christ, mais aussi fête du Père et de l'Esprit, «la fête de la rédemption par la mort et la résurrection du Seigneur, la fête, par conséquent, de l'Oikonomie, du plan salvifique de Dieu à l'égard des hommes[53].» Cette fête christologique est en même temps fête trinitaire et fête ecclésiale : les «sacramenta paschalia». C'est le moment où l'initiation des néophytes, par l'eau et l'Esprit, aboutit par le baptême à la participation à l'eucharistie, c'est-à-dire à la fondation et à l'extension de l'Eglise, Christ total. Enfin, ce cycle liturgique s'insère naturellement dans le cycle cosmique méditerranéen des saisons. «Le cycle symbolise l'éon éternel de Dieu. Ce qui importe, ce n'est donc pas tant la date exacte par rapport au calendrier, que le retour symbolique du mystère primordial dans la révolution cosmique, tel qu'il est réglé sur le cycle du soleil, de la lune, de l'équinoxe, etc., comme sur celui de la semaine[54].» En effet, la fête pascale et pentecostale a été célébrée d'abord chaque semaine, suivant en cela l'importance du sabbat juif comme fête de base, avant d'être solennisée une fois par an. Et cette signification cosmique est si importante que le problème de la date de Pâques (le 14 Nisan ou le dimanche) a provoqué de vives tensions du IIᵉ s. au IVᵉ s. C'est la première grande querelle des rites, après celle de la circonsision, soulignant ainsi l'ancrage de la foi dans une perception cosmique.

Retenons donc que la célébration du Christ par l'Eglise naît de la reconnaissance d'un événement trinitaire : la Pâque pentecostale. C'est par la suite qu'est apparu un autre pôle liturgique.

A partir du IVᵉ siècle la situation de la fête de Pâques se trouve déjà radicalement changée du fait qu'à côté de la fête prend place un nouveau cycle festif, dont les origines remontent peut-être jusqu'au IIIᵉ siècle : l'Epiphanie (avec Noël et la Chandeleur). Ce n'est plus ici la passion qui occupe le centre de la fête, mais l'incarnation du Logos et la glorieuse manifestation du fils de Dieu dans la chair ; ce n'est plus la victoire remportée par le Seigneur sur le monde dans l'abaissement et la patience, mais l'emprise sur le monde de Dieu apparu dans la chair[55].

Ainsi, avec le déplacement de l'accent de Pâques sur l'Incarnation, c'est une nouvelle christologie, une autre théologie et aussi un autre

53. Casel, p. 93.
54. *Ibid.*, p. 95.
55. *Ibid.*, p. 132.

rapport de l'Eglise au monde qui s'inaugurent. Ainsi que le note encore O. Casel, ce changement suit « la victoire extérieure de l'Eglise sur le monde païen, grâce à l'empereur Constantin. A présent l'éon terrestre et l'éon céleste ne se trouvaient plus absolument ennemis l'un de l'autre, mais cherchaient à se compénétrer »[56]. La lutte contre Arius marque nettement, toutefois, la volonté d'indépendance de l'Eglise.

Cependant, le thème de l'Incarnation va se développer de pair avec celui de la divinisation de l'homme et celui d'une certaine « Eglise d'Etat », à partir de Théodose. L'étiquette impériale sert de modèle à l'ordonnancement de la liturgie et l'empereur lui-même veille à la mise en valeur des « lieux saints »[57].

Nous citons ici O. Casel, parce que son œuvre montre l'actualité de cette histoire ancienne pour notre présent. En effet, il fut l'un de ceux qui préparèrent la restauration liturgique de la grande fête pascale, en 1950. Il faut se rappeler comment la vigile pascale, auparavant, était célébrée à la sauvette, le samedi saint au matin, sans solennité et devant une assemblée réduite, pour comprendre que cette restauration fut l'un des événements les plus importants du renouveau biblique patristique et liturgique qui a recentré le christianisme contemporain sur l'événement pascal. A la même époque paraissaient deux ouvrages qui replaçaient la résurrection au centre de la prédication et du salut chrétien, au moins en milieu catholique et francophone : J. Schmitt, *Jésus ressuscité dans la prédication apostolique*, Paris, 1949 et F.-X. Durrwell, *la Résurrection de Jésus, mystère de salut*, Paris, 1950[58].

---

56. *Ibid.*, p. 132.

57. Les lieux saints ont eux-mêmes une histoire : les déplacements d'intérêt pour tel ou tel lieu, la volonté d'inscrire en des lieux terrestres le mystère de Jésus, relèvent d'une conception du christianisme qui a elle-même évolué. C'est déjà vrai des Evangiles dont le cadre topographique et chronologique est reconstruit : K.L. SCHMIDT, (un des fondateurs avec Dibelius et Bultmann de l'école de l'histoire des formes), *Der Rahmen der Geschichte Jesu*, Berlin, 1919 (Darmstadt, 1964). Et pour les époques postérieures, l'étude sociologique de HALBWACHS, *la Topographie légendaire des évangiles en Terre Sainte. Etude de mémoire collective*, PUF, Paris, 1941 ; 2ᵉ édition augmentée d'une mise à jour bibliographique, préface de F. Dumont, PUF, 1971.

58. Dans ces deux dernières contributions livrées avant sa mort à la fin de l'année 1981, J. Schmitt revient en partie à ce premier travail sur la prédication apostolique dans sa genèse et sur la résurrection : « les Discours missionnaires des Actes et l'histoire des traditions prépauliniennes », in *RSR*, t. 69, 1981, pp. 165-180 et *la Genèse de la christologie apostolique* publiée plus haut dans le présent ouvrage. Quant au livre de F.X. Durrwell, il vient de reparaître dans une onzième édition, Cerf, 1982.

2. La résurrection du Crucifié au centre de l'Ecriture

Si la pratique liturgique de l'Eglise place en son centre la célébration de Jésus comme Christ crucifié et glorifié, l'ensemble des pratiques chrétiennes trouvent elles-mêmes leur légitimité dans l'affirmation de la résurrection. Celle-ci, en effet, constitue le centre du corps scripturaire et doctrinal qui définit le corps ecclésial.

La résurrection se trouve doublement au centre de l'Ecriture. D'abord comme son *origine historique*[59]. L'exégèse historico-critique a montré d'une manière qui n'est plus contestée que les textes du Nouveau Testament ne se comprennnent pas sans la résurrection de Jésus, puisque c'est grâce à elle que les disciples sont arrivés à identifier la personne de Jésus comme Christ. Tout ce qui est dit de Jésus dans les Evangiles se lit avec la résurrection en surimpression. Les moindres gestes de Jésus, ses affirmations et certaines actions (le baptême, par exemple) prennent alors plus d'ampleur. Mais il y a plus. La résurrection n'est pas seulement au centre de l'Ecriture du Nouveau Testament comme son début historique. Ceci n'aurait qu'une signification matérielle factuelle et ne s'appliquerait qu'au Nouveau Testament.

En fait la résurrection est au centre de toute l'Ecriture, Ancien *et* Nouveau Testament. Ceci est plus délicat à percevoir, car ce n'est pas démontrable par l'exégèse historico-critique qui s'attache d'abord à la reconstitution d'unités *orales* ayant leur emplacement «institutionnel» (*Sitz im Leben*) dans des milieux sociologiques déterminés. Cette exégèse est davantage tournée vers la reconstruction du *passé* et n'envisage pas le *texte* comme unifié par un *télos* (une fin), sauf sous l'aspect rédactionnel. C'est ce télos qui fait que le texte n'est pas d'abord information, mais interpellation du lecteur. En effet, celui-ci ne comprend le sens du texte qu'en *correspondant* à son télos qui est de convoquer la communauté croyante.

Cette lecture *dans la foi*, actualisée dans la liturgie, fait comprendre la résurrection non pas seulement comme événement singulier, mais comme centre de toute l'Ecriture, Ancien et Nouveau Testament. On s'épargnerait beaucoup de discussions secondaires — bien qu'utiles à leur place — sur la réalité de la résurrection de Jésus ou sur la nôtre si l'on comprenait d'abord cela. Car telle est la voie que Jésus ressuscité

59. Cf. R. SCHNACKENBURG, «la Résurrection, point de départ de la christologie du NT», in *Mysterium salutis*, t. 10, Cerf, Paris, 1974, pp. 17 ss. ; J. DORÉ, «la Résurrection de Jésus à l'épreuve du discours théologique», in *RSR*, 1977, pp. 279-304.

indique à ses disciples. Il faut se référer ici au récit des disciples d'Emmaüs qui découvrent le sens des textes bibliques (Lc 24, 32) lorsque le Crucifié ressuscité « commençant par Moïse et par tous les prophètes, leur expliqua dans toutes les Ecritures ce qui le concernait » (Lc 24, 27). C'est alors qu'ils peuvent proclamer « C'est bien vrai ! Le Seigneur est ressuscité » (Lc 24, 34). C'est déjà ce que répétait Paul en reprenant une tradition qu'il avait lui-même reçue : « Christ est mort pour nos péchés, selon les Ecritures. Il a été enseveli, il est ressuscité le troisième jour, selon les Ecritures » (1 Co 15, 3-4)[60].

A bien y réfléchir, cette expression « selon les Ecritures » est embarrassante, car on ne voit pas beaucoup de textes de l'Ancien Testament qui annoncent aussi clairement la mort et la résurrection du Christ. Et on est loin d'arriver à une preuve lumineuse et convaincante lorsque l'on rassemble quelques passages privilégiés : en particulier, 1 S 2, 6 ; les trois jours d'Osée 6, 1-3 ; Os 13, 1-4 ; Is 26, 19 ; le Serviteur souffrant d'Isaïe 53 ; les trois jours de Jonas dans le ventre de la baleine ; la première évocation de la résurrection dans les Macchabées 2 M 12, 43-45 ; 14, 46 ; Dn 12, 1-3 ; Jb 19, 25-26 ou même le livre de la Sagesse, qui reprend le vocabulaire grec de l'immortalité de l'âme, situe celle-ci dans le contexte de la rétribution et n'exclut pas la résurrection corps et âme selon la mentalité hébraïque[60 bis]. Ces quelques textes et d'autres encore existent bien, mais leur choix montre surtout, parfois avec une finalité apologétique, l'existence de la foi en la résurrection dès l'A.T.[61], sans démontrer encore que cette foi est au centre de toute l'Ecriture. D'ailleurs, l'Evangile semble reconnaître la difficulté en n'ayant pas peur d'étaler l'incompréhension et la cécité des disciples, y compris des Douze. Ceci est d'autant plus paradoxal qu'ils ont été familiers de l'Ecriture, à l'école de Jésus.

Devant cette série de difficultés pour comprendre la place centrale de la résurrection en général et celle de Jésus en particulier, il nous faut donc tenir compte de deux temps : l'un antérieur au fait de la résurrection de Jésus (et qui renvoie à l'Ancien Testament) et l'autre qui lui est postérieur.

---

60. C.H. DODD, *Conformément aux Ecritures. L'infrastructure de la théologie du NT*, Seuil, Paris, 1968.

60 bis. P. BEAUCHAMP, « le Salut corporel des justes et la conclusion du livre de la sagesse », in *Biblica*, 1964 (45/4), 491-526.

61. B. LINDARS, *New Testament Apologetic. The Doctrinal Significance of The Old Testament Quotations*, SCM, Londres, 1961 et B. DUPUY, *supra*.

a) L'Ancien Testament

Voyons d'abord l'Ancien Testament en dehors (et pas seulement en avant) de l'événement Jésus. La résurrection est déjà au centre de l'Ancien Testament, si nous le comprenons comme tout. Certes, du point de vue historico-critique, l'on sait fort bien que l'attente explicite de la résurrection est apparue assez tard dans l'Israël d'après l'Exil, au temps des persécutions et de la naissance des apocalypses. Tout au plus remarque-t-on, antérieurement à cette époque, l'aspiration des juifs pieux à ne pas être éternellement séparés de Dieu, en particulier dans les psaumes : 16, 9-11 ; 49, 16 ; 73, 23-28. Nous ne parlons pas ici des textes beaucoup plus développés de l'Intertestament [62], qu'ils soient antérieurs à Jésus (les voyages d'Hénoch 20 ; 22 ; 2 M 7 non reçu dans le canon hébraïque ; le Testament des douze Patriarches ; les Psaumes de Salomon d'obédience pharisienne, ou même la prière de bénédiction du Shmone Esre) ou postérieurs comme la vie grecque d'Adam et Eve ; les Paraboles d'Hénoch ; le 4 Esdras ou le Baruch syriaque.

Nous en restons ici à l'Ancien Testament, pour comprendre comment il renvoie tout entier à la Résurrection, dès l'instant qu'on ne cherche pas des citations isolées mais l'intention profonde de l'Ecriture, son télos. Or ce télos c'est la communication de Dieu à un peuple, sa volonté de faire alliance avec lui pour lui donner le salut, le faire vivre en plénitude. Les diverses représentations de la résurrection ont voulu préciser ce dessein de Dieu et se sont développées assez tard et sous des formes variées (résurrection de certains justes, de tous les justes, des impies ; résurrection avant ou après le jugement etc.) ; mais l'essentiel de ces représentations vise à matérialiser la fidélité de Dieu : Dieu ne peut pas faire alliance avec Israël, se faire connaître à lui, puis l'abandonner à la mort. Ce raisonnement s'applique au destin d'Israël (espoir d'une résurrection nationale après l'épreuve, pour que Dieu soit fidèle aux promesses faites à Abraham : Os 6, 1-3, Ez 37, 1-4, etc.) mais aussi aux justes en Israël et même parmi les nations (cf. Ps 16, 9-11 ; 49, 16 ; 73, 23-28) puisque c'est à travers le destin particulier d'Israël que l'univers des nations doit reconnaître la gratuité du salut.

---

62. G.W.E. NICKELSBURG, *Resurrection, Immortality and Eternal Life in Intertestamental Judaism*, Harvard Theological Studies XXVII, Cambridge, 1972, et *Vies d'Adam et Eve, des patriarches et des prophètes. Textes juifs autour de l'ère chrétienne* présentés par H. Cousin, Supplément au *Cahier Evangile* n° 32, Cerf, Paris, 1980. (Donne les principaux textes avec des explications fort utiles. A consulter aussi pour d'autres sujets.)

Dès lors, si toute la Bible témoigne de la résurrection, il n'est pas étonnant de voir les rabbins recourir à des textes divers, tirés des trois parties de la Bible, pour argumenter en sa faveur. Il faut lire à ce propos le chapitre xi de la *Guemara* (Talmud de Babylone), au traité Sanhédrin [63]. Ce chapitre est important car il donne les principes de l'interprétation pharisienne de l'Ecriture. Celle-ci lie trois principes fondamentaux, sans lesquels il n'y a pas lecture fidèle : la foi en la résurrection, la foi en l'inspiration divine des Ecritures et la foi en la providence individuelle (ou rétribution selon les actes). Avant de lire ce texte, remarquons que la citation d'Isaïe 60, 21, au début du chapitre xi, renvoie au jardin d'Eden (« Ma Plantation ») qui désigne ici non pas le Paradis terrestre, puisque le verbe est au futur, mais le monde à venir. Ainsi, du début à la fin de l'histoire et du livre biblique, des promesses faites aux Patriarches jusqu'à nous en passant par l'Exode et le don de la loi, c'est la résurrection qui dit la finalité de l'Ecriture. Le chapitre xi commence ainsi : « Tout Israël a part au monde futur, ainsi qu'il est dit : et ton peuple, tous des justes, pour l'éternité ils auront en héritage la terre qui est un produit de Ma plantation, l'œuvre de mes mains dont je me fais gloire (Is 60, 21). Et voici ceux qui n'auront pas part à la vie future : celui qui dit que la croyance en la résurrection des morts n'est pas tirée de la Torah, ou que la Torah n'a pas été donnée "par le Ciel", et l'*Epikoros* (hérétique et de conduite immorale). » (L'« épicurien » désigne ici l'homme qui nie la providence individuelle et le mérite, c'est-à-dire récuse le fait que tous nos actes, bons ou mauvais, ont une conséquence pour le salut.) Tout le commentaire de la Guemara montre, en outre, que cette foi en la résurrection des morts est intimement mêlée à l'espérance messianique, car, dans l'un et l'autre cas, il s'agit de la fidélité de Dieu à notre égard, de la venue définitive de son Règne. Cette interprétation pharisienne des Ecritures recoupe tout à fait celle de Jésus sur ce point. En effet, l'Evangile nous transmet un seul argument utilisé par Jésus pour dire sa foi en la résurrection, et c'est celui de la fidélité de Dieu à ses promesses, faites aux patriarches, et à l'événement fondateur de l'Exode : « Quant au fait que les morts doivent ressusciter, dit Jésus, n'avez-vous pas lu dans le livre de Moïse, au récit du buisson ardent, comment Dieu lui a dit : "Je suis le Dieu

---

63. C'est à B. Dupuy que je dois l'attention à ce texte. Voir *la Guemara : le Talmud de Babylone*, traité Sanhédrin, traduit par les membres du rabbinat français, 1974, p. 442. On aura recours aussi à la traduction et aux notes de l'édition anglaise : *The Babylonian Talmud. Seder Nezikim in Four Volumes Translated into English with Notes, Glossary and Indices* under The Editorship of Rabbi Dr I. Eppstein, Soncino Press, Londres, pp. 601 s.

d'Abraham, le Dieu d'Isaac et le Dieu de Jacob" (Mc 12, 26-27 et par.)[64] ? » Toute la révélation de Dieu, la communication de son Nom, son Alliance avec nous en vue du salut, aboutit à ce don de la vie éternelle. Cette perspective a été oubliée lorsque la résurrection fut réduite à une survie miraculeuse, par suite de l'éclipse du messianisme lui-même ou de son incompréhension. Car il faut expliquer ici le deuxième terme du paradoxe.

b) La pâque de Jésus

Pourquoi les disciples n'ont-ils pas compris, dans un premier temps, la mort et la résurrection de Jésus, alors qu'ils devaient partager, avec la plupart des juifs pieux, cette foi en la résurrection générale ?

Le Talmud (au Traité du Sanhédrin, 90 b) rapporte une discussion entre des « sectaires » (les « Minim », terme qui pourrait désigner ici les judéo-chrétiens) et Rabbi Gamaliel. Cette discussion a pu avoir lieu à Rome en l'an 95, selon R. Herford, et ne portait pas sur le fait de la résurrection des morts — que les deux partis admettaient — mais sur la question suivante : la résurrection est-elle comprise dans la Torah ? Le commentateur moderne juif ajoute : « l'importance du débat repose sur le fait que les chrétiens maintenaient que la résurrection des morts était la conséquence de la résurrection du Christ. Cette doctrine, bien entendu, serait infirmée s'il pouvait être montré que la résurrection était déjà enseignée dans la Torah »[65]. En fait, la présence de cette doctrine dans la Torah n'exclut pas la nouveauté apportée par la résurrection de Jésus, qui est au cœur du NT comme réalisation d'une figure déjà comprise dans l'Ancien. L'incompréhension des disciples ne porte pas alors sur l'idée de résurrection, mais sur la résurrection de Jésus, le Crucifié. L'intelligence de la résurrection découle d'une lecture particulière de l'Ecriture et du messianisme que Jésus dut promouvoir, non sans peine, en excluant d'autres lectures, avant que le choc causé par sa Passion et sa Résurrection n'oblige à admettre ou à refuser cette évidence. Cette lecture particulière de

---

64. F. DREYFUS, « l'Argument scripturaire de Jésus en faveur de la résurrection des morts (Marc 12, 26-27) », in *RB*, t. 66, 1959, pp. 213-224 ; F. MUSSNER, « l'Enseignement de Jésus sur la vie future d'après les synoptiques », in *Concilium*, n° 60, 1970, pp. 43-50.

65. Edition anglaise, pp. 604-605, n. 12. J. Maier, en revanche, pense qu'il ne s'agit pas de chrétiens dans ce passage, puisque Mt 22, 32 par ex. reconnaît la résurrection générale des morts (*Jesus von Nazareth in der talmudischen Überlieferung*, Darmstadt, 1978, p. 57). Cependant, l'interprétation de la résurrection peut être différente avant et après la Pâque de Jésus.

Jésus porte précisément sur le télos de l'Ecriture dans le messianisme et le Règne de Dieu [66]. Jésus a refusé certains types de Messies trop tournés vers la restauration politique d'Israël et centrés sur l'image d'un Dieu guerrier et tout-puissant venant au-devant de désirs trop naïfs. Les trois annonces de la passion et de la résurrection de Jésus dans les Synoptiques sont construites sur un paradoxe, à la fois dans leur contenu — passion et résurrection, et dans leur contexte : inintelligence des disciples, guérison d'un aveugle et reconnaissance par Pierre du Messie, puis enseignement de Jésus : qui veut gagner sa vie doit la perdre (Mc 8) ; le plus grand doit être le plus petit (Mc 9 par.) ; l'accueil des enfants ; la renonciation aux richesses, la demande de Jacques et Jean sur leur préséance dans le Royaume et la guérison de l'aveugle qui appelle Jésus Fils de David avant l'entrée triomphale à Jérusalem et la passion (Mc 10 et 11).

Tout l'enseignement de Jésus et l'événement de sa Pâque visent à nous montrer la réalisation d'*un certain type* de messianisme à l'exclusion d'autres qui ne réaliseraient pas vraiment les promesses, car ils feraient le jeu de désirs mégalomaniaques et déshumanisants (cf. les trois tentations du désert) contraires à la vision du monde selon Dieu et qui situeraient donc la réponse de l'homme en contradiction avec la Loi et les prophètes.

La résurrection du Crucifié par Dieu établit que Jésus a été mis à mort par fidélité aux promesses de Dieu et donc qu'il accomplit les Ecritures par son obéissance en leur donnant une nouvelle cohérence, un corps renouvelé. Le corps de la lettre se réalise d'abord en Jésus, premier-né de la nouvelle création, puis en autrui dans l'acte par lequel chacun répond à l'interpellation divine, dans l'Esprit. Au corps de l'Ecriture de l'Ancien Testament qui a donné corps au peuple d'Israël s'articule le corps transformé du Christ ressuscité qui s'énonce dans les Ecritures du Nouveau Testament et donne corps à l'Eglise qui se greffe sur l'Israël ancien sans le remplacer. Il s'agit ici d'un raisonnement proprement théologique qui pose la question du *sens* de l'Ancien et du Nouveau Testament dans leur rapport, en prenant en considération leur origine et leur fin.

Seule une vision théologique de cette ampleur nous permet de comprendre pourquoi la croix et la résurrection (représentation apocalyptique) sont le point où l'Alliance se redouble et se renouvelle en Ancien et Nouveau Testament. La croix est le franchissement de la

---

66. Cf. J. Schmitt, *supra* et R. Riesenfeld, « The Mythological Background of NT Christology », in *The Gospel Tradition*, Fortress Press, New York, 1970, pp. 31-49 qui insiste sur ce travail de sélection des thèmes messianiques par Jésus, mais sans traiter explicitement de la résurrection. Cf. également C.H. Dodd, *Conformément aux Ecritures* (note 60).

frontière ultime — la mort — et la résurrection est affirmation d'un monde nouveau — nouvelle création.

Le Nouveau Testament désigne finalement comme terme et comme sceau de toute lettre la croix du Christ. La croix du Christ est lettre elle aussi. Elle est, à ce titre, le pivot de la lecture des deux Testaments. Si l'Ecriture peut être décollée du passé, c'est parce que la croix est le signe par où les signes se vident de la représentation. Si l'Ecriture est notre écriture, c'est parce que la lettre de la croix est inscrite sur le corps des croyants par le baptême, comme l'ancienne alliance était inscrite sur le corps par la circoncision. C'est, par cette inscription, toute l'Ecriture qui devient, non seulement le récit, mais le chiffre de la transformation du corps de l'Eglise : les deux Testaments, l'un et l'autre parole de grâce et parole de jugement, nous sont contemporains. Encore faut-il savoir à quel prix[67] ?

Cependant, comme événement de la fin et du renouveau, croix et résurrection s'inscrivent dans un ensemble plus large. Aussi le Nouveau Testament ne commence-t-il pas par le récit de la Pâque, mais par la vie terrestre de Jésus : c'est par son enseignement et ses actes que nous est ouvert pleinement le sens de l'Ecriture, qui s'inscrit en creux sur la croix lorsque disparaît le corps de Jésus ressuscité. Cette Pâque est un signe qui clôt un destin et en ouvre un autre. Séparé de l'Ecriture et du destin historique de Jésus, ce signe peut être rempli par toutes sortes de manipulations incontrôlées, comme ce fut le cas très tôt, avec les Corinthiens par exemple, au milieu des années 50 : selon certains d'entre eux la résurrection les soustrayait aux règles du monde présent et à toute morale. Si l'on veut comprendre la Pâque, il faut suivre la voie qu'a suivie Jésus pour nous y préparer.

---

67. P. BEAUCHAMP, *Exégèse aujourd'hui...*, *op. cit.*, et « Jésus-Christ n'est pas seul », in *RSR*, t. 65, 1977, pp. 243-278, 259 s. sur la croix, « lettre finale ».

La vie messianique de Jésus

1. Une vie énigmatique

En donnant à ce chapitre le titre ambigu de « vie messianique de Jésus », nous voulons qualifier la perspective théologique dans laquelle nous abordons le destin historique de Jésus. Notre point de départ est bien l'histoire de Jésus hier et aujourd'hui. Par conséquent la recherche historique sur Jésus, par des historiens, est légitime et nécessaire. Mais elle est confrontée à une *énigme* qui concerne précisément le messianisme de Jésus.

Tout d'abord, la recherche historique est légitime et nécessaire. Nous n'en sommes plus aux vies de Jésus libérales du XIXe siècle, faussement scientifiques, où chaque auteur attribuait son idéal moral à Jésus comme A. Schweitzer l'a montré. Tout historien doit donc faire la part de l'imagination dans la reconstruction qu'il tente d'une vie de Jésus, en tenant compte de la distance historique insurmontable entre lui et nous [68]. Cependant, l'historien d'aujourd'hui connaît mieux la Palestine d'alors et cette connaissance est indispensable à une approche historique de Jésus [69].

---

68. Ch. PERROT, *Jésus et l'histoire*, Desclée, Paris, 1979, chap. I : « les Evangiles et l'histoire ».

69. Les instruments d'étude ne manquent pas : A. PAUL, *le Monde des juifs à l'heure de Jésus, histoire politique*, Desclée, Paris, 1981 (avec bibliographie) ; E.M. MEYERS, J.F. STRANGE, *Archeology, The Rabbis and Early Christianity. The Social and Historical Setting of Palestinian Judaism and Christianity*, Abingdon, Nashville, 1981 ; de Flavius Josèphe, principal témoin, on lira au moins les textes rassemblés par une équipe de la Faculté de théologie de Lyon : *Flavius Josèphe, un témoin juif de la Palestine au temps des Apôtres*, Supplément au *Cahier Evangile* nº 36 ; J. JEREMIAS, *Jérusalem au temps de Jésus*, Cerf, Paris, 1967. Il existe aussi des résumés synthétiques utiles comme E. MORIN et les Équipes enseignantes, *l'Evénement Jésus dans les structures de la société juive*, Cerf, Paris, 1978.

Par comparaison avec ce milieu, les historiens d'aujourd'hui ne contestent plus un certain nombre d'éléments majeurs dans la vie de Jésus avant Pâques : en particulier, sa prédication, les exorcismes et guérisons, le pardon des péchés et une série d'affrontements qui l'ont amené à la mort. Dans cette recherche, la méthode suit un certain nombre de critères[70] d'ordre littéraire (les différentes réactions et traditions), socio-littéraire (recherche des lieux institutionnels de traditions orales), linguistique et historique (la comparaison avec le milieu). Ces critères doivent garder l'historien d'attribuer à Jésus ses propres conceptions (libérales ou croyantes).

Du point de vue théologique également. Nous avons vu qu'une proclamation de l'enseignement et de la résurrection de Jésus-Christ, non articulée à l'histoire, serait soupçonnée d'être une invention au service d'un groupe. C'est pourquoi le kérygme ne doit pas être séparé du récit. L'histoire de Jésus joue donc un rôle critique par rapport au kérygme, mais aussi, ce qui est moins souligné, par rapport à la pratique des chrétiens : il y a une radicalité de Jésus qui remet toujours en question l'affadissement de l'Evangile. On le voit lorsque des chrétiens prennent l'Evangile à la lettre : c'est peut-être ce qui donne un tel relief à la figure de François d'Assise (cf. la fonction subversive ou le rôle de la « mémoire libératrice » du récit : Excursus III).

Cependant, autant du point de vue historique que théologique, le Nouveau Testament ne livre pas une biographie de Jésus. D'ailleurs, même une histoire critique n'est pas écrite pour reconstruire un passé révolu, mais bien aussi pour éclairer le présent et permettre l'avenir. Les Evangiles, eux, et les éléments historiques contenus dans le Nouveau Testament, sont écrits pour dire l'actualité de Jésus et forment ainsi un genre littéraire nouveau dans l'Antiquité[71] : cette histoire est une bonne nouvelle qui invite à la conversion, puisque ce Jésus est Christ. Or, c'est ce passage de Jésus au Christ, qui constitue la particularité de ce récit.

Ce récit, en effet, a un sens énigmatique.

S'il s'agissait de la biographie d'un héros, nous pourrions avoir un récit se terminant par son apothéose. En fait, ce récit présente deux particularités au moins. D'abord, il se termine par la mort ignominieuse de la croix, puisque les « récits de la résurrection » ne font pas partie de la vie historique de Jésus, mais disent un « événement » qui n'est accessible qu'au croyant, celui qui a reçu la

---

70. Ch. PERROT, *op. cit.*, pp. 64ss., avec bibliographie.
71. C. FRIEDRICH, « *Euangelion* », in *TWNT* II, col. 718-734. ; E. SCHILLEBEECKX, *Jesus. Die Geschichte von einem Lebenden*, Herder, Fribourg, 1975, pp. 95-101.

grâce de résoudre l'énigme contenue dans ces textes. Cette énigme constitue donc la deuxième particularité de ce récit.

Tout récit tire sa logique de sa fin et celle-ci est amenée par un certain nombre de «présuppositions» qui constituent l'intrigue. Celle-ci a un noyau constitué par le procès et la passion, si bien que M. Kähler a pu dire que les Evangiles étaient «des histoires de la passion avec une introduction détaillée» («Passionsgeschichten mit ausführlicher Einleitung»)[72]. Ce jugement s'applique particulièrement à l'Evangile de Marc, dont plus du tiers est consacré à la semaine qui précède la mort de Jésus, elle-même annoncée à trois reprises dans les chapitres précédents. C'est au cours de la passion que l'intrigue se dénoue, en défaite de Jésus pour les uns, dans sa victoire pour les autres. Voilà qui est énigmatique, et l'énigme porte précisément sur le caractère *messianique* ou pas de Jésus. On se reportera ici à la thèse de W. Wrede[73], scandaleuse à l'époque, sur le «secret messianique» dans les Evangiles, surtout celui de Marc. W. Wrede affirmait alors, en 1901, que Jésus n'a jamais revendiqué d'être le Messie et que ce titre ne lui a été attribué que par ses disciples après la résurrection. Pour résoudre cette divergence, la première communauté chrétienne aurait inventé la thèse du «secret messianique», c'est-à-dire que Jésus se serait bien considéré comme le Messie, mais il aurait interdit de le dire jusqu'à ce qu'il soit ressuscité. La thèse de Wrede a été affinée par la suite : Ph. Vielhauer[74] a souligné qu'elle ne tenait pas compte d'autres titres comme le Fils de l'homme auquel la consigne de silence ne s'applique pas; H.J. Ebeling[75] a montré que cette théorie était propre à Marc et non à la communauté chrétienne et G. Minette de Tillesse[76] a fait porter l'objet de ce secret non pas sur la résurrection mais sur la passion, car c'est sur la croix que Jésus apparaît comme «Messie».

Il faut donc comprendre cette mort comme le dénouement d'une intrigue dont l'enjeu est *messianique* et dont les fils sont mêlés à

---

72. *Der sogenannte...* Munich, 1961, pp. 59s.

73. W. WREDE, *Das Messiasgeheimnis in den Evangelien. Zugleich ein Beitrag zum Verständnis des Markus-evangeliums*, Vandenhœck, Göttingen, 1901. Nouveau plaidoyer pour continuer le travail de Wrede et saisir une évolution chez Jésus : R. et W. FENEBERG, *Das Leben Jesu im Evangelium*, avec une introduction de K. RAHNER, Herder, Fribourg, 1980.

74. Ph. VIELHAUER, «Erwägungen zur Christologie des Markusevangeliums», in *ThB*, t. 31, Munich, 1965, p. 201.

75. H.J. EBELING, *Das Messiasgeheimnis und die Botschaft des Markus-Evangelisten*, Töpelmann, Berlin, 1939.

76. G. MINETTE de TILLESSE, *le Secret messianique dans l'Evangile de Marc*, Cerf, Paris, 1968.

l'ensemble de la vie terrestre et du destin pascal de Jésus. Il s'agit bien d'une énigme à percer et qui porte sur l'identité de Jésus. Selon certains rabbins, on ne peut reconnaître le Messie tant que sa tâche n'est pas terminée[77]. Il en est de même pour Jésus. Sans faire appel à la théorie du « secret messianique » propre à Marc, on remarque que tous les Evangiles attendent le procès et la mort de Jésus pour dire, faire dire de lui ou même lui faire dire qu'il est « le Christ » (cf. Mc 14, 61-62 ; Mt 26, 63-64 ; Lc 22, 67-68 ; Jn 10, 24-25), « le roi des juifs » (cf. Mc 15, 2 ; Mt 27, 11 ; Lc 23, 3 ; Jn 18, 39 s. ; Mc 15, 18. 15, 26 par.), « Fils de Dieu » (cf. Mc 15, 39 ; Mt 27, 54) et « l'heure » de la révélation chez Jean, mais que cette reconnaissance messianique survient sur les modes les plus divers qui vont de la dérision à la dénégation[78] (Jésus souffleté devant le Sanhédrin, revêtu d'un manteau devant Hérode et présenté à la foule par Pilate qui, aussitôt après avoir reconnu son innocence, le fait curieusement crucifier comme Messie politique). Le seul qui réponde clairement à la question messianique — « Qui dites-vous que je suis » — est Pierre, et il doit passer, selon Jean 18, 10, par la révolte armée en tirant son glaive, comme si Jésus était un Messie politique, et par le reniement. C'est seulement après ces épreuves que Pierre résout l'énigme et reconnaît Jésus vraiment ; c'est pourquoi il sera le premier à rassembler les disciples après la Pâque. Tel est le propre d'une énigme : sa solution n'est trouvée que par celui qui risque sa vie, comme Œdipe autrefois devant le Sphinx. L'Evangile insiste sur ce risque (tout quitter, chercher la pierre précieuse, faire fructifier les talents, perdre sa vie pour la gagner) et nous verrons, à propos de l'enseignement de Jésus, que les paraboles requièrent, pour être comprises, un engagement de l'interlocuteur. Dès lors, c'est toute la vie de Jésus — son enseignement comme ses actes — qui est marquée par l'énigme. C'est pourquoi les Evangiles reviennent souvent sur cette difficulté à comprendre et paraissent en rendre Jésus responsable : « c'est pour cela que je leur parle en paraboles, parce que regardant, ils ne regardent pas » (Mt 13, 13 s., Mc 4, 12, et Jn 12, 37 citent la parole énigmatique du prophète Isaïe 6, 9-10 attribuant à Dieu l'aveuglement du peuple : celui-ci ne comprendra que lorsqu'il aura tout perdu). Les disciples eux-mêmes, qui sont dits « voir » et « comprendre », seront surpris par la passion et auront besoin de reprendre tout l'enseignement de Jésus, après la résurrection, pour admettre qu'il devait passer par la croix. Si les disciples sont dits « comprendre » et « voir » avant la

77. D. Flusser cité par L.F.D. Moule, *The Origins of Christology*, Univ. Press, Cambridge, 1977, p. 34.

78. J. Delorme, « le Procès de Jésus ou la parole risquée (Lc 22, 54-23, 25) », in *RSR*, 1981, pp. 123-146.

passion, c'est qu'ils sont considérés comme modèles des croyants et que l'Evangile est écrit après la résurrection. Ainsi, tout l'Evangile et tous les Evangiles nous invitent à lire le messianisme de Jésus selon qu'il a voulu le réinterpréter lui-même par toute sa vie : un mode d'intervention de Dieu qui ne passe pas par les pouvoirs de domination en place mais par la puissance subversive de l'Esprit telle que nous aurons à la découvrir.

Pour mieux comprendre «la vie messianique» de Jésus, nous partirons des deux points principaux que l'exégèse historico-critique a discernés dans la pratique de Jésus : l'enseignement, d'une part, et, d'autre part, des actions soit répétées (miracles et repas avec les pécheurs) soit isolées (vendeurs chassés du Temple, etc.). Ces deux points s'expliquent l'un par l'autre. Nous les rappelons ici en tant qu'ils posent la question de l'identité de Jésus.

Nous commençons par l'enseignement, parce qu'il correspond aux sources les plus anciennement fixées [79]. Au Ier siècle, des collections de commentaires rabbiniques sont constituées sur la base de ces *Halachot* («règles» et commentaires venant de la tradition et concernant ce qu'il faut faire pour agir selon la Loi). Il est fort probable que des collections des paroles de Jésus aient commencé du vivant de Jésus, puisque son enseignement avait suscité de l'intérêt. Il reste cependant qu'une sélection [80] et une réinterprétation de ces paroles ont été opérées par les premières communautés en fonction de situations nouvelles. Et comme les *lois* ne vont pas longtemps sans être articulées à un *récit* qui les situe, cette halacha s'est trouvée revêtue de traits haggadiques (récits populaires comprenant souvent des développements moraux) qui dépeignent Jésus comme prophète ou maître de Sagesse. Ainsi, cette complémentarité littéraire — enseignement et pratique — pose la question de l'identité de celui qui est à leur origine : de quel maître ou prophète s'agit-il ?

2. L'enseignement

Tous les témoignages le confirment : Jésus a enseigné en beaucoup d'endroits (de la Galilée à la Judée en passant par la Samarie) et dans des circonstances diverses (fêtes liturgiques, controverses mais aussi réactions à des événements ordinaires) avec des interlocuteurs variés. On remarque même que les Evangiles s'accordent beaucoup mieux entre eux sur le nom et les catégories d'interlocuteurs quand il s'agit de paroles que lorsqu'il s'agit de faits et gestes de Jésus.

---

79. H. LEROY, *Jesus. Überlieferung und Deutung*, Darmstadt, 1978, pp. 36s.

Jésus ne parle pas d'une manière générale mais le plus souvent en tenant compte de la situation de l'auditeur. Ceci est particulièrement vrai des paraboles dont le sens ne peut être trouvé par l'interlocuteur que s'il revient sur son propre comportement et sa situation.

Il y a donc beaucoup d'aspects dans l'enseignement de Jésus, mais nous retiendrons ici l'aspect doctrinal, tout en sachant qu'il s'énonce aussi dans une pratique dont il sera question plus loin.

L'attention donnée à cet aspect de la personne de Jésus est traditionnel, puisque le Nouveau Testament, déjà, et la prédication chrétienne depuis des siècles, ont commenté les paroles de Jésus. Cependant, cet enseignement a vite été compris et pour longtemps, dans un sens surtout éthique et individualiste, oublieux de la radicalité eschatologique voire apocalyptique de cette prédication, sauf dans des mouvements marginaux (montanisme, Th. Münzer, etc.). Or cette redécouverte de l'eschatologie dans le Nouveau Testament est récente [81]. L'exégèse vétérotestamentaire du XIXe siècle, en effet, avec J. Wellhausen et B. Duhm, distinguait entre Israël (avant l'Exil) et le judaïsme d'après l'exil, en s'intéressant au premier et en négligeant le second. Pour eux, Israël est le temps des prophètes auxquels se rattache Jésus, tandis que la littérature post-exilique, avec l'eschatologie et l'apocalyptique, leur paraît secondaire. Seuls des isolés, comme A. Hilgenfeld en 1857, voyaient au contraire dans l'apocalyptique et la littérature intertestamentaire le lieu du recoupement entre AT et NT. Renan est l'un des rares à souligner la conception apocalyptique du Royaume de Dieu chez Jésus, en 1863 [82]. Mais c'est le livre de J. Weiss, en 1892 [83], sur «la prédication de Jésus du Royaume de Dieu» qui remit l'apocalypse au premier plan de l'exégèse et de l'interprétation de Jésus. Ce renouveau apocalyptique fut amplifié encore par A. Schweitzer [84] (1901) qui considère l'annonce du Royaume de Dieu comme la synthèse entre l'éthique prophétique et l'apocalyptique de Daniel. Pour lui, Jésus s'attendait à une fin du monde prochaine et au jugement de Dieu, si bien qu'il n'a développé qu'une éthique intérimaire. La question était alors posée, et elle fut reprise des années plus tard, de savoir si Jésus ne s'était pas trompé

---

80. B. GERHARDSSON, *Préhistoire des Evangiles*, Cerf, Paris, 1978, en privilégiant la mémorisation, sous-estime cette réinterprétation.

81. M. DELCOR, «Bilan des études sur l'apocalyptique», in *Apocalypses et Théologie de l'espérance*, Cerf, Paris, 1977, 24-42.

82. *Vie de Jésus*, 1863, chap. XVII.

83. *Die Predigt Jesu vom Reiche Gottes*, Göttingen, 1892 (1900²).

84. *Das Messianitäts- und Leidensgeheimnis. Eine Skizze des Lebens Jesu*, 1901, 3e éd., Mohr, Tübingen, 1956 ; trad. fr., *le Secret historique de la vie de Jésus*, Albin Michel, Paris, 1961.

puisque cette fin du monde n'était pas arrivée [85]. D'importants travaux sont parus ensuite sur la littérature intertestamentaire et l'eschatologie (Kautsch, Volz, Bousset, Charles, etc.). Cependant, dans la première moitié du siècle, la question eschatologique passe au second plan, soit parce que l'apocalypse est classée dans un ensemble plus vaste où elle se perd, dans les écrits rabbiniques, par exemple (avec l'œuvre de H.L. Strack - P. Billeberck [86], notamment, 1922 s.), soit parce que le programme de démythisation de Bultmann rejette les représentations apocalyptiques au rang du langage mythique en opposant celui-ci à la foi, soit aussi parce que d'autres courants théologiques évitent le problème.

Au début des années 60, avec Pannenberg, Wilckens, Käsemann, un nouveau débat s'instaure déclarant incompréhensible la radicalité du message de Jésus et la mission chrétienne primitive auprès des païens sans ce cadre eschatologique et apocalyptique de la fin du monde déjà inaugurée et relativisant le rôle de la foi. La discussion scientifique n'est pas encore terminée aujourd'hui, en particulier pour essayer de déterminer ce qu'on entend par apocalypse et par eschatologie, sans mélanger les deux. La théologie des années 60, avec Pannenberg et Moltmann — l'un s'appuyant sur l'apocalypse, l'autre sur l'eschatologie — pensent résolument la christologie dans ce cadre. C'est à ce moment également que la christologie se développe systématiquement à partir de la résurrection (Pannenberg) et de la croix.

Cette redécouverte de l'horizon apocalyptique et eschatologique de la prédication de Jésus a permis de passer d'une compréhension intérieure du Royaume de Dieu à une conception historique (et parfois politique), en faisant intervenir Dieu comme Celui qui le suscite par une promesse et l'accomplit par un jugement où il se révèle. La révélation de Dieu par lui-même est unique et totale, comme l'avait pensé l'idéalisme allemand, et elle s'accomplit dans l'histoire, selon la conception biblique. L'eschatologie doit être interprétée à travers le destin de Jésus : c'est Dieu qui se révèle dans sa prédication, ses actes, sa personne. L'accent sera différent selon qu'on insiste sur l'accomplissement (même anticipé, comme le fait Pannenberg à propos de la

---

85. Cf encore E. LINNEMANN, « Hat Jesus Naherwartung gehabt ? » in J. DUPONT, *Jésus aux origines...* pp. 103-110 qui conteste cette attente de Jésus puisqu'il annonce déjà la venue du Royaume de Dieu et la consacre dans sa Pâque. Voir aussi l'hypothèse d'une évolution : R. et W. FENEBERG, *Das Leben Jesu in Evangelium*, Herder, Fribourg, 1980.

86. *Kommentar zum NT aus Talmud und Midrasch*, I-IV, Munich 1922-1928 (réédité en 1956) très utilisé jusqu'aux années récentes avant le renouveau des études intertestamentaires.

résurrection liée à la révélation) ou sur la promesse au sein d'une histoire (Moltmann).

Le centre de la prédication de Jésus se résume en une phrase : « le temps est accompli et le Règne de Dieu s'est approché : convertissez-vous et croyez à la bonne nouvelle » (Mc 1, 15) ou plus simplement : « Convertissez-vous. Le Règne des cieux s'est approché » (Mt 3, 2) ou même : « le Règne de Dieu est arrivé jusqu'à vous » (Lc 10, 9). Bien que la même annonce soit mise dans la bouche de Jean-Baptiste (Mt 3, 2), on sait que celui-ci met l'accent sur le jugement de Dieu auquel il faut se préparer par le baptême de repentir, alors que Jésus annonce d'abord la bonne nouvelle de Dieu qui pardonne. Dans les deux cas le Royaume de Dieu signifie bien que Dieu règne, mais la manière est différente.

En effet, même s'il faut faire la part de la polémique chrétienne vis-à-vis des disciples du Baptiste[88], celui-ci est toujours présenté comme précurseur. Il est celui qui a, sinon désigné Jésus, du moins annoncé le Messie eschatologique mais d'une façon ambiguë : « il baptisera dans le feu et l'Esprit-Saint » (Mt 3, 11). Marc, lui, ne mentionne pas le feu (Mc 1, 7-8), car il le comprend encore comme le feu et le souffle du jugement eschatologique destiné à détruire les méchants (Ml 3, 2 ss. ; Am 1, 4 ; Is 66, 15 ss.) par l'intermédiaire du Messie (Is 11, 4). Il ne pense pas au feu de la Pentecôte. Et c'est peut-être pour cette raison que Jésus a peu parlé de l'Esprit[89].

Or ce n'est pas sous l'angle du jugement redoutable que Jésus a compris sa mission. Et ce n'est pas simple curiosité historique, que de s'intéresser à ce que l'on peut reconstituer d'une certaine évolution de Jésus sur ce point.

Jésus fut d'abord disciple du Baptiste : il vient « après moi » (Jn 1, 15 ; 1, 27) comme le disciple qui marche « derrière » le maître. Il semble, d'ailleurs, avoir longtemps gardé des accents de la prédication eschatologique de Jean : il parle de « feu jeté sur la terre » (Lc 12, 49 ; Mc 9, 49) ; il voit dans les exorcismes la victoire de Dieu sur le mal (« Je voyais Satan tomber du haut du ciel », Mt 12, 22) ; il pense encore à la manifestation de la colère de Dieu dans la parabole des vignerons homicides. Le Jésus dépeint par Pasolini dans son *Evangile selon saint*

87. Par ex. L. LEGRAND, *l'Annonce à Marie*, Cerf, Paris, 1981.
88. M. DIBELIUS, *Die urchristliche Überlieferung von Johannes den Täufer*, 1911. Sur le mouvement baptiste en général : J. THOMAS, *le Mouvement baptiste en Palestine et en Syrie (150 av. J.-C. — 300 après J.-C.)*, J. Duculot, Gembloux, 1935, reste l'ouvrage de référence. Ch. PERROT, *Jésus et l'histoire*, approfondit considérablement la compréhension de Jésus au sein de cette tradition.
89. M.-A. CHEVALIER, *Souffle de Dieu*, Beauchesne, Paris, 1978, pp. 99s, 102s.

Matthieu, retient surtout cette image du prophète hanté par la justice qui va s'affirmer de façon soudaine et violente.

Mais trois traits marquent une différence entre Jésus et Jean, trois traits que le baptême chrétien, justement, s'efforce de recueillir.

1° Jésus s'intéresse moins encore que le Baptiste à un enseignement de la fin des temps, à une spéculation de type apocalyptique. Avant tout, il proclame une promesse de pardon qui a dû étonner les disciples du Baptiste en même temps que leur Maître, si l'on en croit la question qu'ils posent à Jésus : « Es-tu celui qui doit venir ? » Et Jésus répond par un texte messianique d'Isaïe (cf. Mt 11, 2-6 ; Lc 7, 18-23) qui signifie que le Royaume de Dieu advient déjà, et d'une autre manière que celle qu'on aurait pu imaginer. Cela pose la question de l'autorité de Jésus : comment ose-t-il rapporter à sa personne et à son activité l'actualité du Royaume ? Une seule réponse s'impose : la proximité que Jésus a avec son Père (qu'il n'appelle jamais « notre Père »)[90]. Ceci s'exprime dès son baptême jusqu'à sa mort en croix. Le Royaume s'approche effectivement parce que Jésus est proche de son Père d'une « immédiateté » (Käsemann) qui le fera appeler « le Fils ». On ne comprendra rien au message d'amour de Jésus et à son annonce d'un monde enfin fraternel tant qu'on ne suit pas tout au long de l'Evangile les traces d'une « expérience » unique de Jésus, qui s'exprime aussi bien dans son insistance à retrouver la prière[91], que par ses réactions face à toute situation qui peut révéler le Dieu amour, proche de nous. Bien que l'Evangile ne s'intéresse pas à décrire une expérience intérieure, on voit s'affirmer ici les conditions d'une expérience humaine qui s'éprouve en face de Dieu dans une solitude spirituelle, c'est-à-dire sous la mouvance de l'Esprit de communion avec Dieu et le prochain.

2° Après le « printemps galiléen », où Jésus dut connaître le succès dans sa prédication (cf. le texte enthousiaste cité plus haut sur « Satan tombant du ciel comme un éclair »), les historiens parlent depuis une

---

90. J. JEREMIAS, *"Abba". Le Message central du NT*, Cerf, Paris, 1966, (qui a tendance cependant a restreindre l'usage de l'invocation de Dieu-Père dans le judaïsme palestinien) ; W. MARCHEL, *Dieu le Père dans le NT*, Cerf, Paris, 1966 et G. BORNKAMM, *Qui est Jésus de Nazareth ?* Seuil, Paris, 1973, pp. 143 s.

91. En particulier chez Lc et Jn (cf. *Initiation...,* t. III, Anthropologie) On notera en particulier le rôle des psaumes pour intérioriser l'actualisation de l'Ecriture : M. GOURGUES, *les Psaumes et Jésus. Jésus et les psaumes = Cahier Evangile,* n° 25, 1978, et P. BEAUCHAMP, *Psaumes jour et nuit,* Seuil, Paris, 1980.

dizaine d'années d'un tournant et d'une « crise galiléenne »[92]. Celle-ci porte justement sur la nature du messianisme (cf. la question posée aux disciples et la réponse de Pierre : Mc 8, 27-30). A la suite de cette crise, la prédication de Jésus change doublement. D'une part, il s'adresse moins aux foules qu'à ses disciples. D'autre part, au thème de la prédication du Royaume s'ajoute celui de la propre *mort* de Jésus et de la révélation du *Fils de l'Homme* qui fait interroger une nouvelle fois la « conscience messianique » de Jésus. (Nous verrons plus loin les liens qui peuvent exister entre le Royaume de Dieu et la mort de Jésus, certains voyant une contradiction entre les deux thèmes, d'autres la prise de conscience d'un échec (cf. Schweitzer), d'autres une évolution approfondissant la christologie).

3° L'actualisation et la personnification de la prédication du Royaume ne se comprend pas seulement par rapport à l'environnement de Jésus (autres groupes, succès ou échec), mais aussi par rapport à son propre destin qui culmine à Pâques. C'est à la lumière pascale que les Evangiles situent la mission de Jésus, entre son propre baptême dans le Jourdain, qui le désigne comme « Fils » dans une proximité toute particulière à Dieu, et sa plongée dans la mort sur la croix. Dès lors le baptême chrétien sera une « plongée dans la mort et la résurrection du *Christ* », une « mort au péché et d'une vie pour Dieu », en faisant passer à l'arrière-plan la prédication messianique du Royaume de Dieu. Nous retrouvons alors l'appel à la conversion qui est le moment de vérité des interprétations éthiques et spirituelles du Royaume.

a) Les exigences éthiques

Mis à part le « sermon sur la montagne » de Mt 5-7 et son correspondant moins développé mais plus ancien de Lc 6, 20-49, Jésus n'a pas développé un enseignement éthique systématique, bien que cet enseignement forme un tout cohérent au cœur de sa pensée et de son action. Le IVe tome de cette *Initiation* y reviendra plus en détail. Cependant, cette doctrine semble s'exprimer occasionnellement et on peut se demander dans quelle mesure elle est originale et comment elle peut donner lieu à une *théologie* morale.

Historiquement d'abord, nous avons affaire à un nouveau paradoxe.

92. O. Michel, « Der Umbruch : Messianität-Menschensohn », in G. Jeremias, *Tradition und Glaube*, Göttingen, 1971, pp. 310-316. F. Mussner, *Gab es eine « galiläische Krise »* ? in P. Hoffmann, *Orientierung an Jesus*, Fribourg, 1973, pp. 238-252.

La plupart des directives éthiques de Jésus, prises *séparément*, pourraient se retrouver dans l'interprétation juive de la Torah (sans parler d'autres religions et philosophies). Lorsqu'il s'agit d'expliquer telle ou telle d'entre elles, les interprètes retrouvent certaines argumentations rabbiniques [93] d'une école ou d'une autre et l'on comprend beaucoup mieux paraboles et attitudes de Jésus si l'on se réfère au contexte juridique [94] dans lequel elles s'insèrent (par exemple la parabole de l'intendant dit infidèle le fait apparaître comme juste car il a préféré la loi de Dieu plutôt que la loi humaine, tout en servant en cela son intérêt propre). Il est donc difficile de prendre Jésus en flagrant délit de violation de la Loi (sauf pour les lois rituelles où il peut d'ailleurs se réclamer des prophètes et du baptisme), car telle ou telle interprétation reçue de son temps peut être invoquée en sa faveur (par exemple pour la «violation du Sabbat» qui pose d'ailleurs un problème particulier : Jésus ne manifeste pas par hasard son autorité sur le Sabbat, car c'est le jour de Dieu). En revanche, il est indéniable que Jésus radicalise les commandements de la morale humaine et particulièrement vétérotestamentaire, par exemple en ce qui concerne l'adultère et le divorce, les richesses, le serment, la vengeance [95]. Et de fait, une longue tradition, dans l'Eglise et en dehors, reconnaît l'originalité de l'enseignement éthique de Jésus dans le fait d'avoir placé le *commandement de l'amour* au-dessus de toutes les règles, non pas comme leur abolition mais comme leur accomplissement [96].

Dès qu'il s'agit d'accomplissement nous retrouvons la question de fond concernant le rapport entre Ancien et Nouveau Testament dans le messianisme de Jésus, dont nous avons dit qu'il fallait le comprendre dans le cadre des figures en articulant un récit et une loi qui les accomplit. En effet, du point de vue historique, on continuera encore longtemps à discuter sur les rapports de Jésus à la Loi, les uns défendant la fidélité de Jésus à la Loi Juive, les autres son opposition irréductible. En fait, ces deux positions durcissent, sur le plan historique, un paradoxe, voire une énigme, qui se pose avant tout pour la foi et culmine dans la question de l'autorité et de l'identité de Jésus (cf. *infra*). C'est seulement après Pâques qu'il est possible de comprendre pourquoi Jésus peut radicaliser la Loi : il est le seul à

---

93. H. Leroy, *Jesus*, pp. 81ss.

94. J. Derret, *Law in The New Testament*, Darton Longman & Todd, Londres, 1970.

95. H. D. Wendland, *Ethique du NT*, Labor et Fides, Genève, 1972, pp. 24ss, 73ss.

96. Cf art. «Amour» in *Encyclopédie de la foi*, t. I, Cerf, Paris, 1967², pp. 46-69 par exemple ; H. Urs von Balthasar, *L'Amour seul est digne de foi*, Aubier, Paris, 1966.

pouvoir la reprendre à son origine divine et la fonder sur le récit de la manifestation de l'amour de Dieu dans son propre comportement (« comme je vous ai aimés »). C'est au moment d'entrer dans sa Pâque, juste après le lavement des pieds — qui situe bien le type de messianisme voulu par Jésus — qu'il est question de « commandement nouveau » chez Jean (Jn 13, 34-35 ; 15, 12-14. 17). De même que la loi ancienne s'articulait au récit de l'Exode et du don de Dieu (libération d'Egypte, manne, terre), de même le commandement nouveau, source de la Loi nouvelle, s'articule au récit du destin messianique de Jésus culminant dans la Pâque, inauguration du monde nouveau grâce au don de l'Esprit. Il faut donc développer la nouveauté de ce commandement pour comprendre le cœur des exigences éthiques de Jésus.

La *nouveauté*[97] du commandement de l'amour ne s'oppose pas à l'ancienneté de la Torah, puisque celle-ci connaît déjà ce commandement (Lv 19, 18, même s'il est limité historiquement aux fils d'Israël comme le commandement nouveau l'est aux frères de la communauté)[98], mais à un *événement* nouveau, la Pâque de Jésus, en ce qu'elle révèle et accomplit deux traits fondamentaux de la Loi d'une manière qui la renouvelle radicalement :
— l'obéissance de Jésus fondée sur l'amour du Père ;
— le don de l'Esprit.

L'*obéissance* pratiquée par Jésus par rapport à son Père seul, à condition de ne pas comprendre cette obéissance de manière extrinsèque à la liberté et à la fidélité intérieure de Jésus[99], révèle une éthique qui est au cœur du messianisme royal : le roi est celui qui est chargé de mettre en œuvre, avec le peuple, la Loi et les prophètes. Le roi doit construire un monde selon Dieu, libéré de toute domination, objet de ce qu'on aime le plus. C'est l'amour qui est à la source de ce qu'on a appelé le « non-conformisme »[100] de Jésus. C'est l'amour qui permet aussi à Jésus d'être libéré, par Dieu même, de toute peur et en particulier de l'emprise de la mort, comme l'exprime la Sagesse : « vouloir être instruit, c'est l'aimer. L'aimer c'est garder ses lois ; observer ses lois, c'est être sauvé de la corruption, et l'incorruptibilité rend proche de Dieu » (Sg 6, 18). La résurrection par Dieu est reconnaissance de l'obéissance du Fils.

97. R.E. BROWN, *The Gospel According To John*, Doubleday, New York, 1966, 1970, pp. 612ss., 681ss.
98. A la différence de l'amour universel du Dieu créateur : Mt 5, 44.
99. Cf. M. LÉGAUT, *op. cit.*, p. 121.
100. J. ERNST, *Anfänge der Christologie*, KBW, Stuttgart, 1972, pp. 145ss : « Jésus occasion de scandale, critique de la religiosité, critique du divorce, critique des lois nouvelles, "une nouvelle moralité". »

Le *don* de l'Esprit, qui est à l'œuvre dans toute la vie de Jésus et se manifeste pleinement dans l'événement pascal, est le don qui permet la *Loi nouvelle*. L'Esprit, en effet, est au cœur de l'alliance nouvelle promise par les prophètes (Jr 31 ; Ez 26 ; Jl 3, 1 ; Za 8-14) pour créer un peuple nouveau, fraternel, rejetant les rapports de domination (Jl 3, 1 ; Jr 31, 34), accordant le pardon de Dieu (Jr 31, 34 ; Ez 36, 31), introduisant à la nouvelle création. A nous d'accepter d'entrer avec Jésus dans le jeu de la figure recréatrice : en entrant dans le même mouvement d'obéissance qui rend libre et accueille l'Esprit (Jn 14, 15.21-23). La théologie chrétienne, de fait, a lié le *don* de l'Esprit et la *Loi nouvelle*, liberté et amour, nous sommes libres parce qu'émancipés par cette révélation de l'*amour* (Rm 8)[101]. « S'il me manque l'amour, je ne suis rien » (1 Co 13, 2). Ce renouvellement de la Loi, à l'intérieur de la Loi ancienne donc, relativise encore plus les prescriptions rituelles que ne l'ont fait les prophètes : « l'amour vaut mieux que tous les holocaustes et sacrifices » (Mc 12, 33). Si Jésus accomplit entièrement la Loi par sa Pâque, il l'incorpore et la représente comme moyen de salut, sans la supprimer : il ne faudrait pas que l'amour devienne une sorte de sentiment vague, inarticulé, méprisant les commandements de la Loi ancienne.

Il reste que l'amour devient le centre de la conduite chrétienne. La valeur d'un homme ne dépend pas seulement de ce qu'il réalise, même en ce qui concerne les commandements de Dieu. Nous sommes des « serviteurs inutiles » et le mérite ne vaut pas. C'est pourquoi la béatitude essentielle est celle de la pauvreté. L'homme vaut par ce qu'il est, non par ce qu'il a. D'où les mises en garde de Jésus contre le souci des richesses (Mc 10, 21 ; Mt 5, 3 et 6, 19-24 ; Lc 12, 22-34, etc.). Il ne s'ensuit pas pour autant une doctrine du mépris du monde et encore moins du mépris de soi-même, pas même sous la forme d'une morale de la perfection impossible à accomplir et culpabilisante. De différents côtés, la « morale chrétienne » a été attaquée comme imposant à l'homme des exigences infinies qui dépassent ses propres forces[102] ou qui seraient irréalistes[103]. Ainsi a-t-on mis en doute la

---

101. C'est l'une des questions les plus intéressantes de la *Somme théologique* de Thomas d'Aquin : IaIIae, q. 106-108 : *la Loi nouvelle*, trad. fr., notes et appendices par J. Tonneau, édition de la Revue des jeunes, Cerf, Paris, 1981 et U. Kühn, *Via caritatis, Theologie des Gesetzes bei Thomas von Aquin*, Göttingen, 1965. Saint Thomas fait également de la « charité » la forme de toutes les vertus.

102. S. Freud, *Malaise dans la civilisation (Unbehagen in der Kultur*, GW XIV, pp. 503-504).

103. M. Weber, *le Savant et le Politique*, éd. 10/18, p. 170, qui oppose éthique de conviction et éthique de responsabilité.

pertinence de l'amour des ennemis, de la joue gauche tendue et plus fondamentalement de ce qui a été appelé le « masochisme chrétien » dont le modèle serait le sacrifice de Christ pour les hommes. Nous aurons à revenir sur le sens de la mort de Jésus, mais l'amour évangélique ne peut passer par la dépréciation de soi. En effet, l'amour d'autrui comme personne qui, selon la formulation kantienne, est « fin et jamais moyen », se fonde sur la foi en l'amour de Dieu envers chacun et lui donne ainsi une dignité infinie. Le croyant ne veut pas aimer autrui au mépris de sa propre dignité. Inversement, l'amour de soi et la valeur de chacun, étant fondés sur la communauté que Dieu instaure avec lui, ne peuvent se terminer à soi.

L'enseignement de Jésus ne s'exprime donc pas simplement en paroles, mais dans des actes qui engagent à la fois Jésus, Dieu et les destinataires de ce message. Il faut donc revenir sur la nature du langage qui a ces diverses dimensions : *la parabole*.

b) Les paraboles

L'étude des paraboles a pris un nouveau départ, au début de ce siècle, avec l'œuvre de A. Jülicher, *les Paraboles de Jésus*[104], qui rompait avec l'interprétation allégorisante courante pour distinguer un noyau historique remontant à Jésus et son usage chez les synoptiques. Il rappelait l'usage biblique et particulièrement rabbinique de ce genre littéraire dans le *mashal*, lui-même plus vaste que la parabole, puisqu'il désigne toute parole imagée.

Depuis Jülicher, les études se sont affinées dans deux directions principales. Des enquêtes historiques surtout avec C.H. Dodd et J. Jeremias[105] : le premier rapportant toutes les paraboles au Royaume de Dieu et donc à la prédication et à la situation de Jésus (alors que Jülicher restait encore prisonnier d'une interprétation morale) et Jeremias cherchant encore plus à distinguer ce qui remonte à Jésus (les « ipsissima verba ») et les interprétations contemporaines ou postérieures. L'autre direction, qui n'est pas exclusive de la première, a insisté sur l'originalité langagière de la parabole, avec R. Bultmann[106], qui met en évidence la « pointe », et E. Fuchs surtout, qui distingue plusieurs sortes de langage imagé, variantes de l'analogie. De plus, en

---

104. *Die Gleichnisreden Jesu*, 2 vol. Tübingen, 1910 (Darmstadt, 1969²).
105. Ch. Dodd, *The Parables of The Kingdom* (1935), 1961 (éd. révisée) ; J. Jeremias, *les Paraboles de Jésus*, X. Mappus, Le Puy - Lyon, 1965.
106. *Geschichte der synoptischen Tradition* (1921) 1957 et 1971 (revue) ; trad. fr. *l'Histoire de la tradition synoptique*, Seuil, Paris, 1973.

montrant que c'est l'*image* qui donne son caractère «ouvert» à la parabole, en attente d'une prise de position, voire d'une conversion, il a mis l'accent sur les *relations* que met en jeu toute parabole : l'événement *langagier* crée un événement qui peut changer le monde, du moins les destinataires et interlocuteurs. D'autres études précisent tel ou tel aspect, en particulier à l'aide d'études linguistiques sur le langage performatif (Austin) et le rapport entre aspects locutifs et illocutifs de la parole, et en développant les rapports entre symbole et métaphore (N. Perrin)[107]. On peut même relier la parabole au récit au moyen d'une réflexion sur la société comprise comme un ensemble qui favorise ou pas la communication, en surmontant les forces qui peuvent l'interrompre ou le distordre, dans la perspective ouverte par Habermas.

Nous considérons ici les paraboles en tant qu'elles posent, finalement, la question de l'identité de Jésus.

La parabole est une forme de *récit* particulière qui n'est pas propre au NT (cf. la parabole de Natan par exemple) ni à la littérature biblique, mais qui occupe une place centrale dans le NT. Elle a ceci de particulier qu'elle *implique* l'auditeur par un trait insolite qui l'oblige à prendre parti : est-il normal que l'ouvrier de la onzième heure soit payé comme celui qui a peiné toute la journée, par exemple ? La parabole, plus que toute autre forme de récit, exerce cette fonction de la langue qui n'est pas d'abord d'informer mais d'*interpeller* en plaçant l'interlocuteur devant le choix entre deux conceptions du monde : celle à laquelle il est habitué et une nouvelle. Toutes les paraboles invitent à voir le monde autrement, dans la ligne du messianisme selon Jésus. Cette autre vision, c'est le monde tel que Dieu le veut et tel qu'il le transforme lorsqu'on accepte sa venue, son règne. Toutes les paraboles du NT sont paraboles du Règne de Dieu (Dodd). Elles disent comment l'initiative de Dieu offre une nouvelle possibilité, un *jeu* ou un trou dans l'histoire, qui est typique de l'action divine et s'exprime ici grâce à une forme de langage qui en fait un *événement* (Fuchs). En étant soumis à la question qui lui est posée, l'auditeur se trouve placé devant un choix. La parabole ne force pas le jugement :

---

107. N. PERRIN, *Jesus and The Language of The Kingdom. Symbol and Metaphor in NT Interpretation*, Fortress Press, Philadelphie, 1976, 1980² qui dresse en même temps le bilan des recherches précédentes ; signalons aussi E. ARENS, «Gleichnisse als Kommunikative Handlungen Jesu. Überlegungen zu einer pragmatischen Gleichnistheorie», in *ThPh*, t. 56, 1981, pp. 47-69. Mais il faut tenir compte aussi du changement opéré dans l'interlocuteur lui-même : on peut tirer profit de ce que A. Lorenzer, prolongeant Habermas, dit de l'entretien psychanalytique dans *Sprachzerstörung und Rekonstruktion*, Francfort, 1970.

l'auditeur se voit confronté à deux possibilités. On peut juxtaposer ainsi la conduite du Père de l'enfant prodigue et celle de son fils aîné, par exemple. La parabole n'est développée que pour sa « pointe », qui invite à la décision : fera-t-on confiance au Père de l'enfant prodigue ou au « Dieu » du Fils aîné ? « La parabole n'est pas une thèse et n'a aucun thème. C'est plutôt un événement qui fait arriver quelque chose. On pourrait la comparer au mot d'esprit, qui se réalise seulement au moment où il provoque le rire. Les paraboles de Jésus ne disent en aucun cas : le royaume de Dieu *est* par exemple une pierre particulièrement précieuse ou un trésor dans un champ. Ils disent plutôt : il *en va* du Royaume de Dieu — *comme* d'un trésor dans un champ. Et alors on raconte une histoire (...) Et pendant que cette histoire est racontée, l'auditeur est conduit à s'interroger sur la pointe [108]. » L'histoire amène l'auditeur jusqu'au point où lui, et lui seul, peut dire oui ou non à la venue du Royaume de Dieu.

Cependant, l'événement auquel conduit la parabole ne se réduit pas à des faits de langage et à la décision de l'auditeur engageant un nouveau comportement. Il est constitué par l'interpellation de Dieu dans l'enseignement et le comportement de Jésus. La parabole se situe donc au point de convergence entre l'enseignement et l'action de Jésus, la Parole de Dieu et la conversion de l'homme, mais grâce à la *personne* de Jésus. E. Fuchs a eu raison de dire que les actes de Jésus formaient le cadre d'interprétation de son enseignement [109].

On remarquera en effet que les paraboles ont trait soit au comportement des auditeurs de Jésus, soit à celui de Jésus ou celui de Dieu, mais il n'est guère de cas où l'on ne puisse rapporter chacune d'entre d'elles à la prédication du Royaume de Dieu dans les paroles et les actes de Jésus. Avec J. Dupont, on pourrait distinguer les paraboles qui expliquent le comportement de Jésus, par exemple à propos d'une guérison opérée le jour du sabbat (Mt 12,11), celles qui expriment le comportement de Dieu sans le rapporter à Jésus (par exemple celle de l'ami importun, Lc 11, 5-7) et enfin celles qui présentent le comportement de Dieu en relation avec celui de Jésus. Dans cette dernière sorte, on peut discerner deux types : celles où Jésus justifie son comportement vis-à-vis des pécheurs, par exemple

108. E. JÜNGEL, *Gott als Geheimnis der Welt*, Tübingen ³1978, (trad. fr. *Dieu comme mystère du monde*, Cerf, Paris, 1982) pp. 401-2 et, déjà, *Paulus und Jesus. Hermeneutische Untersuchungen zur Theologie*, Munich, 1967³, par.15, pp. 87 ss.
109. A propos des paraboles et des repas avec les pécheurs où Jésus se met à la place de Dieu : « Die Frage nach dem historischen Jesus » in *ZThK*, t. 53, 1956, pp. 210-229 (220 surtout) et « Jesus und der Glaube », in *ZThK*, t. 55, 1958, pp. 170-185.

dans la parabole de la brebis perdue (Mt 18,12-13), et celles où il explique que son ministère, malgré sa modestie et ses échecs, n'en inaugure pas moins le Royaume de Dieu (exemple, parabole du Semeur : Mc 4, 3-8).

Dans ce dernier type de paraboles, l'action de Jésus est si intimement liée à celle de Dieu dont il reprend les titres (par exemple celui de berger d'Israël), que se pose la question de l'identité de Jésus par rapport à Dieu. Origène y répondait dans une formule concise, souvent citée, en disant que Jésus est « l'autobasileia » [110], le « royaume lui-même » (de Dieu). De nos jours cette affirmation se dit différemment : Jésus est « la Parabole de Dieu » [111].

Il s'ensuit un certain nombre de questions :

1° *Sur le langage théologique.* — Jésus n'a pas parlé de Dieu de façon abstraite, mais à partir de modestes événements du monde. Jésus ne dit pas : Dieu est un absolu ou la cause du monde ou l'avenir de l'histoire, etc., mais « Il en est de Dieu comme d'une femme qui avait perdu une drachme... d'un homme qui avait deux fils... d'un berger qui part à la recherche d'une brebis égarée... » [112]. Il ne s'agit pas seulement d'un moyen adapté aux auditeurs, mais bien plutôt d'un langage choisi par Jésus pour dire l'action de Dieu et la sienne de la façon la plus juste. Ce procédé n'est pas déductif, mais inductif. E. Jüngel, poursuivant les remarques d'E. Fuchs, y voit le langage propre de l'analogie de la foi, qui se distingue de l'analogie théologique classique, en ce qu'elle est « analogie de l'avent : elle porte au langage la venue de Dieu auprès de l'homme comme un événement définitif » (389). L'analogie métaphysique, dont se sert la théologie, n'aboutirait qu'à situer Dieu dans l'inconnaissable puisque toute comparaison de Dieu avec la créature est fondée sur le Créateur qui dépasse infiniment sa création. D'après E. Jüngel, l'analogie classique a tenté de parler de Dieu au sein de l'expérience humaine, mais elle aboutit à l'agnosticisme, non pas sur l'existence de Dieu, mais sur ce qu'il est, puisqu'elle affirme « une dissemblance toujours plus grande dans une ressemblance encore aussi grande : $\dfrac{x}{a}$: $\dfrac{b}{c}$ ». Dans la parabole, Dieu ne reste pas un inconnu. « La royauté de Dieu inconnue selon le monde et non reconnaissable à partir du monde seul (x) se met de soi

---

110. *Commentaire sur l'Evangile selon S. Matthieu*, 18, 33 ; *GCS* 40, 289, 20.
111. E. SCHILLEBEECKX, « Jésus, parabole de Dieu — paradigme de l'homme », in *Savoir, croire, espérer*, t. II, Bruxelles Fac. univ. St. Louis, 1976, pp. 796-811 ; E. JÜNGEL, *op. cit.*, pp. 394ss. ; PERROT, *op. cit.*, p. 229 : passage du thème du Royaume chez Jésus à celui de Jésus chez Paul.

dans un rapport au monde (a), qui correspond dans le monde au rapport qui est établi dans l'histoire du trésor dans le champ : x → a = b : c) ». « L'éloignement toujours aussi grand de la royauté eschatologique de Dieu est dépassé par une proximité toujours plus grande [112]. »

2° *Sur l'humanité et la divinité en Jésus.* — Si Jésus est la parabole de Dieu, parce que Dieu se manifeste dans sa parole et ses actes et demande à être reconnu en lui, il faut réfléchir à cette unité de l'humanité et de la divinité dans son enseignement comme dans tout ce qu'il est et fait. Bien qu'il garde la différence entre Dieu — qui est aux cieux — et l'homme, il parle de Dieu comme d'un homme. Il n'y a pas là suppression de la différence entre Dieu et homme, mais affirmation de la complète révélation de Dieu dans un homme. On ne peut donc connaître Dieu sans passer par l'humain. Cependant cet humain n'est pas celui des hommes en général, (ce qui équivaudrait à l'anthropomorphisme) mais celui de Jésus en particulier. Il faudra donc voir la différence qui existe entre la révélation prophétique de Dieu par ses divers messagers et cette révélation unique de Dieu à la fois par lui-même et par un homme singulier et que le concept d'incarnation veut justifier (cf. chap. IV).

3° Sur Jésus, l'Eglise et le monde. En même temps, si Jésus est la parabole de Dieu, on ne peut plus établir de contradiction entre deux pôles de la prédication — l'annonce du *Royaume* par Jésus et l'annonce de *Jésus* par l'Eglise — si, du moins, on interprète Jésus comme Christ dans la lignée messianique. D'une part, en effet, nous avons pu déjà remarquer que Jésus avait joint l'annonce de sa propre mort à celle du Royaume et que plusieurs paraboles situent l'accueil de Jésus en parallèle avec l'acceptation du Royaume qui vient : accepter son comportement et le mettre en pratique, c'est inaugurer le monde nouveau. D'autre part, la parabole arrive à son accomplissement dans une communauté de foi qui actualise le dialogue entre Jésus et ses interlocuteurs, l'Eglise s'y trouve donc impliquée comme communion entre Dieu qui parle et l'homme qui répond à sa convocation. Par ce cheminement intérieur, l'homme revient sur sa propre vie et découvre une autre logique d'existence qui ressortit au travail conjoint de la Parole, qui interpelle, et de l'Esprit qui provoque renouvellement et communion : la *loi* nouvelle de l'Esprit d'amour nous incite à achever librement le *récit* de la recréation du monde inauguré par Jésus. Cette conversion n'est jamais plus spirituelle — œuvre de l'Esprit — que lorsqu'elle transforme les relations entre les hommes : pardon et

---

112. E. JÜNGEL, *op. cit.*, p. 403.

remise des dettes, miséricorde et justice, accueil des plus pauvres, perdre sa vie et renoncer à transformer le pouvoir en instrument de domination, en un mot joie du banquet de l'âge messianique. L'Eglise n'est jamais isolée du sort du monde.

3. Exorcismes, guérisons et pardon des péchés

Il est habituel de relever trois types d'actions chez Jésus : les exorcismes, les guérisons et le pardon des péchés. Cette classification est habituelle aussi bien en exégèse qu'en théologie, du moins dans les christologies modernes. Ce qui est particulier à telle ou telle œuvre et provoque parfois l'embarras, c'est la manière de relier entre elles ces actions et de les apprécier. Ainsi, il est courant de distinguer entre l'enseignement et les miracles et de situer le pardon des péchés tantôt comme une suite de l'enseignement tantôt comme un troisième genre après les miracles. D'autre part, il est fréquent de minimiser l'importance des miracles, voire même de les trouver secondaires ou même d'un goût douteux pour aujourd'hui (cf. Bultmann, Fuchs, Ebeling, Küng) [113], quitte à reconnaître qu'ils pouvaient avoir un sens dans l'univers de Jésus.

En fait, il est important de considérer ensemble exorcismes, guérisons et pardon et de s'entendre sur le sens des « miracles ».

a) Les miracles

D'abord, il ne fait pas de doute que Jésus est apparu comme un exorciste, un guérisseur et un réconciliateur des pécheurs. Il ne s'agit pas pour autant de se prononcer sur l'authenticité de chacun des miracles racontés dans l'Evangile. Il se pourrait même que certains soient tributaires d'une vision pascale de Jésus ressuscité : la tempête apaisée, la multiplication des pains par exemple. Ce sont justement des miracles qui n'entrent pas dans les trois types énoncés ci-dessus. Après la résurrection, cependant, les miracles de Jésus n'ont plus une aussi grande importance. Paul, qui n'a pas connu Jésus avant Pâques, n'en parle pratiquement pas, de même qu'il ne parle plus guère du thème central de la prédication de Jésus : le Royaume de Dieu [114]. Cela

---

113. B. Bron, *Das Wunder. Das theologische Wunderverständnis im Horizont des neuzeitlichen Natur- und Geschichtsbegriffs*, Vandenhœck, Göttingen, 1975, 1979² ; X. Léon-Dufour (éd.) *les Miracles de Jésus selon le Nouveau Testament*, Seuil, Paris, 1977.
114. Ch. Perrot, *op. cit.*, pp. 229, 233.

s'explique si la résurrection de Jésus et sa personne est le grand miracle qui réalise l'annonce du Royaume. Mais cela ne rend pas compte du fait que les Evangiles aient tenu à raconter des miracles comme un élément de la bonne nouvelle.

En effet, exorcisme, guérison et pardon des péchés ont en commun de manifester la venue du règne de Dieu (Mc 3, 14-15 ; Mt 10, 7-8 ; Lc 10, 5-9. 18-19 ; Mc 6, 12-13). Il faut tenir compte de différences entre pardon des péchés, d'une part, et exorcisme ou guérison d'autre part : Jésus refuse de lier maladie et péché comme si Dieu était responsable de tout malheur. Toutefois, il y a unité entre toutes ces actions de Jésus : il s'agit toujours de montrer comment le règne de Dieu change le monde. Ainsi que le dit Mt 12, 18 « Si c'est par l'Esprit de Dieu que je chasse les démons, alors le règne de Dieu vient de nous atteindre » (ou « est arrivé », c'est un parfait en grec).

Les *miracles* de l'Evangile ne sont pas dès lors des événements extraordinaires en opposition aux lois de la nature, mais des *signes* de la puissance du règne de Dieu. Contrairement à l'esprit moderne, la mentalité biblique considère que Dieu est la cause immédiate de tous les phénomènes naturels. (Depuis la conception d'un enfant jusqu'à la plante qui pousse toute seule.) Ce qui ne l'empêche pas de reconnaître ces signes particuliers que sont les miracles extraordinaires. Cependant, la Bible développe sa propre critique du miracle, signe ambigu. A la différence de la critique moderne qui relève du scepticisme ou d'un rationalisme très confiant en la valeur explicative de la science, la Bible fait appel à la raison pour lutter contre l'idolâtrie, la crédulité humaine et les manipulations du croyable. Cette critique se trouve exprimée chez les rabbins [115], mais aussi dans le NT : « De faux messies et de faux prophètes se lèveront et feront des signes et des prodiges pour égarer, si possible, les élus » (Mc 13, 22). Jésus lui-même s'est montré réticent face aux demandes de miracles et il demande d'abord : « crois-tu [116] ? » Le miracle doit renvoyer à la reconnaissance d'une intervention motivée de Dieu. Ainsi en est-il de la sortie d'Egypte ou de certaines actions prophétiques. Le miracle pose donc la question de l'identité dernière de son auteur : ce doit être un *vrai* prophète ou Dieu lui-même. Certaines actions extraordinaires sont des signes de Dieu si le prophète qui les accomplit n'en tirent pas gloire mais renforce la foi en Dieu agissant. Si le Talmud se méfie de l'exorciste et guérisseur Jésus, c'est bien parce que Jésus revendique l'autorité de faire les miracles quand *il* veut et exige la foi (l'objet de

---

115. G. Vermès, *Jésus le Juif*, Desclée, Paris, 1978.
116. Ch. Perrot, *op. cit.*, pp. 219ss. qui relève trois contradictions dans le comportement de Jésus à ce propos.

cette foi n'est pas précisé (cf. Mc 4, 40 ; 5, 34), mais il est clair qu'il s'agit aussi bien de la foi en lui que de la foi en Dieu).

De quel Dieu ces miracles sont-ils signe ?

Les miracles disent que le règne de Dieu avance en triomphant de Satan, du péché, de la maladie et même de la mort, puisque les récits de « résurrection » sont des récits de guérison poussés à l'extrême (sans revêtir l'importance de la résurrection de Jésus, qui est la seule victoire définitive sur la mort). On pourrait dire équivalemment que guérison, exorcisme et pardon du péché disent en quoi Dieu est *sauveur*.

Le terme de salut peut paraître un mot creux parce qu'il a été réduit petit à petit à la seule grâce surnaturelle donnée à l'âme. Déjà chez Paul le mot *salut* devient un substantif, alors que l'Evangile parle essentiellement de l'action de sauver (par des verbes) à propos de guérison par exemple ou à propos du jugement eschatologique, toujours en lien avec la *foi*. Ainsi sauver c'est guérir, exorciser, pardonner par des actions qui concernent le corps et la vie. Paul parle du *salut* au singulier, parce qu'il centre sa foi sur la Pâque de Jésus, qui concerne aussi le corps et la vie, mais dans un événement unique et décisif pour toute l'humanité. On peut dire que l'annonce du salut tient la place chez Paul qu'occupe l'annonce du Royaume dans l'Evangile et particulièrement les synoptiques [117]. L'adaptation au milieu hellénistique, marqué par les religions de salut, a joué ici un grand rôle.

En fait, les miracles manifestent le monde nouveau qu'inaugure le règne de Dieu. Comme les paraboles ils ne sont vraiment compris que lorsque leurs témoins adoptent un nouveau comportement qui s'inspire de la façon dont Dieu agit en Jésus.

« Jésus a annoncé le règne de Dieu par sa parole et dans ses gestes, justement compris comme la parole gestuée de cette annonce radicale », écrit Perrot qui insiste sur l'importance des miracles pour l'action de la communauté chrétienne. Si le miracle signifie le « renversement d'un obstacle ou le franchissement d'une limite », les « miracles de Jésus — et, chez Luc, les miracles de la première Eglise — deviennent le lieu référentiel de tout l'agir chrétien, dans le renversement des limites et des puissances cosmiques qui emprisonnent l'homme [118]. » Cette pratique établit un nouveau contraste entre Jésus, qui fait des miracles comme un prophète (cf. sa réponse à Jean : Mt 11, 2-5) et Jean-Baptiste puis l'Eglise qui baptisent (Perrot, pp. 224-236). Il faut donc comprendre pourquoi Jésus a abandonné la pratique baptiste du baptême au profit de son activité thaumaturgique

---

117. *Ibid.*, pp. 231-232.
118. *Ibid.*, pp. 210.

alors que l'Eglise l'a reprise, modifiée. Cela peut s'éclairer théologiquement par deux raisons :

1° La première, en cohérence avec la prédication du Royaume :
Jésus annonce un Royaume qui se manifeste dans des actes et non pas
seulement dans un signe, le baptême, signifiant le repentir. Mais
lorsque Jésus a annoncé sa passion en lien avec la venue du Royaume,
l'événement fondamental de cette venue est devenu la Pâque. S. Paul
en tire les conséquences en centrant sa théologie sur cet événement. Et
l'Eglise a repris le baptême comme participation à cet événement (cf.
Mc 10, 38 : le baptême dont je vais être baptisé).

2° La deuxième c'est l'ambiguïté de l'activité thaumaturgique.
Signe du règne de Dieu, le miracle (guérison, exorcisme ou pardon)
apparaît dans le cours habituel des choses comme une rupture qui
permet une libération (sortie d'Egypte), un nouveau comportement
(guérison, pardon...). Cette rupture bouscule les institutions ordinaires du salut. On le voit dans le comportement de Jésus, lorsqu'il
purifie des lépreux (privilège réservé aux prêtres) ou qu'il provoque le
scandale en guérissant le jour du sabbat. N'est-ce pas alors la loi juive
qui se trouve menacée comme moyen de salut [119] ? Cette menace se
précise lorsque la Pâque de Jésus devient l'événement décisif de
l'intervention divine et mène la loi à son achèvement comme le dit
Paul, bien que le caractère inachevé du salut messianique après la
Pâque de Jésus garde à cette loi sa légitimité jusqu'à la Parousie.
Cette ambiguïté se retrouve tout au long de l'histoire des Eglises
chrétiennes, en particulier dans ce qu'on a appelé récemment et de
façon impropre les phénomènes «charismatiques» : ce qu'on limite
souvent au parler en langues, guérisons, conversions d'éléments dits
marginaux, etc., mais qui s'applique aussi aux mouvements de
conscientisation populaire, voire révolutionnaires. Cette ambiguïté
n'est pas mauvaise. Elle est même nécessaire à la vitalité de la foi en
l'intervention de Dieu dans ce monde. Vouloir lever l'ambiguïté, c'est
à nouveau restreindre le salut à la grâce surnaturelle dans l'âme et à
l'au-delà, au mépris de la réalisation évangélique du messianisme selon
la voie de l'*amour*. Cette voie donne à toutes les activités thaumaturgiques une cohérence qui doit empêcher de les juger marginales. Il faut
les relier à la pratique du *pardon* des péchés et aux actions particulières
qui précisent le messianisme de Jésus.

---

119. Perrot renvoie à la discussion rabbinique sur l'importance du miracle
pour fonder un nouveau comportement : *ibid.*, pp. 218-221.

b) La révélation et le pardon des péchés

Avec la révélation et le pardon des péchés, nous franchissons une nouvelle étape dans la compréhension de Jésus, en nous situant dans un ensemble institutionnel plus précis et en remontant des pratiques aux discours qui les légitiment ou les remettent en question.

La prédication du Royaume propose la conversion au nom du Dieu qui vient pour renouveler le monde, et non pas seulement une expérience purement intérieure. La pratique du pardon des péchés, par les conflits qu'elle provoque entre Jésus et ses opposants, dévoile des clivages aussi bien religieux que sociaux.

Le péché se présente comme transgression d'une norme, mettant ainsi en cause l'intégrité personnelle de l'individu et son identité sociale, allant jusqu'à défigurer l'image de Dieu qui fait la dignité de l'homme (cf. ci-dessous les chapitres d'anthropologie et l'Ethique : t. III et IV). Cette réalité du péché peut s'exprimer par des concepts et des métaphores variés — « rater une cible, déviance, déficience, orgueil, manquement, etc. » — mais elle indique toujours une rupture avec Dieu. C'est même la reconnaissance de l'ordination de l'homme au bonheur, telle que Dieu le veut, qui rend possible une reconnaissance du péché. La confession de la foi précède la confession des péchés. Connaissance de Dieu et connaissance du péché vont de pair, au risque d'enfermer ces deux pôles dans une culpabilité d'apparence religieuse : ainsi lorsqu'une tendance au scrupule, une dépréciation de soi ou une forte inhibition, sous prétexte d'humilité devant Dieu ou de sainteté, ne sont qu'un moyen détourné et inconscient de se glorifier soi-même. Dans la Bible, le péché est une transgression des commandements de Dieu tels qu'ils sont résumés, par Jésus, dans l'amour du prochain. Cette conception se comprend d'après la pratique de Jésus et le Dieu qu'elle révèle.

En effet, en pardonnant des pécheurs socialement reconnus comme tels (des malades tels que le paralytique ou l'aveugle-né, des personnes exerçant une profession « impure » tels que les publicains et les prostituées, ou même des pécheurs occasionnels tels que la femme adultère), Jésus bouleverse un cloisonnement social basé sur des règles religieuses[120]. Car Jésus ne se contente pas de pardonner, ce qui est prévu par la loi, mais il pardonne sans passer par les médiations institutionnelles prévues par la loi, sauf exception (le cas des lépreux) : il prend nettement ses distances par rapport aux lois de pureté et à la dîme (Mc 7, 1ss., Mt 23, 23) et surtout vis-à-vis du Temple (Jn 4, 24 ;

---

120. J. JEREMIAS, *Jérusalem au temps de Jésus*, en montre le détail.

8, 1 ss. cf. Ac 7, 16) [121]. Toutes ces institutions se trouvent relativisées. Enfin il pratique largement une table ouverte aux pécheurs, contrairement à la pratique pharisienne des repas fermés, réservés aux observateurs de la loi, qui se gardent du péché et suivent les règles de purification. Ces repas de Jésus avec les pécheurs annoncent un monde nouveau symbolisé par le festin messianique (cf. chap. III).

Des conflits éclatent donc entre Jésus et ses opposants à propos du pardon des péchés. Le conflit est à la fois social et religieux.

Il est *social* : d'une part, parce que le peuple d'Israël est structuré comme peuple élu par les lois de pureté, qui aboutissent toutes à renforcer un cloisonnement social de fait : des métiers sont considérés comme impurs, les étrangers de même, et des règles séparent ceux qui les mettent en pratique et les autres. D'autre part, le terme péché se traduit également par *dette* (cf. les deux versions du Notre Père) : en invitant au pardon, Jésus radicalisait la loi de l'année sabbatique portant sur la remise des dettes. Cette prédication à double sens (péchés et dettes) ainsi que l'invitation à la pauvreté et au partage pouvaient susciter un écho et des conflits d'autant plus grands que la Palestine d'alors connaît de larges couches frappées par l'endettement et nombre de déracinés [122], dont parlent plusieurs paraboles (le débiteur impitoyable, l'intendant infidèle, les ouvriers de la onzième heure...).

Le conflit est aussi *religieux*. Non seulement parce qu'il relativise les institutions juives du salut (des lois sacrificielles et cultuelles aux multiples prescriptions quotidiennes de pureté), sans épargner le Temple, mais aussi parce qu'il concerne le rapport à Dieu, supposé légitimer ces institutions. Il nous faut donc passer des pratiques et des institutions aux représentations visant à légitimer un ordre socio-religieux ou à le contester.

4. La question de l'autorité

Ce n'est pas par hasard que les diverses pratiques de Jésus, surtout le pardon, débouchent toujours sur la question de la légitimité de ses actes ou de l'origine de son autorité *(exousia)*. En effet, Jésus ne parle pas et n'agit pas par l'autorité d'une fonction reconnue. Il n'agit pas

---

121. PERROT, *op. cit.*, pp. 119, 123, 144s.

122. G. THEISSEN, *le Christianisme de Jésus. Ses origines sociales en Palestine*, Desclée, Paris, 1978, p. 65 ; L. SCHOTTROFF et W. STEGEMANN, *Jesus von Nazareth — Hoffnung der Armen*, Kohlhammer, Stuttgart, 1978.

comme rabbin [123], comme prêtre, comme leader politique ou révolutionnaire ou même comme exerçant une profession définie selon une quelconque division sociale du travail (guérisseur, prophète, etc.). Même si telle ou telle de ses activités semble le ranger dans l'une de ces fonctions, il ne peut être identifié à aucune d'entre elles. De là vient la question qui lui est posée : « d'où vient ton autorité ? » (Mc 2, 7 ; 11, 28 par.). Cette question est importante, car « la compréhension christologique du ministère terrestre de Jésus a clairement pris son point de départ dans l'exousia dont il fait preuve » [124].

Son autorité semble venir de celles et ceux qui n'en ont pas : les *pauvres*. Et ceci doit être entendu sur deux registres complémentaires. D'abord, sociologiquement et historiquement. Depuis vingt siècles, dans différents pays et de bien des manières, des femmes et des hommes reprennent l'Evangile à la lettre comme bonne nouvelle pour les pauvres : que ce soit les « prédicateurs itinérants » du temps de Jésus, « sans bourse ni besace », les frères de S. François, certains compagnons de Thomas Müntzer, les socialistes plus ou moins religieux comme Weitling et son « Evangile d'un pauvre pécheur » faisant du partage de richesse l'essentiel de cette bonne nouvelle, des chrétiens anonymes d'aujourd'hui vivant sans bruit ce partage avec les plus démunis de leur entourage, des missionnaires ou des utopistes. L'Evangile parle aux pauvres et met mal à l'aise les riches qui ne savent pas partager. C'est ainsi qu'ont pu se développer des « Théologies de la libération » et du tiers monde (aux accents forts divers selon le pays), qui ont pour nouveauté de partir de la pratique de chrétiens solidaires des pauvres dans leur aspiration à un monde fraternel. Ce genre de pratique s'articule à une théorie de la *légitimation* [125], qui, ici, et si l'on reprend les distinctions formulées par M. Weber, ne peut pas être d'ordre rationnel (ou bureaucratique), ni traditionnel (lié à des chefs représentant une tradition), mais charismatique, c'est-à-dire en dépendance des vertus d'une *personne* particulière.

Dans la perspective évangélique des pauvres, ni la « représentation d'un ordre légitime » ni encore moins sa validité (c'est-à-dire « la

123. J. Schlosser, « Jésus de Nazareth et le pouvoir des docteurs », in *Pouvoir et Vérité*, Travaux du CERIT dirigés par M. Michel, Cerf, Paris, 1981, pp. 99-119.

124. H.E. Tödt, *Der Menschensohn in der synoptischen Überlieferung*, Gütersloh, 1959, p. 266.

125. Selon M. Weber « l'activité et tout particulièrement l'activité sociale, et plus encore une relation sociale, peut s'orienter, du côté de ceux qui y participent, d'après la représentation de l'existence d'un ordre légitime. La chance que les choses se passent réellement ainsi, nous l'appelons validité de l'ordre en question », *Economie et Société*, Plon, Paris, 1971, par. 5 « concept d'ordre légitime ».

chance qu'il a de s'imposer effectivement ») ne peuvent s'articuler à un système de pouvoirs constituant une domination *injuste*, mais elles constituent une critique (violente parfois, indirecte souvent) des ordres existants, au nom d'un idéal de justice et de partage. Cet idéal reçoit déjà une crédibilité par la pratique et l'existence même de celui qui l'annonce. L'autorité exceptionnelle de Jésus, que lui reconnaissent les foules (Mt 8, 5 ; Mc 1, 21 et Lc 7, 1), tient d'abord à *l'authenticité de sa parole*. Depuis le *Gorgias* de Platon jusqu'à Marx, en passant par Machiavel et Hobbes, le mensonge et l'hypocrisie sont mis en relief dans le discours de ceux qui veulent prendre ou garder le pouvoir [126], y compris chez les personnalités religieuses (Mt 23, 3. 8). Or la parole de Jésus n'a jamais pu être mise en contradiction avec ses actes (Jn 8, 46 ; 18, 19). Cela éclate encore lors de son procès [127]. Et on ne peut que souscrire à ce qu'écrivit Oswald Spengler à ce propos : « lorsque Jésus fut conduit devant Pilate, le monde des faits et celui des vérités s'affrontèrent sans médiation ni réconciliation possible, avec une netteté et une violence symbolique telle qu'on ne voit pas de scène comparable à celle-ci dans l'histoire universelle » [128].

Toute théorie de légitimation insiste tantôt sur l'unanimité et l'union pour exclure la subversion et le désordre, tantôt sur les contradictions et les oppositions pour changer l'ordre existant considéré comme injuste. En se situant avec les pauvres, Jésus ne peut être rangé du côté des légitimations garantissant l'ordre/désordre existant. Cependant, si sa pratique est subversive, ce n'est pas en s'articulant à un système d'analyse économique et sociale qui en ferait une pratique exclusivement politique, aussi légitime soit-elle, mais à une inspiration divine — ou « charismatique » — dont le contenu doit être entendu aussi sur le registre théologique : ceci permet de parler d'un « messianisme spirituel », c'est-à-dire selon l'Esprit du Royaume.

Du point de vue de la foi, les pauvres ne sont pas considérés comme un contre-pouvoir ou un groupe social caractérisé par la seule privation (et ce que l'on pourrait utiliser comme alibi ou masse de manœuvre manipulable). Si Jésus s'identifie bien avec les pauvres ou les persécutés et déracinés et ne manque aucune occasion de le rappeler (parabole du débiteur impitoyable, « le Fils de l'homme n'a pas où se reposer sa tête », « malheur aux riches »...), c'est parce que le Royaume de Dieu arrive à eux. Pourquoi ? Non pas parce qu'ils sont démunis, mais parce qu'ils sont capables de *recevoir* et de *partager*. Ils sont ouverts à un renouvellement du monde.

---

126. B. QUELQUEJEU, « Ambiguïtés et contingences des figures du pouvoir », in *Concilium*, n° 90, 1973, pp. 25-34.
127. E. SCHILLEBEECKX, *Jesus*..., pp. 279-280.
128. Cité par M. HENGEL, *Christus und die Macht*, Stuttgart, 1975, p. 45.

Et qu'y a-t-il à recevoir et à partager de si fondamental qu'il s'ensuit un renouvellement du monde ?

C'est essentiellement *l'Esprit de Dieu*. Non pas des dons matériels, ni une situation politique favorable, mais la liberté d'inaugurer le monde selon Dieu (cf. les autres chapitres de cette Initiation qui approfondissent ce point). En effet, l'Esprit est lié directement au pardon, qui permet d'accueillir le Royaume, et à l'autorité de Jésus. Le pardon rencontre une seule limite : le *péché ou blasphème contre l'Esprit* qui ne pourra jamais être pardonné (Mc 13, 11 ; Mt 10, 19-20 ; Lc 12, 11-12 ; 21, 14-15). De quoi s'agit-il ? La signification n'est pas la même chez Mc, d'une part, Lc d'autre part et même Mt qui réorganise les deux traditions [129]. Chez Mc, il s'agit de dénoncer « la mauvaise foi des scribes » qui attribuent à Beelzébul une expulsion de démons opérée par Jésus comme si Satan pouvait expulser Satan (Mc 3, 23). Ce blasphème contre l'Esprit signifie le refus de voir l'évidence : l'Esprit de Dieu, que l'on croyait éteint avec les derniers prophètes, est à nouveau agissant car le Royaume de Dieu vient avec la prédication, les exorcismes, les guérisons et le pardon de Jésus [130]. Chez Mt et Lc, nous voyons une opposition entre le péché contre le Fils de l'homme, qui est rémissible, et le péché contre l'Esprit Saint, qui est irrémissible. Nous nous trouvons vraisemblement placés ici à un stade ultérieur de la tradition : celui des prophètes et premiers prédicateurs chrétiens qui comprenaient l'aveuglement de certains au temps du ministère de Jésus *avant* Pâques (Jésus dans son abaissement comme Fils de l'homme) mais trouvaient impardonnable qu'on refuse de se convertir à la parole des premiers prédicateurs chrétiens, *après* l'événement pascal. Or ces prophètes et premiers prédicateurs étaient les plus proches de la situation de Jésus durant son ministère : des prédicateurs itinérants, démunis de tout, dépendant pour leur subsistance d'amis et de communautés sédentaires, radicalement pauvres et rappelant par leur manière de vivre le don de l'Esprit — liberté, communion — sans lequel le Royaume n'advient pas.

Dans l'un et l'autre cas, le blasphème contre l'Esprit revient toujours à refuser l'évidence du Royaume de Dieu, identifié au partage de l'Esprit pour les pauvres et les pécheurs. On peut alors rapprocher ce « péché contre l'Esprit » du « péché qui conduit à la mort » dans la première épître de Jean (4, 16) et qui semble pouvoir désigner autant une erreur sur la personne de Jésus (1 Jn 4, 3) que le refus d'aimer ou de partager avec son frère dans le besoin (1 Jn 4, 14-18). Il s'agit dans tous les cas d'une pratique « mortifère » (qui porte la mort et non la vie) incompatible avec la venue du Royaume de Dieu. En revanche,

---

129. M.-A. CHEVALLIER, *op. cit.*, pp. 127-132.
130. J. JEREMIAS, *Théologie du NT*, Cerf, Paris, 1973, pp. 190-191.

c'est la joie et une joie surabondante qui caractérise aussi bien le pardon accordé et la miséricorde envers autrui (cf. la pécheresse chez Simon le pharisien) que les paraboles qui en parlent (le veau gras pour le retour du fils prodigue, la drachme perdue et retrouvée, le trésor caché...) et que Paul décrit comme le fruit de l'Esprit (Ga 5, 22).

Pardon des péchés, joie surabondante, repas ouverts à tous, attente d'une effusion de l'Esprit, tout cela témoigne d'une *autorité* qui, en définitive, tient à la proximité de Jésus par rapport à son Père et au travail de l'Esprit dans son humanité.

Pour préciser le caractère exceptionnel de son autorité, qui s'exprime aussi bien dans le dialogue que dans la prédication, les affrontements publics et la conscience d'innover, la dogmatique chrétienne aura recours à la filiation divine. Ce recours s'explique parfaitement *après* Pâques (sans oublier toutefois de mettre en valeur l'aspect humain de cette autorité). Mais, avant cet événement, les contemporains de Jésus ont réagi en posant la question de l'identité de Jésus, c'est-à-dire en se demandant s'il était bien le Messie ? En fait, deux questions différentes sont posées : l'une concerne la *conscience* que Jésus avait de lui-même et l'autre ce que l'on peut connaître de ses *prétentions messianiques*. Ces deux aspects ont d'abord été confondus, suscitant un contentieux entre christianisme et judaïsme, dogmatique et recherche historico-critique, etc. Il faut donc se rappeler l'histoire de cette distinction progressive.

a) La conscience de Jésus

Dans une première étape — depuis les premiers apologètes chrétiens et jusqu'au début de la recherche historico-critique au XVIIᵉ siècle, la théologie chrétienne tient que Jésus est Messie, parce qu'il s'est proclamé tel lui-même et qu'il a accompli les promesses de l'Ancien Testament. La conscience humaine de Jésus ne fait pas problème alors, parce qu'on n'a pas encore perçu la distance entre Jésus et le Christ pascal. Le texte biblique reflète « l'histoire », et la « conscience de Jésus » s'exprime dans les paroles qui sont mises dans sa bouche après l'expérience pascale. Jésus s'est donc bien proclamé messie, serviteur, prophète, roi, prêtre, accomplissant ainsi les diverses promesses de l'Ancien Testament.

La dogmatique protestante développera plus précisément les « trois offices » du Christ [131] : roi, prêtre, prophète, donnant une forme plus

---

131. W. BREUNING, in H. DEMBOWSKI, *Einführung in die Christologie*, Darmstadt, 1976, 192-3 ; Cf. J. ALFARO, « les Fonctions du Christ comme prophète, roi et prêtre », in *Mysterium salutis*, vol. 11, pp. 241-325.

systématique à cette vision que la dogmatique catholique reprendra à partir du xviiie siècle. Et comme cette vue risque d'être triomphaliste, ces trois offices sont modulés selon les deux états : abaissement et exaltation. Cette première étape se caractérise par un concordisme théologique, bien que les commentateurs ne soient pas aveugles à certaines contradictions de l'Evangile, en particulier en ce qui concerne les paroles sur le Fils de l'homme, qui « ne sait ni le jour ni l'heure du jugement ». Cependant la plupart des théologiens, en vertu de la doctrine de l'Incarnation, lui attribuent l'omniscience divine, ou même la vision béatifique : comme Dieu, le Verbe divin savait tout et communiquait tout à son humanité.

Certes, il ne faut pas simplifier cette très longue première étape théologique : il y eut bien des discussions entre théologiens et en particulier sur l'omniscience et la vision béatifique, dont l'affirmation tenait davantage à des prémisses théologiques qu'à une lecture de l'Ecriture [132]. Et ces prémisses théologiques ont été forcées, parce qu'elles ont rencontré la complicité du « désir de toute-puissance » inconscient, toujours prêt à dénier la finitude humaine par rapport au savoir, à la souffrance et à la mort. Toutefois, ces élaborations théologiques se sont révélées insatisfaisantes, parce qu'elles se coupaient trop du texte évangélique et de l'expérience chrétienne. Alors se sont développées, à partir du xive siècle, surtout dans la piété et la mystique, d'autres approches de Jésus : l'imitation de l'homme humble et obéissant à son père, une piété de la croix et de la souffrance humaine de Jésus allant jusqu'à affirmer l'abandon de Jésus par son Père (chez Tauler) [133]. Comme nous l'avions constaté à propos des suites de Chalcédoine se reproduit ici une juxtaposition d'une christologie de la gloire et d'une approche de Jésus, vrai homme. Un pas de plus sera fait avec les diverses théories protestantes de la kénose [134] : pendant son destin terrestre, Jésus a renoncé aux prérogatives divines du Verbe de Dieu. Mais là encore se juxtaposent

132. Reprise, plus nuancée cependant, chez J. GERVAIS, « Compossibilité de la vision de Dieu et du développement psychologique dans l'intelligence humaine du Christ », in le Christ hier aujourd'hui..., pp. 191-204. Sur l'histoire de la question : H. RIEDLINGER, Geschichtlichkeit und Vollendung des Wissens Christi, Herder, Fribourg, 1966.
133. B. CARRA de VAUX, « l'Abandon du Christ en croix », in Problèmes actuels de christologie, ed. H. Bouesse et J.J. Latour, DDB, Paris, 1965. pp. 295-316 et H. URS von BALTHASAR, « le Mystère pascal », in Mysterium salutis, vol. 12, pp. 119-120 (maintenant : Pâques le mystère, Cerf, Paris, 1981).
134. Cf. URS von BALTHASAR, op. cit., chap. I (Pâques le mystère, pp. 26ss.), avec bibliographie. Un résumé suggestif chez D. BONHOEFFER, Qui est et qui était Jésus-Christ ? Son histoire et son mystère, Cerf, Paris, 1981, pp. 141ss.

une divinité impassible et une humanité passible, une théologie dogmatique et une lecture plus ou moins littérale de l'Evangile.

Dans une deuxième étape, avec la recherche historico-critique, c'est l'humanité de Jésus qui vient au premier plan. En fonction de la méthode historique et de l'analogie avec des phénomènes humains, il s'agit de rendre compte historiquement du destin de Jésus. C'est à ce moment-là que va être posée la question de la *conscience* de Jésus. D'une part, l'exégèse critique avoue l'impossibilité de reconstruire une vie de Jésus puisque les documents dont nous disposons ne permettent guère d'aller au-delà des premières communautés chrétiennes et de leur kérygme pascal. A plus forte raison ne veut-on pas risquer des énoncés sur la psychologie et même la conscience de Jésus avant Pâques, puisque les Evangélistes ne s'intéressent guère à cet aspect. Tout au plus peut-on déduire ses intentions à partir de ses pratiques et des controverses qu'il a suscitées. En particulier, il est possible de constater une évolution dans son enseignement et ses pratiques : entre autres, il est passé d'un enseignement centré sur le Royaume de Dieu qui vient à une annonce de sa propre mort, sans que l'on sache avec certitude le lien qu'il pouvait établir entre sa mort et la venue du Royaume. Cette ignorance, qui est la nôtre, a conduit dans un premier temps à deux types d'interprétations très radicales. D'abord, après la redécouverte de l'attente eschatologique du Royaume, A. Schweitzer et d'autres ont émis l'hypothèse selon laquelle Jésus se serait trompé : il attendait la venue du Royaume de Dieu de son vivant, mais, au bout d'un certain temps, il aurait dû se convertir à l'évidence d'un échec ou même tenter de forcer ou de hâter, par sa propre mort, la venue définitive du Royaume. Ensuite, R. Bultmann, en 1960, a mis en doute la possibilité même de savoir quelque chose sur la façon dont Jésus a envisagé sa propre mort[135]. Cette profession de scepticisme a déclenché alors toute une nouvelle recherche sur la signification de la mort de Jésus dont nous reparlerons plus loin et provoqué une nouvelle réflexion sur la conscience de Jésus.

Aujourd'hui, on est arrivé à une appréciation plus équilibrée. D'une part, il n'est plus question de biaiser avec le réalisme évangélique qui montre bien la finitude humaine de Jésus : tentations, évolution, surprises devant des événements, ignorance affirmée devant le jour du jugement, dernières paroles de Jésus à l'agonie. Il y a accord sur ce point : Jésus ne savait pas tout sur tout. Et même, Jésus a eu la *foi*, comme tout homme qui ne voit pas Dieu de ses propres yeux : ce

---

135. *Das Verhältnis der urchristlichen Christusbotschaft zum historischen Jesus*, Heidelberg, 1980, p. 11 — repris dans *Exegetica*, Mohr, Tübingen, 1967.

thème est développé seulement depuis quelques années [136] : Urs von Balthasar. G. Ebeling, E. Fuchs, Claude Richard, J. Gillet. Autrement dit, Jésus est bien homme. D'autre part, personne ne peut plus sous-estimer l'originalité de Jésus et le mystère de son autorité qui suppose une conscience de sa propre particularité : au-delà même de ce qu'il «ose» faire et dire (enseignement, exorcismes, guérisons, pardon), on doit reconnaître qu'il avait une conscience d'être le «*Fils*», dans une relation unique par rapport à son Père. Ceci éclate nettement dans plusieurs passages de l'Evangile : Mt 11, 25-27 (hymne de jubilation) ; 21, 37 (parabole des vignerons homicides) ; 24, 36 (ignorance du jour de l'heure) ; cf. Mc 14, 36 ; Lc 2, 49 ; 24, 46 ; Jn 20, 17 et l'ensemble de la tonalité du quatrième Evangile). Le «tort», si l'on peut dire, d'une certaine tradition théologique, qui n'était pas encore passée à travers la critique historique moderne, est d'avoir attribué à Jésus la pleine conscience de sa divinité, telle qu'elle a été définie par les conciles chrétiens et, surtout, d'avoir exclu toute ignorance humaine, ce qui est en fait le propre des évangiles apocryphes de tendance gnostique qui n'ont pas pris au sérieux l'humanité de Jésus. Or, pour le NT, la conscience «filiale» unique de Jésus n'exclut pas l'ignorance (Mt 24, 36). Les premiers disciples sont parvenus à une première perception de la filiation particulière de Jésus, non pas par la voie directe d'une affirmation par lui-même de sa filiation divine, mais par son cheminement à travers Pâques. La voie directe par en haut risque vite d'oublier que le destin historique de Jésus fait partie de la révélation de Dieu [137]. Et la critique historique reconnaît aujourd'hui que des titres comme celui du «Fils de l'homme», par exemple tel qu'il est relaté de Jésus dans le NT, dit plus de son identité dernière que le titre de «Fils de Dieu», qui, pour un juif, pouvait être un titre banal s'appliquant à tout fils d'Israël et, pour un Grec, risquait de renvoyer à la mythologie.

Aujourd'hui donc, il y a un consensus à la fois sur les limites de la conscience humaine de Jésus et sur son originalité. Différents essais ont voulu aller plus loin. Il y eut d'abord la tentative malheureuse de

---

136. G. EBELING, «Jesus und der Glaube» (1958), in *Wort und Glaube*, op. cit., pp. 203-254 ; E. FUCHS, «Jesus und der Glaube», in *ZThK*, t. 55, 1958, pp. 170-185 ; H. URS von BALTHASAR, *la Foi du Christ*, Aubier, Paris, 1966 ; Dom Claude RICHARD, *Il est notre Pâque. La gratuité du salut en Jésus Christ*, Cerf, Paris, 1980 (qui va jusqu'à défendre la nécessité pour l'homme Jésus d'être sauvé par la foi); J. GUILLET, *la Foi de Jésus Christ*, Desclée, Paris, 1981 ; Cf. F. LENTZEN-DEIS, «Das Gottesverhältnis Jesu von Nazareth als Erfüllung altestamentlichen Glaubens», in *TTZ*, t. 80, 1971, pp. 141-155.
137. Ch. DUQUOC, *Dieu différent. Essai sur la symbolique trinitaire*, Paris, Cerf, 1978.

Günther, qui alla jusqu'à affirmer chez Jésus, la possibilité de refuser sa mission en allant jusqu'à pécher, puis celle, curieuse, de Déodat de Basly, qui imagina un « duel d'amour » entre l'homme Jésus, assumé par le Verbe, et Dieu Trinité qui lui serait ainsi extérieur, ce qui met en cause l'Incarnation [138]. Ces deux théories furent condamnées par Rome et ne trouvent aucun appui dans les traditions évangéliques. Plus récemment, K. Rahner [139], prolongeant la distinction entre christologie implicite et explicite, a montré qu'on pouvait conjuguer une ignorance humaine, chez Jésus comme en tout homme, et une conscience non formulée, mais profonde et constante, de sa relation unique à Dieu. Cette distinction s'appuie sur la différence entre conscience thétique et conscience non thétique en phénoménologie. La fécondité de cette idée de Rahner a été éprouvée par A. Vögtle en exégèse. En outre, il faut distinguer la pratique d'un agent et la conscience qu'il en a : on peut agir en ignorant les présupposés et les conséquences de ses actes. Il semble que le Nouveau Testament nous invite à une démarche similaire : c'est à partir de la pratique et du destin pascal de Jésus que nous pouvons approcher, dans la foi, de la conscience filiale de Jésus. Le dernier mot sur la conscience de Jésus est donc empreint d'ambiguïté : *l'autorité* extraordinaire du personnage et l'aveu d'une *ignorance,* qui se conjugue parfois avec la confiance, mais aussi avec le doute : « Mon Père, pourquoi m'as-tu abandonné ? » (Ce doute n'étant pas, d'ailleurs, incompatible avec la foi.) On ne peut entièrement lever cette ambiguïté en faisant appel au *paradoxe.* Il faut partir encore une fois des pratiques messianiques de Jésus et remonter à leur légitimation, qui, on le verra, passe par sa propre revendication messianique : on insistera alors sur le titre de Fils de l'Homme qui rend compte de l'ambiguïté que nous venons d'évoquer.

b) La prétention messianique de Jésus

Dans sa prédication, ses exorcismes, ses miracles, sa pratique de réconciliation et la qualité de sa Parole, Jésus témoigne d'une intimité

---

138. *L'Assumptus Homo,* 1928 ; *le Moi de Jésus Christ,* 1929.
139. K. RAHNER, « Erwägungen über das Wissen und Selbstbewusstsein Christi » (1963), in *Schriften zur Theologie,* Benzinger, Einsiedeln, pp. 222-245. *Exégèse et Dogmatique,* Paris, 1966, pp. 185-210. On se reportera également aux textes de la *Commission biblique pontificale* sur la vérité historique des Evangiles (1964) et plus particulièrement sur quelques questions de christologie (1980) : texte latin in *Gregorianum* 61, 1980, 609-632.

avec Dieu qui est sans équivalent dans le judaïsme contemporain. Nous l'avons vu à propos de ces divers points.

Mais retenons ici surtout ce que, du point de vue historique, on peut savoir sur la façon dont Jésus aurait pu se désigner lui-même comme Messie. Malgré d'énormes réserves, le titre qui entre en ligne de compte avec le plus d'insistance est celui de Fils de l'homme. Certains refusent de le prendre en compte, parce qu'il n'est pas sûr que Jésus l'ait revendiqué. Le débat est sans fin, peut-être à cause de son enjeu. Sans vouloir trancher, le théologien peut s'appuyer, d'une part, sur une vraisemblance historique non négligeable et, plus encore, sur ce qui paraît donner au NT sa cohérence [140]. Rappelons que ce titre revient 82 fois dans les Evangiles et toujours sur les lèvres de Jésus, mais jamais, du moins dans les textes reconnus comme authentiques, Jésus n'est identifié explicitement à cette figure. D'où une première question : Jésus se désigne-t-il lui-même comme Fils de l'homme ou parle-t-il d'un autre ? En fait, la question rebondit autrement, car cette expression intervient dans trois sortes de contextes différents : 1. l'action présente du Fils de l'homme sur terre ; 2. la souffrance et la mort de ce même personnage (Mc 8, 31 par.) ; 3. enfin, et le plus souvent, son rôle glorieux à la fin des temps (Mc 13, 26.11...). Les opinions exégétiques varient à l'extrême sur l'authenticité de ces paroles. La majorité d'entre elles ne reconnaissant comme authentiques que celles du troisième groupe. Il est impossible de reprendre ici les divers arguments présentés. Tout au moins, peut-on estimer comme historiquement très vraisemblable que Jésus se soit lui-même désigné indirectement par cette figure, si ambiguë au premier abord que le titre n'en sera pas retenu dans les autres écrits du NT et particulièrement chez Paul, pourtant si proche chronologiquement de Jésus. Il est vraisemblable que ce titre ne soit employé que vers la fin du ministère de Jésus, lorsqu'il est en butte aux contradictions [141], ce qui signifie un contraste entre l'abaissement présent et la gloire future : ce sens, inscrit dans l'histoire, est confirmé par l'organisation du texte. En effet, du simple point de vue du texte, ces citations structurent un sens, qui permet d'expliquer à la fois leur ambiguïté et leur « oubli » chez les auteurs postérieurs. C'est le mérite de Ch. Perrot d'avoir découvert la cohérence de cet ensemble (sans faire appel à l'hypothèse souvent retenue, depuis Cullmann et d'autres, d'une fusion entre le Fils de l'Homme et le Serviteur

---

140. La démarche de type sociologique impliquée dans cette sorte d'étude exégétique peut aller parfois plus loin que l'historien : cf. par exemple J. GRANET, *Danses et Légendes de la Chine ancienne*, PUF, Paris, 1959, 2 vol.

141. Cf. J. SCHMITT ci-dessus et art. « Sotériologie » (cf. *supra* note 9) : le thème du Fils de l'homme intervient après la crise galiléenne.

souffrant). Les divers textes sur le Fils de l'Homme, en effet, peuvent s'articuler principalement (et non uniquement) autour de *la question du pouvoir et de son contraire*, expliquant ainsi la distance que Jésus affirme constamment entre lui-même et le Fils de l'homme. En effet, dans les deux premiers contextes (sauf 2 exceptions : Mc 2, 10. 29), à savoir la vie terrestre de Jésus et sa passion, Jésus apparaît comme dépossédé de tout pouvoir, alors que, à la fin des temps en revanche, le Fils de l'homme peut venir avec puissance pour juger les vivants et les morts. Corrélative au thème du pouvoir il faut noter la filiation ou la proximité avec Dieu. Ainsi, par cette expression, Jésus peut désigner son identité dernière qui ne pourra être révélée qu'à travers la passion et la résurrection, et, pour cela, il doit marquer une distance entre son état présent et sa gloire *future* [142]. C'est pourquoi il ne peut s'identifier au Fils de l'homme réalisateur du Royaume dans le *présent*, sous peine d'apparaître comme un Messie politico-religieux réalisant la volonté de Dieu sans la médiation de la liberté humaine [143].

Cette double retenue de Jésus par rapport au Fils de l'homme et du Fils de l'homme par rapport à l'état actuel du Royaume a des conséquences pour nous.

La distance temporelle entre l'aujourd'hui de l'abaissement et le futur glorieux se double d'une distance par rapport au temporel : Dieu règne bien dans le temps et dans le présent (il pardonne, guérit, sauve, rend l'espoir, condamne les ségrégations, la haine, etc.), mais sans s'imposer par des moyens présentement maîtrisables (en légitimant tout ce qui est de l'ordre du pouvoir politique ou technique). Le Royaume de Dieu advient par la seule foi en un monde nouveau, celui que Dieu veut, une foi tout autant espérance qu'amour vivant.

Ainsi, la figure du Fils de l'homme qui apparaît dans les écrits apocalyptiques, fin de tous les genres littéraires (cf. P. Beauchamp) — ne peut se dévoiler que dans cette complexité du temps, entre l'origine et la fin, à la fois visage individuel et personnalité collective (ou « corporate personality »). C'est aussi là l'ambiguïté de cette figure qui ne sera plus guère évoquée en dehors des Evangiles. En effet, dans les représentations ayant cours au temps de Jésus et de Paul, tantôt le Fils de l'homme est identifié à une figure primordiale, Adam, considéré déjà comme homme parfait (et dans ce cas, le titre de Fils de l'homme ne signifie plus l'originalité hors pair de Jésus-Christ) ; tantôt, il revêt les traits d'une figure eschatologique, chargée du jugement de Dieu sur le monde (et cela convient à Jésus). C'est à cause de cette

---

142. Tout en indiquant son destin messianique : solidarité avec les pauvres jusqu'à la victoire : G. B. CAIRD, in MOULE, *op. cit.*, p. 20.
143. PERROT, *op. cit.*, p. 268.

ambiguïté que Paul, vraisemblablement, a renoncé à reprendre ce titre : en effet, pour lui, le premier Adam n'est qu'un homme terrestre, alors que le Christ est l'homme céleste, pneumatique, d'une tout autre nature et d'un autre rang que celui du premier Adam et du reste de l'humanité [144], bien qu'il en reforme l'image de l'intérieur même de sa vie humaine. Jésus est le Fils de Dieu par excellence qui surpasse toutes les images humaines de ce même Dieu. Les réticences de Paul sont compréhensibles dans ce contexte intertestamentaire. Cependant, en fonction de l'ambiguïté même de cette figure, « nous avons là une expression susceptible de recouvrir pratiquement tous les titres christologiques exploités ensuite dans les communautés de la Diaspora chrétienne : de l'Adam parfait au Messie attendu dans la nuée, et du Fils de Dieu céleste au Seigneur et juge Souverain » [145].

Désormais la question de la conscience messianique de Jésus apparaît sous un jour plus riche. Il ne s'agit pas de répondre directement à la question : Jésus s'est-il considéré ou pas comme le Messie ? Répondre directement serait illusoire, tant qu'on n'a pas précisé de quel Messie on parle. En suivant au contraire une voie plus longue, en partant de l'enseignement, du comportement et, en définitive, du destin pascal de Jésus, c'est toute la profondeur du messianisme de Jésus et de son mystère personnel qui se trouve exposée. Nous n'avons pas accès à l'âme de Jésus, mais en partant de sa pratique nous constatons deux points :

1° Jésus a interprété le messianisme dans un sens nouveau. Parmi les multiples sens du messianisme, il ne reprend pas celui d'un rétablissement politique définitif du Royaume d'Israël ni même celui d'une paix et d'une justice temporelles établies directement par Dieu (théocratie), mais il est bien le « répondant » parfait à Dieu, comme le roi doit l'être à la tête d'un peuple interpellé par la Loi et les prophètes. Par sa proximité sans pareille à Dieu, il croit à une recréation du monde grâce au don de l'Esprit qui fait advenir le Royaume de son Père en libérant les hommes du péché par la guérison, le pardon, l'amour. Il annonce bien une intervention définitive de Dieu, mais sous un jour paradoxal : la faiblesse d'un homme qui croit en la vérité qui démasque le mensonge homicide, en l'amour qui pardonne et peut permettre de nouveaux rapports entre les hommes. Ainsi le messianisme chrétien n'a pas à être opposé au messianisme juif : il s'agit d'une rédemption de ce monde et non d'une simple transformation intérieure des hommes.

---

144. *Ibid.*, p. 261.
145. *Ibid.*, p. 264.

2° La conscience de Jésus ne se donne pas à elle-même son propre témoignage, mais s'avère dans un procès. C'est peut-être pour cette raison aussi que les Evangélistes ne s'intéressent pas aux convictions intimes ou aux supputations de Jésus. Il attend de Dieu lui-même une confirmation de ce qu'il fait et de ce qu'il est. C'est pour cette raison aussi que les disciples ont été profondément choqués et désorientés par la crucifixion de leur maître, alors qu'ils avaient déjà reconnu en lui le Messie, sans trop comprendre encore son originalité [146]. C'est ici que se noue l'intrigue de la vie messianique de Jésus. La légitimation derrière de la prétention messianique de Jésus dépend de la révélation de Dieu lui-même. Elle n'est pas de l'ordre d'une théorie politique ou idéologique, mais d'un événement attendu, d'un témoignage dans le procès qui s'ouvre ainsi entre adversaires et partisans de Jésus et nous fait pénétrer dans l'événement pascal et pentecostal.

---

146. R. PESCH, *Das Abendmahl und Jesu Todesverständnis*, Herder, Fribourg, 1978, p. 92.

CHAPITRE III

L'événement pascal et pentecostal

La vie de Jésus avant Pâques est messianique parce qu'elle marque l'intervention de Dieu en vue de nous libérer de toutes formes d'oppression. En effet, la prédication du Royaume de Dieu et les autres pratiques de Jésus — exorcismes, guérisons et pardon des péchés (et remise des dettes) — tendent toutes à libérer les hommes des puissances qui les asservissent. Ces forces du «mal» sont personnifiées en Satan [147]. Et la fin de la vie terrestre de Jésus culmine dans un affrontement avec lui.

Peu importe ici le degré de réalité individuelle que l'on accorde à Satan : il apparaît dans la tradition biblique comme un emprunt à la mythologie babylonienne et il n'est jamais un concurrent de Dieu au sens où il serait opposé à lui comme le principe du mal peut l'être au principe du bien dans le manichéisme populaire ou autres dualismes. Et nous n'avons pas à *croire* à Satan comme nous croyons en Dieu, puisque seule cette foi en Dieu est faite de confiance en ses promesses, d'obéissance à sa Parole et donc d'espérance et de charité. Nous *savons* par contre que les puissances d'oppression sont à l'œuvre dans le monde, sans que nous puissions toujours les identifier dans toutes leurs ramifications. L'évocation de Satan dit cette complexité sournoise qui ne sera vaincue qu'au dernier jour. Mais la figure de Satan ne nous dispense pas pour autant de rechercher les causes de toute injustice. C'est ce que fait Jésus en prêchant, guérissant, argumentant, pardonnant ; il affirme que la victoire sur Satan est possible si nous croyons à la venue du Royaume de Dieu dès maintenant.

Les derniers jours de la vie terrestre de Jésus se présentent cependant comme un affrontement dramatique avec des forces qui se

---

147. *Concilium*, nᵒ 103, 1975 ; cf. *Satan* (ouvrage collectif), coll. «Etudes carmélitaines», DDB, 1948 (2ᵉ éd. 1980).

liguent soudain contre lui pour l'abattre et semblent réussir. Jésus meurt exécuté au terme d'un procès. Est-ce un échec ?

La question n'avait pas été posée aussi radicalement jusqu'à Bultmann, qui, en 1960, écrivait que «nous ne pouvons pas savoir comment Jésus a compris sa fin, sa mort» et qu'il ne faudrait même pas écarter l'idée d'un effondrement final. Cette réflexion de Bultmann est en cohérence avec son souci permanent de ne pas fonder le kérygme sur la recherche historique, car celle-ci est aléatoire en vertu de l'origine postpascale des écrits néotestamentaires. Or, curieusement, le scepticisme de Bultmann sur le sens que Jésus aurait pu donner à sa mort rencontra d'abord un écho plutôt favorable chez beaucoup d'exégètes et théologiens tant protestants que catholiques, reconnaissant au moins la validité de la question (W. Schrage, G. Klein, A. Kessler, W. Marxsen, E. Jüngel, A. Vögtle, A. Kolping)[148]. En fait, encore une fois, la critique historique exégétique mettait en question une interprétation dogmatique apparemment sans problème : celle de la mort de Jésus comme sacrifice expiatoire. Bien plus une critique directe se fit jour : A. Vögtle, dans le premier tome d'une *Histoire œcuménique de l'Eglise* (1970), formulait l'hypothèse d'une contradiction entre la prédication de Jésus et une interprétation de sa mort comme rédemptrice[149]. Et l'un de ses disciples, P. Fielder, radicalisait cette pensée au plan théologique : si Jésus avait annoncé, dans sa prédication, le pardon *sans condition* de la part de Dieu, comment donc aurait-il pu faire de sa mort une condition du pardon[150] ?

L'ouvrage de H. Schürmann : *Comment Jésus a-t-il vécu sa mort ?*[151], a marqué, plus que d'autres, un premier tournant sans cette vaste discussion des années 60 et 70, en replaçant le sens de la mort de Jésus dans la continuité de sa vie comprise comme «Pro-Existenz» : ce terme reprend et approfondit une intuition exprimée dans les *lettres de prison* de Bonhœffer et reprise par J.A.T. Robinson : Jésus, «l'homme pour les autres». La «proexistence» désigne une «attitude d'intercession, de bénédiction et de confiance dans le salut, c'est-à-dire

---

148. A la différence de J. Jeremias, O. Cullmann, P. Benoit. A. Feuillet : X. LÉON-DUFOUR, *Face à la mort. Jésus et Paul*, Seuil, Paris, 1979, p. 95, t. 82.

149. «Jesus von Nazareth», in *Œkumenische Kirchengeschichte* I, éd. R. Kottge et B. Möller, Mayence-Munich, 1970, pp. 20-21.

150. *Concilium*, n° 10, 1974.

151. *Jesu ureigener Tod*, 1975 (trad. fr. *Comment Jésus a-t-il vécu sa mort?*, Cerf, Paris, 1977) développe un article de 1973, cité dans X. LÉON-DUFOUR, *op. cit.*, p. 95, n. 82. Cf. W. BREUNING, «Aktive Proexistenz. Die Vermittlung Jesu durch Jesus selbst», in *TThZ*, t. 83, 1974, pp. 193-213.

dans une attitude fondamentalement proexistante qui, au plan de la théologie, peut être exprimée d'une manière ou d'une autre » [152]. Ainsi, Schürmann ne voit pas de contradiction entre la prédication de Jésus et le sens rédempteur de sa mort qu'il interprète surtout à partir des gestes de la Cène mais, avec Fiedler, il reconnaît que l'explication en termes d'« expiation » demande à être clarifiée. Suffit-il de dire que la pro-existence humaine de Jésus est parabole de la pro-existence divine pour nous ? Encore une fois, c'est toute l'articulation entre christologie et sotériologie au sens traditionnel qui doit être réévaluée après plus d'un siècle d'exégèse historico-critique et trois siècles de bouleversements de l'édifice métaphysique.

Pour une réévaluation, divers éléments sont à prendre en considération.

1° La mort de Jésus ne doit être isolée ni de sa vie prépascale ni de sa résurrection. Or la tradition chrétienne a souvent hésité entre deux extrêmes. Tantôt, tout le poids de la rédemption était porté sur la mort de Jésus, particulièrement dans la tradition latine radicalisée par saint Anselme, puis Luther : la résurrection devient alors une simple conséquence de la croix, qui, à elle seule, réaliserait l'expiation des péchés. Il faut dire que cette sotériologie donne à la mort de Jésus une valeur infinie parce qu'elle présuppose une christologie des deux natures (et donc de l'Incarnation) qui est acceptée d'emblée. Cette vision n'est plus possible lorsque l'on part de la vie historique de Jésus dont la divinité, bien que réelle, doit encore être manifestée après coup. Tantôt, en revanche, tout le poids de la rédemption a été porté sur la résurrection : le salut est compris alors davantage comme divinisation de l'homme et don de l'immortalité que comme justification. Ceci est surtout vrai de la tradition orientale qui, en même temps, accorde à l'Incarnation une vertu rédemptrice qui sera confirmée dans la Pâque [153].

Ces deux pôles se retrouvent aussi dans la théologie moderne : après avoir accordé une plus grande attention à la résurrection, à cause de la redécouverte de l'horizon apocalyptique du NT, elle revient à une théologie de la croix (voir par exemple l'évolution de Moltmann entre sa *Théologie de l'espérance* et son *Dieu crucifié ;* cf. la concentration de Pannenberg sur la résurrection). Certes, aucun théologien ne peut ignorer l'un des deux pôles de la Pâque, mais, aujourd'hui, nous sommes plus attentifs à ne pas établir de césure soit entre la vie

152. Schürmann, *op. cit.*, p. 56, n. 108a.
153. Cf. J.-P. Jossua, *le Salut, incarnation ou mystère pascal chez les Pères de l'Eglise de S. Irénée à S. Léon le Grand*, Cerf, Paris, 1968.

terrestre et le destin pascal de Jésus, soit entre la mort et la résurrection, soit même entre Pâques et l'Incarnation. Alors christologie et sotériologie sont traitées ensemble dans une réflexion théologique qui nous révèle à la fois le visage trinitaire de Dieu et l'Eglise. C'est pourquoi nous saisirons l'événement pascal à partir de la pratique liturgique, eucharistique et annuelle : la Cène — la Croix — la résurrection, dont le sens se déploie à la Pentecôte.

2° L'intérêt porté à la mort de Jésus s'explique aussi en partie par des raisons extra-théologiques. A partir des années 60, différents sociologues et historiens ont fait remarquer une sorte de « détournement de la mort » [154]. Celle-ci survient de moins en moins au foyer, dans la société occidentale, pour être prise en charge par diverses institutions médicales ou autres professions spécialisées. Alors que la mort semble êtré évacuée de l'univers quotidien et familier, elle devient un problème social (ne cache-t-on pas la présence de la mort pour ne pas remettre en cause la société dite de consommation et la production ininterrompue de marchandises) et moral : jusqu'où peuvent aller les services hospitaliers dans le maintien en survie artificielle ou dans l'allègement des souffrances terminales (euthanasie douce) ? Indirectement, ces problèmes éthiques ont contribué à une remise en question de théories de la mort du Christ par le sacrifice, où la souffrance elle-même aurait une valeur rédemptrice. A l'inverse, le recul de la peine de mort, dans la justice pénale, fait douter d'un Dieu qui exigerait le sacrifice de son Fils pour satisfaire sa justice [155]. En même temps, diverses études sociologiques et anthropologiques mettaient en relief les différents rôles que joue le sacrifice dans une société donnée et obligent à élargir l'horizon liturgique et juridique du sacrifice à des catégories anthropologiques plus complexes (violence, communication). Enfin, l'homme moderne, depuis l'Aufklärung, a un sens tel de son autonomie et de sa responsabilité dans l'histoire qu'il lui est difficile de comprendre qu'un autre, fût-il Fils de Dieu, puisse se substituer à lui pour lui redonner sa liberté. Il faut même ajouter que le thème de la mort de Dieu est en partie, comme nous l'avons vu, une conséquence de cette revendication de la subjectivité humaine,

---

154. *Arch. sc. soc. relig.*, n° spécial 39, 1975 ; *Annales*, n° 31, 1976/1. En particulier : Ph. Ariès, *Essai sur l'histoire de la mort en Occident*, Seuil, Paris, 1975 ; J. Baudrillard, *l'Echange symbolique et la mort*, Gallimard, Paris, 1976.

155. N. Leites, *le Meurtre de Jésus, moyen de salut ? Embarras des théologiens et déplacements de la question*, Cerf, Paris, 1982, avec une préface de J.-P. Jossua et une très abondante bibliographie sur laquelle s'appuie ce travail montrant bien les impasses et certaines voies de renouveau possibles de la théologie.

libre et responsable de son destin, radicalement finie et soumise à la mort.

Tous ces éléments ont contribué à recentrer les réflexions théologiques sur le sens de la mort de Jésus et particulièrement sur le sacrifice.

Nous allons donc aborder l'événement pascal par le sens que Jésus a pu donner à sa propre mort, en nous référant d'abord à un type de comportement qui, pour l'Eglise, prend figure d'archétype : la Cène.

A) LES REPAS DE JÉSUS ET LE REPAS DU SEIGNEUR

Le mystère pascal et pentecostal s'ouvre par la Cène et s'achève par le repas du Ressuscité avec ses disciples. Ces deux repas s'interprètent l'un par l'autre et ne peuvent donc être situés sur une simple ligne chronologique. Le partage du pain renvoie au partage de l'ensemble du temps. En effet, le « repas du Seigneur » désigne Jésus par un titre christologique pascal qui allie à la fois le dernier repas de Jésus avant sa mort, la Cène, et le repas de la communauté chrétienne en communion avec son Seigneur, après la résurrection. Et surtout, la Cène elle-même, le dernier repas de Jésus, se situe avec gravité et joie dans un double prolongement temporel : d'une part, les repas de réconciliation de Jésus avec les pécheurs — repas riches d'une promesse de partage des biens les plus essentiels et donc autant matériels que spirituels — et, d'autre part, une ligne figurative voire cultuelle qui donne au dernier repas de Jésus son ambiance pascale. Ces deux prolongements sont reliés entre eux par la vision messianique d'une transformation réelle du monde pour l'accorder aux vues de Dieu : bienheureux les pauvres et ceux qui ont faim car ils seront rassasiés dans le grand festin du Royaume.

Ici s'ouvre un champ théologique extrêmement riche [156] qui constitue le cœur de la théologie, au point précis où nous percevons le passage d'une approche historique de Jésus à une christologie, une ecclésiologie ou, encore une fois, une théologie plénière. En effet, l'Eucharistie est l'Eglise, le lieu où la personne historique de Jésus s'absente et disparaît pour faire place à un peuple nouveau, convoqué par le Père à son Royaume et faisant corps avec son Fils crucifié et

---

156. L'analyse anthropologique et culturelle de la faim et du repas aiderait à faire comprendre qu'on est bien ici au centre de l'interpellation évangélique. M. Tournier a développé une intrigue romanesque pertinente de ce point de vue dans son roman *Gaspard, Melchior et Balthazar*, Gallimard, Paris, 1980.

glorifié grâce à la puissance transformatrice de l'Esprit Saint. C'est dans l'Eucharistie que s'opère la conversion de ce monde au Royaume de Dieu sous forme de célébration de la Pâque et de l'invitation à changer le monde par le partage de l'amour et du pain [157]. C'est de là que découlent toutes les actions sacramentelles qui permettent à l'Eglise de grandir (baptême, confirmation), de se rénover (pénitence), de s'organiser sous la présidence du Christ et la mouvance de l'Esprit qui l'anime (ministères ordonnés), etc. Nous entrons donc ici dans le « mystère » au sens paulinien, la révélation du dessein de salut (Ep 1), la rénovation de l'humanité par son incorporation au Christ, nouvel Adam. Ici, le sort historique de Jésus devient une histoire universelle qui nous concerne directement. S'il en est ainsi, comment le sort individuel de Jésus peut-il affecter le nôtre par la foi ?

Pour saisir ce « mystère » il nous faut partir des paradoxes mêmes que l'on décèle dans les textes de l'Ecriture et la pratique liturgique et que l'on peut résumer par deux termes :

1. une *mémoire qui anticipe* l'avenir et renouvelle le passé (promesse — accomplissement) ;
2. la *figure* qui permet l'appropriation de ce temps salvifique.

C'est ensuite seulement que nous pourrons envisager la mort du Christ comme sacrifice et révélation de Dieu.

1. Une mémoire anticipatrice

« Toutes les fois que vous mangez ce pain et que vous buvez à cette coupe vous annoncez la mort du Seigneur jusqu'à ce qu'il vienne » (1 Co 11, 26). La pratique liturgique, qui colore le récit de l'institution eucharistique chez Paul (et Luc), situe bien le dernier repas de Jésus par rapport au passé (« la nuit où il fut livré ») et par rapport à l'avenir (« jusqu'à ce qu'il vienne »). Cette conception du temps est homogène à la façon dont l'AT comprend le récit tel qu'il s'articule à la loi, à la prophétie, à la Sagesse et, en définitive, à l'apocalypse, selon la tension qu'ouvre la promesse, adossée à un événement salvateur (Exode et Création) et dans l'attente d'un accomplissement. Il y a, dans cette structure, autre chose que la mémoire historique de l'historien qui, somme toute, reconstruit ce passé pour mieux comprendre le présent et l'avenir, dans une démarche qui doit autant au savoir empirique qu'à l'imagination créatrice. Dans la structure biblique du temps, l'anticipation qui s'appuie sur le passé (exemple : le retour d'exil qui s'inspire de

---

157. C'était le thème du Congrès eucharistique de Lourdes 1981.

l'exode) ne fait que prendre appui sur lui pour dire sa confiance en l'auteur dernier de l'événement : Dieu. L'anticipation n'est plus œuvre d'imagination, mais certitude joyeuse que Dieu agira à nouveau dans l'avenir comme il l'a fait dans le passé, car Dieu est fidèle. L'événement passé est rappelé parce qu'il est actualisé dans le présent et parce qu'il peut devenir figure du nouveau. Il nous faut donc expliciter cette dimension temporelle exprimée dans la Cène (cf. J.-M. Tillard, sur l'Eucharistie, en ecclésiologie, tome III de cette *Initiation*).

Le texte de l'institution eucharistique chez Paul renvoie à une tradition reçue du « Seigneur » lui-même, donc du « Ressuscité », car il est difficile de ne pas projeter sur le repas d'adieu de Jésus toute l'expérience chrétienne des repas eucharistiques d'après la résurrection, d'autant plus que tous deux sont célébrés sous le même horizon eschatologique. Mais, selon la cohérence de notre démarche, il est important de toujours partir du destin *historique* de Jésus pour arriver à comprendre sa signification théologique. Il faut donc résumer ce que l'on sait du dernier repas de Jésus avant de le contempler dans son ampleur théologique.

Historiquement, il n'est pas contesté que Jésus, persuadé de la proximité de sa mort, a réuni ses disciples pour un repas d'adieu [158], juste avant la Pâque et a partagé avec eux le pain et le vin, comme une action symbolique, à la manière des prophètes. En effet, ce repas présente une double particularité par rapport aux repas juifs (et nous suivons ici les analyses minutieuses d'H. Schürmann) : il ne comporte qu'*une seule coupe* de bénédiction et il est accompagné de *paroles d'explication*. Historiquement encore, on peut discuter de l'authenticité de ces paroles : les uns, comme R. Pesch, défendent leur historicité, d'autres, comme Schürmann, sont plus réservés. Cependant, il y a un consensus assez large sur une signification minimum qui repose sur le geste plus que sur les paroles : Jésus veut associer ses disciples au don du salut qui sera manifesté dans sa mort acceptée volontairement. « Ainsi, en cette heure où il voyait la mort s'approcher, Jésus a attribué aux siens le salut eschatologique en des

---

158. Ce fut un repas pascal pour J. Jeremias qui a toujours défendu ce point de vue, par ex. *la Dernière Cène. Les paroles de Jésus*, I, Cerf, Paris, 1972, de même que P. Benoit dans *Exégèse et Théologie* I, Cerf, Paris, 1961, pp. 210-239, ce qui reste contestable historiquement, même en admettant l'existence de deux calendriers comme a voulu le défendre A. Jaubert pour éclairer la différence entre Jean et les Synoptiques (*la Date de la Cène*, Gabalda, Paris, 1957) : cf. PERROT, *op. cit.*, p. 92, n. 3. En revanche, au plan de la figure, ce n'est pas le problème chronologique qui empêche une lecture pascale.

gestes solennels, en leur présentant le pain et la coupe de vin [159]. » Cette tonalité eschatologique découle à la fois de la *confiance* de Jésus en son Père et du partage du pain et du vin qui sont les signes du repas eschatologique, dans lequel Dieu rassemblera les nations (Is 25), consacrant ainsi la victoire de son Royaume. « En vérité, je ne boirai plus du fruit de la vigne jusqu'au jour où je le boirai, nouveau, dans le Royaume de Dieu » (Mc 14, 25 ; Lc 22, 15-18 ; 22, 30 c ; Ac 2, 46). Même s'il n'est pas sûr que Jésus ait prononcé cette phrase, elle dit bien la continuité entre ce repas d'adieux et les nombreux repas de Jésus avec les pécheurs où s'annonçaient le pardon de Dieu et la convivialité définitive du Royaume [160]. Il ne s'agit pas pour autant de faire de la Cène une simple parabole de cette convivialité eschatologique (Kolping) [161], car le dernier repas de Jésus avec ses disciples se présente comme un geste prophétique original qui atteste que Jésus ne s'est pas effondré face à sa mort prochaine et même qu'il y est allé de son plein gré (ce que souligne surtout l'Evangile de Jean), car il n'a pas vu en elle un arrêt de la « cause du Royaume ». En demandant aux disciples de reprendre son geste, il croit également à une poursuite de cette cause après sa mort. C'est ce qu'a mis en relief W. Marxsen dans *la Cène comme problème christologique* (1963) [162].

Mais il faut dire plus pour rendre justice aux textes du NT. En deçà même de la relecture pascale de la Cène et donc de la pratique liturgique chrétienne, le débat historique et théologique porte sur la question suivante : Jésus a-t-il voulu donner un sens salvifique à son dernier repas *en dépit* de sa mort ou à *cause d'elle* ?

Dans les deux cas, il est certain que cette mort n'est pas étrangère au salut : Jésus affirme sa certitude d'entrer dans le Royaume de son Père et d'associer ses disciples à son sort. Mais de quelle façon ? S'il s'agit d'un « en dépit de », Jésus affirmerait que sa mort ne fait pas échec à la venue du Royaume : elle est l'*occasion* de sa manifestation, sans en être la *cause*. C'est peu, mais ceci est suffisant pour donner un sens positif à sa mort : celle-ci est celle du prophète martyr, qui meurt « pour nous », pour témoigner de la Parole de Dieu jusqu'au bout. Ce sens se retrouve dans le récit de la Cène chez Lc 22, 20 et 1 Co 11, 25 qui, cependant, vont plus loin : dans la mort de Jésus se réalise l'alliance

159. SCHÜRMANN, *op. cit.*, p. 103.
160. R. PESCH, *Das Abendmahl...*, p. 18.
161. *Fundamentaltheologie. Die konkret-geschichtliche Offenbarung Gottes*, Münster, 1974, p. 607. W. ELERT, *Der christliche Glaube*, Furche, Hambourg, 1956 traite de la Cène dans sa christologie après le chapitre sur la personne (chap. XI) et sur l'œuvre (chap. XII), parce qu'elle met le chrétien en relation avec le Christ glorifié.
162. *Das Abendmahl als christologisches Problem*, Mohr, Gütersloh, 1963.

eschatologique. Ce n'est plus seulement un « en dépit de », mais une *concomitance* entre cette mort et l'alliance nouvelle qu'il faut expliquer.

Dans la deuxième hypothèse, et c'est le sens mis en valeur dans l'autre tradition de la Cène, celle de Mc 14, 22-25 et Mt 26, 26-29, la mort de Jésus est interprétée comme un sacrifice cultuel, à la lumière d'Ex 24, 8 où il est question du « sang de l'alliance » [163]. C'est à partir de là que s'engage tout un débat théologique sur la mort de Jésus comme sacrifice (Mc 14, 23 s.), expiation (Lc 22, 20 a), rédemption vicaire (Lc 22, 19 ; Mc 10, 45) : sa mort seule permet de pardonner les péchés qui nous coupent de Dieu et de son Royaume. « Le don de Jésus à la Cène annonce l'eschaton et y fait participer. Et alors il se peut que la mort de Jésus ne soit pas seulement perçue comme l'occasion de donner à cette offre, au moment de prendre congé, une solennité suprême [164]. »

Chacune de ses hypothèses a ses partisans convaincus. Le départage se fait souvent autour de la question suivante : Jésus a-t-il interprété sa mort selon le destin du Serviteur souffrant d'Is 53, au sens où celui-ci « donne sa vie pour la multitude » [165] ? Là encore il n'appartient pas au théologien de trancher une question historique. Cependant, remarquons que le débat ne peut être dirimé sans préciser ce qu'on entend par salut, sacrifice, sacrifice d'expiation, figure du serviteur souffrant, etc. Nous y reviendrons en méditant la croix.

Nous constatons toutefois que, dans l'une et l'autre hypothèse, la mort de Jésus est liée au salut. En effet, le « en dépit de » est trop faible pour caractériser ce qui est, au moins, une « concomitance » et le « sacrifice cultuel » serait ambigu s'il n'était pas celui du prophète eschatologique. Il faut donc préciser le lien entre la *Cène* et l'annonce d'*une mort* qui est présentée comme le don à notre profit d'une vie qui est celle d'un prophète hors pair. On remarque alors une *cohérence* entre le geste de la Cène et l'ensemble de la vie messianique de Jésus, qui est venu « pour servir et non pas pour être servi ». Il faut rapprocher les synoptiques et Paul du quatrième Evangile qui, lui, fait suivre le dernier repas du lavement des pieds et d'une longue méditation théologique. L'absence des paroles de l'institution eucharistique à cet endroit-là (car on en retrouve l'équivalent ailleurs, en particulier en Jn 6) est frappant. Et pourtant, nous arrivons au même sens : il faut *suivre* la voie choisie par Jésus pour « avoir part avec »

---

163. Schürmann, *op. cit.*, p. 105.
164. *Ibid.*, p. 108.
165. C'est le sens défendu de façon constante par J. Jeremias, encore dans sa *Théologie du NT*, pp. 357-373. Dans un sens contraire, voir J. Roloff, « Anfänge der soteriologischen Deutung des Todes Jesu (Mc 10, 45 et Lc 22, 27) », in *NTS*, t. 19, 1972-3, pp. 38-64.

Jésus au Royaume (Jn 13, 86), s'attacher à lui comme les « sarments au cep » (Jn 15). Communier au repas de Jésus pour partager avec lui le Royaume de Dieu, c'est s'engager avec lui dans la même voie : un messianisme d'amour, de service des frères et non pas un Royaume de puissance. C'est d'ailleurs la façon dont Jésus a exprimé le *salut :* le *suivre,* ou plus exactement, comme le dira l'expérience postpascale, « prendre sa croix et le suivre » pour entrer aussi dans sa gloire.

Il n'est pas question de réduire la Cène à une action cultuelle qui assimilerait la mort de Jésus au sacrifice de n'importe quel agneau au Temple en lui attribuant par le fait même une vertu propitiatoire. Nous le verrons à propos de la figure, Jésus n'est pas identifié seulement à l'un de ces centaines d'agneaux sacrifiés quotidiennement au Temple, mais aussi à l'agneau de la première Pâque, dont le sang, étalé sur le linteau des portes, a protégé les Hébreux de l'ange qui extermine le peuple hébreu en esclavage. Le sang de l'agneau est celui qui permet de faire sortir de l'esclavage vers la liberté : il prépare la mise en marche de l'Exode. Et Paul reprochera justement aux Corinthiens de ne pas « discerner le Corps du Seigneur » lorsqu'ils ne partagent pas leurs richesses avec ceux qui ont faim et soif : ainsi ils réduisent l'eucharistie à un culte envers un Dieu de servitude et non pas au Dieu qui se manifeste vivant en créant liberté et fraternité dans l'histoire. La Cène invite donc à mettre ses pas dans la pratique messianique de Jésus et à faire corps avec lui.

Cette marche à la suite de Jésus, qui reproduit celle du disciple suivant son Maître, n'est pourtant pas une « imitation servile ». Il ne s'agit pas de mourir en même temps que Jésus, sur une croix. La mort de Jésus a quelque chose de plus radical, d'inimitable, d'unique, puisqu'elle coïncide avec l'entrée définitive dans le Royaume. C'est pourquoi, le dernier repas de Jésus le révèle comme hors pair, en révélant un prophète unique, le prophète eschatologique, qui dit l'achèvement de l'histoire.

Il n'y a donc pas seulement « mémoire » et « attente », actualisation d'une intervention salvifique de Dieu, mais *reprise* et achèvement de toute l'histoire de Dieu avec nous. C'est pourquoi le Nouveau Testament ne peut donner toute sa dimension à cet événement que dans le cadre de la figure.

2. La figure

Nous l'avons vu, le récit biblique ne se déroule pas sur un plan chronologique purement linéaire. Cela est vrai aussi du « récit de l'institution » qui combine une référence au passé (l'alliance nouvelle par rapport à l'ancienne du Sinaï), au futur immédiat (la mort) et à l'accomplissement du temps (repas eschatologique). Cela se manifeste également du point de vue littéraire : on assiste à la combinaison d'un *récit :* («ayant mangé...» Mc 17, 22 ; Mt 28, 26 ; «la nuit où il fut livré... 1 Co 11, 19) et d'une *loi* «faites ceci en mémoire de moi» (1 Co 11, 26. 24-25 ; Lc 22, 19), qui se réfèrent au geste actuel de Jésus et à l'archétype du début (l'exode et l'alliance ancienne) et de la fin (le repas eschatologique). Le tout est encadré par une *hymne* de bénédiction (ayant rendu grâce...) et un *oracle* qui est aussi énigme : «je ne boirai plus du fruit de la vigne...» (Mc 14, 25 ; Mt 26, 29). L'hymne dit la réactualisation du salut (passé et futur) dans le culte et le présent. L'oracle annonce l'interruption du temps pour faire place au mystère de l'action directe de Dieu. Enfin la *Sagesse* est présente dans le partage du pain et du vin, car, dans l'Ecriture, c'est elle qui parle des biens quotidiens de la vie (et particulièrement le pain de chaque jour) pour les relier au bien dernier du salut, accomplissement de la promesse : il est impensable de séparer eucharistie et service de la société. C'est d'ailleurs cet aspect sapientiel que développe Jean lors du *récit* proprement eucharistique de la multiplication des pains qui comporte les mêmes éléments littéraires que le récit de la dernière Cène : *hymne* de bénédiction (6, 23), *Loi* (6, 27) adossée au double *archétype* de l'exode (manne : 6, 31.49) et du banquet final (6, 27.35.39-40.50), l'*oracle* et l'*énigme* concernant la mort de Jésus (6, 51-54) et sa glorification. Celle-ci est mise en contraste avec la mort passée de ceux qui n'ont pas vu la réalisation de la promesse (6, 49-58), ce qui signale un *accomplissement* inédit.

On peut faire alors une double lecture de ces textes et de ces genres littéraires :

— soit, nous privilégions une lecture historique, qui relie les formes littéraires à un «poste» ou une fonction sociale (*Sitz im Leben*), selon la méthode de l'histoire des formes. Dans ce cas nous partons du repas eucharistique des premières communautés, qui combinait la pratique des repas de groupes (pharisiens, esséniens, etc.) et celle des repas d'entraide pour les pauvres (synagogue). Nous trouvons alors un double archétype du repas chrétien : le récit de la Cène est le type du repas d'un groupe défini, non plus par la Torah, comme dans les repas juifs, mais par la mémoire de Jésus ressuscité, tandis que le récit de la multiplication des pains est le type du repas d'entraide où sont mis en commun les biens qui seront redistribués à ceux qui sont dans le besoin. Mais cette lecture, aussi nécessaire soit-elle à la compréhension du texte, ne fait pas encore droit à l'idée d'accomplissement de l'Ecriture, résolument théologique et cependant en continuité avec cette approche historique. Car le repas chrétien apparaît bien comme le lieu privilégié où Jésus est proclamé Seigneur, permettant l'écriture d'un Nouveau Testament dont le centre est la passion-résurrection. C'est ce qu'a mis lumineusement en relief Ch. Perrot [166] ;

— soit nous privilégions une lecture à la fois diachronique et synchronique ou quasi structurale du texte écrit, selon une perspective théologique, et dans ce cas nous sommes attentifs à la récurrence de certains traits qui, ensemble, forment une *figure* ou un type. C'est cette lecture que nous poursuivons ici, sans oublier les résultats de la première, pour mieux comprendre le geste de Jésus en valorisant son insertion dans l'ensemble de l'AT et du NT et à leur charnière. C'est à la Cène, en effet que commence à prendre corps ce que l'AT annonce, au moment où le corps de Jésus disparaît pour faire apparaître la consistance de la figure.

Pour comprendre la réalité de celle-ci, il faut revenir sur l'*entre-deux* qu'elle est.

Nous avons d'abord rencontré cet entre-deux sous forme *temporelle*. Le dernier repas de Jésus est mémoire et anticipation. Cette mémoire va extrêmement loin, puisqu'elle est louange pour la création (les fruits de la terre), l'exode et la délivrance (archétype de toutes les actions salvifiques de Dieu dans l'histoire d'Israël), les repas de réconciliation avec les pécheurs qui accueillent le Royaume de Dieu dans le pardon. Et l'anticipation de l'avenir ou de l'accomplissement du Royaume n'est pas opposé à la mémoire, puisqu'ils en sont la raison d'être et la fin. En effet, c'est parce que la libération n'est pas encore définitive qu'elle suscite le désir de son accomplissement. C'est parce que la création reste asservie qu'elle doit être renouvelée. Le souvenir s'articule au désir : « J'ai désiré d'un grand désir manger cette Pâque avec vous... » (Lc 22, 15), « Que s'avance l'homme assoiffé et que l'homme de désir reçoive l'eau... » (Ap 22, 17) — « Viens Seigneur » (Ap 22, 20).

Cet entre-deux est aussi *spatial*, puisque le temps ne peut être sans être quelque part : « jusqu'à ce que je boive avec vous *dans* le Royaume de Dieu ». Or ce Royaume de Dieu arrive dans des hommes et des femmes mortels, dans des *corps* [167] qui sont travaillés par le désir d'un

---

166. *Jésus...*, pp. 297ss.
167. L'insistance moderne sur le corps n'est pas fortuite. Elle est à la conjonction de plusieurs influences en réaction contre la réduction de l'homme à l'âme et l'idéalisme : l'homme comme finitude selon une connaissance perspectiviste (Nietzsche), phénoménologie et historicité (Merleau-Ponty et le corps propre ; Heidegger), psychanalyse et attention au lien entre symptôme et langage, toutes les techniques médicales et para-médicales en pleine expansion, l'histoire de l'éducation, sociologie, nouvelle critique littéraire (R. Barthes) etc. Cet intérêt pour le corps trouve en théologie la connivence de

356 INITIATION À LA PRATIQUE DE LA THÉOLOGIE

accomplissement : « ta foi t'a guéri ». Le corps accueille le salut, lorsqu'il entre dans le mouvement de la promesse, lorsqu'il ne se fixe pas à ce qu'il possède ou à ce qu'il est, mais croit en la parole de l'accomplissement futur. Le corps est lieu d'accomplissement de la figure en se soumettant, dans un mouvement qui est *obéissance*, à la vérité qui se dévoile dans la figure. Ainsi le récit de la Cène devient figure dans le mouvement de Jésus qui livre son corps pour que prenne corps le Royaume et lorsque ses disciples acceptent de communier à lui et de devenir un seul corps avec lui. Ainsi, le *récit* de la Cène (« ceci est mon corps livré pour vous ») s'articule à une *loi* qu'il faut suivre : « faites ceci en mémoire de moi ».

Mais qu'est-ce « ceci » ? *Que faut-il faire ?*

Il faut *répéter* ce que Jésus a fait et qui s'exprime à la fois par un *rite* (la parole prononcée sur le pain et son partage) et un *récit*-loi qui situe le rite dans le mouvement de la figure. Le rite dit qu'il y a « acte fondateur », un peu comme le rite de la circoncision pour l'alliance ancienne ou les différentes fêtes de l'année qui situent la vie du peuple dans le mouvement de la création, de l'exode et de la Pentecôte. Mais c'est le récit qui dit de quoi est fondateur le rite en reliant l'ensemble de la vie de Jésus, avant et après Pâques, à la *croix*. En effet, ce que disent ensemble rite et récit, c'est le passage d'un corps à un autre : il s'agit d'une altération dans le mouvement de la figure à travers la Cène, la croix et la résurrection. Il n'y a pas passage continu, mais « rupture instauratrice ». Si le récit de la Cène, écrit après Pâques, est si chargé de signification, c'est qu'il énonce en Jésus une double histoire : celle d'un homme qui, comme tout juste de l'AT, se voit affronté à la mort sans voir la réalisation de la promesse, mais aussi celle de la signification de toute la création et de toute l'histoire d'Israël résumée en celui qui se situe aussi bien à son origine (puisqu'il est maître du Sabbat) qu'à sa fin (puisqu'en lui advient le Royaume) et en son développement (puisqu'il a été exposé à toutes les tentations d'Israël au désert) et qu'il invite au partage de tous les biens de la création (pain, vin et pardon) pour anticiper le repas eschatologique.

La Cène n'institue donc pas un corps sacramentel en continuité avec le corps de Jésus, comme si un corps, un signe ou un lieu pouvait tenir lieu de figure à lui seul. A la Cène célébrée après Pâques, ce n'est pas un corps individuel qui réalise la figure, mais le Corps du Christ, l'Eglise unie à Jésus ressuscité. La continuité entre le corps terrestre de Jésus et le corps du Christ ne peut passer que par la rupture de la

---

l'anthropologie biblique. Notons en particulier sur le thème pascal : G. MARTELET, *Résurrection, eucharistie et genèse de l'homme*, Desclée, Paris, 1972.

mort et de la résurrection. La continuité ne dépend donc pas du lieu ou d'un temps corporel mais de la figure qui soutient le passage d'un corps à un autre en nous impliquant dans une altération radicale [168] : le corps de Jésus livre passage au Corps du Christ, parce qu'en sa vie et sa mort se joue le sens de l'humanité et de la création entière comme œuvre de Dieu à réaliser.

B) LA MORT DE JÉSUS SUR UNE CROIX

La lettre de l'Ancien Testament se laisse réinterpréter et signer par une dernière marque qui en change le sens : le signe de la croix. Cet événement-signe, paroxysme de l'énigme messianique, doit être situé dans son contexte historique avant d'être compris comme altération de la figure.

1. L'événement historique

Ce fut longtemps un appauvrissement de la théologie, que de ne pas assez tenir compte des circonstances socio-historiques de la mort de Jésus. Les théologiens se sont surtout intéressés aux significations de la mort de Jésus en termes de *salut* — et les «théories de la rédemption» ont fait l'objet de nombreuses études —, en succombant souvent à des explications partielles et ambiguës parce que cantonnées à des schémas métaphysiques (dualité âme-corps, impassibilité de Dieu), cultuels (sacrifice expiatoire), juridiques (satisfaction), mythologiques (droits du démon, etc.) pris isolément [169]. Or la mort de Jésus n'est pas n'importe quelle mort et la recherche historico-critique a eu le mérite de mettre en relief les circonstances de cette mise à mort qui advient au terme d'une vie prophétique et d'un procès. Cette mort est dite dans un récit, au paroxysme d'une intrigue messianique qui est à interpréter et à résoudre. Il s'agit d'un «témoignage de foi» plus que des actes d'un procès recueillis par un scribe neutre. Cependant, la critique permet de déceler des éléments historiques à partir desquels nous pouvons continuer notre méditation christologique.

---

168. Pas de continuité assurée par une institution qui serait comparable à l'Etat dans le rôle de la transmission du pouvoir (Cf. E. H. KANTOROWICZ, *The King's Two Bodies. A Study in Medieval Theology*, Princeton Univ. Press, 1957) mais par l'Esprit qui ressuscite le corps de Jésus dans le même mouvement où il nous convertit à sa Parole.

169. Pour une étude des principaux thèmes en jeu dans les théories latines et grecques de la rédemption : H. TURNER, *Jésus le Sauveur. Essai sur la doctrine patristique de la rédemption*, Cerf, Paris, 1965.

La mort de Jésus est l'événement historiquement le plus sûr et le mieux datable du destin de Jésus. Si l'on prend comme références les noms de Tibère et Pilate reliés à deux dates extrêmes — le début de la prédication du Baptiste, en 27, et, à l'opposé, la conversion de Paul (entre 31 et 34) — il est fort probable que la mort de Jésus est survenue l'an 30, avec une incertitude sur le 14 ou le 15 Nisan, mais le plus vraisemblable étant le 15 Nisan, le 7 avril de l'an 30.

Il y a surtout un accord assez général sur une sorte d'«histoire de la passion» constituée par un enchaînement d'événements [170], parmi lesquels certains apparaissent très vraisemblables, et d'autres plus douteux, car ils semblent illustrer des citations de l'Ecriture ou la théologie des premières communautés. Parmi les événements historiquement très vraisemblables, il y a la montée à Jérusalem pour une confrontation avec les autorités (en revanche, l'entrée triomphale sous les traits du Messie davidique selon Za 8, 9 semble être une illustration théologique); la purification du Temple s'est peut-être située à un autre moment, au début du ministère de Jésus (Jn 2, 13-22), mais l'attitude de Jésus par rapport au Temple et son enseignement à ce sujet ont joué un rôle certain dans sa condamnation puisque son procès et celui d'Etienne (Ac 6, 14) en font état : les textes mentionnent à ce propos (Mc 14, 1 ; Jn 11, 56) et à propos des guérisons opérées le jour du sabbat (Mc 3, 6) la décision des autorités de faire mourir Jésus ; le dernier repas de Jésus avec ses disciples (sous une forme moins dépendante du culte liturgique des premières communautés) ; la trahison et l'arrestation (la trahison a pu consister à indiquer seulement l'endroit où se trouvait Jésus, sinon caché du moins retiré loin de la foule : cf. Jn 11, 57) ; l'agonie revêt une forme stylisée mais reflète certainement le trouble de Jésus face à la mort : cf. Jn 12, 27) ; le procès de Jésus (celui que l'on rapporte devant le Sanhédrin est contesté, s'il devait avoir eu lieu la nuit, mais une confrontation dans un conseil restreint est vraisemblable ; celui qui eut lieu devant Pilate, en revanche, aboutit à la condamnation à mort) ; la marche vers la crucifixion en portant la partie transversale de la croix ; le crucifiement [171] (peut-être entre deux «brigands», vraisemblablement des «zélotes»), la mort et la mise au tombeau (sans que l'on puisse choisir entre des traditions dissemblables : fut-il mis dans un endroit connu ou caché ?) ; enfin les témoignages d'apparitions.

Parmi les éléments qui font comprendre les raisons historiques de la

---

170. LEROY, *Jesus...* au paragraphe correspondant.
171. M. HENGEL, *la Crucifixion dans l'antiquité et la folie du message de la croix*, Cerf, Paris, 1981 ; cf. aussi la réflexion développée par H. COUSIN, «Sépulture criminelle et sépulture prophétique», in *RB*, 1974, pp. 375-395.

mort de Jésus, le plus déterminant est le *procès*. Il est important que toute personne se fasse un jugement à ce sujet, pour deux raisons principales :

— parce qu'il a contribué à l'antisémitisme en faisant accuser les juifs de « déicide » [172] (et, dans le Nouveau Testament on remarque déjà une tendance à charger davantage le Sanhédrin que Pilate [173], peut-être dans un dessein polémique contre les juifs, alors assez puissants dans l'empire, ou, tout simplement, pour que les premiers chrétiens n'apparaissent pas comme des opposants à l'empereur et l'ordre romain. Ceci est particulièrement sensible chez Luc);

— parce que le procès de Jésus nous prend à témoin, en notre « âme et conscience », en nous impliquant. En effet, malgré les nombreuses études consacrées à ce sujet, l'argumentation juridique ne suffit pas à éclairer les motifs de la condamnation de Jésus, car le procès n'a pas pour but de juger de la culpabilité d'un homme sur ses actes en fonction d'une loi déjà existante, mais de confesser ou non son identité comme Messie. Jésus ne répond pas (Mc 14, 60-61) aux accusations qui sont formulées contre lui (du moins nous ne connaissons pas d'autres réponses que ses silences ou sa façon de renvoyer à ses juges les questions qu'ils lui posent). Il oblige à prendre parti sur le fond de ce qu'il est, en fonction de ce qu'il a dit et fait. D'après les Evangiles, deux motifs sont retenus contre Jésus : son attitude par rapport au Temple (Mc 14, 58 ; Mt 26, 61 ; cf. Ac 6, 14) — qu'il respecte comme lieu de prière, mais sans en faire le lieu privilégié de la présence de Dieu et en relativisant les sacrifices —, et sa façon de se situer au-dessus du sabbat (cf. Mc 3, 6). En tout cela, c'est fondamentalement la *Loi* qui est en cause, puisque Jésus la réinterprète avec une autorité hors pair. Cependant, cette attitude n'est pas un motif suffisant de condamnation, car il y avait des interprétations différentes de la Loi à son époque : des juifs de la diaspora considéraient que certaines lois et institutions, comme le Temple et ses sacrifices ou les lois concernant le sabbat, n'étaient qu'un compromis avec les religions païennes. Les idées baptistes dont Etienne a pu se faire le porte-parole dans son opposition à d'autres juifs hellénisants, mais conservateurs, vont dans le même sens. Les juifs conservateurs défendaient l'intégrité de l'ensemble de la Loi et ses « 613 préceptes » [174] avec d'autant plus de vigueur d'ailleurs, que les « lois secondaires » rejetées par certains juifs de la diaspora étaient celles qui avaient été abolies par Antiochus IV,

172. Cf. J. Isaac, *Jésus et Israël*, Albin Michel, Paris, 1948.
173. A. Schelkle, *Theologie des Neuen Testaments*, II, p. 109 n.4.
174. Nombre classique, mais plus symbolique que réel (justifié dans le Talmud à partir du ixᵉ s ;) : A. Nissen, *Gott und der Nächste im antiken Judentum*, Tübingen, 1974, p. 406.

le persécuteur, honni par ceux qui s'étaient opposés aux tentatives d'hellénisation des successeurs d'Alexandre [175].

Il est vraisemblable que ce parti conservateur a voulu condamner Jésus comme le faux-prophète désigné en Dt 17, 12, d'autant plus que Jésus refusait de répondre aux autorités qui l'interrogeaient, ce qui a pu être interprété comme du mépris. En fait, il réaffirmait ainsi l'origine divine de son autorité. Du point de vue théologique, cette autorité hors pair est accentuée dans les récits de la passion, par la façon dont Jésus est identifié au nouveau Temple, et donc à la présence immédiate de Dieu, par opposition à l'ancien (purification du Temple [176], accusation de blasphème devant le Sanhédrin, l'injure qui lui est adressée sur la croix : Mc 15, 29).

Il semble donc incontestable que ce qui détermina certains responsables juifs, sans l'accord unanime de tout le Sanhédrin, ce fut la prétention de Jésus à remplacer lui-même la loi, en définitive, faisant de lui le « lieutenant » ou « représentant » de Dieu ; c'est ce qui, pour les chrétiens, fait de lui le «Fils de Dieu». Cette autorité de Jésus, sa concience filiale, a dû jouer un rôle déterminant puisqu'on en retrouve l'écho dans tous les Evangiles, à des endroits différents (Jn 10, 30-36 où Jésus est menacé de lapidation ; Jn 19, 7 ; Mc 14, 61 ; Mt 26, 63 ; 27, 40-43 ; Lc 22, 67-70) (d'après Mussner, c'est le motif déterminant de la condamnation par Jésus du côté juif [177], car la mise en cause de l'unicité divine est un crime majeur) [178]. Et s'il y eut procès devant le Sanhédrin cette opposition à l'autorité de Jésus put s'exprimer juridiquement par l'accusation de Dt 17, 12 contre les faux prophètes.

En résumé, le procès de Jésus devant le Sanhédrin comporte de nombreuses inconnues historiques. Il n'est pas sûr qu'il y ait eu un procès en bonne et due forme devant cette instance. Et, si oui, il n'est pas certain qu'il ait abouti à une condamnation, soit en raison d'une violation grave de la loi (Temple ; Sabbat ; Dt 17 12), soit même en raison de prétentions messianiques : ce n'est pas comme Messie que Jésus pouvait être condamné, puisque même des personnages ambigus comme Bar Kohba ont conservé leur titre de Messie malgré leur échec patent. Sur tous ces points, on ne voit pas comment le Sanhédrin aurait pu se mettre d'accord pour condamner Jésus. On peut même penser que, s'il y a eu procès, des libéraux prononcèrent vis-à-vis de

---

175. E. Schillebeeckx, *Jesus...*, pp. 244ss. et 277-281.
176. Avec son enjeu économique : G. Theissen, *le Christianisme...*, p. 78s.
177. *Traité sur les juifs*, Paris, 1981, pp. 319 ss.
178. C. Thoma, *Christliche Theologie des Judentums*, Aschaffenburg, 1978, p. 187.

Jésus le même avis que celui qui fut formulé vis-à-vis des disciples dans les Actes par Gamaliel (5, 34-39) : si cette entreprise vient des hommes, elle périra d'elle-même, si elle vient de Dieu, « vous ne pourrez pas la faire disparaître ». Luc remarque que Joseph n'était pas d'accord avec le dessein du Sanhédrin (Lc 23, 50) et que les membres du Sanhédrin les plus opposés à Jésus n'osaient trancher la question de l'origine de l'autorité de Jésus, par crainte du peuple (Lc 20, 4). Certes, on ne connaît pas toutes les règles de fonctionnement du Sanhédrin à l'époque de Jésus, mais au moins doit-on prendre acte de tous ces faits pour ne pas dévoyer le dialogue entre juifs et chrétiens. Si les motifs de condamnation sont incertains, à plus forte raison ne peut-on supposer une condamnation à mort qui aurait été prononcée mais n'aurait pu être exécutée parce que le droit en serait revenu aux Romains : les Evangiles font état de plusieurs tentatives de lapidation contre Jésus (Lc 4, 29-30 ; Jn 8, 59 ; 10, 30-36) et Etienne fut effectivement tué de cette façon. Jésus, d'ailleurs, pouvait s'attendre à mourir ainsi plutôt que d'être crucifié par les Romains ou même décapité, comme Jean-Baptiste, par Hérode.

Or Jésus fut crucifié par les Romains, à la suite d'une initiative qui remonte à certains responsables du peuple juif. Pourquoi ?

Il y a un certain consensus aujourd'hui pour dire que le procès de Jésus s'est trouvé déplacé du champ religieux au champ politique de sorte que Jésus a été condamné à mort pour une raison politique [179] : une revendication messianique qui remettait en cause l'ordre Romain. Il est peu probable, cependant, que ce soit les romains qui aient pris l'initiative de ce procès, comme le prétend P. Winter [180], car Pilate, bien que décrit ailleurs comme personnage sans scrupules [181], apparaît relativement passif dans cette histoire, ordonnant l'exécution sans conviction et presque contre ses convictions [182], pour avoir et maintenir la paix. Rien dans le comportement de Jésus ne marque une hostilité vis-à-vis des Romains, même si son message de fraternité remet en cause la « pax romana » bâtie sur l'exploitation des couches inférieures de la population et des territoires conquis par le feu et la violence. Cette composante subversive sera mise en valeur dans l'Apocalypse.

---

179. R. PESCH, *Das Markusevangelium*, II, Fribourg, 1977, pp. 404-424 (avec bibliographie).

180. *On The Trial of Jesus*, Berlin, 1974 ; différemment : J. Blinzler, *le Procès de Jésus*, Mame, Paris, 1982.

181. J.-P. LEMONON, *Pilate et le gouvernement de la Judée*, Gabalda, Paris, 1981.

182. J. DELORME, « le Procès de Jésus... », in *RSR*, t. 69, 1981, pp. 123-146.

Il reste donc beaucoup d'inconnues dans ce double « procès » de Jésus, mais on doit constater que la condamnation à mort de Jésus résulte d'un certain nombre de complicités et de lâchetés : le Sanhédrin a dû avoir recours aux critères et aux institutions du pouvoir politique (peut-être même en exerçant un chantage sur Pilate par la menace d'un recours à César) et Pilate a condamné Jésus comme un rebelle ou un agitateur politique, ce qu'il n'était pas, du moins directement.

Il est juste de dire que Jésus s'est vu « voler sa mort » (Käsemann, Cousin)[183] puisqu'il fut condamné officiellement pour motifs politiques, alors qu'il fut d'abord accusé pour des raisons religieuses. Mais cette confusion apparente n'est pas le fruit du hasard. Elle s'explique si l'on se rappelle l'ambiguïté du *messianisme* dans la prédication et le comportement de Jésus. Il fait intervenir Dieu dans notre histoire en changeant les relations entre les hommes, et donc tout ordre social traversé par le mensonge, la maladie, l'exploitation, la haine ou le non-respect d'autrui. Il ne sera jamais possible de distinguer entièrement les raisons politiques et les raisons religieuses de la mort de Jésus, car le destin de Jésus concerne l'homme en entier, avant même la distinction de ses différents rôles sociaux. On le voit encore aujourd'hui : il sera toujours tentant d'accuser quelqu'un, qui vit radicalement l'Evangile, de « faire de la politique » et de chercher ainsi à le disqualifier en mettant en avant le fait qu'il « prend parti » (ce qui est le propre du choix politique ressenti souvent comme « partisan ») et en l'opposant à l'esprit religieux qui est censé « unir ». Sur ce point, le Sanhédrin et Pilate pouvaient se mettre d'accord, sans expliciter leurs raisons, pour supprimer un gêneur. Et les Zélotes, dont Judas a peut-être été proche, ont pu approuver la disparition de ce Messie décevant. C'est ainsi que le procès de Jésus nous implique : croyons-nous que Jésus est le prophète d'un Dieu, situé loin « dans le ciel » et qui veut réconcilier tous les hommes « surnaturellement » sans rien changer à leurs relations entre eux, ou croyons-nous que Dieu a pris parti en Jésus pour les pécheurs, les pauvres et les exploités, en demandant à être reconnu dans l'amour et le pardon qui redonnent dignité et espérance à chacun, dans la fraternité qui instaure son Royaume ? Sommes-nous innocents de toute complicité dans le jeu qui a uni certains membres du Sanhédrin et Pilate ? Seule la foi permet de trancher l'énigme. Et la tradition chrétienne fait de tous les hommes,

---

183. H. Cousin, *le Prophète assassiné. Histoire évangélique de la Passion*, Delarge, Paris, 1976, p. 229 ; cf. H. Kessler, *Die theologische Bedeutung des Todes Jesu. Eine Traditionsgeschichtliche Untersuchung*, Düsseldorf, 1971², pp. 229-232, qui reprend le motif du malentendu.

parce qu'ils sont menteurs et pécheurs, les responsables de la mort de Jésus. Il nous faut donc prolonger la réflexion historique par la méditation théologique qui nous inclut dans cet événement au sein de la figure.

2. La figure

Le Nouveau Testament donne plusieurs interprétations de la mort de Jésus, alors que les dogmatiques chrétiennes après saint Anselme, et malgré l'absence de définition magistérielle solennelle en ce sens [184], ont privilégié la théorie de la *satisfaction* : seule la mort du Verbe incarné, vrai Dieu et vrai homme, vécue par amour pour nous, pouvait nous réconcilier avec Dieu et satisfaire ainsi, par grâce, à la peine due au péché. Cette explication a beaucoup de vrai, en particulier elle fait prendre au sérieux le péché et un Dieu qui nous fait grâce par l'intermédiaire de son Fils, homme véritable. Mais cette théorie seule est très ambiguë, car elle s'est ancrée dans un schéma à la fois juridique (réparation d'une offense ou d'une dette) et liturgique (sacrificiel), au risque de cacher, sans les maîtriser, des mécanismes inconscients de culpabilité venant d'ailleurs, faute d'avoir précisé dans la vie humaine de Jésus les rapports entre le Fils et le Père et donc d'avoir pris en compte la révélation de Dieu dans le destin historique de Jésus. La tendance actuelle est de voir dans la mort de Jésus, en lien avec la résurrection, la révélation de Dieu et la manifestation du secret qui a animé tout son destin historique : sa filiation et la bonne nouvelle du salut [185]. C'est alors que s'articulent christologie et sotériologie et que l'on respecte mieux la démarche propre du Nouveau Testament, en tenant compte particulièrement de Jean qui insiste sur cette révélation de Dieu et du Fils, sur l'unité entre Jésus et le Verbe, alors que toute théorie de la satisfaction s'inspire surtout de saint Paul.

---

184. Cf. W. BREUNING, « Überlegungen eines Dogmatikers », in *Der Tod Jesu, Deutungen im NT*, Herder, Fribourg, 1976, pp. 226 s. ; Cf. le travail de J. Rivière note suivante.

185. Les nombreuses études de J. RIVIÈRE ont montré la relativité du schéma anselmien, par ex. *le Dogme de la Rédemption. Essai d'étude historique*, Paris, 1905. G. AULÉN, *le Triomphe du Christ* (1930), Aubier, Paris, 1970, actualisant la théologie de Luther, insiste sur le rôle de Dieu dans le salut et ne sépare pas mort et vie de Jésus. Le lien entre mort, résurrection et révélation s'est fait dans les christologies plus récentes depuis Barth. Cf. aussi R. SCHNACKENBURG, « Ist der Gedanke des Sühnestodes Jesu der einzige Zugang zum Verständnis unserer Erlösung durch Jesus Christus ? », in *Der Tod Jesu...*, pp. 206 ss.

a) Interprétations néo-testamentaires de la mort de Jésus

Aujourd'hui, il y a un certain consensus pour reconnaître trois schémas principaux d'interprétation de la mort de Jésus dans le Nouveau Testament [186].

1° Le schéma du prophète martyr et glorifié

Jésus est le prophète mis à mort, comme beaucoup de ses devanciers, mais lui, comme prophète ultime, a été ressuscité par Dieu qui, ainsi, lui a donné raison. Cette interprétation est la plus proche du récit de la vie messianique de Jésus et marque l'originalité de Jésus au sein du judaïsme, soit de façon modérée (Jésus était bien un vrai prophète et il a voulu prêcher la vraie Loi qu'il ne faut pas confondre avec toutes les lois secondaires), soit de façon plus polémique, à la manière de Paul : puisque Jésus a été condamné à cause de la Loi (Dt 17, 52), il a eu raison contre elle et la remplace, car Dieu lui a donné raison en le ressuscitant. Dans sa polémique avec des adversaires judaïsants qui exigent encore la circoncision, Paul ne craint pas de citer Dt 21, 23 («maudit quiconque est pendu au bois», Ga 3, 13) pour en retourner la pointe contre les accusateurs de Jésus et affirmer que la Loi a été désavouée (par la résurrection) et qu'elle est clouée sur la croix et remplacée par elle comme chemin de salut [187].

Ajoutons qu'il existe une variante importante de ce premier schéma : c'est la mort du prophète *pour nous*, qui est donc une mort *salutaire* sans encore avoir recours au thème expiatoire du 3ᵉ schéma. Ainsi chez Luc ou chez Paul et Jean.

2° Le schéma de l'accomplissement du dessein de Dieu selon les Ecritures

Cette explication se reconnaît facilement quand on retrouve l'expression «il faut» ou «il fallait» [188] et «conformément aux Ecritures» (1 Co 15, 6 ; Lc 24, 26 s. ; Mc 8, 31 ; Mt 26, 31). Il ne s'agit

---

186. En particulier dans SCHILLEBEECKX, *Jesus...* et X. LÉON-DUFOUR, *op. cit.*

187. H.W. Kühn a bien mis cela en valeur dans un article polémique mais intéressant sur ce point : «Jesus als Gekreuzigter in der frühchristlichen Verkündigung bis zur Mitte des 2. Jhdts», in *ZThK*, t. 72, 1975, pp. 1-46, voir 32 ss.

188. W. GRUNDMANN, *TWNT* II, col. 21-25.

pas là d'une fatalité aveugle, mais de la réalisation de la volonté de Dieu. Jésus, en étant livré, accomplit le plan divin. Cette interprétation envisage donc l'inauguration de la fin des temps : le plan de Dieu arrive à son terme. Cependant cette notion « d'accomplissement » n'est pas définie explicitement et laisse place à bien des commentaires. Elle aide surtout à surmonter le scandale de la croix comme dans le premier schéma, sans dire explicitement sa signification salvifique. Elle apparaît liée ici à la figure du « juste » souffrant et/ou martyr : thème à la fois prophétique, sapientiel et apocalyptique (cf. J. Schmitt, *supra*, pp. 140 s., 175 s.). L'aspect prophétique explique le rejet de Jésus par le peuple ; la tradition apocalyptique souligne la réhabilitation et s'inscrit dans le cadre du jugement final de Dieu sur un monde corrompu ; le thème sapientiel du juste souffrant insiste moins sur cette intervention finale de Dieu que sur l'extension à tout le peuple des bienfaits de l'alliance : à quoi servirait-il que Dieu accomplisse un jour ses promesses si, présentement et dans le passé, des justes devaient en être exclus ? Tout cela n'implique-t-il pas déjà une sotériologie ?

3° *Le schéma sotériologique de la mort expiatoire*

Dans ce cas, la mort de Jésus est *directement* mise en relation avec notre salut. Jésus est mort « *pour* » *nous* (ce « pour » traduit les propositions grecques si discutées : hyper, peri, anti, dia). Cette argumentation tient une place centrale dans la pensée de Paul, mais se retrouve dans d'autres écrits du NT (en particulier He, Jude, Ap) et pourrait remonter à Jésus lui-même, si l'on comprend en ce sens la parole sur la vie donnée « en rançon pour beaucoup » (Mc 10, 45) et, bien sûr, les formules du repas d'adieux.

Cependant, la formule « mort pour nous » reçoit une connotation différente selon le champ symbolique dans lequel elle s'inscrit [189] :

— dans le champ juridique elle signifie la « *rédemption* » c'est-à-dire la délivrance ou rançon par le moyen du « goël » (celui qui paie le rachat) ;

— dans le champ liturgique, elle indique « *l'expiation* », qui s'inscrit dans le vocabulaire du culte sacrificiel, mais qui ne désigne pas

---

189. X. Léon-Dufour, *Face à la mort...* distingue trois points de vue ; « judiciaire », « politique » et « interpersonnel » (chap. 5) ; cf. G. Theissen, *Soteriologische Symbolik in den paulinischen Schriften*, in *KuD*, t. 20, 1974, pp. 282-304.

d'abord un acte pénible. Léon-Dufour souligne, à juste raison, que ce terme d'expiation signifie d'abord réconcilier, se montrer favorable, pardonner ;

— dans le champ social au sens large, elle exprime la solidarité et la « *substitution* », lorsqu'une action est produite au bénéfice de quelqu'un d'autre que celui qui l'accomplit. On oublie trop souvent cette signification, pourtant obvie, et qui déborde le cadre de la division sociale du travail [190] pour recouvrir l'éventail très large des actions de dévouement (faire quelque chose pour aider quelqu'un, mourir pour la patrie). C'est un sens courant dans l'antiquité, ainsi que l'a établi avec minutie Hengel dans son livre sur *la Crucifixion* [191]. Mais cette mort pour nous prend un relief tout particulier parce qu'il s'agit du *Messie* : ce n'est pas le dévouement de n'importe qui, mais de Dieu lui-même compromis dans la vie et la mort de Jésus.

b) *Du corps de Jésus au corps du Christ*

Le raisonnement sotériologique ne suffit donc pas pour expliquer l'originalité de la mort de Jésus : il ne suffit pas plus de dire que Jésus est le prophète martyr, ce qui fut le cas de bien d'autres prophètes avant et en dehors du christianisme et du judaïsme. On est obligé de recourir conjointement à un raisonnement christologique : qui est ce Jésus qui meurt pour nous ? C'est alors qu'est évoquée le plus souvent la figure du « Serviteur souffrant » d'Is 53, bien qu'il soit difficile d'en trouver une mention explicite dans les Evangiles, du moins avec la certitude qu'elle remonte à Jésus. Cependant, si cette référence au Serviteur d'Isaïe s'est imposée de plus en plus, c'est parce que la signification de la mort de Jésus ne s'établit pas par le seul raisonnement historique, mais par une méditation de la figure, qui ne sépare pas le sort de Jésus de la révélation de Dieu et du destin de la multitude. (On se rappellera ici que le judaïsme identifie le plus souvent le Serviteur souffrant au peuple juif.) En recourant à la figure, nous partirons de l'altération du corps de Jésus pour arriver au corps du Christ, comme nous l'avons annoncé plus haut. Ainsi, on reprendra autrement, théologiquement, certains traits des trois schémas d'explication donnés ci-dessus : ils interfèrent entre eux et ne doivent pas être interprétés selon une ligne de développement chronologique.

---

190. C'est à ce schème que recourt W. PANNENBERG, *Esquisses...* p. 339, qui change ainsi le contexte féodal de la pensée d'Anselme.
191. *La Crucifixion...*, pp. 117-155.

Il importe ici d'être net. Le Nouveau Testament offre plusieurs interprétations de la mort de Jésus, ainsi que nous venons de le voir. La théologie, par souci de cohérence, n'en retient qu'une partie. Le théologien choisit, non pas comme un hérétique qui rejette d'autres expressions de la foi commune, mais comme un croyant qui réfléchit sur une expérience de foi multiséculaire. C'est la diversité des écrits du Nouveau Testament qui fonde l'unité de son canon comme l'a affirmé Käsemann (cf. tome I, P. Gisel). Aucune théologie ne peut dire toute la foi et, toutes ensemble, elles ne remplacent ni n'épuisent l'Ecriture. Le théologien choisit donc mais en donnant les critères de son choix. Nous l'avons expliqué à propos de la figure et du messianisme qui constituent notre ligne d'interprétation. Celle-ci, cependant, déplace l'accent de l'interpétation — longtemps majoritaire — de la mort de Jésus comme sacrifice expiatoire.

En effet, dans l'Occident latin surtout, la mort de Jésus a été vue principalement comme un sacrifice expiatoire : Jésus, en prenant sur lui les péchés de tous les hommes alors qu'il est innocent, peut à la fois, grâce à sa passion, réparer l'offense à Dieu que constitue le péché et rendre l'homme à nouveau agréable à Dieu. En d'autres termes, il se substitue à l'humanité coupable, endure à sa place la peine due au péché et rétablit l'alliance entre Dieu et les hommes. Ce schéma repose fondamentalement sur deux piliers : un sens du *péché* devenu de plus en plus présent depuis Augustin, la théologie du péché originel relayée par la pratique du baptême en régime de chrétienté et l'institutionnalisation de la pénitence au moyen âge, d'une part, et, d'autre part, son complément que constitue l'*expiation* au double sens de ce terme : le sacrifice pénible culminant dans la mort et le retour en grâce auprès d'un Dieu de nouveau favorable. C'est ce qui a été développé par Anselme et radicalisé par Luther en opposant nettement le Dieu qui fait grâce à sa colère qui condamne. Ce schéma a donc une cohérence très forte mais des limites historiques et géographiques repérables. Il peut revendiquer nombre d'appuis scripturaires et patristiques, mais il n'est pas la seule explication possible et il est de plus en plus contesté. En effet, le schéma sotériologique anselmien, comme nous l'avons dit en introduction, suppose une christologie qui a déjà défini les deux natures — humaine et divine — de Jésus, alors que nous avons à les découvrir au terme du parcours. Surtout, cette conception a tendance à valoriser la souffrance d'une manière qui ne correspond plus à notre perception de la vie et qui culmine dans sa définition du sacrifice compris comme un échange compensatoire avec un Dieu jaloux alors que nous l'interpréterons dans une ligne d'initiation : l'expérience de l'altérité de Dieu qui, en Jésus, se révèle comme amour. C'est cet amour qui porte à la lumière ce mal qu'est le péché repoussant Dieu hors de notre monde. Ainsi, au lieu de partir d'un Dieu déjà connu et d'un péché déjà admis par tous (alors que nous faisons aujourd'hui l'expérience de son incompréhension), nous poursuivrons le même chemin que nous avons déjà parcouru : c'est la prédication du Royaume de Dieu qui révèle le péché ou l'impasse d'un monde sans Dieu et c'est la Pâque de Jésus qui scelle cette révélation par un sacrifice qui dévoile la face du Dieu amour au sein de la misère et du néant. C'est donc dans le destin de Jésus, dans sa chair, qu'il faut découvrir révélation et salut, christologie et sotériologie ensemble.

Nous distinguerons deux aspects dans le destin de Jésus par l'altération qui s'inscrit dans son corps :

1° l'altération d'un corps individuel où passe la voix de Dieu ;
2° l'altération d'un corps, individuel ou collectif, que révèle la figure.

1° *L'altération d'un corps individuel où passe la voix de Dieu*

Nous avions vu que le premier sens donné à la mort de Jésus était d'être la mort d'un prophète martyr, selon le schéma qui oppose la condamnation sur la croix et la glorification du matin pascal. Ce contraste vise à donner raison à l'interprétation de la Loi selon Jésus ou à cette Loi nouvelle qu'est Jésus animé par l'Esprit. Il serait superficiel cependant de comprendre ce schéma selon une opposition terme à terme : d'abord la mort qui semble donner tort à Jésus, puis, de l'autre côté, la résurrection qui le réhabilite, car, alors, la croix, la résurrection, le témoignage de Jésus et sa propre personne restent extérieurs les uns aux autres. En fait, il faut se rappeler l'originalité du témoignage prophétique : le sort du prophète n'est pas étranger à son message (cf. Elie, Osée, Jérémie, etc.). C'est en son corps qu'advient la Parole de Dieu et prend forme la figure. Or ceci se radicalise en Jésus, puisqu'en lui se joue le sort, la destinée de la Loi, par laquelle l'homme reconnaît le sens que Dieu donne au monde et s'y soumet pour le faire advenir. Le récit de l'événement de l'exode, figure du monde cosmique et humain en voie de libération, se prolonge jusqu'au récit de la création et « s'intime » dans la *loi* du Sabbat et des dix commandements, selon une conception du temps qui n'est pas chronologique, mais où l'événement ancien prend figure d'archétype reliant l'origine et la fin. Méditons ici, d'abord, l'aspect par lequel la figure subit une altération dans le corps de Jésus.

Sur la croix, Jésus meurt dans un grand cri. Il n'y a pas de

---

192. *Ibid*, p. 163 ss.

consensus sur le contenu de ce cri. Jésus a-t-il vraiment dit « Mon Dieu, mon Dieu, pourquoi m'as-tu abandonné ? » Et, si oui, est-ce à la limite du désespoir ou est-ce dans la confiance qu'exprime la fin du Ps 22 [193] ? Ce qui est incontestable, c'est que ce cri introduit un silence : Jésus se tait. La voix du prophète s'éteint, autour d'un corps mort. La voix ne joue plus le rôle d'entre-deux entre un lieu (celui des corps qu'elle fait communiquer) et un savoir (ce qui est communiqué). Ainsi que le fait remarquer Denis Vasse, il est deux cas bien tranchés où la voix ne joue plus ce rôle d'entre-deux : celui de la folie (quand le savoir fonctionne sans référence à un lieu, déconnecté de la position de celui qui parle) et celui de la mort, où le savoir est enfermé dans le lieu du corps de celui qui parlait. C'est alors, au moment de la mort, que se pose avec plus d'acuité la question de l'autorité de celui qui parlait. « Cette analyse de la voix comme entre-deux originaire du lieu et du savoir, du corps et du discours, de l'espace et du temps, creuse la question (sempiternelle) de l'*origine*, barrant la route à une réflexion linéaire qui voudrait penser l'origine comme une notion chronologique appuyée sur le report indéfini (l'œuf et la poule) dans le temps. La "voix" est ainsi entendue comme *traversée énigmatique* : énigmatique en ce sens qu'elle questionne le silence [194]... »

Lorsque Jésus se tait, définitivement, nous pouvons laisser sa mort sombrer dans le bruit du monde, sans confronter sa voix au silence et donc en renonçant à comprendre l'énigme. En revanche, le silence doit permettre de réécouter sa voix et de prendre parti. H. Urs von Balthasar a montré l'importance du Samedi saint comme jour a-liturgique, jour de silence qui suit la mort de Jésus [195]. Ce temps, où rien ne se passe, est fondamental pour laisser la voix de Jésus prendre toute sa dimension. C'est alors que tout l'Evangile de Jean s'impose par son insistance sur cette voix qu'il faut écouter, cette voix qui précède Abraham et qui ne dit rien que le Père n'ait inspiré. Une telle conception oblige à prendre parti sur l'identité de Jésus, car on ne peut pas séparer sa voix de celle du Père. C'est à ce moment que se pose pour la première fois de façon aiguë la question de *l'incarnation* : lorsque la voix de Jésus se tait et se réduit à son corps mort, on ne peut pas ne pas demander quelle est l'origine de la Parole qui l'animait. Est-ce que Dieu s'y révèle ?

---

193. Sur les interprétations historiques et théologiques : H. SCHÜT-ZEICHEL, « Der Todesschrei Jesu. Bermerkungen zu einer Theologie des Kreuzes », in *TThZ*, t. 83, 1974, pp. 1-16.

194. « La Voix, la Folie et la Mort », in *Annoncer la mort du Seigneur, un dossier théologique*, Fac. Théologie Fourvière-Lyon, 1971, p. 84.

195. « Le mystère pascal », *Mysterium salutis*, vol. 12 ; maintenant : *Pâques le mystère*, Cerf, Paris, 1981.

Depuis Luther et Calvin, la théologie chrétienne insiste à nouveau sur la révélation de Dieu dans la croix de Jésus par opposition à une théologie de la gloire qui ne tiendrait pas assez compte de l'incarnation dans le destin humain de Jésus. Cette insistance sur la croix vient aussi de la recherche exégétique historico-critique qui souligne l'aspect dramatique et énigmatique de la mort de Jésus. La théologie dogmatique moderne a voulu tenir compte du renouveau philosophique chrétien (Hegel, Schelling, Kierkegaard) ou juif (F. Rosenzweig, M. Buber, A. Heschel) et de la problématique exégétique en ne se contentant plus de présupposer un concept philosophique (grec) de Dieu mais en prenant au sérieux la révélation de Dieu dans l'événement pascal [196]. Nous avons vu que la théologie a été poussée à faire ce pas par suite de la destruction du concept philosophique de Dieu tel qu'il a été pensé dans le cadre de la philosophie moderne de la subjectivité (Excursus I). C'est le traitement philosophique de la « mort de Dieu », qui oblige la théologie à dépasser l'aporie qui suivit Chalcédoine : comment y a-t-il un devenir en Dieu et comment peut-il souffrir ? Trop souvent les théologiens se sont contentés de dire que seule la nature humaine a souffert, comme si l'incarnation était une juxtaposition du divin et de l'humain.

Aujourd'hui, cette juxtaposition n'est plus ni affirmée, ni sous-entendue. Il s'agit donc de voir à la fois le rôle de l'humanité et de la divinité dans cette mort, en commençant par souligner la révélation de Dieu à ce moment-là, avant même la résurrection. Cette révélation s'exprime précisément dans la mort de Jésus comme sacrifice et comme événement en Dieu.

La mort de Jésus comme sacrifice a été comprise longtemps, sous

---

196. W. ELERT, *Der Ausgang der altkirchlichen Christologie*, Berlin, 1957 ; K. BARTH, *Kirchliche Dogmatik* II, 2 ; IV, 1-3 ; K. RAHNER, « Zur Theologie der Menschwerdung », 1958, in *Schriften* IV, 1962[3] ; E. JÜNGEL, *Gottes Sein ist im Werden. Verantwortliche Rede vom Sein Gottes bei Karl Barth*, Tübingen, 1967[2] ; ID., « Vom Tode des lebendigen Gottes. Ein Plakat », in *ZThK*, t. 65, 1968, pp. 93-116 ; K. MÜHLEN, *Die Veränderlichkeit Gottes als Horizont einer zukünftigen Christologie*, Münster, 1969 ; H. KÜNG, *Incarnation de Dieu. Introduction à la pensée théologique de Hegel comme prolégomènes à une christologie future*, DDB, Paris, 1973 (Herder, Fribourg, 1970) ; K. KITAMORI, *Theologie des Schmerzes Gottes*, Göttingen, 1972 ; J.Y. LEE, *God Suffers for Us. A Systematic Inquiry into A Concept of Divine Passibility*, La Haye, 1974 ; F. VARILLON, *la Souffrance de Dieu*, Centurion, Paris, 1975. J. MOLTMANN, *le Dieu crucifié*, 1972 a davantage marqué la discussion théologique en combattant vigoureusement la conception grecque, mais il a tendance à trop mêler la passion du Père et celle du Fils (ainsi que celle de toute l'humanité en lui) en atténuant l'aspect contingent de l'événement (cf. discussion avec H. Küng et W. Kasper in *ThQ*, t. 153, 1973, pp. 8-14 et 346-352 et dans *EvTh*, t. 33, 1973, pp. 401-423).

une seule forme, surtout depuis S. Anselme, comme sacrifice expiatoire ou substitutif par lequel Jésus offre sa vie pour nous, afin de nous racheter de l'empire de Satan ou d'apaiser la colère de Dieu. Or l'exégèse a remis en valeur l'existence de différentes sortes de sacrifice dans la Bible et surtout, du temps de Jésus et dans certains milieux, le déplacement du sacrifice sanglant (animaux sacrifiés au Temple) au sacrifice spiritualisé (psaumes d'action de grâce et offrande de pain et de boisson : sacrifice *todah*). Le développement de l'anthropologie également [197] a remis en question la simplification anselmienne à la limite du phantasme intime (le Dieu jaloux est décrypté comme Père en rivalité avec le Fils). Les recherches anthropologiques, depuis l'essai de H. Hubert et M. Mauss « Essai sur la nature et la fonction du sacrifice » (1899) et la poursuite de la réflexion sur le symbolisme ont remis en valeur le sacrifice comme rite religieux central. En effet, dans le sacrifice, il s'agit moins d'un échange entre les hommes et la divinité (donnant-donnant) que de la reconnaissance d'une dette que l'homme ne pourra jamais payer, car la différence est infinie entre les deux. Ce qui est offert (la victime, animale ou végétale) est signe d'un désir de communion avec la divinité, mais sur fond d'une discontinuité radicale, puisque la victime est détruite laissant à Dieu l'initiative de se dire et de donner la vie [198]. Cette révélation de Dieu pour le salut est déterminante dans la mort de Jésus considérée comme sacrifice : sa vie offerte au Père pour nous, pour annoncer et réaliser le Royaume de Dieu, fait place, au moment où il meurt, à Dieu seul [199].

Il y a donc deux aspects complémentaires dans ce sacrifice : l'implication de Dieu dans la vie et la mort de Jésus et la liberté humaine de Jésus.

---

197. Voir deux numéros spéciaux : 1. *MD, (la Maison-Dieu)*, n° 123, 1975 : H. Cazelles, « Eucharistie, bénédiction et sacrifice dans l'AT », pp. 7-28 ; L.-M. Chauvet, « la Dimension sacrificielle de l'eucharistie », pp. 47-78. — 2. *LV (Lumière et Vie)*, n° 146 : L.-M. Chauvet, « le Sacrifice de la messe : représentation et expiation », pp. 69-83 et « le Sacrifice de la messe : un statut chrétien du sacrifice » (références et bibliographie), pp. 85-106.

198. A. Vergote, *Mort pour nos péchés. Recherche pluridisciplinaire sur la signification rédemptrice de la mort du Christ*, Bruxelles, Fac. univ. Saint-Louis, 1976, qui se prononce en faveur d'un « schéma initiatique » que l'on retrouve dans notre démarche. Cf. E. Poulat, « le Sacrifice. De l'histoire comparée à l'anthropologie religieuse », in *Arch. sc. soc. relig.* t. 51/2, 1981, pp. 153-161.

199. Cf. S. Breton, « la Passion du Christ aujourd'hui », in *Cultures et Foi*, sept.-oct. 1979, pp. 45-57 et 68-69 où il distingue trois types de participation à la passion : celui de la compassion et du Dieu humain, celui de la collaboration et du Dieu de justice, celui du nu-pâtir et du Rien par excellence selon une approche mystique. Du même auteur, *le Verbe et la Croix*, Desclée, Paris, 1981.

Dieu est partie prenante de cette mort et il faut prendre au sérieux la signification *chrétienne* de la « mort de Dieu » [200]. Lorsque Jésus se tait, nous sommes obligés, sur fond de ce silence, à voir le lien qu'il y a entre cette mort, la vie messianique de Jésus et Dieu. Jusqu'où Dieu était-il compromis dans la prédication, les guérisons, les exorcismes et le pardon dispensés par Jésus ? Jusqu'où Dieu s'est-il identifié à cette contingence d'événements humains ?

Bien sûr, nous ne pouvons pas nous poser cette question de la même façon avant et après avoir entendu parler de la résurrection, mais, avant même cette dernière, il faut s'interroger sur ce que signifie la croix pour notre connaissance de Dieu. En suivant ici les réflexions d'E. Jüngel, nous pouvons dire que nous sommes interrogés sur la valeur que nous donnons à la *contingence* et donc à l'histoire comme lieu de la révélation de Dieu, de Dieu amour. Dans la tradition métaphysique, la contingence est vue le plus souvent sous son aspect négatif, comme ce qui tend au *néant* appréhendé comme mort ou sous forme de ce qui passe. Sous cet angle négatif, la théologie chrétienne n'a pas su parler de changement en Dieu, ni voir son rôle dans la mort. Mais le contingent peut être vu positivement comme le *possible* (Schelling, Kierkegaard). Alors, on peut situer Dieu *dans* l'histoire. Parler de la « mort de Dieu » n'est plus un langage imagé seulement, mais c'est dire que « Dieu est au milieu du combat entre le néant et le possible » [201] ; c'est affronter l'énigme du devenir du monde selon Dieu à la manière dont elle est tranchée dans l'événement qui va de la mort de Jésus sur la croix à la résurrection. Dieu s'y révèle comme solidaire de Jésus à tel point qu'il s'identifie à lui en prenant sur lui l'altération radicale du corps de Jésus. Dieu est confronté au néant et il le combat en lui indiquant un lieu, dans le corps crucifié de Jésus, et en le prenant sur lui : « lorsque Dieu s'est identifié avec Jésus mort il a placé le néant à l'intérieur de la vie divine » [202], en lui ravissant son attraction chaotique. Une telle affirmation ne se comprend que dans le silence qui suit la mort de Jésus, lorsqu'il faut bien prendre parti sur l'identité de cet homme qui meurt en croix. Puisque sa voix apparaît inséparable de celle de Dieu, c'est bien le Verbe même de Dieu qui « goûte la mort » et c'est par le Verbe que le Père est affecté : parce qu'il souffre de la mort du Fils, identifié aux pécheurs, exclus et rejetés par la Loi. Le Père assume la douleur de toutes celles et de tous ceux qui sont

---

200. Outre la profonde réflexion d'E. Jüngel dans *Dieu, mystère du monde,* cf. la présentation synthétique des différents courants philosophiques et théologiques qui ont parlé de « la mort de Dieu » : S. Daecke, *Der Mythos vom Tode Gottes. Ein kritischer Überblick,* Furche, Hambourg, 1969.
201. Jüngel, *Gott...,* p. 295.
202. *Ibid.,* p. 297.

démunis devant la souffrance. Mais il ne souffre pas d'une compassion passive, il souffre en tant que Père éternel, celui dont toute paternité et toute vie tire son nom. Il se trouve impliqué dans toute souffrance, même celle de l'enfant, innocent, mais pour y répondre en Père, lors de la résurrection. Lorsque Jésus se tait, c'est le Royaume de Dieu qui semble plongé dans le néant, c'est Dieu qui est compromis dans son être même. Dieu ne se révèle pas hors histoire comme « pur Esprit », mais dans son être avec Jésus comme *amour*. Ainsi le dernier mot de la mort de Jésus comme sacrifice n'est pas l'expiation comprise sous l'angle de l'apaisement de la colère de Dieu grâce à la mort de son Fils ou bien de la satisfaction juridique, mais la révélation de Dieu, comme nous l'avons vu, et révélation du Dieu amour. Comme l'a souvent fait remarquer J.-P. Jossua, il faut souligner ici l'originalité d'Abélard (dans la ligne de saint Jean d'ailleurs) qui a expliqué le salut comme étant la manifestation de l'amour de Dieu révélé dans l'amour que Jésus nous a porté jusqu'à en mourir. Abélard a été moins écouté que saint Anselme, alors qu'il relativise sa théorie juridique par les questions qu'il pose [203] : si la faute d'Adam fut si grande qu'il fallait la mort du Christ pour la racheter, que faudra-t-il pour réparer la faute de ceux qui l'ont crucifié ? Selon lui, notre rédemption consiste en ce très grand amour manifesté par la passion du Christ qui non seulement nous libère du péché mais nous donne la liberté des enfants de Dieu grâce à l'Esprit de vie [204]. Ainsi, Abélard situe-t-il la mort rédemptrice de Jésus en continuité avec sa vie prépascale mais aussi en dépendance du Père et de l'Esprit et donc comme révélation de Dieu. Dans cette perspective, il n'y a pas à opposer le pardon sans condition accordé par Jésus dans sa prédication prépascale et la mort comme condition du pardon. En effet, sa mort vient sceller et authentifier, par Dieu lui-même, cet amour inconditionnel révélé dans la vie et le destin de son Fils (cf. *supra*. : « Directives éthiques ») et qu'il nous faut suivre si l'on accepte le salut ou l'entrée dans l'expérience du Royaume à la suite de Jésus. Le pardon des ennemis devient même le signe le plus provocant, sinon le plus profond, de cette nouvelle logique des relations humaines selon le Royaume de Dieu. Bien plus, il n'y a pas à opposer grâce de Dieu et liberté humaine, puisque c'est bien par son obéissance au Père, dans la foi, que Jésus a pu donner la preuve que l'amour rend libre, plus fort que la mort et la peur qu'elle inspire. Saint Thomas souligne le rôle de cette liberté en mettant le mérite de Jésus au cœur de son explication de la rédemption [205] (*S. Théol.*, IIIa,

---

203. *Expositio in Epist. Pauli ad Rom.*, in *PL*, p. 178, col. 831-836.
204. *Ibid.*, col. 836 B et 898 A.
205. F.A.C. Catao, *Salut et Rédemption chez Thomas d'Aquin*, « Théologie », n° 62, Aubier, Paris, 1960.

q. 48), bien qu'il ne mette pas la révélation de l'amour de Dieu au centre de son analyse. C'est dans sa liberté *humaine* que Jésus révèle l'amour de Dieu. La croix est donc un moment privilégié de la révélation divine avant même la résurrection.

Schillebeeckx a même parlé d'une conversion des apôtres à Jésus vivant avant même l'expérience des apparitions. Sans faire appel à ce qu'a pu être l'expérience psychologique des apôtres (ce qui est insaisissable !), cette réflexion invite à penser que les disciples de Jésus, malgré le choc de cette mort, sont déjà invités à comprendre cette mort comme un événement unique, une révélation de Dieu, en se souvenant de tout ce que Jésus a dit et fait (y compris son assurance au moment du repas d'adieu). Sa mort apparaît alors comme ce qui achève et complète sa vie : la révélation de Dieu comme amour. « La croix donne la mort à voir et donne la vie à croire [206]. » Saint Jean fait de la croix l'heure de la révélation. N'est-ce pas aussi ce qui justifie à ce moment-là le cri du centurion chez Marc : « Vraiment cet homme était le Fils de Dieu » (Mc 15, 39). Cette expression de « Fils de Dieu » est à prendre au sens fort chez Marc, car c'est à ce moment-là, devant la Croix, qu'apparaît le sens du titre « Messie, Fils de Dieu » donné à Jésus au premier verset de l'Evangile, bonne nouvelle pour tous, juifs et païens, fils d'Adam comme le centurion. C'est sur la Croix que commence la résolution de l'énigme messianique : un événement où le Fils même du Père goûte la mort, en solidarité avec tous les hommes, pauvres, pécheurs, pour manifester la fidélité de Dieu à sa création, même dévoyée. C'est bien le Verbe de Dieu qui meurt, et non le Père (pas de « patripassianisme »), mais le Père est impliqué dans cette mort de son Fils comme Père, éternel, qui promet la vie et l'accorde à toute créature grâce à l'Esprit, comme la résurrection le manifestera.

Cependant, cette révélation de Dieu est possible parce que Jésus, sur la croix, apparaît pleinement comme un homme. C'est parce que le Verbe ne fait qu'un avec l'homme Jésus qu'il meurt. X. Léon-Dufour remarque même que, dans son dernier cri, Jésus appelle son Père « Dieu » : « Tout se passe comme si l'expérience de filiation cédait à celle de créature [207]. » Mais Dieu n'est-il pas Père d'abord parce qu'il est créateur [208] et Jésus ne fait-il pas appel à Dieu pour qu'il se montre à nouveau Père par une re-création ? Si le Fils de Dieu meurt en tant qu'il est vraiment cet homme, « sans confusion ni séparation », c'est

---

206. P. Beauchamp, « Jésus Christ n'est pas seul », in *RSR*, n° 65, 1977, p. 261 ; maintenant in *le Récit, la Lettre et le Corps*, Cerf, Paris, 1982, p. 91.

207. « La Mort rédemptrice du Christ dans le NT », in *Mort pour nos péchés*, Bruxelles, 1976, p. 42.

208. Dans l'AT comme dans les premières confessions chrétiennes : A. de Halleux, « Dieu le Père tout puissant », in *RTL*, 1977/4, pp. 401-422.

bien parce que l'humanité et la divinité ont fait corps ensemble. Le Fils de Dieu s'est identifié à cet homme de façon complète et définitive en tant que Dieu, parce que l'humanité de Jésus a été entièrement dévouée au Père et entièrement animée par l'Esprit pour être pleinement libre, parce que libérée par l'amour et la vérité. (Maxime le Confesseur, le premier, a bien mis en relief cette double liberté humaine et divine dans le Fils, révélateur de l'amour du Dieu Trinité [209].)

Il s'agit là d'un événement d'une portée considérable et décisive : l'homme Jésus est bien de notre race, non pas d'abord parce qu'il est l'incarnation du Verbe, événement unique et incommunicable (« la grâce d'union » chez Thomas d'Aquin), mais parce que son humanité a été entièrement sous la mouvance de l'Esprit, alors que le premier homme reçut le souffle vivant sans pouvoir l'honorer en toute sa vie. Il s'agit d'une véritable *recréation* [210], manifestée à Pâques, mais inaugurée d'abord dans le destin historique de Jésus. Il s'agit là d'une mutation historique, signalant la particularité du christianisme par rapport à toutes les sagesses humaines et que S. Athanase a formulée de façon si prégnante : « le Verbe s'est fait homme pour que nous soyons faits Dieu » et cela grâce au travail de l'Esprit [211] dans l'humanité. C'est en parfaite liberté que Jésus a contribué à la recréation d'une humanité nouvelle. Face au problème du mal dans le monde, il ne suffit donc pas de dire — ce qui est déjà immense —, que Dieu s'est rendu solidaire de l'innocent injustement frappé, mais il faut aussi comprendre que Dieu veut combattre activement ce mal par les armes de l'Esprit, grâce aux libertés humaines ouvertes à une recréation du monde et soumises à la Loi nouvelle de l'Esprit. Recréation de l'homme et du monde situent donc la mort de Jésus dans le cadre de la figure.

2° *L'altération d'un corps, individuel ou collectif, que révèle la figure*

La croix n'est pas un événement qui touche seulement un individu particulier parmi d'autres, mais un peuple.

---

209. Cf. J.-M. GARRIGUES, *Maxime le Confesseur. La charité, avenir divin de l'homme*, Beauchesne, Paris, 1976 ; F.-M. LETHEL, *la Liberté humaine du Fils de Dieu et son importance sotériologique mises en lumière par Maxime le Confesseur*, Beauchesne, Paris, 1979 (cf. A. de HALLEUX, *NRT*, 1980/2, pp. 236-238).

210. E. JÜNGEL, *Gott...*, p. 296, et sur le thème biblique de la recréation : B. REY, *Créés dans le Christ Jésus*, Cerf, Paris, 1966.

211. E. JÜNGEL, p. 448.

Trop souvent, la théologie a considéré ce peuple, soit comme sujet, responsable de la crucifixion à cause du péché, soit comme objet, bénéficiaire des mérites de la croix, mais plus rarement comme crucifié avec Jésus. D'un côté, un homme seul ; de l'autre la foule. Il n'en a pas toujours été ainsi, en particulier dans le NT, où Jean montre la présence au pied de la croix de Marie, figure de l'Eglise, et de Jean, le disciple bien aimé. Chez les Pères, surtout avec saint Augustin commentant l'eucharistie, toute l'Eglise se trouve impliquée dans le sacrifice de Jésus : « Tel est le sacrifice des chrétiens : nous qui sommes nombreux devons former un seul corps dans le Christ. C'est ce que l'Eglise accomplit dans le sacrement de l'autel, bien connu des fidèles, où il lui est manifesté que, dans ce qu'elle offre, elle-même est offerte » [212] (*Cité de Dieu*, X, 6). Les disciples du Christ sont travaillés par le même Esprit que lui et ils forment donc avec lui un seul corps. Cette vision de saint Augustin et de nombreux Pères s'appuie sur une interprétation de l'Ecriture en termes de figure : dans le sort de Jésus, comme Christ, se joue le sens du monde et de notre histoire. On sait comment l'unité entre le corps du Christ glorifié, l'eucharistie et l'Eglise a été perdue à partir du XIIᵉ siècle en Occident, lorsque l'Eglise s'est définie petit à petit comme « corps mystique », puis comme société juridique parfaite, sans référence directe au corps du Christ sacramentel et en se mettant au-dessus du reste du monde. Cet isolement ne se manifeste pas seulement dans le rapport de l'Eglise à l'eucharistie, mais aussi dans l'éclipse du messianisme en théologie aboutissant à séparer la foi en Jésus et l'histoire de la souffrance.

L'oubli du messianisme se manifeste dans la façon dont la rédemption a été attribuée aux vertus de la souffrance infinie de Jésus, qui n'est comparable à aucune autre souffrance humaine, au risque de la faire apparaître étrangère à celle-ci et d'omettre toute mention des raisons historiques de la souffrance de Jésus. Le *Catéchisme du Concile de Trente*, dans son commentaire du quatrième article du Symbole (« qui a souffert sous Ponce Pilate, a été crucifié, est mort, et a été enseveli ») met bien en relief, dans la passion, l'amour de Dieu pour nous, mais il n'en insiste pas moins sur les douleurs incomparables de Jésus dans son âme et son corps. « Du reste, pour être convaincu qu'il était impossible d'y rien ajouter, il suffirait de rappeler à sa mémoire cette sueur qu'il éprouva, en pensant aux tourments qu'il allait subir bientôt (...). Et d'abord, il était impossible de trouver un genre de mort plus honteux et plus douloureux (...), son corps, formé par l'opération du Saint-Esprit, étant incomparablement

---

212. Cité par L.-M. Chauvet, *LV*, n° 146, p. 71. Cf. *la Cité de Dieu*, Livres VI-X, DBB, Paris, 1959, 448-449.

plus parfait et plus délicatement organisé que celui des hommes ordinaires, était par là même doué d'une sensibilité plus vive et ressentait plus profondément tous ces tourments [213]... » Et le catéchisme national conçu sous l'Empire étend cette souffrance à toute la vie de Jésus, de la naissance à la mort.

L'impassible a souffert. Jésus Christ était impassible par sa nature divine, mais il était sujet aux souffrances par sa nature humaine. Ce n'est pas comme Dieu qu'il a souffert, mais comme homme. Il aurait pu ne pas souffrir ; s'il a souffert, c'est parce qu'il l'a voulu.

On peut dire qu'il n'y a pas un seul instant de sa vie où il n'ait souffert.

N'a-t-il pas souffert dans l'étable où il est né ? C'est dans la saison rigoureuse de l'hiver qu'il y naquit ; cette étable était abandonnée parce qu'elle était ouverte de toutes parts ; quel froid ne dut-il pas endurer ?

N'a-t-il pas souffert le huitième jour où il fut circoncis, durant et après cette opération qui fit couler son précieux sang ? Etc. [214].

Cette conception de la rédemption ne pouvait que préparer la critique, cinglante depuis Nietzsche, d'un christianisme qui déprécie la vie, voire, plus tard, d'un «masochisme chrétien».

Or quelle que soit l'horreur de la crucifixion — *mors turpissima* —, le NT ne s'en sert pas pour faire l'apologie de la douleur ni pour considérer que la souffrance du Christ fut la plus grande de celles qui soient jamais apparues sur terre, afin d'effacer l'horreur du péché. Cette conception de la souffrance vient de l'éclipse du messianisme biblique, non pas tel qu'il a été imaginé et caricaturé sous la forme d'un rêve politique utopique, mais tel qu'il a été perçu par tout un peuple au long des siècles — véritable «histoire de la souffrance» — face aux dominations tyranniques, surtout après Auschwitz, Treblinka et autres camps de l'horreur nazie relayés par des régimes totalitaires différents et d'autres systèmes politiques égoïstes. Il n'est donc pas étonnant que la croix ait été remise au centre de la théologie contemporaine dans un monde où s'affirment nettement des groupes d'hommes et de femmes, des mouvements encore trop faibles, mais résolus, décidés à lutter contre la faim, l'exploitation, la dépendance économique organisée, l'analphabétisme, etc. Tout le début du *Dieu crucifié* de J. Moltmann l'illustre avec éloquence (alors que les derniers chapitres idéologico-théologiques de ce livre laissent perplexes) et la *Christologie de l'Amérique latine* de J. Sobrino approfondit encore cette ligne théologique.

---

213. *Catéchisme du Concile de Trente à l'usage des curés* (1566), trad. nouvelle avec des notes par M. l'abbé Doney, Paris, 1830, I, 107 s.

214. *Explication du catéchisme à l'usage de toutes les Eglises de l'empire français*, 1808³, Paris, 1. x, p. 72.

La solidarité de Jésus avec «l'histoire de la souffrance» d'hommes et de femmes à la recherche d'une vie digne et fraternelle s'exprime pleinement dans le cadre de la figure : Jésus, comme celui qui vient affronter la mort jusqu'au bout, pour créer une humanité nouvelle au nom même de Dieu, reprend l'exode, le serviteur souffrant (dans son interprétation individuelle et collective) [215], etc. Pour montrer l'extension de cette solidarité à tous les temps et tous les hommes, la théologie chrétienne a développé le thème de la descente aux enfers [216] (ajouté au credo à partir du IVe siècle). Il s'agit là d'un élément plus tardif de la réflexion chrétienne que l'on rattache à un texte de la première épître de Pierre (1 P 3, 18-20) disant que Jésus est «allé prêcher même aux esprits en prison, aux rebelles d'autrefois, quand se prolongeait la patience de Dieu aux jours où Noé construisait son arche». Ceci a été interprété de différentes manières dans la tradition latine et grecque : prédication aux justes de l'AT, prédication aux pécheurs d'avant le déluge pour les amener à la conversion ou même la descente de Jésus dans l'effroyable tourment des damnés. Ou bien s'agit-il du Christ ressuscité annonçant leur condamnation définitive aux anges déchus qui ont conduit les hommes à pécher ? En tout cas, il s'agit de montrer l'extension de la solidarité de Jésus à l'ensemble du temps et de l'espace, du premier au dernier homme, du ciel et de la terre jusqu'aux enfers, pour réconcilier avec Dieu ceux qui peuvent l'être. C'est en Jésus que se joue le sort du monde. C'est à lui par excellence, beaucoup plus qu'à Adam ou aux Patriarches par exemple, que s'applique l'idée de la «personnalité corporative» (*corporate personality* ou *incorporative personality*) [217]. C'est ce qui se révèle dans la résurrection, par le passage au «Corps du Christ».

C) RÉSURRECTION, ASCENSION, PENTECÔTE, PAROUSIE

Nous avons vu, dans le premier chapitre, que la résurrection de Jésus est au centre du Nouveau Testament, comme son point de départ et ce qui l'imprègne constamment. Nous avions souligné également que la résurrection est au cœur de l'AT comme son

---

215. Kl. BALTZER, «Zur formgeschichtlichen Bestimmung der Texte vom Gottesknecht im Deuterojesaja Buch», in *Probleme biblischer Theologie. G. von Rad zum 70. Geburtstag*, Kaiser, Munich, 1971, pp. 27-43 ; P. GRELOT, *les Poèmes du Serviteur. De la lecture critique à l'herméneutique*, Cerf, Paris, 1981.

216. Ch. PERROT, «la Descente aux enfers et la Prédication aux morts», in *Etudes sur la première Epître de Pierre*, Cerf, Paris, 1980, pp. 231-246 ; Cf. H. KÜNG, *Etre chrétien*, pp. 422 s.

217. Pour une évaluation christologique de ce concept : C.F. MOULE, *The Origin...*, pp. 47-96, note p. 52.

accomplissement. Entre l'Ancien et le Nouveau il y a un signe, celui de la croix, qui clôt l'ancien et ouvre le nouveau comme l'autre du premier : même promesse, même fidélité de Dieu, ici promise et vue prophétiquement dans son accomplissement, là accomplie dans son germe, le « premier-né d'entre les morts ». Le passage de la promesse à l'accomplissement, de l'ancien monde à l'inauguration du monde nouveau eschatologique, se fait réellement par la croix : l'intervention de Dieu, pour libérer son peuple et lui donner terre et postérité dans la paix, n'advient pas dans la puissance dominatrice qui se substitue à nos libertés, mais dans l'invitation à combattre le mal (guérison, exorcisme, pardon) pour que règne l'amour. Bref, l'intervention messianique de Dieu prend la forme surprenante d'un Messie crucifié. C'est pourquoi le NT ne parle pas que de la résurrection, mais nous y prépare en déployant la vie messianique de Jésus. C'est ce chemin que nous avons suivi en montrant qu'il laissait toujours poindre, à chaque détour et au terme, cette résurrection de Jésus et tout ce qu'elle indique : l'accomplissement de l'histoire et le don de l'Esprit. C'est pourquoi nous lions à la résurrection l'ascension (dernière apparition de Jésus, glorification à la droite du Père et envoi en mission), la Pentecôte et la Parousie qui sont, avec le messianisme, plusieurs aspects d'une même réalité : le monde nouveau qu'annonce la prédication du Royaume de Dieu. Dans ce chapitre, il s'agit maintenant de comprendre la résurrection de Jésus comme événement de salut, situé à la frontière de l'histoire et des représentations scripturaires qui lui donnent sens.

1. La résurrection et l'histoire

Littérairement, la résurrection de Jésus ne se dit dans aucun récit du NT. Il existe des récits d'apparition, des proclamations kérygmatiques autour du tombeau vide, des hymnes et des parénèses mais aucun récit, à plus forte raison aucune « description », de la résurrection à proprement parler, sauf dans des écrits non-canoniques comme l'Evangile de Pierre écrit au milieu du IIe s. (*Ev. Pierre* 8, 35-44). C'est dire que la résurrection de Jésus a un rapport très particulier à l'histoire puisqu'elle se présente d'abord comme « pure affirmation » kérygmatique. Paul a peut-être été le premier à lier cette affirmation à un récit[218].

---

218. R.H. FULLER, *The Formation of The Resurrection Narratives*, SCM Press, Londres, 1972, pp. 28-29.

a) *La recherche historico-critique*

Récemment, dans les années 60, les discussions ont été très vives sur l'historicité de la résurrection aussi bien chez les protestants que chez les catholiques, au moment où l'argumentation exégétique a dépassé le cercle restreint des spécialistes et des professeurs. En effet, le catéchisme et l'apologétique [219], aussi bien que la riche tradition iconographique occidentale, avaient plus ou moins laissé croire aux chrétiens que la résurrection était un fait comme la naissance de Jésus ou sa mort sur une croix. On « voyait » Jésus sortir du tombeau, victorieux de la mort : que l'on se rappelle le ressuscité de Grünewald sortant triomphant du tombeau comme le soleil levant. Pourtant, le NT lui-même souligne le statut particulier de la résurrection, puisque les disciples eux-mêmes ont dû surmonter leur incrédulité initiale et que Paul s'est heurté à un échec cuisant aussi bien auprès des Athéniens (Ac 17) qu'avec des chrétiens convaincus, mais qui interprétaient à leur manière cet événement (les Thessaloniciens attendaient une résurrection générale imminente ; les Corinthiens se croyaient déjà ressuscités et affranchis des règles et des lois du monde présent).

L'exégèse historico-critique [220], elle, a mis en cause le caractère historique de la résurrection à partir des textes mêmes de l'Ecriture. Cette discussion s'inscrit d'ailleurs dans le débat plus large sur le rapport entre le Jésus historique et le Christ de la foi, mais avec plus de gravité, car il touche au centre même du credo : « si le Christ n'est pas ressuscité, notre prédication est vide et vide aussi notre foi » (1 Co 15, 14).

Cette recherche historico-critique fait apparaître la richesse de tous les textes du Nouveau Testament concernant la résurrection en se concentrant sur trois groupes de témoignages consitués par le tombeau

---

219. E. GERMAIN, « Evolution de la catéchèse de la résurrection », in *LV*, n° 107, 1972, 5-16 et P. de HAES, *la Résurrection de Jésus dans l'apologétique des cinquante dernières années*, Rome, 1953.

220. Par ex. l'ouvrage collectif : E. de SURGY, P. GRELOT, etc., *la Résurrection du Christ et l'exégèse moderne*, Cerf, Paris, 1969 ; Plus complet : B. RIGAUX, *Dieu l'a ressuscité*, Duculot, Gembloux, 1973 ; pour une lecture attentive des textes : H. COUSIN, *le Prophète assassiné*, Delarge, Paris, 1976. La recherche historico-critique est très abondante : G. GHIBERTI, « Bibliografia sulla Risurrezione di Gesù (1920-1973) », in *Resurrexit. Actes du symposium international sur la résurrection de Jésus tenu à Rome en 1970*, éd. par E. Dhanis, Cité du Vatican, 1974 ; G. GHIBERTI, « Bibliografia sull'esegesi dei raconti pasquali e sul problema della risurrezione di Gesù (1957-1968) », in *Scuol C*, t. 97, 1969, pp. 68-84.

vide, les apparitions et les listes de témoins. Retenons ici les deux premiers. Ils ont été analysés dans leurs composantes : les traditions pouvant provenir de Jérusalem et de Judée ou au contraire de Galilée, les représentations juives disponibles, en particulier dans l'Intertestament, l'arrière-plan scripturaire, etc. Mais cette surabondance d'information et d'études, toutefois, ne doit pas cacher le problème posé alors aux croyants : historiquement, l'analyse des textes n'arrive pas à établir l'événement de la résurrection, mais seulement la conviction de la communauté primitive : Jésus est vivant. Dès lors ne retombe-t-on pas dans l'impasse qu'avait voulu lever la nouvelle recherche sur le Jésus historique en dénonçant le danger d'illusion d'une foi qui ne s'articulerait pas à l'histoire mais sur la seule conviction d'un groupe ?

Cette critique interne des textes et la prise en compte de leurs divergences ont pu alors, indirectement, donner un renouveau de crédit à des critiques plus anciennes venues de l'extérieur de l'Eglise, soit d'ennemis de Jésus décrits par les Evangiles, soit des philosophes païens, soit de modernes (depuis Reimarus jusqu'à nos jours) affirmant que les chrétiens avaient dérobé le corps de Jésus et inventé sa résurrection pour mieux le déclarer Messie. Le soupçon d'illusion s'est trouvé renforcé par les sciences nouvelles : biologie, psychologie, sociologie. Ces dernières mettent en relief le caractère naturel de la mort et donc l'absurdité d'un retour à la vie d'un cadavre (cf. critique scientifique du miracle), le piège tendu par l'inconscient qui tend à nier la mort pour mieux affirmer la toute-puissance du désir [221] ; le rêve d'un autre monde meilleur, situé en dehors de l'histoire et servant d'idéologie anti-révolutionnaire contre toute amélioration de ce monde abandonné ainsi à la résignation. Ces critiques doivent être prises en compte par une saine apologétique chrétienne, car elles permettent de faire une catéchèse plus juste sur la résurrection. Celle-ci n'est pas présentée comme la réanimation d'un cadavre qui reviendrait à la vie pour mourir à nouveau un jour, à l'exemple de Lazare, mais comme l'entrée dans une vie nouvelle qu'on ne peut décrire, car elle dépasse l'expérience sensible. Elle ne devrait pas être non plus une dénégation de la mort, qui ferait le jeu de l'inconscient et n'engagerait pas la foi au Dieu vivant. Elle doit également nous renvoyer à ce monde, comme le lieu de la manifestation du Royaume.

Il suffit de signaler ici ces critiques de la résurrection qui dénoncent le caractère illusoire de certaines représentations faisant partie de notre culture. D'après différentes enquêtes, non seulement les non-chrétiens, mais aussi une proportion notable de baptisés fréquentant

221. Cf. J. POHIER, *Concilium*, n° 105, 1975, pp. 115-130.

régulièrement l'église ne croient pas en la résurrection des morts, quitte à admettre plus volontiers celle de Jésus [222].

Les théologiens peuvent répondre aux critiques extérieures dénonçant le danger d'illusion, mais ils doivent aussi articuler le témoignage de la foi à l'histoire, de manière à ne pas séparer Jésus de l'histoire et Christ de la foi.

Plusieurs tentatives ont été faites dans ce sens. Tout d'abord, il est reconnu aujourd'hui que l'affirmation de la résurrection fait intervenir la foi en Dieu et une compréhension eschatologique de l'histoire que tout historien n'a pas à partager. Mais, à l'intérieur de ce consensus, les opinions divergent à l'extrême, depuis ceux qui nient tout caractère historique autre que le témoignage des premiers disciples (Bultmann, Ebeling, Marxsen, Schlette) jusqu'à ceux qui soutiennent au contraire le « fait historique » (Daniélou, Pannenberg) avec quelques nuances cependant, en passant par les tenants d'une « frange historique » [223] : outre le témoignage des disciples, le tombeau vide et un aspect objectif dans les apparitions. C'est cette dernière position que nous retiendrons.

Cette diversité dans les opinions s'explique souvent par des raisonnements philosophiques ou théologiques. Ainsi Bultmann affirme que « la foi à la résurrection n'est rien d'autre que la foi à la croix comme événement de salut » [224], au risque de faire croire qu'il « n'arrive » rien à Jésus après sa mort. En fait, la position de Bultmann s'explique par son programme de démythisation et son herméneutique existentiale. Si la résurrection était un événement objectif cela signifierait que l'intervention de Dieu revient à faire un miracle sur lequel on pourrait se reposer pour nous dispenser de croire. Selon un commentateur, « c'est parce qu'il n'est pas objectivement ressuscité que Jésus est réellement (eschatologiquement) ressuscité » [225]. Le récit de l'apparition à Thomas ne se termine-t-il pas sur une mise en garde contre le désir de la preuve (Jn 20, 29) ? Et Bultmann s'explique : « ce

---

222. Par ex. *LMD*, n° 122, p. 70 ; *Concilium*, n° 105, mai 1975 ; *la Vie*, n° 1673 du 20 sept. 1977. Il y a aussi une histoire des représentations religieuses et de leurs emprunts : apocalyptique juive, chemin gnostique de l'âme, développement des messes pour les âmes du purgatoire à partir de Grégoire VII, etc. : F. CUMONT, *Lux perpetua*, Librairie orientaliste, Paris, 1949 ; H. CORBIN, *Terre céleste et corps de résurrection* (1954), Buchet-Chastel, Paris, 1960² ; J. LE GOFF, *la Naissance du Purgatoire*, Gallimard, Paris, 1982.

223. I. BERTEN, « Fait historique et vérité eschatologique », in *LV*, n° 107, pp. 53-64.

224. « Nouveau Testament et mythologie » (1941), in R. BULTMANN, *l'Interprétation du NT*, Aubier, Paris, 1955, p. 180.

225. A. MALET, *Mythos et Logos. La pensée de R. Bultmann*, Labor et Fides, Genève, 1962, p. 147.

serait une nouvelle erreur de soulever ici la question du fondement historique du message, comme si celui-ci devait prouver son bon droit. Ce serait vouloir fonder la foi à la Parole de Dieu sur une recherche d'histoire. La parole du message nous rencontre comme parole de Dieu ; nous ne pouvons lui poser aucune question sur ses titres ; c'est elle au contraire qui nous demande si nous voulons croire ou non (...). L'événement de Pâques, dans la mesure où pour l'historien il prend place à côté de la croix, n'est rien d'autre que le jaillissement de la foi au Ressuscité, d'où naît le kérygme (...). La parole du kérygme, jaillie de l'événement pascal, appartient elle-même à l'événement eschatologique du salut. Dans la mort du Christ, qui juge et libère le monde, a été établi par Dieu le "ministère de réconciliation", la "parole de réconciliation" (2 Co 5, 18). Cette parole est aussi celle qui " s'ajoute " à la croix et qui la rend compréhensible comme événement de salut, en ce qu'elle exige la foi, en ce qu'elle pose à l'homme la question : veut-il se comprendre comme mort avec le Christ ? Quand résonne cette parole, la croix et la résurrection deviennent présentes, le maintenant eschatologique est là ».

En paraphrasant Kant, on pourrait dire que Bultmann veut limiter le savoir (historique) pour faire place à la foi. Mais, en insistant sur le caractère existentiel du sens de la résurrection, il tombe dans l'individualisme qu'on lui a souvent reproché et ne tient pas compte d'autres connotations de la Pâque du Christ : la réhabilitation du prophète martyr apparemment désavoué par sa mort en croix et les résonances de ce procès, l'espoir pour tous les laissés pour compte de l'histoire (cf. Moltmann, Pannenberg, Boff, Sobrino). En revanche, il montre bien que la résurrection n'est pas un événement accessible à n'importe qui, puisque le NT ne fait intervenir que des croyants comme témoins de la résurrection.

De son côté, Pannenberg a eu raison d'insister sur la vraisemblance historique de la résurrection pour que la foi ait un minimum d'intelligibilité. Et il faut se rappeler que le fait historique n'est pas un fait brut dont la signification serait indiscutable, alors que son sens doit être recherché, en premier lieu à partir du contexte.

L'historien pourra donc au moins reconnaître que l'hypothèse de la résurrection rend plus vraisemblable le fait que les disciples, certainement désemparés après la mort de leur maître, se soient rassemblés à nouveau, sur l'initiative de Pierre [226], semble-t-il, pour continuer leur mission. Cette hypothèse s'appuie sur l'indice du tombeau vide et le témoignage des apparitions. Sans cette vraisemblance historique, la naissance du christianisme est invraisemblable.

226. E. SCHILLEBEECKX, Jesus... I, 335 avec bibliographie.

En revanche, cette vraisemblance historique ne constitue pas une preuve contraignante qui dispenserait de la foi, mais une énigme que seule la foi peut trancher. Nous retrouvons, à propos de la résurrection, la cohérence mise en jeu dans les paraboles et le comportement de Jésus : on n'accède à la révélation du Royaume que par une compromission de soi-même, en renonçant à toute autre assurance. Il faut toujours croire « en dépit de ».

Il y a donc une articulation possible entre des indices historiques et la foi en la résurrection. Le passage des indices à la foi est dû à une rencontre des disciples avec Jésus vivant. Comme le fait remarquer H. Grass, au terme d'une étude exégétique très fouillée, l'objet de la foi est « le Seigneur, Jésus, vivant » et non pas la manière dont il est ressuscité. La foi dépend de cette rencontre des apôtres avec leur maître, elle ne postule pas d'autre événement. « Mais s'il s'agit de la question de savoir comment la foi peut s'approprier l'événement relaté ici (dans le NT) — et il s'agit bien de cette question —, on devra dire que la certitude du Seigneur vivant porte la certitude de sa venue à la vie (*Lebendigwerden*) et de la réalité de ses apparitions en tant que causées par Dieu. Dans la manière indirecte dont cette certitude a été atteinte, nous ne sommes pas dans une situation très différente de celle des apôtres. Bien sûr, ils l'ont vu, alors que nous nous ne l'avons pas vu. Mais qu'ont-ils vu ? C'est bien le Seigneur vivant. Comment est-il devenu vivant, cela n'était pas non plus pour eux objet d'expérience. Eux aussi ont dû comprendre cette venue à la vie (*Lebendigwerden*) à partir de la rencontre qu'il leur accorda. Ils l'ont compris avec les représentations et les manières de penser déjà données dans la foi juive en la résurrection (...). Ces expériences pascales, qui n'ont consisté que dans les rencontres avec le Seigneur vivant, sont déjà de la théologie pascale lorsqu'elles sont comprises comme résurrection. Cependant, dès le début, c'est cette théologie pascale et non l'expérience pascale qui a été l'objet de la prédication[227]. »

b) *Les modèles néo-testamentaires*

On peut alors repérer dans le NT différents modèles qui ont servi à interpréter théologiquement cette expérience de la rencontre avec Jésus vivant. A.-L. Descamps en distingue trois principaux :

1° La *survie spirituelle d'une âme ou d'un esprit*. S'il est habituel d'opposer la vision grecque de l'immortalité de l'âme à la vision

---

227. *Ostergeschehen und Ostergeschichte*, Göttingen, 1970[4], p. 279.

biblique de la résurrection des morts [228], pour les martyrs d'abord et pour le peuple en entier, il faut apporter des nuances à ce schéma. L'AT connaît l'existence d'une sorte de «double» de l'homme, une «ombre» terrée au shéol, et celle des «esprits» qui peuvent être «évoqués» (bien que la Bible condamne les pratiques magiques). Mais, surtout, les pharisiens avaient développé une doctrine de l'âme, en Palestine même, qui pouvait fort bien s'accommoder du dualisme grec déjà présent, bien que réinterprété, dans le judaïsme hellénistique (Sg 2, 23 ; 2, 3-15). Jésus connaît cette doctrine (Mt 10, 28 ; Lc 23, 43) [229]. Selon ce modèle, Jésus ressuscité est considéré comme un «esprit» (*pneuma*) (Lc 24, 37-39), sans mention du corps.

2° La «*résurrection-guérison*». Ce modèle reprend les modèles connus du retour à la vie des défunts, grâce à l'action d'un homme de Dieu : Elie (3 R 17, 17-24), Elisée (4 R 4, 33-37); Jésus lui-même (Mc 5, 35-43 ; Lc 7, 11-17). Il s'agit d'un retour à la vie provisoire, puisque le «miraculé» devra mourir un jour. Ce modèle est donc insatisfaisant, puisque Jésus est vivant pour toujours et il est l'homme de Dieu qui guérit et non pas un simple miraculé : c'est Dieu lui-même qui l'a ressuscité. Cependant, ce modèle a pu servir pour dire la réalité incontestable de la résurrection selon le réalisme de l'anthropologie biblique courante. D'où les récits sur le Ressuscité qui montre ses plaies et mange avec ses disciples. Ajoutons cependant que ce réalisme peut se comprendre aussi dans le cadre des textes apocalyptiques qui tantôt demandent une résurrection des corps tels qu'ils ont été connus de leur vivant afin qu'on puisse les reconnaître (Baruch syr. 50 ; d'où Jésus qui montre ses plaies pour être reconnu), tantôt conçoivent la résurrection comme une transformation («ils seront comme des anges» ou des esprits : *ibid.*, 51). Ainsi ces deux premiers modèles peuvent être subordonnés plus facilement au troisième.

3° «*La résurrection future des corps*» *au dernier jour*. C'est le modèle apocalyptique qui apparaît au IIᵉ siècle av. J.-C., particulièrement explicite en Dn 12, 2s., et que Jésus semble avoir partagé (Mc 12, 18-27). Il s'agit alors d'une résurrection générale et à la fin des temps. C'est pourquoi les premiers disciples ont pu s'attendre à une fin du

228. Cf. les remarques pertinentes sur une fausse opposition entre immortalité et résurrection : J. MOINGT, «Immortalité et/ou Résurrection», in *LV*, nᵒ 107, 1972, pp. 65-78.
229. Mais ce texte de Luc peut aussi désigner un «fantôme» et s'apparenter à l'apologétique plutôt qu'à la doctrine pharisienne de l'âme (H. COUSIN).

monde imminente avec la glorification de Jésus Messie, certains croyant entrer dans le monde futur sans passer par la mort (Th ; Hen éth. 93). Ce schéma apocalyptique dit la grandeur unique de cet événement, puisqu'il termine l'histoire en révélant le jugement de Dieu sur le monde. Mais ce schéma a dû être réinterprété par les premiers chrétiens, pour faire droit à la propre interprétation du messianisme donné par Jésus et au fait que sa résurrection n'a pas signifié la fin de l'histoire (même si Mt 27, 52 s. parle de morts qui ressuscitent pour signifier que c'est bien la résurrection générale qui est inaugurée ici). Descamps termine ainsi : « Notons-le : l'image *totalement* adéquate pour le concept "Jésus ressuscité dans son corps" eût été celle d'un messie mourant et ressuscitant aux derniers jours, ou, mieux encore, au commencement d'une histoire encore terrestre de la communauté messianique. Mais pareil modèle n'existait en aucune façon. Dès lors, Jésus survivant étant compris fermement, au départ, comme messie triomphant, c'est bien par d'autres éléments d'un "croyable disponible" que les disciples durent compléter cette idée générique de survie ; parmi ces éléments, l'image des justes se réveillant corporellement aux derniers jours occupe une bonne place, peut-être la première. Désormais toutes les conditions semblent réalisées pour la formation des nombreuses formules néo-testamentaires sur la résurrection comprise comme revification du corps du Christ, formules où les deux verbes-clés sont *anistèmi*, se lever (avec le substrat sémitique *qûm*) et surtout *egeirô*, éveiller. Peu à peu ces formules vont, bien entendu, s'enrichir : "Dieu l'a ressuscité", "ressuscité le troisième jour", "enlevé au ciel", "exalté dans la gloire", "assis à la droite du Père", etc. [230]. »

Certains théologiens n'ont voulu retenir que ce travail d'interprétation chez les premiers croyants. Les uns ont parlé d'un témoignage de résurrection donné par les disciples avant toute apparition [231]. D'autres estiment que la résurrection signifie que la cause de Jésus continue malgré l'échec de la croix (W. Marxsen) [232]. Marxsen fait de la résurrection une simple interprétation (*Interpretament*). Mais on risque alors de faire de cet événement une simple interprétation subjective de la croix de Jésus, sans vouloir affirmer que Jésus est personnellement vivant. En revanche, cette dernière position cherche à relier davantage la croix et la résurrection, ainsi que le fait Bultmann (non sans lien

---

230. A.-L. DESCAMPS, « Résurrection de Jésus et "croyable disponible" », in *Savoir, faire, espérer*, t. II, Bruxelles, 1976, p. 736.

231. M. GOGUEL, *la Foi à la résurrection de Jésus dans le christianisme primitif*, Leroux, Paris, 1933, pp. 21 ss.

232. W. MARXSEN, *Die Sache Jesu geht weiter*, Gütersloh, 1976.

avec l'intuition johannique de la croix comme victoire et révélation de Dieu). Du côté catholique également, certains voient l'origine de la foi pascale dans la persévérance de la foi des disciples en l'autorité de Jésus et en la continuité de sa mission malgré l'échec apparent de sa mort[233]. Schillebeeckx a développé cette ligne d'une manière plus satisfaisante. Il parle d'une expérience de conversion des disciples consistant à interpréter le destin de Jésus (sa vie et sa mort) en termes de salut : ce n'est pas le tombeau vide ou les apparitions qui auraient pu convertir les disciples, d'autant plus que le tombeau vide et les apparitions seules restent ambiguës et sont interprétées différemment selon les Evangiles. Ces interprétations différentes — bien qu'una-nimes dans la foi en *Jésus vivant* — supposent donc une réflexion de la part des disciples. Cependant, Schillebeeckx insiste en même temps sur le fait que le tombeau vide et les apparitions n'ont pas été inventées par les disciples. Il y a donc à la fois conversion intérieure et objectivité. «C'est pourquoi je dis que *ce qui est signifié* par le récit des apparitions n'est pas, sans plus, le fruit d'une réflexion des disciples sur le Jésus pré-pascal ou une pure évaluation de sa vie sans expériences nouvelles, bien que cette évaluation méditative y joue un rôle. L'aspect gratuit de "grâce", se manifestant dans tout le complexe de leurs expériences interprétatives, est présenté par le Nouveau Testament dans *l'image verticale* d'une apparition du Jésus céleste venant à eux, et nullement comme un fruit de leur fantaisie[234].» Et, plus loin, il précise : «C'est dans ce contexte que je dis : Pâques et la Pentecôte ne font qu'une réalité indissoluble : le Christ auprès du Père (Pâques, Ascension) est parmi les siens, qui se trouvent dans ce monde (Pentecôte). En le formulant de façon un peu concise, je dirais que c'est seulement par la Pentecôte (expérience de foi en la présence du Christ vivant) que les disciples savent que Jésus est ressuscité (Pâques et Ascension)[235].»

La résurrection de Jésus est donc liée à sa glorification comme Fils auprès du Père et au don de l'Esprit pour une Eglise dans un monde en renouvellement (c'est pourquoi ces récits se terminent par l'institution de témoins-apôtres). Littérairement, les récits d'apparition se présen-tent comme des *récits de révélation* : s'ils indiquent indirectement que justice a été rendue au prophète injustement mis à mort, ils signifient

---

233. R. PESCH, «Zur Entstehung des Glaubens an die Auferstehung Jesu», in *ThQ*, n° 153, 1973, pp. 201-208. Sur la discussion, voir le même numéro de *ThQ* et le numéro suivant ; cf. H. KÜNG, *Etre chrétien*, pp. 427 et 759, n. 88.
234. *Expérience humaine...*, p. 101.
235. *Ibid.*, p. 103.

d'abord que la *gloire*[236] de Dieu vient de se manifester et invitent à l'adoration et à la louange devant ce dévoilement de la figure.

2. La figure

Si toute figure passe par le corps, elle manifeste sa portée dans la résurrection par le passage du corps de Jésus au corps du Christ ressuscité, début de la nouvelle création.

a) *Le corps absent*

La résurrection dit quelque chose sur la mort (et la vie), parce qu'elle dit quelque chose sur *cette* mort qu'a endurée Jésus. Et cet acquis ne doit pas être perdu de vue. C'est pourtant ce qui arrive lorsque l'on fait de la résurrection la dénégation de la mort. On banalise alors cet événement et on perd sa dimension messianique en le comprenant à la façon dont les sociétés traitent leurs morts. Pour ne parler que de nos sociétés occidentales, il est devenu courant de faire remarquer qu'elles cherchent à nier la mort, à la recouvrir d'un voile, à la reléguer dans les marges : de plus en plus les gens meurent à l'hôpital loin de chez eux, les veillées disparaissent de même que les cortèges funèbres, les proches ne portent plus de signe de deuil. Les rites de funérailles cherchent à neutraliser le « mort » en l'intégrant dans la suite des générations, lui assignant une place, plus ou moins grande, mais fixée et délimitée par notre société. On peut s'interroger sur les raisons de ces pratiques.

Lors d'un congrès sur Heidegger, des bouddhistes attribuaient aux Occidentaux un penchant à nier la mort soit par l'immortalité de l'âme (Socrate), soit par la résurrection (Jésus). Et cette négation aurait entraîné l'Occident dans une fuite en avant dans l'action, la technique, l'impérialisme. De son côté, Baudrillart, dans *l'Echange symbolique et la Mort,* insiste sur le fait que la marginalisation de la mort sert à ne pas enrayer le processus de production et de consommation, le bon ordre social.

---

236. La Gloire est bien le dernier mot sur la manifestation de Dieu comme l'a bien mis en relief H. Urs von Balthasar dans son œuvre monumentale (où l'on retiendra aussi son insistance sur la «figure», dans une perspective différente, cependant, de celle qui est exposée ici) : *la Gloire et la Croix. Aspects esthétiques de la Révélation* (depuis 1961), Aubier, Paris, 1965 ss. Sur cette théologie : A. PEELMAN, *H. Urs von Balthasar et la théologie de l'histoire,* P. Lang, Berne, 1978.

Toutes ces thèses seraient à nuancer (que ce soit par rapport à la négation sociale de la mort ou au bouddhisme), mais il reste vrai que les rites de funérailles et bien des échanges sociaux tendent à assigner aux morts un lieu pour mieux les maîtriser : ils tendent à enlever à la mort et à ces morts la mise en question radicale qu'ils entraînent ou ils cherchent à compenser la perte qu'ils provoquent.

M. Amigues a bien mis en relief que la résurrection de Jésus constituait une subversion de cet ordre social symbolique. « L'absence du cadavre de Jésus instaure une rupture radicale avec les médiations classiques de la ritualisation du corps et l'idée de survie qui en est inséparable. » Ce que Jésus a dit et fait ne peut plus être médiatisé par un cadavre. « A l'inverse d'un Lénine ou d'un Mao Zedong, Jésus n'est pas aliéné par un type de survie définie au gré des circonstances historiques, socio-économiques, ou psychologiques [237]. » L'auteur a raison également de souligner que les discussions sur la présence ou non du cadavre de Jésus dans le tombeau, après la résurrection, n'ont qu'un caractère anecdotique [238], bien que l'absence du corps soit le plus vraisemblable (certains théologiens ont émis l'hypothèse que les contemporains auraient pu sans inconvénient trouver le cadavre de Jésus au tombeau après la résurrection, puisque les apparitions témoignent qu'il s'agit d'un corps différent et non pas d'un retour à la vie du monde présent, comme dans le cas de Lazare [239]). En effet, la résurrection signifie que Jésus est vivant et qu'on ne peut pas prendre congé de lui pour lui assigner la place que l'on voudrait. Sa résurrection présente bien une subversion de l'ordre social. « L'ordre établi signifie le maintien de la cohésion du groupe malgré la mort que l'on dissimule (ou que l'on enfouit) derrière le rituel religieux, et l'au-delà de la mort compris comme une perduration du groupe : une sur-vie articulée autour de l'immortalité de l'âme suivant des conceptions plus ou moins bâtardes. A l'inverse, la *subversion*, rupture irréversible avec l'ordre établi, implique la relativisation des rites de funérailles, le rejet de compromis dualistes rassurants et la foi en la participation de l'être de l'homme à la *Basileia* cosmique. En clair, c'est le rappel impérieux que l'homme est ordonné à Dieu et qu'il le verra "dans son corps" [240]. »

Ainsi, l'absence du corps de Jésus bouleverse une symbolique sociale qui a tendance à se clore sur elle-même et à sacraliser les

---

237. *Le Chrétien devant le refus de la mort. Essai sur la résurrection*, Cerf, Paris, 1981, p. 236.
238. *Ibid.*, p. 237.
239. Par exemple H. Küng, *Etre chrétien*, p. 418.
240. M. Amigues, *op. cit.*, p. 265.

relations sociales existantes pour autant qu'elles sont liées à une négation de la mort, sous une forme matérialiste ou spiritualiste. On ne peut pas se réfugier dans « un compromis dualiste rassurant ». En prolongeant cette intuition de M. Amigues on peut dire que nous sommes forcés ainsi de faire droit à l'originalité du messianisme de Jésus :

— Sa résurrection ne marque pas le passage d'un messianisme terrestre à un messianisme céleste, transcendant ou futur. Au contraire, l'absence du corps de Jésus signifie que la société et l'histoire humaine ne peuvent s'organiser sans tenir compte de la présence de la Parole de Dieu [241]. C'est une autre manière de dire que la résurrection, selon la symbolique apocalyptique, signifie la réhabilitation par Dieu du témoin martyr. Et avec lui, ce sont tous ceux qui souffrent mille morts par suite de l'injustice et n'ont que Dieu pour dernier recours.

— Ce messianisme ne s'épuise pas dans une organisation temporelle de la société. Le corps absent de Jésus signifie aussi que la personne humaine trouve son achèvement grâce à Dieu et reçoit de Dieu sa vérité et son identité dernière.

— Parole sur la société, parole sur la personne, l'absence du corps de Jésus est aussi une parole sur le cosmos et l'univers matériel. Dans l'apocalyptique, la résurrection signifie un bouleversement social qui met fin à l'injustice et au débordement du mal, mais la victoire sur le monde corrompu doit aller jusqu'à créer de nouveaux rapports avec l'ensemble de l'univers. Cependant, il ne suffit pas de dire que les morts ont « déserté le territoire que leur assigne la société » et que « rendus à leur élément premier, l'univers (Gn 9), ils recouvrent la totalité des dimensions qui expriment leur corps, en particulier la dimension cosmique » [242]. La « subversion » sociale dépend d'une *nouvelle* création, à l'initiative de Dieu.

---

241. L. Marin, « Du corps au texte. Propositions métaphysiques sur l'origine du récit », in *Esprit*, avril 1973, pp. 913-928 ; S. Breton, « Histoire, Ecriture, mort », in *RSPT*, t. 60, 1976, pp. 609-624 ; P.-M. Beaude, « Mort et mis par écrit », in *Christus*, n° 93, 1977, pp. 32-42 et *Jésus oublié*, Cerf, Paris, 1977 ; *Esprit*, février 1982, pp. 178 s ; P. Beauchamp, *le Récit, la Lettre et le Corps*, Cerf, Paris, 1982.

242. M. Amigues, *op. cit.*, p. 247.

b) *Une nouvelle création*

A partir de ce qu'il advient au corps de Jésus, mort, et de sa résurrection, apparaissent les diverses dimensions de la figure, humaines aussi bien que cosmiques et divines. Quatre aspects s'en dégagent principalement : l'Exode, la création, les promesses faites aux patriarches et l'eschatologie. Ce sont aussi les « quatre nuits » que développe le targum d'Ex 12, 42 et dont R. Le Déaut a montré qu'elles étaient au centre du Nouveau Testament, dans le droit fil de la tradition juive, réinterprétée et actualisée selon la perspective chrétienne à partir du destin messianique de Jésus [243]. Comme l'a dit admirablement Maxime le Confesseur dans ses chapitres théologiques I, 66, « Qui connaît le mystère de la croix et du tombeau connaît aussi les raisons des créatures et qui est initié à la puissance ineffable de la résurrection sait aussi ce que Dieu avait en vue primitivement en faisant subsister toutes choses » (*PG* 90, 1108 AB) [244].

En effet, c'est la résurrection de Jésus comme Christ qui permet de réunir en un seul faisceau les différents fils de l'histoire du salut, de la création à l'eschatologie, en passant par les patriarches et l'Exode. On ne peut reprendre ici tous les thèmes du NT, un à un, et surtout la structure de composition de certains écrits qui attestent cette lecture (en particulier l'Evangile de Matthieu ou celui de Jean, l'Apocalypse, des passages entiers de Paul, etc.). Rappelons entre autres les thèmes suivants dont il faut vérifier l'enracinement dans la résurrection et la portée sur tout l'ensemble de l'Ecriture (R. Le Déaut a rassemblé la plupart des pièces du dossier) :

1° *La création et l'eschatologie.* Lorsque Jésus meurt sur la croix, sa Parole est libérée et il rend « l'esprit » (qui peut être compris aussi comme Esprit Saint). Parole et Esprit de Dieu planent sur le corps mort de Jésus comme au-dessus du chaos primitif qui précède la création du monde. La résurrection de Jésus apparaît alors comme recréation d'un homme nouveau (Jésus, nouvel Adam : Rm 5-7 ; 1 Co 15, 20-24) [245], qui n'est plus enclin au péché comme le premier, parce qu'il est modelé par l'Esprit Saint (1 Co 15, 45 ; 2 Co 3, 17). La

---

243. R. Le Déaut, *la Nuit pascale. Essai sur la signification de la Pâque juive à partir du Targum d'Exode XII, 42*, Inst. biblique, Rome, 1963.

244. Cf. A. Riou, *le Monde et l'Eglise selon Maxime le Confesseur*, Beauchesne, Paris, 1973.

245. Cf. textes dans Le Déaut, pp. 110, 254.

Genèse ne parle pas de repos de l'Esprit de Dieu au septième jour de la création, quand Dieu se repose, peut-être pour signifier que lui travaille jusqu'à la fin des temps [246]. Cette attente d'une nouvelle création parcourt les écrits prophétiques jusqu'à l'apocalypse : ils jugent l'homme trop mauvais pour pouvoir produire quelque chose de bon (cf. IV Esdras). L'Adam nouveau, le Christ, est donc spirituel, opposé à l'Adam charnel, qui ne peut durer dans la connaissance de Dieu et tombe au pouvoir de la mort à cause du péché. Jésus, ressuscité, nouvel Adam, recrée une nouvelle humanité : il est le « Logos » et la « Sagesse » qui a présidé à la création, l'« image de Dieu ». Il insuffle l'Esprit Saint à ses disciples comme Dieu le fit pour Adam (Gn 2, 7 ; Jn 20, 22). Jésus est « le premier né d'une multitude de frères », pleinement image de Dieu (Ph 2, 6 ; Gn 1, 27).

Cette recréation est déjà inaugurée réellement avant d'être achevée au dernier jour (Ap 21, 5), parce que Jésus n'est pas un homme ordinaire, mais le Messie. C'est lui qui introduit au monde nouveau, non seulement par son enseignement et ses actes (paraboles du Royaume de Dieu), mais aussi par sa mort, qui tue l'homme ancien et le purifie : autrement dit, c'est dans l'histoire et par une figure historique hors pair (messianique), qui reprend l'Exode — source de la foi en la création — et l'histoire des Patriarches, que se fait le passage au monde nouveau eschatologique.

2° *Les Patriarches et l'Exode.* Dans la reprise pascale de l'histoire des patriarches, c'est essentiellement la foi d'Abraham lors du sacrifice d'Isaac (l'*Aqada*) qui est mise en relief ici. Bien que le Nouveau Testament soit discret sur ce sacrifice, la réflexion chrétienne a pu « préparer les esprits à une compréhension plus profonde de la vraie nature du sacrifice, et partant, de la mort même de Jésus : acte d'amour et d'obéissance avant tout de la part du Fils, geste d'amour de la part du Père livrant *l'unique*, le bien-aimé » (Le Déaut, 202-203 ; Rm 8, 32 ; Jn 3, 16 ; Ga 1, 4 ; 2 ; 20 ; Rm 4, 17.25, etc.). Rm 4 est d'ailleurs une riche méditation sur la figure à partir du corps d'Abraham, du corps d'Isaac et de celui de Jésus : Abraham crut à la réalisation des promesses, malgré son corps et celui de Sarah « atteints par la mort », il crut en celui qui « fait vivre les morts et appelle à l'existence ce qui n'est pas » (5, 17) (création-résurrection) ; justification : 5, 24). C'est toute la création qui gémit dans « les douleurs de l'enfantement », sous la mouvance de l'Esprit Saint (Rm 8, 22).

---

246. P. Beauchamp, « la Nuit pascale », in *Assemblées du Seigneur*, n° 22, p. 12.

Le passage de la mort, à cause de l'esclavage du péché, à la justification, prend *l'Exode* comme première référence. Cet événement resurgit partout dans le Nouveau Testament : des récits de l'enfance en Mt avec la fuite en Egypte, en passant par le sermon sur la montagne et la transfiguration, jusqu'à l'agneau pascal et au schéma de l'apocalypse, entre la révélation du Buisson ardent (Ex 3 ; Ap 1, 4-8) et la dédicace du Temple nouveau (Ap 21 et 22)[247]. Cette fois, l'exode n'est pas relié seulement à la première intervention de Dieu lors de la création, mais aussi à la dernière : l'entrée dans le monde nouveau sous la conduite du nouveau Moïse.

« Il va de soi que la personne du Messie se trouve au centre du nouvel éon ; mais ce qui est caractéristique de ce nouvel éon, c'est qu'il implique une recréation de toute l'existence. Cette recréation commence à devenir visible autour de la personne de Jésus. C'est pourquoi les notions comme le nouveau peuple, le nouveau temple, le nouveau sabbat ont une importance en tant que signes de la recréation du monde[248]. »

c) *Le corps du Christ*

La nouvelle création pourrait nous faire croire que la résurrection se dilue dans l'univers, mais sans lien direct avec notre existence. En fait cette dimension universelle, dans l'espace et dans le temps, part de ce qui arrive à Jésus dans son corps et y revient en tenant compte de cette mutation eschatologique.

En effet, on remarque que, en dehors des récits d'apparition dans les Evangiles, le NT ne s'intéresse pas au corps *de Jésus* ressuscité. Il affirme bien cependant que Jésus est vivant : on peut le prier, le louer, il intervient pour nous et il jugera le monde à la fin des temps. Cependant le NT, et particulièrement Paul, l'apôtre de nombreuses communautés chrétiennes, parle surtout du Corps *du Christ* (et non du corps de Jésus) avec réalisme. Cette expression a de nombreux aspects chez Paul, avec des évolutions entre 1 Co 12, 12 s. (et Rm 12) où il s'agit surtout du corps que forment les fidèles entre eux par leur participation au Christ ressuscité, jusqu'aux Epîtres dites de la captivité en Col et Ep, où deux images prédominent : celle du Christ comme tête de son corps qu'est l'Eglise ou époux face à celle-ci et celle de l'Eglise véritable corps du Christ ressuscité, un avec lui, inauguration du monde nouveau.

---

247. LE DÉAUT, p. 333.
248. H. RIESENFELD, *Jésus transfiguré*, Copenhague, 1947, p. 304, n. 5 (cité dans Le Déaut, p. 255).

Ces deux aspects ne sont pas antagonistes. C'est Jésus ressuscité, que Dieu a fait nouvel Adam et homme parfait, qui est « assis à la droite de Dieu » pour juger le monde : toutes choses lui sont soumises, car tout doit être renouvelé. Ainsi le Christ est tête[249], principe de la nouvelle création, initiateur de la vie dans l'Esprit parce qu'il a vécu ce renouveau dans une existence humaine tout au long de sa vie. Mais, en même temps, celles et ceux qui suivent sa trace et sont animés par le même Esprit font avec lui un seul corps, en faisant partie, grâce à lui, du monde nouveau. Alors, Jésus sera manifesté pleinement comme Messie et pourra soumettre tout ce monde à son Père (1 Co 15, 28) dans la gloire du Royaume achevé. Le travail de l'Esprit pourra enfin déboucher sur le sabbat eschatologique.

Il ne faut donc pas restreindre cette expression de corps du Christ à une vision christocentrique exclusive, en oubliant les dimensions corrélatives de peuple de Dieu et de temple de l'Esprit Saint. Résurrection, Ascension à la droite du Père, Pentecôte, mission et attente de la Parousie forment un tout qui prend forme *au sein du monde* par la médiation de l'Eglise, qui lui est en principe coextensive. « Celle-ci, en tant que Corps du Christ, le second Adam, l'homme primordial, est un "monde". C'est pourquoi ses mesures concordent en principe avec celles du Cosmos[250]. »

Vision grandiose, si l'on veut, mais humble, car elle passe par la médiation des corps. Les concepts de peuple de Dieu, temple de l'Esprit et corps du Christ, n'ont de réalité que parce que les hommes et les femmes, dans leur existence quotidienne, sont immédiatement concernés par leur prochain : Paul reproche aux chrétiens de Corinthe de ne « pas discerner le corps du Seigneur », parce qu'ils ne partagent pas avec leurs frères dans le besoin. Le renouvellement du monde passe autant par les événements de salut, actualisés dans le culte, que par les menues actions quotidiennes, car les uns ne vont pas sans les autres, puisqu'il s'agit des mêmes corps. L'incorporation dans l'Eglise ne va pas sans participation à sa mission de transformer le monde à la suite de Jésus. Le sacrement de baptême est plongée dans la mort et la résurrection pour autant qu'elles engagent une manière d'être messianique. L'eucharistie, le sacrement de l'Eglise, nous met à la suite de Jésus, en faisant mémoire de lui dans l'attente de sa manifestation messianique totale, pour partager le pain avec ceux qui ont faim et participer au sacrifice qui réconcilie avec Dieu et nos

---

249. H. Schlier, « Sur les noms de l'Eglise dans les épîtres de S. Paul », in *Essais sur le NT*, 1974, Cerf, Paris, 1968, pp. 363-377. Cf. Moule, *op. cit.* sur « the corporate Christ », pp. 47 ss.

250. H. Schlier, *op. cit.*, pp. 372-373.

frères. En ce sens, l'Eglise est d'abord *fraternité* : «titre *sans frontières*», à l'intérieur de l'*ensemble* de la communauté chrétienne. Ce titre possédant « si l'on veut, la même universalité que l'accueil fait à l'espérance de l'Evangile». Pour J.-P. Audet, la communauté chrétienne doit être «un lieu où la totalité de l'héritage chrétien, dans l'intégrité de sa force de contestation et de création, sera efficacement partagé entre des hommes et des femmes qui pourront reconnaître, sur le visage de leurs frères, le visage même de Jésus, présent de cette manière au milieu d'eux» [251].

L'expression corps du Christ, surtout développée par Paul, recoupe d'autres expressions du NT : suivre Jésus, le cep et la vigne, la participation au banquet messianique, la fraternité. Toutes veulent montrer le déploiement dans le temps et l'espace de l'événement Jésus-Christ. Il nous faut donc encore voir comment la personne de Jésus constitue un cas unique qui pourtant nous engage.

251. *Le Projet évangélique de Jésus*, Cerf, Paris, 1969, pp. 145, 148.

CHAPITRE IV

Jésus Christ

Nous avons noté en introduction que les christologies modernes sont centrées sur la résurrection du Crucifié, alors que celles de la fin de la scolastique ont un double foyer : l'incarnation (pour la christologie proprement dite) et la passion (pour la sotériologie), mais en privilégiant l'incarnation. Celle-ci en effet définit l'identité dernière de Jésus, vrai Dieu et vrai homme, grâce à l'assomption d'une vie humaine par le Verbe de Dieu. Nous y arrivons. Beaucoup de chrétiens hésitent à reconnaître cette divinité de Jésus. De fait elle n'est pas donnée à voir d'emblée dans les textes évangéliques. Elle s'ouvre au terme d'un long parcours dont il ne faut pas se dispenser. Une énigme dont on connaît déjà la réponse n'en est pas une et l'absence de risque diminue la valeur de l'acte de foi lui-même. Tout au long de notre démarche nous avons laissé pressentir ce mystère de la personne de Jésus à travers sa prédication, son activité, sa revendication d'une autorité proprement divine. Il s'agit maintenant de trancher l'énigme dans la foi : «Pour vous, qui suis-je ?»

La réponse donnée en Matthieu est la plus explicite : «Tu es le Christ, le Fils du Dieu vivant» (Mt 16, 16). Reconnaître Jésus comme Christ, c'est aussi reconnaître qu'il est le Fils de Dieu et donc s'étonner devant ce Dieu qui est indissociablement Père, Fils et Esprit suscitant le peuple messsianique ressuscité.

Selon un ordre d'exposition plus ontologique qu'historique les christologies classiques avaient raison de parler d'incarnation en premier. Mais en suivant un ordre plus historique et biblique, nous y arrivons en conclusion, dans le balbutiement étonnant mais résolu de la confession de foi. Incarnation, révélation de Dieu et résurrection de tout un peuple vont ensemble. Ces trois mots sont solidaires. Impossible de dire l'incarnation sans passer par la résurrection du Crucifié qui révèle le Fils et donc le Père qui l'a engendré et l'Esprit qui l'a vivifié et ressuscité dans une humanité inséparable de tout un peuple innombrable.

Nous allons reprendre ces trois points, où la conclusion rejoint l'introduction purifiée par la critique et enrichie de toute cette démarche à la suite de Jésus tel qu'il s'est manifesté parmi nous « aux jours de sa vie terrestre ».

1. L'incarnation du Verbe de Dieu

Pendant longtemps l'Evangile de Jean et la théologie du Logos, devenue dominante au cours des querelles christologiques, avaient relégué au second plan les synoptiques. Aujourd'hui, ce sont les synoptiques qui fournissent plus fréquemment le point de départ.

Nous avons vu également comment l'idée d'incarnation a fait problème par suite de la remise en question philosophique de Dieu et de la recherche historico-critique qui a remis en valeur l'homme Jésus[252]. Il s'est ensuivi, parmi les théologiens chrétiens, protestants et catholiques[253], un malaise par rapport à la définition de Chalcédoine, pour autant que ce concile privilégie une approche à partir du Logos[254]. Si certaines critiques de Chalcédoine sont exagérées, une au moins est justifiée : l'affirmation des deux natures est exprimée de manière trop statique parce qu'elle est posée au départ et non pas à la lumière de la résurrection[255]. Ce malaise a gagné une partie du peuple chrétien, de sorte que c'est la *divinité* elle-même de Jésus qui s'est trouvée sinon remise en cause, du moins considérée comme secondaire par une partie non négligeable de chrétiens pourtant convaincus. Cette progressive concentration du débat sur l'incarnation et la divinité de Jésus se remarque aux titres de certains ouvrages à grand public, largement dépendants encore du programme de démythisation. Outre les ouvrages sur Jésus considéré comme un homme sans poser le problème de sa divinité, et ils sont nombreux, il y a ceux qui discutent

---

252. *Cf. supra* Introduction, pp. 268 ss.

253. Du côté protestant, d'abord chez Schleiermacher. Du côté catholique, une nouvelle problématique se cherche avec le remarquable ouvrage édité pour le 15ᵉ centenaire de Chalcédoine : *Das Konzil von Chalkedon; Geschichte und Gegenwart* (éd. A. Grillmeier et H. Bacht), Echter Verlag, Wurtzbourg, 3 vol., 1951-1954.

254. B. Sesboüé, « Le Procès contemporain de Chalcédoine. Bilan et perspectives », in *RSR*, t. 65/1, 1977, pp. 45-80 ; J. Liébaert, *Valeur permanente du dogme christologique, MSR* XXXVIII, n° 3, 1981, pp. 97-126.

255. Nouvelles perspectives aujourd'hui : J. Galot, *Vers une nouvelle christologie*, Duculot, Gembloux, 1971 (avec présentation critique de plusieurs essais de théologiens néerlandais) ; J.N. Besançon, *le Christ de Dieu. Jésus Fils de Dieu. Comment réaffirmer sa divinité. Un chemin pour aujourd'hui*, DDB, Paris, 1979 (plus catéchétique) ; *Jésus Christ, Fils de Dieu*, par A. Dondeyne, J. Mouson, A. Vergote, M. Renaud, A. Gesché, Fac. univ. St-Louis, Bruxelles, 1981 ; *Concilium*, n° 173, 1982/3 : *Jésus est-il le fils de Dieu ?*

cette divinité et on voit la progression de la discussion ou du moins des critiques entre *Honest to God* (Dieu sans Dieu) de J.A.T. Robinson en 1963 [256] et, plus récemment, *The Myth of God Incarnate* de John Hick (éd.) [257]. Aux causes lointaines déjà évoquées (la révolution copernicienne et ses conséquences philosophiques ; la recherche historico-critique) s'ajoutent l'influence des sagesses et religions orientales qui font primer l'expérience personnelle sur les dogmes et les représentations objectivées du divin. Il y a aussi l'influence de l'Islam et du judaïsme [258] opposés à tout ce qui peut remettre en cause la transcendance du Dieu unique. Tout reste à faire dans ce dialogue, après des siècles d'ignorance réciproque, mais ce n'est pas en traitant la divinité de Jésus par prétérition qu'il sera facilité ou que le christianisme sera plus compréhensible aux chrétiens eux-mêmes. Au contraire, on se rappellera que si la doctrine de l'incarnation a pu donner aux chrétiens l'idée de la supériorité du christianisme sur d'autres religions et motiver son intolérance, c'est bien aussi la foi en l'incarnation qui motive le nouvel esprit missionnaire conscient de la particularité du christianisme, de son enracinement dans des cultures différentes, et respectueux de l'originalité de l'autre pour se mettre à son service et partager tout ce qui peut l'être. Il s'agit là de deux conceptions différentes de l'incarnation.

Dans la première, celle qui a favorisé l'intolérance chrétienne, il s'agit d'une christologie qui culmine dans l'affirmation de la divinité de Jésus sans voir que celle-ci s'est révélée dans la résurrection du Crucifié, juif de naissance selon la chair. La divinité de Jésus n'est pas interprétée alors dans le cadre du messianisme et aboutit à un universalisme abstrait par la négation de la particularité juive. Les affirmations au sujet des deux natures et de l'unique hypostase du Verbe incarné ne sont pas articulées alors au destin historique de Jésus de Nazareth et donc à la révélation effective de Dieu. Le titre de *Christ* n'est donc plus compris dans son sens messianique et il équivaut alors au titre de Fils de Dieu [259].

---

256. Londres, SCM, 1963 ; trad. fr. *Dieu sans Dieu*, Nouvelles Éditions latines, Paris, 1964.

257. Londres SCM, 1979. Cf. le dossier établi par Don Cupitt, *The Debate about Christ*, SCM, Londres, 1979 ; A.E. Harvey, *God incarnate : Story and Belief*, SPCK, Londres, 1982.

258. Cf. M. Borrmans, *Orientations pour un dialogue entre chrétiens et musulmans*, Cerf, Paris, 1981 ; *les Eglises devant le judaïsme. Documents officiels 1948-1978*. Textes rassemblés, traduits et annotés par M.Th. Hoch et B. Dupuy, Cerf, Paris, 1980 et les contributions dans le premier tome de cette *Initiation*.

259. Ainsi Proudhon en arrive à rejeter les deux titres à la fois et distingue deux parties dans «l'histoire de Jésus-Christ : 1° sa vie effective, 2° son

En revanche, dans la seconde conception, celle qui permet un dialogue, c'est l'attention scrupuleuse à l'historicité de Dieu dans le destin du juif Jésus qui importe. Dieu a voulu se révéler dans un homme, dans ses paroles et ses actes. Tout au long de notre démarche, particulièrement dans les deux derniers chapitres, nous avons insisté sur l'énigme que posent le destin et la personne de Jésus en compromettant Dieu. Seule la résurrection permet à la foi de trancher l'énigme : le destin de l'homme Jésus ne s'explique que par son identification à Dieu. C'est en Dieu qu'il trouve son identité dernière. Et cette affirmation, loin de nous éloigner de l'histoire, comme l'ont fait maintes christologies qui s'achevaient sur le titre de Fils de Dieu interprété de façon métaphysique, nous oblige au contraire à prendre au sérieux et joyeusement le fait que l'incarnation assigne à Dieu son lieu dans notre monde, au moment même où il s'absente par l'événement pascal et pentecostal. Incarnation du Verbe, Résurrection grâce au Père, Pentecôte de l'Esprit doivent être vues ensemble.

2. La révélation de Dieu dans notre histoire

Le tort de beaucoup de manuels et de catéchismes voulant exprimer le mystère de l'Incarnation a été de croire que celle-ci s'explique directement par la conjonction du Verbe de Dieu à l'humanité de Jésus, « sans confusion, ni séparation » certes, mais immédiatement, dès la conception de Jésus en ce monde. Cette vision perçoit quelque chose de vrai : si Jésus est Fils de Dieu, il l'est dès le premier instant de sa vie terrestre, sinon nous avons à faire à un homme « divinisé » après coup et qui, donc, n'engageait pas Dieu (le christianisme a rejeté aussi bien le modèle juif de l'adoption que celui grec de la divinisation, au sens où un homme deviendrait Dieu ou un dieu, ce qui est différent de la divinisation par adoption qui est fondée sur la résurrection de Jésus, Fils de Dieu). Mais cette vision a aussi un défaut : elle ne voit pas que l'affirmation de la divinité de Jésus dès le début de sa vie terrestre a été formulée *après* avoir considéré la relation de Jésus à son Père tout au long de son destin historique. L'affirmation de la divinité de Jésus ne peut donc être formulée qu'au vu du destin messianique de Jésus et par la révélation conjointe du Père et de l'Esprit.

C'est pourquoi nous avons insisté dans notre démarche sur la relation originale de Jésus à son Père et à l'Esprit : l'autorité de son enseignement, les paraboles en lien avec son existence personnelle,

apothéose ou Messianose » et il ajoute « trop grand comme homme, et trop petit en même temps, on a dénaturé sa figure en le faisant Christ, Logos, homme-Dieu, etc. », *Jésus et les origines du christianisme* (textes retrouvés après la mort de Proudhon et publiés par Cl. Rochel, G. Harvard, Paris, 1896, pp. 134-135.

l'offre du pardon divin et sa limite (le péché contre l'Esprit), l'intimité sans pareille de Jésus avec le Père (mon Père — votre Père : ces deux types de relation ne sont jamais mises sur le même plan), son appellation « le Fils », sa mort comme implication de Dieu et surtout sa résurrection comme intervention directe du Père. A partir de la résurrection, la démarche des disciples a pu se poursuivre jusqu'à l'affirmation, inouïe pour des juifs, mais ferme, que Jésus est bien le Fils de Dieu. Cette conviction semble s'exprimer d'abord sur le mode de langage symbolique : Jésus ressuscité, réhabilité par Dieu, est « assis à la droite » du Père. Cette session à la droite (Rm 8, 34 ; 1 P 3, 18-22 ; He 1, 3, etc. ; Mc 12, 36 ; 14, 62 référé au Messie), signifie l'égalité entre Jésus et le Père dans la « condition divine » (Ph 2, 6) et sa glorification comme « Seigneur » qui, grâce à sa Pâque, répand l'Esprit pour susciter des témoins annonciateurs du monde nouveau selon Dieu (Mc 16, 19)[260].

Cette vision symbolique s'est plus clairement précisée, peu à peu, grâce aux écritures bibliques que Jésus lui-même avait expliquées à ses disciples : J. Schmitt a montré plus haut comment ce développement a pu se faire à travers la relecture de la vie de Jésus et des titres messianiques juifs. Car il n'est pas de titre christologique important — Fils de l'homme, Fils de Dieu, Christ, Seigneur — qui n'ait une connotation messianique et qui ne soit lié au destin pascal de Jésus. Ainsi, très tôt, différents passages bibliques ont été associés entre eux et se sont approfondis mutuellement : Dn 7, par exemple, présente le *Fils de l'homme*, à la tête d'un peuple nouveau, glorifié auprès de *l'Ancien* — figure *paternelle* — qui le reconnaît à la fois comme *roi et fils* (les deux étant liés dans la Bible) ; à son tour, cette figure se trouve reliée aux psaumes royaux où Dieu déclare le roi comme son Fils (Ps 2 ; 80 ; 89, 26 s.) l'associant au titre de « Seigneur » réservé à Dieu et lui attribuant enfin la *préexistence*[261].

Ainsi, la critique moderne n'a plus recours à la mythologie grecque ou à l'histoire des religions pour expliquer le titre de Fils de Dieu, comme Harnack le faisait encore dans *l'Essence du Christianisme*. Il y a assez d'éléments dans la tradition biblique pour en rendre raison. La gravité du titre, mais aussi la richesse des textes bibliques qui ont pu être repris en ce sens, expliquent que le processus de clarification fut assez long et complexe, comme l'a rappelé plus haut J. Schmitt. Cependant, on reste étonné de la rapidité avec laquelle cette foi fut exprimée fermement et dans ses traits définitifs. « On est tenté de dire

---

260. M. GOURGUES, *A la droite de Dieu. Résurrection de Jésus et actualisation du Ps 110, 1 dans le NT*, Gabalda, Paris, 1978 et « Lecture christologique du Ps 110 et fête de la Pentecôte », in *RB*, 1976, pp. 5-24.
261. C.F.D. MOULE, *op. cit.*, pp. 11-46.

que dans cet espace de moins de deux décennies il s'est passé plus de choses du point de vue christologique que dans la durée des sept siècles suivants au cours desquels le dogme de l'Eglise ancienne a trouvé son achèvement [262]. »

Sept siècles cependant ont été nécessaires pour assurer et consolider cette compréhension qui s'est imposée si rapidement aux premiers chrétiens. Après l'éclat fulgurant de la Pâque pentecostale, ce fut le laborieux travail d'analyses et de réflexion dont le NT pose les bases. A partir de la résurrection, on voit refluer sur toute la vie de Jésus la conviction qu'il est bien, dans son corps, la Parole de Dieu. C'est dans l'histoire du corps humain de Jésus que les évangiles lisent l'énonciation de la Parole même de Dieu, depuis la naissance (conception par l'intervention de l'Esprit) jusqu'à la résurrection, en passant par le baptême et la transfiguration [263]. Déjà Paul, reprenant certainement une tradition qu'il a lui-même reçue, affirme la double naissance du « Fils, issu selon la chair de la lignée de David, établi, selon l'Esprit Saint, Fils de Dieu avec puissance par sa résurrection d'entre les morts » (Rm 1, 4) [264]. La *préexistence* s'imposera alors comme une conséquence de la filiation éternelle (notamment en s'inspirant de la personnification de la Sagesse) et entraînera la kénose (Ph 2 ; Jn 1) qui consacre le sérieux de l'incarnation : le Dieu fait homme doit agir avec les humbles moyens de l'humanité.

On le voit, le NT définit l'identité dernière de Jésus par une double filiation : directe et éternelle selon Dieu, temporelle selon la lignée davidique, c'est-à-dire messianique. Certes, on pourra objecter que d'autres expressions sont employées pour exprimer cette double ascendance, sans nommer explicitement le messianisme davidique, parce que celui-ci aurait pu être interprété dans un sens purement temporel et nationaliste. Mais il n'est pas possible de dire l'identité de Jésus sans passer par l'affirmation de cette double filiation qui énonce exactement quel Dieu se révèle, comment, à qui et pourquoi, comme le dit concisément Ga 4, 4-7 sans employer le vocabulaire messianique : « Quand vint l'accomplissement du temps, Dieu a envoyé son Fils, né d'une femme et assujetti à la loi, pour qu'il nous soit donné d'être fils adoptifs. Fils, vous l'êtes bien : Dieu a envoyé

262. M. HENGEL, *Jésus Fils de Dieu*, Cerf, Paris, 1977, p. 15.
263. L. LEGRAND, « l'Arrière-plan néo-testamentaire de Lc I, 35 », in *RB*, t. 70, 1963, pp. 161-192 ; cf. R.E. BROWN, *the Virginal Conception and Bodily Resurrection of Jesus*, Londres, 1974 et *The Birth of The Messiah. A Commentary of The Infancy Narratives In Matthew and Luke*, Londres, 1977.
264. Cf. la comparaison entre Luc et Paul sur ce double titre de Jésus, Fils de David et Fils de Dieu, avec leurs parallèles chez d'autres auteurs : outre J. Schmitt, *supra*, dans ce volume, cf. L. LEGRAND, *l'Annonce à Marie*, Cerf, Paris, 1981, pp. 181-197.

dans nos cœurs l'Esprit de son Fils, qui crie : Abba — Père ! Tu n'es donc plus esclave, mais fils ; et, comme fils, tu es aussi héritier : c'est l'œuvre de Dieu. »

Cette vision scripturaire amène quelques remarques au regard de la formulation et de l'évolution ultérieure du dogme christologique.

a) Le langage du Nouveau Testament

Le Nouveau Testament préfère le vocabulaire de la double filiation à celui, plus ontologique, des deux natures. Chacun de ces langages a sa vérité et ses limites. Celui de la double filiation est métaphorique et anthropomorphique : il parle de Dieu en termes de rapports humains père-fils. Mais le langage anthropomorphique est beaucoup plus respectueux de l'originalité divine, car il exprime l'incarnation de Dieu et sa volonté de se révéler à nous (alors que la théologie négative se clôt sur l'ignorance) (cf. supra, pp. 324 s. : les paraboles). Sur le fond, le langage de la filiation nous fait échapper à une vue trop restrictive et statique de l'incarnation en termes d'assomption directe, par le Verbe, de la nature humaine, de sorte que l'individu Jésus est constitué sujet par le fait qu'il tire sa subsistance ontologique du Verbe (enhypostasie). En termes de filiation, la vue est dynamique, trinitaire, et respecte différents aspects du temps. D'une part, l'initiative vient du *Père* qui engendre son *Fils* à la fois de toute éternité et dans le temps par le dialogue incessant entre lui et Jésus qu'il envoie en mission et dont il reçoit obéissance et amour, grâce à l'œuvre de l'*Esprit Saint*. Jésus « se reçoit » du Père dans l'Esprit. Ainsi est respectée plus profondément la transcendance de Dieu, Père, qui n'apparaît jamais directement dans l'histoire et ne se révèle que par la médiation du Fils sous la mouvance de l'Esprit qui rend libre. Sans l'Esprit, en effet, on ne pourrait expliquer comment l'humanité en Jésus pourrait rester humainement libre, alors qu'elle dépendrait du Verbe pour être constituée comme personne, et que le Verbe puisse en même temps accomplir sa mission en toute autonomie face au Père et en toute intimité avec lui. Ou alors on invente des aberrations théologiques comme celle de Déodat de Basly qui imagine un « duel d'amour » entre l'homme assumé par le Verbe et le Dieu Trinité, comme si cet homme pouvait être extérieur au Verbe et à la Trinité [265].

D'autre part, cette vision dynamique de la filiation divine explique à la fois que Jésus est Fils de Dieu et vrai homme, dès sa conception, et qu'il doit, comme tout homme et en bonne pédagogie, devenir tout au

---

265. Cité plus haut, n. 138 (cf. H. DIEPEN, *RThom*, 1949, pp. 428-492).

long de sa vie ce Fils parfait, vrai homme et vrai Dieu, que révèlera la résurrection. C'est cette pédagogie qui fait que nous aussi nous pouvons apprendre du destin de Jésus et devenir, grâce à l'Esprit, des « fils adoptifs ». Le titre de « Fils de Dieu », ne l'oublions pas, désigne le « peuple de Dieu » mais aussi son représentant, le roi : l'unique ne mérite jamais mieux son nom que lorsque tous se reconnaissent impliqués en lui, sans pouvoir être confondus avec lui et entre eux. C'est parce qu'il est Unique que tous peuvent être différents. Le langage de la filiation détermine donc aussi une réflexion sur la valeur unique de la personne de Jésus et sa solidarité avec tous. Parce qu'il est Fils unique, à la fois dans le temps et dans l'éternité, Jésus est Christ achevant la figure dans toutes ses dimensions. Ceci s'exprime par le fait que le Fils de Dieu est notre « représentant » auprès de Dieu et de nos frères. Comme l'a fait remarquer D. Sölle, la notion de « représentation » s'oppose à celle de « remplacement » [266]. Le « remplacement » s'applique à une personne qui peut être plus ou moins interchangeable, n'étant qu'un individu parmi d'autres. La « représentation », selon le NT et en regard du destin de Jésus, signifie un lien personnel et libre, accepté librement, pour pallier une certaine faillite humaine dans l'histoire et pour répondre à la souffrance en sauvegardant l'espérance. La rédemption anselmienne part du « remplacement » plus que de la « représentation », parce qu'elle produit ses effets indépendamment de tous. Certes, le Christ anselmien est Unique, mais simplement comme Homme-Dieu selon un schéma d'incarnation directe, qui s'inscrit dans un pur rapport vertical d'autorité — et le schème social de la féodalité — sans faire appel au rôle de l'Esprit tout au long de la vie humaine de Jésus. Selon la « représentation », au contraire, Jésus est l'Unique qui ne se substitue pas à nous, comme le ferait un faux messie qui prive les hommes de leur liberté et les enferme dans leurs rêves ; il est à la fois le Fils de Dieu et le Sauveur, parce que seule son humanité tranformée par l'Esprit laisse libre jeu aux libertés humaines et à l'amour de Dieu afin qu'ils puissent se rencontrer sans céder aux rapports de domination et de dégradation. Christologie de la personne du Verbe incarné et sotériologie sont construites ensemble, inséparablement. La dignité de la personne, unique et solidaire, est une conséquence du christianisme. Elle s'explique à la fois par l'amour de Dieu pour le plus petit et par le destin infini qui est promis à chaque être : communiquer à la vie divine.

Par la notion de personne, cependant, nous pénétrons dans un

---

266. *La Représentation. Un essai de théologie après la mort de Dieu* (1965), Desclée, Paris, 1970. De même, Jésus apparaît dans les évangiles comme « le maître unique » : cf. F. Mussner, *Traité sur les juifs,* op. cit., pp. 398 s.

champ qui ressort aussi au langage ontologique, dont il faut dire à la fois la vérité et les limites.

b) Le langage des « deux natures »

Le langage « ontologique » des deux natures — humaine et divine — dans l'unique hypostase du Verbe incarné s'inscrit dans une perspective complémentaire de celle de la filiation.

Il ne faut pas exagérer la spécificité philosophique de ce langage des deux natures, humaine et divine. Une étude attentive des premiers conciles, et en particulier de Chalcédoine, montre que les Pères de cette assemblée ne se sont pas comportés en philosophes d'école mais se sont servis du vocabulaire dont ils disposaient pour exprimer leur foi [267]. Cependant, ce vocabulaire s'inscrit bien dans un héritage philosophique dont l'avantage pourrait être d'arriver à une formulation plus précise et plus vigoureuse de l'identité de Jésus dans un langage *plus universel* que celui de la filiation. En effet, l'ontologie développe une conceptualité qui doit pouvoir articuler tous les êtres de l'univers, quels que soient leurs genres et leurs espèces, selon la logique de l'universel et du particulier. De plus, en définissant des degrés d'être, l'ontologie, avec l'analogie et la doctrine de la participation, assigne à chaque être une place dans l'ordre de l'univers, lui-même saisi dans un schéma pyramidal strict, depuis la matière jusqu'à Dieu (d'où sa possibilité de collusion avec l'ordre politique, surtout lorsque celui-ci est sacralisé). Ce langage a donc voulu articuler entre elles deux évidences de la foi selon le N.T. : Jésus est à la fois homme et Dieu, ou, comme le dira le symbole antiochien : « homme parfait et Dieu parfait ». Il affirme ainsi l'intégrité des deux natures, à la fois contre Arius (qui voulait réduire la divinité de Jésus et aboutissait à faire du christianisme un nouvel avatar des religions païennes) et contre Apollinaire, qui réduisait l'humanité en risquant d'inféoder le christianisme à la gnose. J. Doré a retracé plus haut l'évolution complexe de cet approfondissement christologique. Deux sensibilités ont dominé le débat : l'école d'Antioche, plus proche des synoptiques, soulignant la dualité, et celle d'Alexandrie, plus proche de Jean, soulignant l'unité du Verbe incarné. Chalcédoine apparaît comme un compromis, sans concession sur l'essentiel mais encore imparfait : avec Antioche, le concile affirme les deux natures dans

---

267. Outre l'ouvrage classique de GRILLMEIER, A. de HALLEUX, « la Définition christologique à Chalcédoine », in RTL, 1976, pp. 3-23, 155-170, avec bibliographie ; « le Concile de Chalcédoine, son histoire, sa réception par les Eglises et son actualité », in *Irénikon*, 44, 1971, pp. 349-366.

leur intégrité, mais contre les tendances antiochiennes à la dualité qui risque d'être juxtaposition de deux natures, le concile affirme, à la suite de Cyrille que c'est « le même » qui est Dieu et homme. Cependant, « comme le symbole antiochien l'*horos* (la définition) de Chalcédoine envisage le mystère de l'incarnation d'un point de vue non pas « chronologico-dynamique » mais « logico-statique », non pas dans son *fieri*, mais dans son *factum esse* »[268]. Et l'autre faiblesse du concile est de n'avoir pas précisé que « l'unique sujet est le Dieu-Verbe, l'un de la Trinité », provoquant ainsi, par son imprécision, de nouvelles querelles entre antiochiens et alexandrins jusqu'aux conciles suivants, en particulier Constantinople II et III de 553 et 681[269]. Dans ces disputes, on a dit que le « théopaschisme » (la possibilité pour Dieu de souffrir puisque le Verbe a assumé réellement une nature humaine) tenait la même place qu'occupait, avant Chalcédoine, la *théotokos* (l'affirmation que Marie est bien mère de Dieu, puisqu'elle a engendré un fils qui est le Verbe incarné)[270].

Le langage « ontologique » doit donc retrouver une perspective dynamique et historique pour être fidèle au NT, sinon il s'éloigne de l'histoire et de l'existence. C'est ainsi que la christologie des manuels est partie « d'en haut », de la deuxième personne de la Trinité, sans passer d'abord par le destin pascal de Jésus. Une juste vision du mystère christologique doit plutôt associer la démarche historique et la réflexion analytique, si bien honorée par la scolastique. En effet, après avoir écouté le langage de la filiation, le langage « ontologique » permet d'affirmer la foi en un Dieu Père, envoyant son Fils dans le monde, pour qu'il s'approprie une nature humaine et la transforme de l'intérieur grâce à l'Esprit. Cette appropriation par le Verbe d'une nature humaine est définie de façon précise par l'union hyspostatique : c'est par la personne (hypostase) du Verbe que l'homme Jésus est sujet ontologique (Léonce de Byzance). Cela peut paraître dévaloriser l'humanité de Jésus, parce que, de fait, on a trop souvent envisagé l'union sous le seul rapport entre le Logos et l'humanité de Jésus, comme s'il s'agissait du rapport entre une âme et un corps. Telle n'est pas l'opinion d'un saint Thomas : on le voit en particulier par sa doctrine du « mérite » acquis par Jésus et par son élaboration des mystères. Cette christologie classique reste un point de repère fondamental pour toutes les Eglises, si l'on veut éviter de juxtaposer

---

268. V. LEROY, « le Christ de Chalcédoine », in *RT*, 1973/1, p. 86.

269. J. MEYENDORFF, *le Christ dans la théologie byzantine*, Cerf, Paris, 1969.

270. C'est ici que pourrait s'insérer la mariologie : cf. A. MÜLLER, « Place et coopération de Marie dans l'événement Jésus Christ », in *Mysterium salutis*, vol. 13, *le Déploiement de l'événement Jésus Christ*, Cerf, Paris, 1972, pp. 13-176.

l'intérêt pour Jésus homme et la foi au Christ sauveur. Certes, il est compréhensible que des esprits modernes ignorent ou craignent cette christologie qui possède les défauts de ses avantages : son grand esprit d'analyse l'a entraînée dans trop de détails et trop d'abstractions puis dans une dissociation de ses différentes parties, en particulier une christologie surtout ontologique d'un côté, et, de l'autre une sotériologie plus liée à l'histoire du salut réduit à la grâce, en abandonnant à la piété la vénération des mystères de la vie de Jésus. De plus, cette christologie classique est située historiquement dans un contexte culturel qui fait moins place à la conception moderne de la subjectivité. On le voit à son approche de la personne. Saint Thomas est très dépendant encore de la définition de Boèce : « persona est rationis naturae individua substantia » [271]. Il en précise certains traits, en particulier l'incommunicabilité (S. Th. Ia, q. 29, 1 ad 2), comme pour toute substance, mais aussi, par la connaissance et l'amour, la relation à soi et son ouverture infinie à tout l'univers. Ce dernier trait sera repris sur d'autres bases par des anthropologies philosophiques modernes, en particulier M. Scheler. K. Rahner fondera sur ce point son idée de l'anthropologie comme « christologie déficiente » [272] (seul le Verbe incarné peut combler l'ouverture fondamentale de l'homme au « mystère », et, ainsi, à Dieu). W. Pannenberg, reprenant la définition hégélienne de la personne, qui est de rompre son isolement pour acquérir sa personnalité concrète en se donnant à l'autre, réinterprète la christologie classique ainsi : à la différence de cette christologie qui fait dépendre du Logos l'existence humaine de Jésus, « la dépendance qui fonde le don humain de Jésus à Dieu se rapporte au Père : c'est précisément dans ce don au Père et à cause de lui que Jésus est identique avec la personne du Fils » [273]. Nous sommes ici dans une perspective qui relie décidément l'incarnation à la révélation et à la résurrection.

Le langage ontologique a voulu rendre compte du fait que la personne de Jésus intéresse le sort de toute l'humanité [274] en précisant la doctrine de la « grâce capitale », (S. Th. IIIa, q.48,2.1 ; q. 49.1. a) par laquelle le Christ tête vivifie tout le corps qu'il anime (encore qu'il

271. *Liber de duab.nat. (Cont. Eut.)* 3, *MPL* 64, 1343.

272. Cf. A. Schilson et W. Kasper, *Théologiens du Christ aujourd'hui*, Desclée, Paris, 1978, p. 105 ; W. Pannenberg, « le Fondement christologique de l'anthropologie chrétienne », in *Concilium*, n° 86, 1973, pp. 97-103.

273. *Esquisses...*, pp. 431 et 435.

274. Pour les Pères : L. Malevez, « l'Eglise dans le Christ », in *RSR*, t. 25, 1935, pp. 257-297 et L. Bouyer, « la Notion de Fils de l'Homme a-t-elle disparu de la patrologie grecque ? », in *Mélanges bibliques rédigés en l'honneur d'A. Robert*, Paris, 1956, pp. 519-530. Cf. aussi M. Corbin, *l'Inouï de Dieu. Six études christologiques*, DDB, Paris, 1980.

ne soit pas fait ici directement référence à l'Esprit)[275]. Ainsi, pour toute christologie, incarnation et révélation de Dieu — Père, Fils et Esprit — sont inséparables et nous impliquent par la promesse de résurrection.

3. La résurrection de l'humanité

« Le Verbe s'est lui-même fait homme pour que nous soyons faits Dieu. [276] » Cette affirmation de l'incarnation et de la divinisation de l'homme serait scandaleuse ou susciterait la défiance, si nous n'avions d'abord souligné le caractère unique de l'incarnation. Seul l'Unique est véritablement Fils de Dieu. L'homme est homme, créature finie, et ne sera jamais Dieu.

La doctrine de la divinisation ne signifie donc pas l'égalité de l'homme avec Dieu, ni une négation de sa finitude. Elle est liée chez Athanase à une incorruptibilité qui s'inscrit dans l'histoire de la souffrance et de l'espérance de toute l'humanité, puisque Athanase précise : « Il a supporté lui-même les outrages des hommes pour que nous ayons part à l'incorruptibilité. » Il a partagé l'histoire de la souffrance pour nous faire accéder à la réconciliation définitive avec nous-mêmes et avec Dieu. Le vocabulaire de l'incorruptibilité et de la divinisation est ambigu et a souvent engagé la théologie sur des fausses pistes quand elle a perdu l'origine et l'orientation pascale de ce langage. Seul le Corps du Christ, auquel nous participons par la foi, la vie baptismale et eucharistique liée au service de Dieu dans le monde, est incorruptible, car il est l'inauguration du monde nouveau eschatologique. Plutôt que d'incorruptibilité, l'Ecriture parle du statut de fils adoptifs et de frères que l'événement pascal inaugure, puisque le ressuscité est « le premier-né d'une multitude de frères ». De Jésus, enfin reconnu Christ dans la Pâque pentecostale, nous recevons l'Esprit qui nous situe à la suite du crucifié, dans la foi au Royaume de Dieu qui vient, pour un « monde enfin libéré du péché et de la mort ».

La christologie doit s'éclairer alors par tout ce que l'Esprit nous révèle. Comme Schönberg l'a perçu dans son opéra *Moïse et Aaron*, Dieu lui-même à la différence du *Sprechgesang* (chant parlé) de ses interprètes et messagers, s'exprime bien mieux dans la polyphonie.

275. Ce n'est que récemment que l'on s'applique à développer ensemble christologie, ecclésiologie et pneumatologie : cf. W. KASPER, « Esprit, Christ et Eglise », in *l'Expérience de l'Esprit. Mélanges E. Schillebeeckx*, Beauchesne, Paris, 1976, pp. 47-70 ; Y. CONGAR, ci-dessous : pneumatologie.

276. ATHANASE, *Sur l'Incarnation du Verbe*, 54, 3 — *SC*, n° 199, Cerf, Paris, 1973, p. 459.

LA CHRISTOLOGIE AU CENTRE DE LA QUESTION CHRÉTIENNE DE DIEU

Dans le monde méditerranéen de l'antiquité l'athéisme n'existe pas ou très exceptionnellement. Certes, les critiques adressées à telle ou telle représentation du divin sont nombreuses. Ainsi les philosophes grecs s'éloigneront-ils des représentations mythologiques très anthropomorphiques et les chrétiens, après les juifs, seront-ils accusés d'impiété parce qu'ils ne reconnaissent pas les dieux ou refusent de sacrifier à l'empereur. Mais l'existence du divin est incontestable et, malgré les variations entre écoles philosophiques ou diverses religions, elle s'appuie sur une *représentation hiérarchique du monde* avec Dieu (ou les dieux) en haut et les hommes en bas, sur terre. Symboliquement, le soleil et les astres aident à penser Dieu qui est à l'origine du mouvement et de la vie de l'univers.

Les écritures bibliques, en particulier celles qui sont nées en confrontation avec les sagesses païennes, n'ignorent pas ce schéma symbolique. Mais la Bible parle d'abord d'un Dieu qui se révèle par la parole et des événements historiques. Il n'est pas une simple cause de l'univers, la source d'une vérité métaphysique. Il se révèle dans l'*histoire contingente d'un peuple* à la manière d'une *personne* libre.

Sans même vouloir porter un jugement théologique sur l'économie de la pensée philosophique — supposée être une simple recherche humaine — et celle de la révélation biblique — qualifiée telle par l'initiative de Dieu s'adressant à l'homme —, il faut reconnaître une différence dans leurs contenus respectifs et leurs présentations. Cette différence n'a pourtant pas empêché un compromis lors de l'expansion chrétienne dans les pays marqués par la culture grecque. Le message chrétien devait être réinterprété pour être dit dans une autre culture et celle-ci s'est enrichie de nouvelles données, car l'interprétation ne se fait pas à sens unique.

A toutes les époques, le christianisme doit effectuer ce travail de réinterprétation. Mais il faut être attentif à ses conséquences. Ainsi dans son passage à la culture grecque le christianisme a subi des transformations. D'une part il a estompé certains éléments de la pensée biblique et s'est éloigné du judaïsme (cf. *Excursus* II). D'autre part, en contrepartie, il assimila certaines données de la pensée philosophique. Nous retiendrons ici ce qui concerne Dieu lui-même.

En effet comment le *Dieu biblique,* souvent décrit en termes de *passions humaines* et inséparable de l'histoire d'un peuple témoin de l'universalité du salut, peut-il être compris dans une mentalité philosophique qui le situe en dehors du temps et du changement dans une universalité abstraite ? Malgré tout, les chrétiens devaient trouver une passerelle entre les deux conceptions pour pénétrer la culture grecque. Ce fut la « définition » de Dieu en termes de « nature » divine (1).

Ce sera ensuite, dans l'histoire occidentale, la remise en cause de cette définition par la philosophie moderne de la subjectivité (2).

Enfin, à notre époque, il y a une tendance à partir de l'interprétation de la pratique de Jésus avec tout ce qu'elle implique. C'est le retour au récit biblique (3).

Cette présentation très schématique, que nous allons détailler, veut simplement rendre attentif aux conséquences d'un nécessaire dialogue entre le message chrétien (qui n'est jamais dit à l'état pur, a-culturé) et une pensée philosophique qui, à toute époque, réfléchit sur les conditions d'approche de la vérité du monde et de l'action humaine.

A chaque étape la christologie se trouve au centre de l'approche chrétienne de Dieu.

1. Dieu défini en termes de nature

Au Concile de Nicée (325) l'unanimité se fait, non sans mal, sur l'homoousion : Jésus est de même « substance » ou de même « nature » que le Père. Cette affirmation veut contrer l'hérésie arienne qui fait de Jésus un être inférieur, intermédiaire entre le divin et l'humain. Mais, en conséquence, Dieu lui-même se trouve défini selon une « nature » ou « substance » à la manière de tous les êtres du monde, même s'il est Créateur et cause de tout ce qui existe.

Toute la réflexion dogmatique ultérieure va essayer de corriger cette définition par la mise en valeur du concept de personne, en particulier dans l'affirmation de la Trinité. On sait tout ce que la compréhension occidentale de la personne doit à la pensée chrétienne épaulée par le droit romain. Cette réinterprétation est même un bon exemple du dialogue entre le message biblique et une culture donnée. L'interprétation n'est pas à sens unique. De fait, après avoir emprunté à la philosophie le concept de « nature » ou de « substance », lui-même modifié pour les besoins de la pensée théologique, le christianisme va contribuer à la naissance de la philosophie moderne de la subjectivité dont nous parlerons plus loin. Augustin se situe bien comme un maillon essentiel entre la pensée antique et Descartes.

Mais soulignons ici seulement les difficultés créées par la définition de Dieu en termes de nature. L'une d'elles concerne la Trinité elle-même avec le danger de définir une nature de Dieu impersonnelle qui « préexiste » si l'on peut dire aux trois personnes divines : ce sera l'objet des débats trinitaires et des controverses théologiques entre l'Orient et l'Occident. L'autre touche plus directement la christologie, surtout après Chalcédoine. En effet, comment concilier dans l'unique personne du Verbe incarné deux natures aussi différentes dont l'une est passible et mortelle et l'autre, impassible et immortelle. La difficulté tenait pour une part à un manque de précision dogmatique : Chalcédoine avait défini la composition, sans mélange ni séparation, de la nature divine et de la nature humaine, sans dire que le Verbe lui-même était l'unique sujet grâce auquel la nature humaine de Jésus devenait personne (selon les explications de Léonce de Byzance). Mais, plus profondément, il était difficile d'expliquer comment Dieu lui-même — Dieu fait homme — avait pu souffrir, alors que l'impassibilité du Dieu éternel est une caractéristique essentielle de la pensée cosmothéologique grecque ? Comment le Verbe de Dieu a-t-il pu naître, souffrir, mourir ?

La question de la souffrance de Dieu n'a pu être résolue alors, bien qu'elle soit un lieu de vérification de la doctrine de la rédemption et de l'unité de la personne composée du Verbe de Dieu. Les théologiens se sont souvent contentés de juxtaposer le langage biblique de la passion et le langage philosophique de l'impassibilité de Dieu. Mais n'est-ce pas dissocier alors l'unité de la personne de Jésus et rejeter Dieu dans l'ombre ? Ou bien on se rend incapable de penser ensemble la vérité de l'humanité et celle de la divinité.

Aujourd'hui, pour comprendre cette impuissance de la pensée théologique d'alors, on a évoqué les limites de la pensée d'inspiration platonicienne (même si celle-ci est plus complexe que les schémas qui en sont souvent donnés). On se rappelle que la connaissance platonicienne définit le vrai dans les Idées qui, elles, se distinguent nettement du sensible où règne l'opinion, c'est-à-dire le croire et le faire croire (des représentations non fondées en vérité). L'Idée est l'essence (l'être réel essentiel), le phénomène sensible est du domaine de l'accidentel. Or, si l'Idée suprême est celle de Dieu et si Dieu s'est incarné en Jésus, n'aura-t-on pas tendance à considérer l'humanité de Jésus comme inessentielle ?

Mais cette explication est insuffisante, car le platonisme est beaucoup plus riche que cette opposition, ne serait-ce que par son idée de la participation. En fait c'est moins le platonisme que la compréhension de Dieu comme nature qui est responsable de cette impasse de la théologie.

Plus récemment, l'impuissance à penser ensemble deux réalités aussi opposées a pu aboutir à une radicalisation qui exclut l'un des deux termes : ou bien Jésus est Dieu et il n'est pas vraiment un homme ou bien il est un homme et il n'est pas vraiment Dieu. De ce point de vue le dogme de l'incarnation conduit à l'athéisme par différents chemins. Tantôt on dira que l'idée d'incarnation n'a pas de sens ou qu'elle est contradictoire (Spinoza, Kojève) [276bis], tantôt on dira que l'autonomie de l'homme n'est possible que si Dieu est mort (Nietzsche et les critiques analysées par H. de Lubac dans *le Drame de l'humanisme athée*).

On remarquera cependant que tous ces schémas ne considèrent les relations entre Dieu et l'homme que sous l'angle d'un rapport entre deux sujets qui ne peuvent exister ensemble sous peine de se contredire et qui doivent se livrer une lutte sans merci jusqu'au triomphe de l'un ou de l'autre. Ce rapport de force est activé par un fantasme psychologique — celui du rapport père-fils — lorsqu'il s'agit précisément du Fils de Dieu. Que Jésus ait été homme seulement ou qu'il ait été aussi Fils de Dieu, il n'a pu exister, dans cette perspective, qu'en s'opposant ; peut-être même la notion de Fils de Dieu, comme le dira Freud, est-elle une ruse du désir de l'homme pour prendre la place du père. Mais, pour comprendre cette opposition entre Dieu et l'homme il faut faire appel à une deuxième grande période de l'histoire de la philosophie, centrée cette fois sur la subjectivité. Dans ce cadre c'est moins la souffrance du Dieu impassible qui devient impensable que son existence elle-même. En conséquence, Dieu est déclaré mort.

2. Dieu face à la subjectivité

Dans *Dieu, mystère du monde* [277], E. Jüngel a montré comment Dieu avait été déclaré « mort » parce que devenu « impensable ». Contrairement à la question chrétienne de la mort de Dieu posée par la Pâque du Christ, la question moderne s'est développée à partir du nouveau fondement de la philosophie posé dans la subjectivité (le cogito cartésien). Certes, Descartes fait encore appel à *la toute-puissance et à la véracité de Dieu* pour assurer le cogito contre le risque de tromperie,

---

276bis. A. KOJÈVE, *Histoire raisonnée de la philosophie païenne*, t. II, Gallimard, Paris, 1972, p. 358 que reprend G. MOREL, *LV*, n° 148, p. 70.

277. Cerf, Paris, 1982, traduction de : *Gott als Geheimnis der Welt. Zur Begründung der Theologie des Gekreuzigten im Streit zwischen Theismus und Atheismus*, Mohr, Tübingen, 1978³.

mais le fondement de la vérité se trouve désormais dans la réflexion du cogito sur lui-même, arrivant à la certitude par la voie du doute. Ainsi, Dieu n'a-t-il d'existence que par le *cogito* qui devient le seul être existant comme présence à soi et le seul lieu de la présence de tout être, y compris Dieu. Avec Descartes, l'être de Dieu se trouve indirectement remis en question par la façon dont il est pensé : il est décomposé entre une *essence* pensée en termes de puissance infinie et une *existence* qui n'est sûre que par le cogito. Cette décomposition entre « une essence suprême au-dessus de moi » et « son existence auprès de moi par moi » annonce la mort de Dieu qui va être affirmée au terme d'une longue réflexion philosophique à travers Kant, Fichte, Hegel, pour aboutir à Feuerbach et Nietzsche.

Kant établit une séparation entre la connaissance, articulée à l'expérience empirique, et la foi, pour mieux sauver cette dernière par la voie de la morale et de l'espérance. Fichte radicalise la critique kantienne en la rendant plus rigide : si la connaissance vise les objets finis, Dieu ne peut pas être l'objet de la connaissance puisqu'il est infini : (ce qui peut s'accorder avec Kant) et il ne peut donc pas être pensé (ce que Kant n'avait pas dit). Fichte cependant pense encore Dieu en disant qu'il n'est pas un être, mais une activité pure [278] : Dieu se révèle à moi comme une certitude, sans médiation. Hegel critiquera cette opposition entre la foi et la pensée et c'est à ce propos qu'il rappellera le mot de Pascal : « la nature est telle qu'elle marque partout un Dieu perdu et dans l'homme et hors de l'homme » [279], comme exprimant le sentiment religieux moderne sur la mort de Dieu. Cependant, Hegel reproche à ses devanciers de n'avoir pas pensé cet état de fait (de n'être pas arrivé au « Vendredi saint spéculatif ») et de ne pas aboutir à penser la réconciliation de Dieu et du néant, parce qu'ils ont limité la raison à l'entendement qui se borne au fini. Hegel veut donc rappeler que la raison doit penser l'infini dans l'histoire, non pas sous la forme de la conscience malheureuse ou du faux infini, qui oppose le fini et l'infini, mais comme pensée de l'infini qui a lui-même compris le fini et le négatif. Pour Hegel, c'est le christianisme qui s'est élevé pour la première fois à cette pensée par l'idée d'incarnation, réconciliation du fini et de l'infini, de l'homme et de Dieu, de l'universel et du particulier.

La philosophie hégélienne, en dialogue avec celle de Fichte et de Schelling trop souvent négligés, et sur le fond d'un long débat avec

---

278. *Ibid.*, p. 188 (éd. allemande).
279. *Ibid.*, p. 87. Pour comprendre cette pensée dans son contexte, on se référera dorénavant à la profonde réorganisation des *Pensées* de Pascal éditées par F. KAPLAN, Cerf, Paris, 1982 (pensée 424).

Spinoza, reste une clé fondamentale pour la compréhension des christologies modernes [280]. En effet, Hegel a repris la vieille question laissée sans réponse après Chalcédoine : comment penser l'engagement de Dieu dans l'Incarnation et la Pâque de Jésus ? En même temps, il reprenait la question de Lessing : comment la révélation de Dieu infini peut-elle dépendre d'un événement contingent ? Et il a voulu penser cet événement de façon trinitaire, donc à l'intérieur de la révélation chrétienne de Dieu, sans juxtaposer deux types de pensée hétérogènes l'une à l'autre (la tradition biblique et la pensée grecque).

Cependant, pour Jüngel, Hegel ne fait que mener à son terme la logique de la subjectivité inaugurée par Descartes. En effet, Dieu ne reste pas le faux infini en s'incarnant comme Fils qui prend sur lui le péché — affirmation de l'autonomie du fini contre l'infini (le Père) — et le « relève » en endurant la séparation et la mort puis en ressuscitant dans l'Esprit infini de la communauté chrétienne. Le lieu d'existence de Dieu reste toujours la subjectivité humaine conçue non pas individuellement mais comme Eglise. Dieu et l'homme sont tellement réconciliés dans l'Esprit qu'on ne peut plus les distinguer. Feuerbach en tirera la conclusion en demandant la réduction de la théologie à l'anthropologie. Et Nietzsche fera le constat de cette aventure philosophique : ou bien Dieu comme infini n'est pas pensable car il dépasse les capacités finies de l'homme ; ou bien, Dieu est pensé comme un être infini et dans un au-delà extérieur au devenir du monde, et dans l'idée de ce Dieu infini et fixe, valeur suprême, a pour rôle de dévaloriser ce qui fait la valeur du monde : le caractère fini et aléatoire de son devenir. Mais ce Dieu-là n'existe pas, il est sans valeur, il est mort [281].

Ainsi le christianisme s'est-il vu opposer à lui cette affirmation de la mort de Dieu qui était apparue d'abord chez lui dans une réflexion sur la Pâque de Jésus. Retirée de son lieu d'origine, l'affirmation de la mort de Dieu apparaît comme un énoncé tragique annonçant à son tour la mort de l'homme. La foi s'est vue dépossédée de son bien propre, aliénée, parce qu'elle n'avait pas pensé assez rigoureusement la cohérence de la révélation divine à partir du destin historique de Jésus. En se contentant d'une juxtaposition fausse entre déisme et révélation biblique, la foi chrétienne n'a pu opposer à sa dissolution

280. Cf. E. BRITO, « le Modèle hégélien des christologies modernes », in *Communio*, n° 2, mars 1977, pp. 84-92 (bien qu'un peu trop systématique) qui résume *Hegel et la tâche actuelle de la christologie*, Lethielleux, Paris, 1979 ; l'ouvrage collectif : *Hegel et la théologie contemporaine*, Delachaux, Neuchâtel , 1977 ; W. KERN, « Eine Wirklinie Hegels in deutscher Theologie : Christusereignis und Gesamtmenscheit », in *ZKTh* 93, 1971, pp. 1-28.
281. Cf. B. LAURET, *Schulderfahrung und Gottesfrage bei Nietzsche und Freud*, Kaiser, Munich, 1977 avec une interprétation différente sur Nietzsche.

qu'un déisme relativement vague ou un dogmatisme perçu comme arbitraire.

Cependant, là aussi, l'interprétation ne s'est pas faite à sens unique, car la philosophie elle-même a profité de la tradition chrétienne de la subjectivité telle qu'elle a pu être exprimée par un Kierkegaard et réinterprétée par des auteurs très différents aussi bien en philosophie (de Heidegger à Sartre ou G. Marcel) qu'en théologie (Bultmann et Barth en particulier). La théologie chrétienne a pu reprendre aussi la philosophie idéaliste allemande dans un sens plus biblique et critique, que ce soit Hegel (Marsch, Pannenberg, Moltmann) ou même Schelling, le maître de Kierkegaard (Kasper), grâce à la christologie. En effet, l'existence même de la personne de Jésus, homme et Dieu, semble légitimer l'approche simultanée du sujet humain et divin à partir du récit évangélique. C'est d'ailleurs pour cette raison que les christologies, à notre époque, sont devenues le lieu privilégié de la question théologique de Dieu.

Dans cette constellation le nom de Barth occupe une place privilégiée, puisque sa théologie a pu être qualifiée de « concentration christologique » (H. Urs von Balthasar) ou de « christologie consé-quente », en voulant « développer toute la portée de ce nom (Jésus-Christ) » et n'être que le « récit d'une histoire » [282]. La théologie de Barth est née en réaction contre la théologie libérale mais d'abord pour réaffirmer l'originalité de la révélation évangélique. C'est une christologie conséquente en ce sens que l'homme et Dieu sont pensés à partir du Christ : un exemple étant celui de la prédestination où Jésus-Christ est pensé comme celui qui prédestine et celui qui est prédestiné (réprouvé et sauvé). Cette théologie a pu être qualifiée, dans les pays anglo-saxons surtout, de « néo-orthodoxie » du fait qu'elle affirme le caractère absolu de la Parole de Dieu révélée, écrite et proclamée. Cependant elle peut être interprétée encore dans la ligne de la subjectivité comme cette autonomie du sujet (divin et humain) qui avait été pensée par les philosophies modernes mais qui n'est réalisée en fait que dans la personne de Jésus-Christ [283].

Nous n'avons pas à trancher ici dans les diverses interprétations de l'œuvre barthienne. Ses ambiguïtés tiennent à sa richesse même. Barth a imposé une nouvelle problématique de Dieu à partir de la personne de Jésus-Christ, mais peut-être sans aller jusqu'au bout. En effet, il développe sa doctrine de la Trinité en introduction à la dogmatique et

282. Lettre à G.C. Berkouwer du 30 décembre 1934, cité dans E. BUSCH, K. Barths Lebenslauf nach seinen Briefen und autobiographischen Texten, Munich, 1975, p. 395.

283. T. RENDTORFF, Theorie des Christentums. Historisch-theologische Studien zu seiner neuzeitlichen Verfassung, Gütersloh, 1972, pp. 161-181.

non pas à partir du destin historique de Jésus. L'un de ses interprètes les plus clairvoyants, E. Jüngel, estime donc qu'il faut poser clairement l'alternative entre deux voies :

— ou bien la théologie pense Dieu «remoto deo», c'est-à-dire à partir de ce qui n'est pas lui (le monde, l'histoire) ;
— ou bien elle s'applique à penser Dieu à partir de sa révélation en Jésus-Christ.

En apportant quelques nuances à cette opposition (pour qu'un dialogue avec d'autres sagesses soit possible), il faut reconnaître que la seconde voie est déterminante en théologie et qu'elle s'affirme dans le retour au récit biblique.

3. Le retour au récit biblique

En fait la première voie a de fortes chances de retomber dans les philosophies de la subjectivité qui pensent l'être sous la forme de la présence à soi et accèdent à la vérité par la seule certitude du cogito. Heidegger a fait remonter à Platon cette tendance de la philosophie à penser l'être comme présence et fait la critique de l'onto-théologie qui pense Dieu comme étant suprême et *causa sui*. On peut dire également que cette ontologie ou pensée de l'identité ne fait pas place à l'altérité, la véritable métaphysique passant par l'éthique et la reconnaissance de l'autre (Lévinas).

Quoi qu'il en soit de ces diverses critiques, une convergence s'établit pour constater l'échec d'une pensée philosophique ou théologique qui aurait son origine en elle-même. Et du point de vue théologique, on doit se demander si toute voie vers Dieu *remoto deo* n'aboutit pas à n'être qu'une conjecture de la subjectivité qui cherche ainsi à se rassurer elle-même et à s'assurer la maîtrise sur le monde. Dans ce cas, que l'on parte du cosmos ou de l'histoire, Dieu y est pensé d'abord comme principe, puissance suprême, avenir, etc. et non pas d'abord comme Trinité révélée dans le destin historique de Jésus. Tout au plus pourra-t-on arriver à une juxtaposition hasardeuse entre philosophie et foi.

L'autre voie ne part pas de la seule subjectivité pensante. Elle ne présuppose pas que la pensée se fonde sur elle-même, mais estime qu'elle est d'abord interprétation de ce qu'elle reçoit et de ce qui est effectué (praxis). Dans ce cas, toute argumentation s'enracine dans un *récit* qui lui donne à penser. La réhabilitation du langage symbolique et le point de départ par en bas — dans l'histoire de Jésus — de toute christologie moderne s'inscrit dans cette perspective. Mais là encore il y aurait erreur à juxtaposer un récit de la vie de Jésus et une argumentation théologique qui aurait été conçue par ailleurs. Après l'éclipse du récit dans les derniers siècles, la séparation entre théologie dogmatique et exégèse, la théologie remet en valeur le récit parce que celui-ci est une forme essentielle de la révélation en articulant foi et histoire (cf. ici-même Introduction et *Excursus III*). Il ne faut donc pas puiser ailleurs que dans le récit ce que Dieu dit de lui-même.

Cependant, cette approche comporte également des risques. Sous peine de tomber dans le fondamentalisme, elle doit encore philosopher et donner ses règles d'interprétation. Pour ne pas se présenter comme positivisme historique qui n'interpellerait guère le croyant, elle doit montrer les articulations du récit biblique dans son économie et ses genres littéraires. Le particularisme de l'histoire d'Israël et de Jésus s'ouvre alors sur un universalisme des cultures et des pensées : l'alliance ne commence pas avec Moïse, ni même avec Abraham, mais avec Noé et surtout Adam ; le peuple d'Israël n'est pas choisi pour lui-même seulement mais pour révéler, à travers son histoire, le salut universel de Dieu. C'est dire que la christologie, en tant que révélation de Dieu, doit s'ouvrir à un dialogue avec les autres religions.

NICÉE (325), PREMIER CONCILE CHRISTOLOGIQUE ET « ÉCLIPSE » DU MESSIANISME

Nicée, en 325, inaugure la série des grands conciles christologiques classiques qui s'achèveront avec Constantinople II en 681. Il a donc pour lui la force et les ambiguïtés des commencements. En effet, à la différence de Chalcédoine, plus souvent cité comme référence de l'orthodoxie christologique, mais qui n'a pas été reçu par les Eglises dites non-chalcédoniennes ou monophysites (telles que les Eglises copte, syrienne et arménienne), Nicée est bien un concile pleinement œcuménique. Sa force est donc d'avoir exprimé clairement l'*homoousion*, la nature divine de Jésus à égalité avec le Père, que tous les chrétiens reprennent désormais chaque dimanche en proclamant le credo dit de Nicée-Constantinople.

Son ambiguïté, en revanche, tient à sa situation historique : ce concile est convoqué par l'empereur Constantin, premier chef chrétien d'un empire encore largement païen. La formulation de Nicée se situe donc au point de passage entre l'univers biblique et l'univers de la culture grecque et païenne. Cette transhumance et ces échanges entre les deux ont commencé bien avant Nicée, et même en dehors du christianisme (en particulier avec les juifs d'Alexandrie), mais Nicée officialise un changement qui comporte à la fois un enrichissement — l'universalisation que voudrait apporter la pensée philosophique grecque — et une perte : une certaine éclipse du messianisme biblique.

Il vaut donc la peine de voir à la fois cette force œcuménique et cette ambiguïté, puisque Nicée a un rôle fondateur qui situe la christologie dans l'ensemble de la foi par le moyen du credo.

1. La place centrale de la christologie dans le credo

Dans le credo le plus courant, celui de Nicée-Constantinople, les chrétiens confessent d'abord leur foi en Dieu, Père et créateur, en son

Fils Jésus Christ et en l'Esprit qui vivifie l'Eglise. La foi christologique se dit donc dans un énoncé trinitaire et ecclésiologique et elle porte précisément sur deux points :

— le statut personnel de Jésus Christ, Fils du Père et Seigneur dès la création ;

— le rôle eschatologique universel qui lui est attribué après son incarnation et son destin pascal (« il viendra juger les vivants et les morts »).

Ces deux points se retrouvent dans toutes les christologies, c'est-à-dire dans toutes les explications proprement théologiques de Jésus : elles considèrent à la fois l'identité de la personne de Jésus et son rôle dans notre histoire en relation à Dieu.

Nicée ne crée pas la séparation — assez fréquente dans les christologies par en haut — entre christologie au sens étroit (considération plus ou moins métaphysique de la personne du Verbe incarné) et sotériologie. Le credo s'inspire d'une autre distinction : entre *théologie* ou doctrine de Dieu en lui-même, et *économie* ou doctrine de son intervention dans le monde, en reliant les deux par la création fondée et restaurée et donc par la médiation du monde. Lorsque le concile affirme que le Verbe s'est fait homme « pour notre salut », il n'isole pas la personne du Christ de son œuvre et situe notre salut dans le devenir du monde dans son ensemble. Ainsi, ce premier schéma de christologie œcuménique s'inscrit davantage dans une compréhension biblique de la « figure » (création-recréation) que dans une philosophie particulière. La critique actuelle d'ailleurs — aussi bien pour Nicée que pour Chalcédoine — reconnaît que les pères ont utilisé des termes philosophiques courants sans s'inféoder à une philosophie particulière. L'économie de la pensée, en effet, situe la christologie dans une doctrine de la *révélation* du Dieu unique, — Père, Fils et Esprit Saint — et aboutit à une *ecclésiologie* succincte.

Sur tous ces points, la christologie exprimée par Nicée, sans avoir voulu établir une doctrine complète et systématique du Christ, reste un modèle d'équilibre dogmatique. Et on en percevra d'autant mieux la pertinence œcuménique qu'on comparera ce modèle à ceux développés par certaines théologies postérieures qui n'accorderont plus à la christologie cette place centrale dans l'économie de la foi et développeront par exemple une doctrine spéculative de la Trinité séparée du destin historique de Jésus, poursuivant cette spéculation par une réflexion tout aussi abstraite sur les deux natures et séparant ainsi christologie et rédemption, au point de poser de manière artificielle la question des motifs de l'incarnation (le Verbe devait-il s'incarner à cause du péché ou parce que c'était dans le plan de Dieu dès la création du monde ? Cf. le débat entre thomistes et scotistes). On arrive également à une spéculation unilatérale sur les raisons de la mort de Jésus en séparant une doctrine de la rédemption centrée sur la mort salvatrice et expiatoire d'un côté, et, de l'autre, la résurrection comme simple miracle dû à la puissance divine et dont l'étude est renvoyée à la théologie apologétique. A plus forte raison avait-on perdu alors le lien entre christologie et Esprit Saint pour situer l'ecclésiologie.

Il faut donc garder à l'esprit l'équilibre de la pensée christologique de Nicée. Cependant, pas plus que celle d'autres synodes, l'intention de Nicée n'était de proposer une doctrine systématique du Christ. Le credo lui-même n'a pas cette prétention pour l'ensemble de la foi chrétienne (il ne dit rien par exemple de l'eucharistie, pourtant si essentielle à l'Eglise). L'intention de Nicée, tout en affirmant l'humanité de Jésus, était de s'opposer à la doctrine d'Arius qui refusait à Jésus la condition divine à égalité avec le Père. C'est pourquoi le mot important de Nicée est l'*homoousion* : le Verbe de même nature que le Père. Toute orthodoxie chrétienne doit passer par cette affirmation. Cependant la voie qui mène à cette proclamation n'est pas indifférente et l'ambiguïté de Nicée, consacrant d'ailleurs une évolution antérieure sur ce point, est d'avoir proclamé la divinité de Jésus comme Seigneur, sans rattacher directement celle-ci à sa messianité.

2. L'ambiguïté de Nicée : l'éclipse du messianisme

La confession de Nicée proclame sa foi en « un seul Dieu » et en « un seul Seigneur Jésus Christ, le Fils de Dieu... » (*hena kurion Ièsoun Christon*). Ainsi, le titre de *Kurios* passe avant celui de *Christ-Messie*. Il ne s'agit pas là seulement d'une question de vocabulaire ou d'un ordre secondaire entre des prédicats, mais de toute une argumentation sous-jacente qui tend à éclipser le messianisme. En effet, dans le NT, tous les principaux titres de Jésus dérivent de sa reconnaissance comme Messie à la suite de son destin pascal qui qualifie le messianisme chrétien dans sa particularité. Comme le dit fort bien J. Coppens, « le premier modèle auquel la prédication apostolique eut recours pour comprendre Jésus postpascal ne fut pas celui d'un *theios anèr* apothéosé, ni celui du prophète eschatologique, ni même celui du Fils de l'homme mais celui du Messie-Kyrios. (...) Notons ensuite que dans l'association des deux titres "Christ" et "Kyrios", la dignité de Seigneur est subordonnée à celle de Christ ; en d'autres termes *Jésus fut proclamé Seigneur en tant que Christ* [284] » (nous soulignons).

---

284. Art. « Messianisme » in *Catholicisme hier, aujourd'hui, demain*, Paris, 1980.

A Nicée, en revanche, Jésus est proclamé d'emblée *Seigneur* avant même d'avoir été présenté dans son destin terrestre et pascal. Certes, Nicée n'innove pas entièrement. Alors que le «credo romain», que l'on peut dater de la deuxième moitié du second siècle ou du début du troisième, parle encore du «*Christ* Jésus» selon la formulation grecque néotestamentaire la plus courante, d'autres credos, surtout en Orient, confessent le «*Seigneur* Jésus-Christ». Et tous donnent à Jésus les titres de Fils, Seigneur et Christ, avant d'avoir énoncé son destin pascal [285]. Nicée n'innove donc pas entièrement, mais il consacre, dans les fondations de la christologie chrétienne œcuménique, une *éclipse du messianisme* due en grande partie au passage du monde biblique à l'univers grec et païen. Car la question posée par Arius s'enracine bien dans le monde païen. Arius fait de Jésus un être intermédiaire entre Dieu et le cosmos et, ce faisant, il ramène le christianisme dans la perspective des religions païennes qui n'ont pas pris conscience de la différence radicale entre Dieu et le monde car elles ignorent la rupture eschatologique (l'inauguration du monde nouveau attendu et inauguré dans la résurrection de Jésus). Nicée affirme bien la différence eschatologique et la divinité de Jésus, — c'est là sa force ! — mais il a tendance à reporter tout le poids de l'eschatologie à la fin de l'histoire — le jugement — au détriment de son inauguration par la transformation de ce monde dans le destin terrestre de Jésus, et, ainsi, à vider le messianisme de son contenu. D'ailleurs, Nicée ne parle pas du tout du «Royaume de Dieu» annoncé par Jésus, inauguré par son destin terrestre et scellé dans sa Pâque.

On peut donc parler «d'éclipse» du messianisme. Celui-ci n'est pas renié : il y a même dans la proclamation de la divinité de Jésus une consécration et une victoire du «sensus fidelium» et de la piété populaire [286] plus attirée par le Dieu souffrant que par le Logos des philosophes. Mais cet aspect lui-même est ambigu : le messianisme biblique est comme recouvert par une autre mentalité qui se marque par un double gauchissement par rapport au judaïsme et au pouvoir politique.

D'abord par rapport au judaïsme. C'est la christologie qui sépare radicalement le christianisme du judaïsme alors que, théoriquement,

---

285. J.N.D. Kelly, *Early Christian Creeds*, Londres, 1972³, pp. 172-192.
286. Cf. Josef Ceška, «*la Base politique de l'homoousia d'Athanase*», in *Eirènè*, t. 2, 1963/3, pp. 137-154, avec une analyse plus précise et moins «idéologique» que E.Fromm, *le Dogme du Christ et autres essais*, éd. Complexe, Paris, 1975. Cf. le prosélytisme des païens auprès des femmes : «as-tu eu un fils avant d'avoir enfanté ?» (C.J. Hefele-Leclercq, *Histoire des conciles d'après les documents originaux*, t. I, Paris, 1907, l. 1, c.1, § 22.). Cf. M. Pradines, *Esprit de la Religion*, Aubier, Paris, 1941, p. 265.

l'espérance messianique leur est commune. De plus en plus dans l'histoire postérieure, on va voir s'opposer une christologie chrétienne non messianique, au sens où la christologie se bornera à affirmer abstraitement la divinité de Jésus et n'articulera plus la foi chrétienne à l'histoire, du fait qu'elle négligera le destin humain du juif Jésus et, du côté juif, un messianisme souvent estompé et tiraillé mais résolument a-christologique centré sur le peuple juif et hostile à la divinité de Jésus. Il s'agit là d'un tragique malentendu que l'on a souvent réduit à une querelle dogmatique abstraite : refus par les juifs de la divinité de Jésus à cause du rejet de sa messianité. En fait, si les juifs peuvent difficilement admettre la divinité de Jésus, la question est plus ouverte en ce qui concerne sa messianité. Le malentendu porte donc sur le messianisme. On peut se demander si l'éclipse du messianisme dans l'Eglise, ou sa réinterprétation dans un sens purement intérieur ou céleste avec réduction du salut à une théologie de la grâce, n'est pas la contrepartie du refus d'accorder un rôle au peuple juif dans l'histoire du salut après Jésus. En effet, et contrairement à ce que dit Paul, incompris sur ce point, les chrétiens sont vite arrivés à considérer l'existence de la foi juive comme anachronique, voire illégitime, après la venue de Jésus. En d'autres termes, Jésus fut proclamé Christ-Messie en un sens purement céleste pour mieux l'opposer à un messianisme juif purement terrestre et déclaré impur ou caduc comme le monde qui passe. (Cette opposition pouvant servir de couverture idéologique à une prétention d'hégémonie politico-religieuse de la chrétienté.) C'est ainsi que la théologienne catholique Rosemary Ruether a pu écrire que l'antisémitisme était « l'autre côté » ou « la main gauche » de la christologie [287]. Cette formule provocante relance la question — pressante après Auschwitz — des « racines chrétiennes de l'antisémitisme ».

Cette opposition entre « Messie sans messianisme » et « messianisme sans Messie » se retrouvera sur un plan plus général au XIXᵉ siècle quand l'Eglise de plusieurs pays en voie d'industrialisation se rendra étrangère sinon hostile aux mouvements d'émancipation politique et de justice sociale. Or, il se trouve que Nicée non seulement marque ses distances par rapport au messianisme biblique mais rompt l'un des derniers points communs entre christianisme et judaïsme : le jour de la célébration de la fête pascale. Certes les juifs avaient introduit un nouveau comput au début du IIIᵉ siècle, s'exposant ainsi à célébrer deux fois Pâques dans la même année solaire une fois tous les trois ans, au dire de leurs accusateurs, mais c'est le concile de Nicée qui, après une première décision dans ce sens au concile d'Arles (314), canon 1,

287. Cf. n. 39 et 37.

impose à toutes les Eglises une date différente de celle des juifs. Et c'est au IVe siècle que se développe l'idée de la Pâque hebdomadaire, le dimanche, puis trois ou quatre fois par semaine et même quotidienne (saint Augustin), alors que ceux qui veulent célébrer la Pâque une fois par an se voient adresser le reproche de « judaïser » ! (Jean Chrysostome, *Homélies contre les juifs*, PG 48, 867 [288]). Certes, ce n'est pas la célébration de la Pâque juive et de la Pâque chrétienne le même jour qui garantissait les meilleurs rapports entre les deux communautés. On sait même que la polémique anti-juive était la plus forte là où les deux communautés étaient les plus proches dans leur pratique liturgique, comme dans les églises syriennes à l'est d'Antioche, car il fallait marquer les différences. On eut recours en particulier à une exégèse typologique à deux niveaux : la Pâque ancienne, celle des juifs, n'est qu'une figure de la réalité, la Pâque nouvelle, celle des chrétiens (Aphraate, *Démonstration de la Pâque*, 6-8 ; 12-13) [289]. Cependant, la décision de Nicée marque une étape importante dans l'éloignement du christianisme par rapport à ses racines juives. Sans cet enracinement, il risque de perdre son identité historique et son particularisme pour revendiquer un universalisme abstrait. En même temps se développe l'énorme débat avec la gnose qui a si profondément marqué le christianisme, sa dogmatique et notamment la christologie et la pneumatologie : le Verbe et l'Esprit devenant des émanations de la divinité qui vient nous arracher à l'histoire et au monde éloigné à l'extrême de Dieu. Dans ce débat, l'hellénisation du christianisme a joué un grand rôle, quoi qu'il en soit du problème d'une gnose juive. Cette hellénisation est visible dans la première dogmatique chrétienne, celle d'Origène, particulièrement à propos du mystère pascal, puisque le théologien d'Alexandrie a développé l'idée d'une troisième Pâque [290], après l'Exode et celle de Jésus, voire après celle-ci et celle de l'Eglise : la Pâque céleste et définitive lorsque l'âme rejoindra Dieu. Le dualisme platonicien entre le sensible et l'intelligible se transpose ici en dualisme du terrestre et du céleste en éclipsant la distinction biblique entre monde ancien et monde nouveau dans l'histoire.

Le gauchissement de Nicée par rapport au messianisme se remarque aussi en regard du *pouvoir politique* au moment où la situation sociale et politique du christianisme commence à changer avec la conversion de Constantin. Or Nicée, en plaçant au premier plan le titre de Seigneur divin sans mettre en valeur le messianisme de Jésus et le Royaume de

---

288. Cité CANTALAMESSA, *op. cit.*, texte nº 104 (*PG* 48, 867).
289. *Ibid.*, XXVI et 87.
290. *Ibid.*, XXI et 67 ; textes 16 et 17 (Gnose).

Dieu déjà inauguré, donne toutes les conditions officielles requises pour fourvoyer le christianisme dans une alliance conflictuelle mais répétée avec les pouvoirs en place, alors qu'il se devait d'incarner dans l'histoire la béatitude des pauvres. Le titre de Seigneur en effet est tout aussi bien un titre divin reprenant le langage de l'AT appliqué à Dieu qu'un titre impérial. Comme le montre le développement de l'iconographie, Jésus revêt de plus en plus les attributs de l'empereur à partir du ivᵉ siècle et cela pour de longs siècles : jusqu'au ixᵉ siècle dans la liturgie et aux xiᵉ-xiiᵉ siècle dans l'art plastique occidental, la figure du Christ pantocrator et juge — souvent à peine dissocié du Père — estompera l'humanité de Jésus qui ne sera redécouverte que progressivement. Ainsi, quand le titre messianique de Jésus comme Christ, enraciné dans l'événement pascal, tend à s'estomper au profit du titre plus ambigu de Seigneur, c'est en même temps la théologie qui risque de prêter son concours à une légitimation politique ambiguë ou de se développer en spéculation métaphysique qui perd le contact avec l'histoire et la révélation de Dieu dans le destin de Jésus. Quelques siècles plus tard, la christologie au sens strict se mue en un discours abstrait concernant querelles et hérésies sur la personne ou l'hypostase et les deux natures. Michelet pouvait alors exprimer son mépris pour le christianisme théologien qui fonde le salut sur la foi seule et la grâce accordée à quelques-uns et lui opposer un Jésus prophète d'un christianisme basé sur la justice pour tous [291]. D'un côté le surnaturel et les querelles byzantines, de l'autre un message d'espérance pour l'histoire humaine. Et Renan forçait la note en écrivant dans sa *Vie de Jésus* (1863) : « Ce n'est qu'à partir du iiiᵉ siècle, quand le christianisme est tombé entre les mains de races raisonneuses, folles de dialectique et de métaphysique, que commence cette fièvre de définitions qui fait de l'histoire de l'Eglise l'histoire d'une immense controverse. » [292]

---

291. *Histoire de la Révolution française*, Chamerot, Paris, 1857 (2 vol.), cité dans J. GUÉHENNO, *l'Evangile éternel. Etude sur Michelet*, Grasset, Paris, 1927, pp. 117 s.
292. *Vie de Jésus*, Gallimard, Paris, 1972, p. 119.

Excursus III

QUEL RÉCIT ?

En insistant sur la nécessité de développer une théologie du Christ à partir du *récit biblique*, il ne s'agit pas de reprendre telles quelles en théologie des théories langagières communément reçues. Selon elles, le récit est un type de discours comprenant plus d'une proposition et qui peut se définir comme « texte référentiel à déroulement temporel » [293]. Ce texte peut se diversifier selon différents types d'intrigue. Les études langagières du récit se sont développées surtout à partir de l'analyse des contes par Propp et celle des mythes, particulièrement par Lévi-Strauss, jusqu'aux multiples recherches sémiologiques actuelles. Cet acquis reste valable pour le récit biblique. Mais, dans notre démarche, l'insistance sur le récit a une histoire et des raisons proprements théologiques.

Comme nous l'avons rappelé plus haut, le récit a été réhabilité en théologie, explicitement, après une longue « éclipse » [294], en même temps que reprenait la recherche exégétique sur le Jésus prépascal avec Käsemann. Ce dernier, après Ebeling et d'autres, mettait en garde contre une prédication du Christ qui ne serait pas mise en relation, dans la discontinuité des temps, au destin historique de Jésus. Sans la référence à ces événements, dans le récit, toute la prédication chrétienne risquerait de n'être qu'une proclamation idéologique ne servant qu'à justifier l'Eglise et non pas à la mettre, en même temps que le monde, sous le regard de la prédication de Jésus, Parole de Dieu. Cependant, il ne s'agit pas de faire du récit « la » forme fondamentale de toute théologie, en l'isolant d'autres formes littéraires ainsi qu'il a pu en être question dans différents courant de « théologie narrative » au cours des années 70 [295].

---

293. O. Ducrot et T. Todorov, *Dictionnaire encyclopédique des sciences du langage*, Seuil, Paris, 1972, pp. 387 ss. (cf. bibliographie sur le récit dans P. Beauchamp, « Théologie biblique », dans le premier tome de cette *Initiation*).

294. H.W. Frei, *The Eclipse of Biblical Narratives : A study in Eighteenth and Nineteenth Century Hermeneutics*, UP, Yale, 1974.

295. W. Heinrich, « Théologie narrative » in *Concilium*, n° 85, 1973, pp. 47-56 ; B. Wacker, *Narrative Theologie ?* Kösel, Munich, 1977. Cf. G. Baudler, *Wahrer Gott als wahrer Mensch. Entwürfe zu einer narrativen Christologie*, Munich, 1977.

Résumons donc les raisons de notre intérêt pour le récit dans cette démarche théologique, en renvoyant à d'autres endroits de cette *Initiation* pour leur explication plus détaillée.

1. A l'opposé d'une pensée qui prétend se fonder sur elle-même comme point de départ absolu, le récit rappelle à la pensée qu'elle est interprétation d'un monde et d'une pratique. Ici, bien sûr, c'est l'interprétation biblique et ecclésiale du monde qui est notre point de départ.

2. Le récit demande à être entendu. Il interpelle en articulant un passé et un avenir ; il est donc relié à toutes les dimensions du temps et à d'autres formes littéraires. En effet, contrairement à certaines formes de récit simple, le récit biblique ne se dit pas dans un temps chronologique linéaire. Que ce soit dans le temps prophétique, la mémoire et l'actualisation des événements dans le culte ou le travail incessant de rédaction et de réécriture des traditions, le temps du récit ne fait pas que rappeler le passé, mais l'actualise en faisant appel à l'intervention incessante de Dieu et à sa fidélité. Il s'adosse à des temps archétypaux du passé et du futur (le cas le plus typique étant celui de l'Exode, actualisation de la création et promesse d'une nouvelle création), fonde une *loi*, provoque l'action de grâces, etc.

3. Sous l'angle historique, le récit seul permet de narrer des événements contingents dont il permet de dire la singularité. Ainsi, il s'oppose à toute vue systématique et globale de l'histoire qui ne tiendrait pas compte de l'échec et des laissés pour compte du passé. W. Benjamin a parlé « d'histoire de la souffrance » [296], selon une expression qui a d'abord été appliquée au peuple juif et qui est souvent reprise, notamment dans les diverses théologies de la libération, pour valoriser l'histoire à partir de celles et ceux qui luttent pour une vie meilleure. C'est ainsi que Metz a parlé de « mémoire libératrice » [297], car le récit s'articule à la grande aventure des temps modernes : l'émancipation. Et celle-ci recoupe le messianisme dont elle a sécularisé certains aspects et simplifié à l'excès les données (notamment dans l'occultation du péché et de la rédemption).

---

296. B. WACKER, *op. cit.,* pp. 24 ss.
297. J.B. METZ, *Befreiendes Gedächtnis Jesu Christi*, M. Grünewald, Mayence, 1970 et « la Mémoire de la souffrance, facteur d'avenir », in *Concilium* n° 76, 1972, pp. 9-25.

BIBLIOGRAPHIE

Cette orientation bibliographique ne reprend pas tous les titres qui sont déjà cités dans le texte précédent où ils trouvent leur explication. On indiquera ici quelques ouvrages de christologie dogmatique ou d'explication de sa démarche. Pour les christologies scripturaires et patristiques nous renvoyons aux bibliographies précédentes.

I. DICTIONNAIRES ET ENCYCLOPÉDIES

1. *Dictionnaire de théologie catholique (DTC)*

Pas d'article « christologie », mais trois articles principaux : « hypostatique (union) », « Incarnation » et « Jésus-Christ » par A. Michel : tomes VII, 1 (1922) ; VII, 2 (1923) et VIII, 1 (1924).

Exposé classique de théologie post-scolastique qui divise le traité du Verbe Incarné en deux parties : christologie et sotériologie, comme on peut le voir d'après le plan expliqué à « Incarnation ». Le *DTC* donne de nombreux autres exposés de christologie historique selon les auteurs concernés (cf. Tables).

2. *Die Religion in Geschichte und Gegenwart (RGG)*

La grande encyclopédie théologique protestante de langue allemande qu'il est intéressant de comparer entre ses différentes éditions :
1. Tübingen, 1909-1913.
2. 1927-1932.
3. 1956 ss.

3. *Lexikon für Theologie und Kirche (LThK)*

La grande encyclopédie de théologie catholique de langue allemande, commencée avant le Concile Vatican II, mais qui bénéficie ici du renouveau christologique catholique. Entre autres, art. « Christologie » (t. II, 1958) et « Jesus Christus » (t. V, 1960). Voir les tables.

4. *Realenzyklopädie für protestantische Theologie und Kirche (RE)*, 3e éd.

Leipzig, 1896-1913 : pour comparaison (à noter l'article de M. Kähler :

séparation entre christologie et sotériologie, mais christologie ancrée dans
une messianologie).

5. *Encyclopædia Universalis*

Vol. 4 (1960), art. « Christologie » par B. Rey et renvoi à beaucoup d'autres
articles intéressant la christologie.

6. *Dizionario Teologico Interdisciplinare*, 3 vol., Marietti, Turin, 1977. Art.
« Cristologia », « Predestinazione di Cristo », « Redenzione », « Incarnazione ».

II. HISTOIRE DES CHRISTOLOGIES

L'histoire des christologies est inséparable de l'histoire des représentations
de Jésus, non pas traitées isolément, mais comprises dans une histoire plus
vaste, en particulier celle de l'Eglise et des différents groupes religieux en leur
milieu social et historique (liturgie, théologie, art, milieux divers, concur-
rences, etc.). C'est le projet d'une nouvelle collection à paraître aux éd. du
Cerf sur une histoire suivie de « Jésus depuis Jésus » sans se limiter à
l'Occident (cf. par exemple les éléments donnés par G. Duby, *le Temps des
cathédrales*, Gallimard, Paris, 1978).
En ce qui concerne l'histoire des christologies proprement dites :

1. Les histoires des dogmes

Voir les différents ouvrages d'histoire des dogmes qui reprennent le contenu
des discours christologiques des grandes théologies. Cf. bibliographie dans
Y. CONGAR, « Théologie historique » (tome I de cette *Initiation*).

2. Sur le passage de la patristique à la scolastique

A. GRILLMEIER, *Mit ihm und in ihm. Christologische Forschungen und
Perspektiven*, Fribourg, 1975 : *Vom Symbolum zur Summa. Zum theologischen Verhältnis von Patristik und Scholastik* (pp. 585-636) et *Fulgentia von
Ruspe « De Fide ad Petrum » und die Summa Sententiarum* (pp. 637-679). (En
français, *Du Symbolum à la Somme. Eglise et Tradition*, X. Mappus, Le Puy,
1963, pp. 105-156.)
J. MEYENDORFF, *le Christ dans la théologie byzantine*, Cerf, Paris, 1969. Un
ouvrage à recommander pour comprendre les enjeux théologiques des
premiers grands débats christologiques.
ID., *Das Konzil von Chalkedon. Geschichte und Gegenwart*, Echter Verlag,
Wurtzbourg, 3 vol., 1951-1954. Quelques articles en français dans cet
ouvrage collectif qui marque le renouveau de la christologie catholique à
l'occasion du quinzième centenaire du Concile de Chalcédoine.

3. Période post-scolastique et moderne

(Cf. les remarques de P. EICHER, *la Théologie comme science pratique*, Cerf, Paris, 1982, sur cette période.)

M. LIENHARD, *Luther témoin de Jésus-Christ. Les étapes et les thèmes de la christologie du réformateur*, Cerf, Paris, 1973.

Sur l'évolution à partir de la scolastique protestante :

U. GERBER, *Christologische Entwürfe*, EVZ, Zurich, 1970.
H. DEMBOWSKI, *Einführung in die Christologie mit einem Beitrag* von W. BREUNING, Darmstadt, 1976 (Breuning donne un point de vue catholique).

Sur un exposé encore très scolastique de la christologie :

L. CHOPIN, *le Verbe incarné et rédempteur*, Desclée, Paris, 1963.

Sur l'évolution récente avant et après le Concile Vatican II (1962-1965) :

R. LACHENSCHMID, « Christologie et sotériologie », in *Bilan de la théologie au xxᵉ siècle*, Casterman, Tournai-Paris, 1971, t. II, pp. 309-344.
D. WIEDERKEHR, « Konfrontationen und Integrationen der Christologie », in *Theologische Berichte* II. *Zur neueren christologischen Diskussion*, Benzinger, 1973 (assez systématique).
Das Konzil von Chalkedon (cf. *supra*).
Problèmes actuels de christologie, Paris-Bruges, 1964.

III. CHRISTOLOGIES PROPREMENT DITES

On tiendra compte du fait que le développement de la publication d'ouvrages de christologie s'inscrit dans une période relativement courte et récente (surtout à partir des années 60). La christologie peut aussi être traitée à l'intérieur d'une dogmatique plus vaste, soit en dépendance de principes développés ailleurs, (par exemple une théologie de la révélation) soit comme le centre organisateur de toute la dogmatique : c'est le cas notamment de Barth. C'est pourquoi nous parlerons d'abord de christologies situées à l'intérieur d'une dogmatique, avant de mentionner des ouvrages de christologie proprement dite même si ceux-ci s'articulent à toute une dogmatique (Bouyer, Ebeling, Kasper, Rahner, Molmann...).

Par ailleurs, nous signalerons à part ces « christologies locales », qui s'inscrivent plus nettement dans la vie d'une Eglise locale par opposition aux christologies de type universitaire mentionnées plus haut : c'est le cas des théologies dites de la libération et des « théologies du tiers monde » qui veulent davantage partir de la pratique des communautés locales dans une situation historique particulière réfléchie pour elle-même. Les oppositions entre ces deux types de théologie sont à nuancer, car, d'une part, bien des théologiens du tiers monde ont été formés par des théologies universitaires, et, d'autre part, les théologiens européens réfléchissent de plus en plus sur les conditions sociales de leur théologie et la situation historique de leurs Eglises. Mais on peut penser que les christologies pourront se diversifier de plus en plus au fur et à mesure que l'on tiendra compte des diverses anthropologies sous-jacentes (par exemple en Afrique).

A) CHRISTOLOGIES UNIVERSITAIRES

A l'intérieur d'une Dogmatique

1. K. BARTH, *Dogmatique* (surtout IV, 1-2), Labor et Fides, Genève, 1953-1970. (Cf. H. BOUILLARD, *Karl Barth,* 3 vol., Aubier, Paris, 1957. Cet ouvrage constitue en même temps une bonne introduction à l'histoire de la théologie protestante moderne.)

2. H. URS von BALTHASAR, *la Gloire et la Croix. Aspects esthétiques de la Révélation,* Aubier, Paris, 1965 ss.; ID., *le Mystère pascal* (cf. *Mysterium salutis,* vol. 12. Maintenant : *Pâques le Mystère,* Cerf, Paris, 1982). Comme chez Barth, il y a ici une recentration du mystère chrétien sur la christologie. (Cf. A. PEELMAN, *H. Urs von Balthasar et la théologie de l'histoire,* P. Lang, Berne, 1978.)

3. *Mysterium salutis. Dogmatique de l'histoire du salut,* t. III, *l'Evénement Jésus Christ,* vol. 9 à 13, Cerf, Paris :
   9. *les préparations de l'événement Jésus Christ,* 1973.
   10. *la Christologie dans le NT et le dogme,* 1974.
   11. *Christologie et Vie du Christ,* 1975.
   12. *le Mystère pascal,* 1972.
   13. *le Déploiement de l'événement Jésus Christ,* 1971. *Mysterium salutis. Ergänzungsband,* Benzinger, Zürich, 1981, pp. 220-250.
   Cette dogmatique, œuvre de plusieurs auteurs, n'a pas l'unité des autres œuvres mais elle offre d'excellentes contributions (en particulier les vol. 10, 11 («les Mystères du Christ») et 12.

Christologies proprement dites

1. D. BONHŒFFER, *Qui est et qui était Jésus-Christ ? Son histoire et son mystère,* Cerf, Paris, 1980 (à partir de notes de cours des étudiants). (Cf. A. DUMAS, *Une théologie de la réalité. D. Bonhoeffer,* Labor et Fides, Genève, 1968 ; A. GELLAS, «Una cristologia a partire della "presenza" di Gesù Cristo, Le Lezioni del 1933 di D. Bonhoeffer», in *Cristianesimo nella storia,* I, 1980, 459-463.

2. L. BOUYER, *le Fils éternel. Théologie de la Parole de Dieu et Christologie,* Cerf, 1974 (s'insère dans toute une dogmatique en plusieurs volumes).

3. O.G. de CARDEDAL, *Jesús de Nazaret. Aproximación a la Cristología,* BAC, Madrid, 1975. Avec une approche génétique-descriptive de l'élaboration christologique et une approche systématique de la relation du croyant au Christ en privilégiant dans sa construction la catégorie de la «rencontre». Beaucoup d'informations mais arrangement assez libre.

4. CH. Duquoc, *Christologie. Essai dogmatique,* Cerf, Paris : I. *l'homme Jésus,* 1968 ; II. *le Messie,* 1972.

Ces deux parties sont écrites sous des horizons différents : la première, en dialogue avec les théologies américaines de la « mort de Dieu » ; la seconde, plus centrée sur le dialogue avec les théologies européennes. (Cf. I. BERTEN, « Une christologie dogmatique », in *NRT*, t. 90, 1968, pp. 976-981 ; B. SESBOÜÉ, *RSR*, t. 61, 1973, pp. 427-433).

5. G. EBELING, *Dogmatik des christlichen Glaubens*, t. II. *Der Glaube an Gott den Versöhner der Welt*, Tübingen, 1979. Christologie très personnelle (délaissant les références), insistant sur la prière pour parler à Dieu, sujet de cette Dogmatique, le monde étant objet de l'action divine. Relie christologie ascendante et descendante dans une interprétation existentielle.

6. B. FORTE, *Gesù di Nazaret, storia di Dio, Dio della storia. Saggio di una christologia comme storia*, ed. Paoline, Roma, 1981 (trad. fr. à paraître). Exposé à la fois très clair et bien documenté pour une initiation à une christologie pour aujourd'hui. Se situe dans la tradition historique italienne de Thomas d'Aquin, Joachim de Fiore, Vico, Croce.

7. E. JÜNGEL, *Dieu, mystère du monde*, Cerf, Paris, 1982. Approfondissant les intuitions de Barth quant à une vision proprement christologique de la théologie, mais en dialogue avec une analyse très pénétrante de la philosophie moderne, marque un renouveau de la réflexion christologique et théologique actuelle. (Cf. Ch. DUQUOC, « les Conditions d'une pensée de Dieu selon E. Jüngel », in *RSPT*, n° 65, 1981, p. 417-431.)

8. W. KASPER, *Jésus le Christ*, Cerf, Paris, 1976. Se situant à l'intérieur de l'école de Tübingen et en continuation de l'œuvre de K. Adam, solide exposé christologique ; sera articulé à une Dogmatique en cours de parution.

9. K. KÜNG, *Etre chrétien*, Seuil, Paris, 1978. La christologie est située ici à l'intérieur d'une présentation du christianisme dans le cadre des autres religions et pour un large public. Cet ouvrage a donné lieu à controverses et mises en garde épiscopales en particulier sur la façon dont est présentée la divinité de Jésus et sur la méthode plus historique parfois que théologique, au sens où les résultats de la méthode historico-critique ne sont pas toujours mis en perspective à l'intérieur d'une tradition de foi essentielle à la vie de l'Eglise. Présentation très vivante. (Cf. J.-R. ARMOGATHE (éd.), *Comment être chrétien ?* DDB, Paris, 1979 (notamment avec des contributions de Kasper et Rahner.)

10. J. MOLTMANN, *le Dieu crucifié. La croix du Christ, fondement et critique de la théologie moderne*, Cerf-Mame, Paris, 1974. A contribué à recentrer la christologie sur la croix en provoquant une vaste discussion : compréhension de la croix et révélation de Dieu, dialogue avec les autres religions, histoire de la souffrance, etc. (Cf. J.-C. BASSET, « Croix et Dialogue des religions », in *Rev. hist. phil. rel.*, t. 56, 1976, pp. 545-558 ; A. BLANCY, « le Dieu crucifié de J. Moltmann », in *Et. th. et rel.*, t. 50, 1975, pp. 3, 321-335) ; M. WELKER, Diskussion über J. Moltmanns Buch « Der gekreuzigte Gott », Munich, 1979.

11. W. PANNENBERG, *Esquisse d'une christologie*, Cerf, 1971. Une œuvre maîtresse, plusieurs fois rééditée et révisée, comprenant la théologie à l'intérieur de la révélation comme histoire. (Cf. I. BERTEN, « Bulletin de théologie protestante », *RSPT*, t. 55, 1970, pp. 154-165.)

12. K. RAHNER, et W. THÜSING, *Christologie — systematisch und exegetisch*.

Arbeitsgrundlagen für eine interdisziplinäre Vorlesung, Herder, Fribourg, 1972.
Travail interdisciplinaire avec un exégète. On se rappellera que la christologie de Rahner a beaucoup évolué au cours de sa longue carrière théologique et systématique. (Cf. B. SESBOÜÉ, *RSR*, t. 61, 1973, pp. 438-447.)

13. E. SCHILLEBEECKX, *Jezus, het verhaal van een levende*, Bloemendal, 1974. Trad. all. *Jesus. Die Geschichte von einem Lebendem*, Herder, 1975 (existe aussi en anglais : *Jesus : An Experiment in Christology*, A Crossroad book, New York, 1979. Il existe aussi une représentation un peu différente et très courte en français : *Expérience humaine et foi en Jésus-Christ*, éd. française conçue et présentée par J. Doré, Cerf, Paris, 1981. (Cf. B. LAURET, «Bulletin de Christologie», in *RSPT*, t. 61, 1977, pp. 596-604). L'ouvrage sur Jésus est suivi de *Christus und die Christen : die Geschichte einer neuen Lebenspraxis*, Herder, Fribourg, 1977.

14. P. SCHOONENBERG, *Il est le Dieu des hommes*, Cerf, Paris, 1973. Cet essai, qui date de 1959, est l'un des premiers du côté catholique à vouloir renverser le schéma chalcédonien précisé par Léonce de Byzance en cherchant à partir de la personne humaine de Jésus et non de la personne du Verbe donnant à l'humanité de Jésus d'être personne.

N.B. — A. SCHILSON et W. KASPER, *Théologiens du Christ aujourd'hui*, Desclée, Paris, 1978.
Présentation des principales christologies d'une manière quelque peu systématique, mais utile.

B) CHRISTOLOGIES LOCALES

1. L. BOFF, *Jésus-Christ libérateur. Essai de christologie critique*, Cerf, Paris, 1974.
Bien que de références et de facture assez classiques et européennes surtout (l'auteur est un très bon connaisseur de la philosophie et de la théologie allemande), c'est le premier essai de christologie en fonction de la situation de l'Eglise brésilienne.

2. J. SOBRINO, *Cristología desde América Latina (Esbozo a partir del seguiliento del Jesús histórico*, Ediciones CRT, Mexico, 1977². (Trad. angl. *Christology at The Crossroads. A Latin American Approach*, Mary Knoll Orbis books, New York, 1978).
Plus engagé que le précédent, ce livre est aussi plus systématique dans son approche «par en bas» pour ne pas séparer christologie et action libératrice des chrétiens dans l'histoire de la souffrance.

3. H. CONE, *God of The Oppressed*, Seabury Press, New York, 1975.
Ce n'est pas directement une christologie, mais présente un Jésus noir et un Dieu noir en opposition à la théologie des blancs oppresseurs aux USA. (Cf. chap. VI : «Who Is Jesus Christ for Us to-day». (Cf. B. CHENU, *Dieu est noir*, Centurion, Paris, 1977.)

4. S.P.M. SIDIBE, *la Rencontre de Jésus-Christ en milieu bambara*, Beauchesne, Paris, 1978.
Ce n'est pas non plus une christologie, mais indique les voies de recherche d'une christologie en lien avec une anthropologie qui a sa cohérence propre. (Cf. A. SHORTER, *Théologie chrétienne africaine. Adaptation ou Incarnation?* Cerf, Paris, 1980.)

5. De nombreux essais de théologie en dialogue avec l'hindouïsme, le bouddhisme, la Chine, l'Islam, etc., sont à prendre en considération ici. Par exemple, Jean Sangbae Rɪ, *Confucius et Jésus-Christ*. La première théologie en Corée d'après l'œuvre de Ji-Piek lettré confucéen 1754-1784, Beauchesne, Paris, 1979.

C) Vers la catéchèse

B. Rey, *Jésus-Christ chemin de notre foi*, Cerf, Paris, 1981.
Ouvrage un peu différent des autres christologies par l'auditoire plus large visé, le souci pédagogique et l'implication personnelle de l'auteur. De ce fait, ce livre permet de mieux saisir comment chaque chrétien doit lui-même se construire son propre itinéraire, sur la base de l'Ecriture, pour reconnaître personnellement Jésus comme Christ.

Dire Jésus Christ, Un itinéraire de foi. Une parole qui naît dans l'Eglise. Une figure historique qui interroge encore (ouvrage collectif à destination de la catéchèse), DDB/CNER, Paris, 1979.

J. Doré et collaborateurs, *Jésus le Christ et les chrétiens*. Théologiens, pasteurs et témoins dans l'annonce de Jésus-Christ, Desclée, Paris, 1981 (dossier de travail pour faire le lien entre théologie, catéchèse et prédication).

Jésus aujourd'hui, Historiens et exégètes à Radio-Canada. Interviews révisées par les auteurs et éditées par G. Langevin, 3 vol., Bellarmin, Montréal, 1980.

C. PNEUMATOLOGIE

I. L'ESPRIT DE DIEU DANS LES ÉCRITURES

par MAX-ALAIN CHEVALLIER

Signalons avant toute étude plus précise deux points déconcertants pour les intelligences occidentales modernes, l'un touchant au vocabulaire et l'autre à l'identité même de l'Esprit de Dieu. Tout d'abord, quand nous disons esprit, nous ne ressentons plus aujourd'hui la même chose que les Hébreux ou les Grecs anciens. Pour eux, l'esprit désignait avant tout le souffle du vent (Es 32, 2. Jn 3, 8) ou le souffle des narines et de la bouche (Ps 135, 17 ; Mt 27, 50 ; cf. Jn 20, 22). Si bien que l'homme biblique ressentait l'esprit comme une puissance invisible certes, mais concrète, perceptible et efficace. Par ailleurs, l'AT et le NT connaissent d'autres esprits que l'Esprit de Dieu. Le même mot désigne aussi l'esprit de l'homme (Gn 41, 8 ; Mc 2, 8) et les esprits, forces invisibles souvent mauvaises (1 R 22,

20-23 ; Mt 12, 43-45). L'Esprit de Dieu ne se distingue pas avec une certitude insuffisante de l'esprit de l'homme, ou même des esprits mauvais, par les modalités sensibles de l'inspiration ; seule est décisive l'identité de celui qui inspire. Il conviendra donc de discerner les esprits (1 Co 12, 10 ; 1 Jn 4, 1-13).

CHAPITRE PREMIER

L'Ancien Testament hébreu

Tout à l'origine, dans les langues sémitiques, le mot que nous traduisons par esprit, en hébreu *ruah*, signifiait « l'air ou l'espace aéré » (Cazelles) ressenti par l'homme comme un milieu indispensable à sa vie, que ce soit sous son aspect spatial, en tant qu'espace vital (et de là dérivent diverses expressions concernant les conditions de l'existence humaine, comme Jb 7, 11 ; Qo 7, 8) ou que ce soit sous son aspect sensible, souffle (Ps 104, 29) ou vent (Ps 78, 26), voire tempête (1 R 9, 11). Ces acceptions du mot subsisteront à travers toutes les générations de l'AT.

1. Aperçu historique

L'identité du Dieu d'Israël va donner à la notion commune de *ruah* son originalité.

Les textes antérieurs au prophétisme, tels que les parties yahvistes du Pentateuque, affirment que le vent porteur de vie (de pluie !) ou de mort est l'instrument de Yahvé (Ex 10, 19 ; 14, 21), ce qui surmonte le panthéisme. Mais ces textes connaissent déjà par ailleurs l'expression « la *ruah* de Yahvé », désignant la puissance de vie communiquée pour un temps à tout homme (Gn 6, 3) ; ainsi Dieu lui-même intervient dans la création, sans intermédiaire et sans cesser d'être Dieu.

L'histoire ultérieure de la notion n'est pas facile à préciser. Avant l'époque royale, la *ruah* de Yahvé est présentée comme animant momentanément, d'une part ceux que Dieu a choisis pour être les héros de son action en faveur du peuple (par exemple Jg 3, 10 ; 14, 6), d'autre part les prophètes (*nebiim*) qui, comme dans les civilisations voisines, se caractérisent alors par un état de transe assorti de manifestations diverses dans lequel ils peuvent entrer (1 S 10, 10-12, etc.). Une tradition bien postérieure insérée dans le livre des Nombres cite Moïse comme caution d'un prophétisme de ce genre (11, 16-17.24-30).

A l'époque royale se fait jour l'idée que le roi bénéficie, comme ses prédécesseurs les juges mais cette fois de façon stable, du don de la *ruah* en raison même de son onction (1 S 16, 13). Le thème sera repris par Esaïe dans un oracle décisif qui l'applique au futur héritier de David : « l'Esprit de Yahvé » permettra à ce roi de l'avenir d'établir un gouvernement juste dans la paix (Es 11, 1-9). Le grand anonyme de l'Exil transposera la promesse au profit de son héros, le mystérieux Serviteur (Es 42, 1). Et l'auteur des derniers chapitres du même recueil proclamera à son tour une certitude semblable en nommant cette fois le Messie (Es 59, 21 ; 61, 1).

Dans le désarroi de l'Exil, Ezéchiel renoue avec un autre thème qui paraissait quasi abandonné. En effet, les grands prophètes prédicateurs qui l'avaient précédé aux VIII et VII siècles, tels Amos, Osée, Esaïe et Jérémie, n'avaient apparemment pas lié leurs oracles à l'inspiration par la *ruah* de Yahvé. Mais Ezéchiel se sent mû par cette puissance (2, 2, voir la note *TOB*). Et l'idée que toute prophétie-prédication relève de la *ruah* va s'imposer (Ne 9, 30 ; Za 7, 12). Ce que la réinterprétation sacerdotale de l'histoire d'Israël élargit, par-delà les prophètes (2 Ch 15, 1), aux prêtres et aux lévites (2 Ch 24, 20 ; Esd 1, 5), et même aux artisans du sanctuaire (Ex 31, 3).

Ezéchiel lance aussi avec force un autre thème capital, la promesse qu'un jour viendra où le peuple tout entier sera renouvelé par l'Esprit de Yahvé (Ez 36, 26-27 ; 37, 1-14 ; 39, 29 ; cf. 11, 19 ; 18, 31). Des expressions disparates de la même espérance se trouvent en Nb 11, 29 ; Es 44, 1-5 ; Jl 3, 1-2).

Quant à la formule composée « l'Esprit de sainteté », elle n'apparaît dans l'AT que tardivement et seulement dans deux passages : deux fois dans Es 63, 10-11 et dans Ps 51, 13.

2. Traits caractéristiques

Ainsi la *ruah* de Yahvé est perçue dans l'AT selon trois modalités :

— comme une expérience existentielle que l'on peut faire, car le Dieu d'Israël a choisi de se révéler dans le vécu des hommes ; sa *ruah* est à l'œuvre de façon perceptible comme puissance de vie animant toute créature et aussi comme force suscitant la transe des inspirés ;

— comme une puissance secrète que peut discerner la foi : dans les actions décisives des héros de Dieu, dans les paroles des prophètes prédicateurs, dans l'intelligence et le savoir-faire des artisans du Temple ;

— comme une promesse merveilleuse : un jour viendra le Messie comblé de l'Esprit, viendra aussi une effusion générale sur le peuple.

Dans toutes ces interventions la *ruah* ne cesse pas d'être « le souffle de Yahvé », toujours venant de lui, jamais force autonome. Sa présence, même lorsqu'elle est sensible, voire spectaculaire, est mystérieuse ; elle reste souvent cachée. Ainsi Dieu agit par son Esprit au cœur de l'humanité sans cesser d'être transcendant.

On observera que nos trois dernières phrases peuvent s'appliquer point par point à l'autre moyen par lequel Dieu intervient dans le monde, qui est sa Parole. Esprit et Parole de Dieu ne se concurrencent pas, mais se relaient ou s'associent, comme dans le cas des prophètes.

CHAPITRE II

Période intertestamentaire

1. L'hellénisation du judaïsme

a) La culture hellénistique

Les conquêtes d'Alexandre (mort en 323) ont fait entrer la Palestine dans la zone d'influence grecque. Beaucoup plus intéressés que les Hébreux aux interprétations scientifiques, les Grecs païens donnent un rôle à l'esprit (*pneuma*) pour expliquer la vie dans la nature ; c'est, disent-ils, une sorte d'air subtil qui pénètre et anime tout. Les stoïciens donneront à ce thème une portée métaphysique (*anima mundi*). Mais c'est surtout dans le domaine anthropologique que les Grecs ont une représentation différente des Hébreux. Pour ces derniers, l'homme est un et l'esprit n'est qu'un aspect pour ainsi dire qualitatif de son être, à côté de la chair et de la vitalité. Pour les Grecs, l'esprit est associé au corps, mais il en est distinct et s'en échappe à la mort.

Les Grecs rejoignent en revanche les Hébreux dans leur interprétation des phénomènes d'exaltation physique ou psychique ; on y voit l'irruption d'un esprit divin (Apollon, Dionysos). Platon s'est intéressé à l'enthousiasme de la Pythie comme modèle de l'inspiration des poètes.

La différence profonde est qu'en Israël, tout est toujours référé à l'action du Dieu unique de l'histoire, qui poursuit un dessein de salut.

b) Le judaïsme de langue grecque

Dès le IIIᵉ siècle avant notre ère l'AT fut traduit en grec ; dans la substitution de *pneuma* à *ruah*, le contexte garantit en général suffisamment la fidélité au sens premier. Mais dans les livres supplémentaires rédigés directement en grec, les conceptions hellénistiques s'introduisirent. Ainsi dans *la Sagesse de Salomon*, la sagesse est identifiée à l'Esprit saint donné par Dieu ; malgré « la pesanteur du corps », l'homme connaît grâce à cet esprit de sagesse la volonté divine (9, 13-18). Philon d'Alexandrie, contemporain de Jésus, intègre librement dans ses commentaires allégoriques de l'Ecriture les points de vue stoïciens sur « l'esprit divin » communiqué à tout homme ; il utilise Platon pour interpréter l'inspiration des prophètes.

2. Le judaïsme de culture sémitique

Quoique de langue hébraïque ou araméenne, ce judaïsme n'échappe pas à l'influence hellénistique. Chez les rabbins, le dualisme anthropologique s'introduit, de même que dans la littérature pseudépigraphique (IV Esdras, Hénoch éth.).

Par ailleurs, on assiste à la généralisation de l'expression « l'Esprit de sainteté ». La signification précise en reste controversée. Les uns pensent que c'est une façon de désigner l'Esprit « de Dieu » sans prononcer le nom vénéré, les autres assurent que c'est seulement une tournure sémitique à valeur adjective et qui est bien traduite, dans le grec du NT, par Esprit « saint ».

Surtout, les rabbins, comme aussi les pseudépigraphes, idéalisent le passé en attribuant l'Esprit de prophétie à tous les personnages tant soit peu marquants de l'histoire d'Israël. Les Targoums, version araméenne parfois paraphrasée des Ecritures, transcrivent le mot Esprit par l'expression Esprit de prophétie, même à contretemps. Dans le présent, on déplore l'extinction de tout prophétisme « depuis la mort d'Aggée, Zacharie et Malachie ». Du coup, on reporte toute l'attention sur l'Ecriture, dont on introduit souvent les citations par la formule « l'Esprit de sainteté a dit ». Pour l'avenir enfin, on attend une effusion de l'Esprit sur le peuple entier, en se référant à Ez 36, 26-27 et aussi à Jl 3, 1-2. Quant au Messie, les rabbins n'en parlent pas, mais les pseudépigraphes le voient abondamment doté de l'Esprit, conformément à Es 11, 1 ss. : Ps. Sal. 17, 42 ; 18, 8 ; Hén. éth. 49, 3 ; 62, 2. Deux passages introduisent même l'idée tout à fait neuve que le Messie répandra lui-même l'Esprit sur les fidèles, mais l'ancienneté de ces textes est très discutée (Test. Lévi 18, 11 ; Test. Juda 24, 2).

3. Le judaïsme sectaire de Qumrân

La littérature de la secte des bords de la mer Morte fait à l'Esprit une place importante, mais il n'est pas facile de préciser toujours les représentations qu'elle en donne. Ce qui est clair et tout à fait original, c'est que les membres de la communauté, à la différence du judaïsme orthodoxe, sont assurés de la présence actuelle de « l'Esprit de sainteté» dans le cœur des fidèles; il y suscite la piété (et non la prophétie) : 1 QH 7, 6-7 ; 12, 11-12, etc. Il y a là sans doute une façon de s'approprier comme réalisées les promesses eschatologiques de l'AT. Pourtant, deux esprits luttent encore dans le cœur de l'homme, l'esprit de vérité et l'esprit de perversion, appelés aussi esprit de lumière et esprit de ténèbre (1 QS 3, 13 à 4 fin) et il n'est pas évident qu'il faille identifier sans autre esprit de vérité et Esprit de sainteté. On attend en tout cas que ce dernier intervienne pour une purification finale (1 QS 4, 20-22).

4. Bilan intertestamentaire

A l'orée de l'ère chrétienne, même si les traditions de l'AT sur l'Esprit sont fort diversement valorisées selon les milieux, et même si les influences hellénistiques modifient parfois les perspectives, la référence aux Ecritures reste capitale pour tout le judaïsme. Avec la conscience d'être inséré dans une histoire menée par Dieu, tout prédicateur ou tout commentateur pourra puiser dans ce trésor des choses anciennes et des choses nouvelles (Mt 13, 52).

CHAPITRE III

Les évangiles
synoptiques

Il arrive que le terme *pneuma* se rencontre dans les évangiles synoptiques dans le sens de souffle vital (Mt 27, 50 à rapprocher de Mc 15, 37; dans Lc 8, 55; 23, 46 certains croient détecter une anthropologie dualiste avec immortalité de l'esprit). Plus souvent *pneuma* est une désignation des démons (Mc 6, 7; Mt 10, 1; 12, 43-45, etc.). Le sens de fantôme, connu de l'AT et des rabbins, est rare : Lc 24, 37.39. Assez fréquemment le *pneuma* est un équivalent du cœur, au sens biblique, c'est-à-dire conscience intelligente de l'homme (Mc 2, 8; 8, 12; Lc 1, 47; qu'en est-il de Lc 1, 80?). C'est le sens le plus probable en Mt 5, 3 : «Bienheureux ceux qui ont un esprit (c'est-à-dire une conscience) de pauvre», comme Ps 34, 19 et 1 QM 14, 7. Mais nous concentrerons notre attention sur les passages où il s'agit de l'Esprit de Dieu.

1. La tradition Mt-Lc sur la naissance de Jésus (Mt 1, 18 et 20; Lc 1, 35)

Mt et Lc nous rapportent que «l'Esprit saint» est à l'origine de l'existence humaine de Jésus. Chacun exprime ce point dans son style propre, Mt didactique, Lc narratif.

Mt explique d'abord à son lecteur, puis un ange explique à Joseph le rôle décisif de l'Esprit dans l'engendrement de Jésus. La formule est deux fois la même : *ék pneumatos hagiou. Ék* indique l'origine ou la cause, non la manière. L'ange fait remonter l'origine humaine de Jésus à une intervention de Dieu, sans donner de place au comment. Le contexte (1, 1.6.16-18.20) conduit à comprendre cette indication comme une façon d'éclairer l'insertion de Jésus dans la lignée davidique.

Chez *Lc*, la mention de l'Esprit saint est aussi faite par un ange, mais cette fois à l'adresse de Marie et en réponse à un «comment?». Il est frappant cependant qu'à un problème que nous dirions sexuel, l'ange réponde par un distique dans le style des oracles et renvoie à une intervention mystérieuse du Très-Haut. De plus il détourne aussitôt l'attention vers un « c'est pourquoi » : l'intervention de l'Esprit saint va qualifier l'enfant comme Fils de Dieu, anticipation de ce qui sera proclamé publiquement au baptême. L'intérêt est essentiellement christologique.

Ni chez Mt ni chez Lc le rôle de l'Esprit ne peut être assimilé au rôle paternel que tiennent les dieux dans les mythologies. Il est la puissance de Dieu suscitant et qualifiant le Messie (Esprit créateur de vie et Esprit d'Es 11, 1-2), pour couronner la série des naissances miraculeuses de l'AT, d'Isaac à Jean-Baptiste.

2. L'action du Messie selon Jean-Baptiste (Mt 3, 11 ; Mc 1, 8 ; Lc 3, 16 ; cf. Jn 1, 33)

Jean-Baptiste annonce l'imminence du jugement de Dieu et invite à la conversion. Un « plus puissant » vient, décrit comme un juge redoutable dans Mt et Lc, mais non dans Mc où, dès le début, tout est bonne nouvelle (1, 1). Cette différence de tonalité explique que, selon Mt et Lc, Jean dise du Messie : « Moi, je vous baptise d'eau..., lui, vous baptisera dans l'Esprit saint et le feu » ; tandis que, selon Mc, Jean promet uniquement l'Esprit et ne parle pas du feu. Le feu est l'instrument du jugement final dans les prophéties (Ml 3, 2.19.21 ; Am 1, 4 ; 7, 4 ; Es 66, 15-16.24) comme dans la littérature juive intertestamentaire et dans le NT (Mc 9, 43-49 ; 1 Co 3, 13, etc.). Mt et Lc nous disent que Jean-Baptiste usait lui-même volontiers de l'image (Mt 3, 10 et 12 et les parallèles de Lc).

Mais alors, comment expliquer, dans un pareil contexte, que le Baptiste ait introduit l'Esprit saint ? Les exégètes se partagent sur ce point. Pour certains, il faut entendre que le Messie-Juge donnera aux uns l'Esprit et vouera les autres au feu. Pour d'autres, il faut supposer qu'à l'origine Jean n'était que menaçant ; utilisant le sens premier de *ruah*, il aurait dit : choisissez entre l'eau du baptême et le souffle terrible du Juge (cf. Es 11, 4 ; 30, 27-28 ; 1QSb 5, 24-25) ou tout simplement le vent de tempête (cf. Es 41, 16), associé au feu destructeur comme dans Es 29, 5-6. Plus tard, l'attitude toute différente de Jésus, dont nous savons qu'elle a déconcerté Jean (Mt 11, 2-6 ; Lc 7, 18-23), aurait obligé à réinterpréter ces propos dans le sens d'un Messie Sauveur ; ce qui pouvait se faire simplement en ajoutant au mot *ruah* ou *pneuma* la qualification de « saint ». D'autres enfin, moins sensibles au contexte de jugement et davantage à la reprise de la prophétie par Jésus lui-même sous la forme d'Ac 1, 5, exposent qu'en association avec l'Esprit saint, le feu peut être compris comme purificateur et non destructeur et ils allèguent Ml 3, 2-3.

3. Le baptême de Jésus
(Mt 3, 13-17 ; Mc 1, 9-11 ; Lc 3, 21-22 ; cf. Jn 1, 32-34)

La descente de l'Esprit sur Jésus sous forme de colombe est liée à l'ouverture des cieux et à la proclamation céleste annonçant que Jésus est le Fils de Dieu. C'est un événement décisif pour la christologie, avec des références implicites à Ps 2, 7 et Es 42, 1. On se souvient que les pseudépigraphes juifs avaient conservé cette espérance d'un Messie qualifié par l'Esprit. Le titre de Fils de Dieu est associé traditionnellement à ce don, comme dans Lc 1, 35.

Quant à la colombe, aucune des diverses explications proposées (Gn 1, 2 ; Gn 8, 9-12, symbole d'Israël, erreur de transcription entrée dans la tradition, etc.) n'a pu jusqu'ici s'imposer.

Aussitôt après son baptême et sa proclamation comme Fils de Dieu, Jésus est poussé par l'Esprit au désert et y affronte Satan (Mc 1, 12 ; Mt 4, 1 ; Lc 4, 1). Autrement dit, l'Esprit se manifeste comme une puissance de Dieu qui l'engage sans tarder dans l'œuvre messianique (cf. dans ce sens aussi Lc 4, 14).

4. Ce que Jésus dit lui-même de l'Esprit

Jésus, selon les Synoptiques, a peu parlé de l'Esprit.

Dans le contexte de Mc (3, 28-30), la condamnation du *blasphème contre l'Esprit saint* a une pointe très nette, dénoncer la mauvaise foi des scribes qui nient l'évidence : c'est par l'Esprit, puissance de Dieu, que Jésus peut chasser les démons. La distinction que Mt (12, 31-32) et Lc (12, 10) rapportent entre le péché contre le Fils de l'homme et le péché contre l'Esprit saint est beaucoup moins claire. Jésus se place ici sur le terrain même des scribes pharisiens qui ont la crainte du blasphème et sollicitent des distinguo de casuistes. Peut-être est-ce surtout pour Jésus une manière de signifier que tout se joue, non dans leur attitude manifeste vis-à-vis de lui-même, mais bien au fond de leur propre cœur, dans le refus ou l'acquiescement de la foi à la présence reconnue de Dieu.

Dans Mc 12, 36 et Mt 22, 43, selon l'habitude attestée des rabbins, une *citation de l'Ecriture,* est rapportée à l'inspiration de l'Esprit.

Lors des persécutions finales, ne vous inquiétez pas, dit Jésus, *c'est l'Esprit saint qui parlera* (Mc 13, 11 ; cf. Lc 21, 14-15). Mt 10, 19-20 rapporte la même promesse faite aux Douze lorsqu'il les envoie en mission et Lc 12, 11-12 enchaîne ce propos à d'autres plus généraux adressés aux « disciples » sur la nécessité d'un témoignage courageux. Ces contextes différents attestent combien le thème fut important pour l'Eglise naissante.

Certains voient une mention de l'Esprit saint dans la phrase « *l'esprit est plein d'ardeur*, mais la chair est faible » (Mc 14, 38 et Mt 26, 41). Peut-être est-ce une référence au Ps 51, 14, où il est question d'un « esprit généreux » en rapport avec l'Esprit saint du verset précédent. Mais peut-être aussi ne s'agit-il que d'une allusion aux deux esprits qui, selon les sectaires de Qumrân, luttent dans le cœur de l'homme.

5. Mentions de l'Esprit propres à Mt ou à Lc

Tous les passages qui précèdent se trouvaient en parallèle dans deux évangiles au moins et représentaient sûrement une tradition. Mt y ajoute trois mentions de l'Esprit et Lc une douzaine d'autres.

Certains de ces textes sont *explicitement rédactionnels*, c'est-à-dire qu'ils expriment la façon dont Mt et Lc, ou leur milieu ecclésial, comprenaient l'histoire de Jésus. Dans Lc 1, 41. 67 ; 2, 25-27 (et 1, 47 ?), divers personnages sont présentés systématiquement par l'auteur comme animés de l'Esprit prophétique. Cela correspond à l'idée de Lc qu'une nouvelle ère s'ouvre après la stérilité des siècles précédents. Lc 1, 15 et 17 attribuent le même Esprit prophétique à Jean-Baptiste (peut-être aussi 1, 80). Lc 10, 21 présente enfin Jésus lui-même comme exceptionnellement animé par ce même Esprit prophétique. De son côté, Mt 12, 18 rappelle en citant Es 42, 1 la proclamation christologique du baptême : Jésus est le Messie doté de l'Esprit.

Quatre mentions sont placées *dans la bouche de Jésus*.

En Lc 4, 18, Jésus lit à Nazareth Es 61, 1 : « L'Esprit du Seigneur est sur moi, parce qu'il m'a conféré l'onction... » Il y a manifestement là une allusion au baptême qui précède de peu. C'est la quatrième fois en peu d'espace (après 4, 1a. 1b et 14) que Jésus est présenté comme entamant son ministère avec la puissance de l'Esprit.

Lc 11, 13 est parallèle à Mt 7, 11. Mais, là où on lit chez Mt : « si vous savez donner de bonnes choses à vos enfants, combien plus votre Père des cieux donnera-t-il de bonnes choses à ceux qui lui demandent », on découvre chez Lc : « il donnera l'Esprit saint » (ou peut-être « un esprit saint » ?). Pour Lc, le don de l'Esprit est assurément ce qu'il y a de meilleur.

Mt 12, 28 recoupe ce que nous avons dit à propos du blasphème contre l'Esprit.

Mt 28, 19 enfin pose un problème délicat. La formule baptismale «au nom du Père et du Fils et de l'Esprit saint» paraît refléter une liturgie de la fin du premier siècle (voir *Didachè* 7, 1 et 3). D'ailleurs, toute la fin de l'évangile porte la marque littéraire de son rédacteur. Le plus curieux est que, selon un procédé de l'époque, cette dernière scène avec Jésus correspond à la première, Mt 3, 13-17; le baptême des croyants est ainsi relié au baptême de Jésus avec son expression effectivement trinaire, Père-Fils-Esprit. «Au nom de» indique la mise en relation, l'établissement d'une appartenance (cf. 1 Co 6, 11).

Dans le récit de Lc aussi, le Ressuscité évoque le rôle de l'Esprit pour le baptême de ses disciples, mais il situe cette annonce au début du livre des Actes et il utilise seulement l'antithèse de Jean : «il a baptisé d'eau, mais vous, c'est dans l'Esprit saint que vous serez baptisés» (Ac 1, 5). A la fin de l'évangile la perspective est bien différente, puisque l'envoi de «la puissance promise par le Père» est mis en relation expresse avec l'appel au témoignage (Lc 24, 48-49 repris dans Ac 1, 8). On est donc plutôt dans la ligne de l'assurance donnée aux croyants menacés (Lc 12, 11-12; 21, 14-15 et par.).

6. Bilan

Les textes propres à Mt et à Lc ne modifient guère le tableau synoptique. Jésus paraît avoir lui-même peu parlé de l'Esprit. Sa déclaration la plus nettement attestée sous diverses formes est la promesse d'une assistance de l'Esprit pour les témoins de l'évangile en difficulté. L'Eglise naissante pour sa part a mis vigoureusement en évidence deux points. Le premier est d'ordre christologique : Jésus est le Messie des prophéties puissamment qualifié par l'Esprit; c'est ce que montrent tous les récits initiaux, naissance, baptême, lutte avec Satan, première prédication. Le deuxième est d'ordre ecclésiologique plus encore que sotériologique : Jésus baptisera son peuple dans l'Esprit.

CHAPITRE IV

Les Actes des apôtres

Ayant dû associer l'étude de l'évangile de Luc à celle des traditions synoptiques, nous ne différerons pas davantage l'examen de la deuxième part de son œuvre. Quelle que soit la dépendance, au demeurant discutée, de Luc par rapport à Paul, leurs pneumatologies sont assez différentes pour qu'une telle entorse chronologique n'ait pas d'inconvénient grave. Notons encore que nous devrons assez souvent reprendre en considération l'évangile de Luc en même temps que ses « Actes ».

1. Manifestations de l'Esprit continuant l'AT et le temps du ministère de Jésus

a) L'Esprit prophétique

Nous avons observé qu'il y a dans Lc 1-2 une multiplication des manifestations prophétiques. En revanche, pendant son ministère, Jésus est, selon Luc, le seul détenteur de l'Esprit (cf. Ac 10, 38), le seul prophète (cf. Ac 3, 22-23 ; 7, 37). Ainsi s'éclairent des passages comme Lc 4, 18 et 10, 21. Puis, dès le jour de la Pentecôte, Pierre citant Joël interprète l'effusion de l'Esprit sur les croyants comme une explosion généralisée de prophétisme (Ac 2, 17-18). On pense à Nb 11, 29 : « Puisse tout le peuple être un peuple de prophètes. » Cependant, ce thème du prophétisme généralisé ne jouera qu'un rôle épisodique dans la suite du livre. Il y aura au contraire de nombreux exemples de prophétisme réservé à certains personnages, selon un type vétérotestamentaire plus ou moins prononcé : Agabus (Ac 11, 27-28 ; 21, 10-11), Philippe (8, 39-40) et ses filles (21, 9), Paul (13, 9-11 ; 20, 23). Une véritable fonction prophétique est reconnue régulièrement à certains dans la vie communautaire (13, 1 ; 15, 32). A noter encore le rôle important joué par des prophéties-prédictions tirées de l'AT et dont Luc souligne qu'elles ont été inspirées par l'Esprit (Ac 1, 16-20 ; 4, 25-28 ; 28, 25). Il y a donc, selon Luc, aux origines de l'Eglise, un important rôle prophétique de l'Esprit.

b) *L'Esprit conducteur de l'histoire du salut*

Sur le modèle vétérotestamentaire, Luc souligne aussi l'inspiration par l'Esprit des héros de l'histoire du salut. Avant Jésus, il a animé Jean-Baptiste. Il pousse Philippe (Ac 8, 29) et Pierre (10, 19-20 ; 11, 12) à évangéliser et à baptiser les premiers croyants d'origine païenne ; il envoie Barnabas et Saul en mission (13, 2.4) ; il achemine Paul vers l'Europe (16, 6-10).

2. Manifestations nouvelles de l'Esprit

a) *L'effusion de la Pentecôte (Ac 2, 1-13)*

A côté de Jn 20, 21-23 (voir ci-après chap. vi. A, la), le récit d'Ac 2 est la seule source néotestamentaire faisant état d'une communication initiale de l'Esprit. Le jour de Pâques, selon Lc 24, 49, le Ressuscité avait invité les disciples à attendre l'effusion de la puissance d'en-haut. Or la fête de la Pentecôte, ou fête du cinquantième jour, était pour les Juifs la clôture solennelle des sept semaines de célébration pascale. Dans son discours explicatif de la Pentecôte, Pierre rattache d'ailleurs ce qui se passe aux événements de Pâques et de l'Ascension (Ac 2, 32-33). En revanche, il n'y a, dans le récit de Luc, pas la moindre allusion à d'autres thèmes qui étaient liés dans certains milieux juifs à la fête de la Pentecôte, que ce soit le renouvellement de l'alliance comme à Qumrân ou la commémoration du don de la Loi comme chez les rabbins.

Luc décrit l'événement comme la réalisation de « la promesse » (Lc 24, 49 ; Ac 1, 4-5 ; 2, 33 ; 2, 39) et la citation de Joël dans Ac 2, 16-21 montre qu'il pense à la promesse vétérotestamentaire de l'effusion eschatologique (« dans les derniers jours » est ajouté au texte de Joël en 2, 17), promesse reprise par Jean-Baptiste et Jésus (Lc 3, 16 ; 24, 49 ; Ac 1, 4.8) Mais l'Esprit est répandu avec une visée précise qui est la mission universelle de l'Eglise (Lc 24, 47-49 ; Ac 1, 8). L'effusion a lieu en effet sur un groupe représentatif du peuple messianique de Dieu, sans qu'il soit possible de décider s'il s'agit des « environ 120 » de 1, 15 ou des Douze de 1, 21-26 (cf. la juxtaposition des Douze et des soixante-douze dans Lc 9 et 10). Mais c'est pour que ce groupe devienne démonstrativement l'instrument d'une proclamation des merveilles de Dieu dans toutes les langues du monde (2, 7-11). Voir dans l'événement une réparation de la malédiction de Babel (Gn 11) est une erreur ; l'Esprit n'efface pas la division des langues, il permet que l'évangile soit intelligible dans toutes les langues (et cultures) des hommes, ce qui assure l'Eglise, dès l'origine, de sa mission universelle (2, 41).

Il n'est pas possible de retrouver les traditions que Luc a utilisées pour rédiger un récit dont l'intention théologique est évidente. Il s'est en tout cas inspiré d'une version populaire juive *(midrash)* de la révélation de Dieu au Sinaï (Ex 19, 16 ss.), dont nous avons un écho recueilli par Philon *(De decalogo* 46-47). Ce *midrash* montrait Dieu intervenant dans le bruit et le feu pour fonder son peuple, et, nous dit Philon, « la flamme devint une parole articulée dans le langage familier aux auditeurs ».

b) *L'animation du témoignage*

Ce thème est apparu comme une des lignes de force du récit de la Pentecôte. Il s'apparente à la promesse de Jésus garantissant l'assistance de l'Esprit à ses témoins en difficulté (voir ci-dessus chap. III, 4 et 5). Luc lui-même insiste sur ce rôle de l'Esprit pour donner le courage de confesser publiquement la foi. Cela commence avec le discours de Pierre face aux moqueurs, Ac 2, 12 ss. ; puis 4, 7 ss. 29-31 ; 5, 17-32 ; 6, 10 et peut-être 18, 25-26.

c) *Le baptême dans l'eau et l'Esprit*

L'aboutissement de l'événement de la Pentecôte est formulé laconiquement comme un programme : « Convertissez-vous et que chacun de vous soit baptisé... pour le pardon des péchés, et vous recevrez le don de l'Esprit saint » (Ac 2, 38). Cette proclamation associant exigence et promesse est valable pour tous et pour toutes les générations (2, 39). Il est surprenant que ce texte fasse du baptême d'eau pour la rémission des péchés en réponse à la conversion, c'est-à-dire du baptême selon la tradition de Jean-Baptiste, l'occasion de la communication de l'Esprit. On aurait plutôt attendu, à cause de l'antithèse de Lc 3, 16 reprise Ac 1, 5 et 11, 16, que le baptême messianique dans l'Esprit soit substitué au baptême de Jean, au lieu de se trouver combiné avec lui. Or le lien est au contraire si fort que les païens de Césarée, ayant directement reçu l'Esprit à l'écoute de l'évangile, devront être quand même baptisés d'eau (10, 44-48). Du point de vue de Luc, cela peut s'expliquer par le caractère singulier de la période avant-dernière qu'inaugure la Pentecôte ; seuls ceux qui se convertissent et sont baptisés du baptême pour le pardon des péchés peuvent entrer dans le peuple messianique qui bénéficie de l'Esprit. Ils doivent être associés à ce que fut le baptême de Jésus lui-même, à l'articulation entre deux ères (voir le lien entre Jésus et «tout le peuple» en Lc 3, 21). Parce qu'il est donné dorénavant «au nom de Jésus-Christ» (Ac 2, 38), le baptême devient l'occasion de l'effusion de l'Esprit.

Par rapport à cette règle, on observe après la Pentecôte trois anomalies. Outre le cas des païens de Césarée que nous venons de citer, il y a le cas des Samaritains (8, 17) et celui des disciples de Jean-Baptiste rencontrés à Ephèse (19, 6). Samaritains, johannites, païens se trouvent dans des situations différentes pour l'entrée dans le peuple messianique. L'accès leur en est donc ouvert par des voies diverses, mais toutes associent de façon frappante, dans un ordre ou dans un autre, le baptême d'eau au nom de Jésus avec le don de l'Esprit (8, 15-17 ; 19, 5-6 ; 10, 47-48). Cela souligne à la fois la diversité des cheminements et le maintien de la règle du baptême d'eau pour l'association au peuple doté de l'Esprit.

Certains plaident que, dans deux cas, pour les samaritains et les johannites, l'Esprit a été communiqué par une imposition des mains. L'explication est, selon nous, qu'avec des catégories très particulières de marginaux devenus croyants, l'intégration à l'unique peuple de baptisés doit se faire de façon démonstrative : tout en maintenant une nette articulation avec le baptême d'eau au nom de Jésus, on use d'une procédure particulière qui permet de mettre en évidence l'autorité responsable, dans le premier cas Pierre et Jean venus de Jérusalem, dans le second Paul, le missionnaire universel. Le récit de tels tournants significatifs dans l'histoire de l'Eglise naissante n'a aucunement pour but de fournir un modèle liturgique, pas plus d'ailleurs que l'admission des païens de Césarée.

Il est frappant que l'expression «baptiser dans l'Esprit» apparaisse (dans l'ensemble du NT, du reste) uniquement dans la formule antithétique contrastant le baptême de Jean et le baptême du Messie. C'est à nos yeux la confirmation que le don de l'Esprit n'a jamais eu, pour ainsi dire, d'existence indépendante par rapport au baptême d'eau. Un tel lien préexistait : reprenant Ez 36, 25-27, les gens de Qumrân proclamaient : «Dieu fera jaillir l'Esprit de vérité comme de l'eau lustrale» (1 QS 4, 20-21, cf. ci-dessus chap. II, 3).

d) *Modalités de la présence de l'Esprit*

Privilège du peuple messianique, le don de l'Esprit est un don permanent fait par Dieu «à ceux qui lui obéissent» (Ac 5, 32). La situation normale est celle des disciples d'Antioche de Pisidie qui «étaient remplis (imparfait de durée) de joie et d'Esprit saint» (13, 52). Cependant, Luc peut dire aussi que les premiers chrétiens, inquiets pour le témoignage à rendre, «furent tous remplis (passé historique ponctuel) de l'Esprit saint» (4, 31). Le don permanent peut donc être aussi considéré comme un don renouvelable. En vérité l'un n'empêche pas l'autre, car si l'Esprit est une «puissance», c'est une «puissance d'en-haut» (Lc 24, 49) qui ne devient jamais un objet qu'on s'approprie; il demeure au contraire toujours, à quelque moment qu'on le considère, comme un don *actuel* de Dieu. C'est ce qui fait aussi qu'on peut à la fois le reconnaître chez tous les croyants et affirmer plus particulièrement sa présence dans certains personnages, tout comme dans l'AT (Ac 6, 3; 11, 24, etc.).

Le parler en langues ou glossolalie n'est mentionné par Luc que dans les circonstances exceptionnelles où de nouvelles catégories de croyants, les païens (Ac 10, 46), les johannites (19, 6) et, selon certains interprètes, les Samaritains (8, 17-18) sont mis au bénéfice du privilège accordé lors de la Pentecôte à la communauté primitive. Ailleurs, le baptême ne s'accompagne d'aucune manifestation particulière de l'Esprit (le cas de Paul est spécial, Ac 9, 17-18). Ultérieurement, le signe le plus net de la présence de l'Esprit est ce que Luc appelle le témoignage, sous sa forme prophétique (ci-dessus, chap. iv, 1a) ou sous la forme plus commune d'une confession courageuse de la foi (ci-dessus, chap. iv, 2b).

3. Traits caractéristiques de l'Esprit de Dieu selon Luc

Luc met l'accent sur différents aspects du rôle de l'Esprit selon les phases de l'histoire du salut. Jusqu'à Jean-Baptiste il qualifie les prophètes et les héros. Jésus est ensuite, en tant que Messie, l'unique dépositaire de l'Esprit. Vient le jour où il répand sur ses disciples «la promesse du Père»; l'Esprit anime alors l'histoire de l'Eglise comme une histoire missionnaire. En tout temps cependant, la principale, quoique non la seule manifestation de l'Esprit, est la parole proclamée.

En présentant l'Esprit comme l'animateur de l'histoire du salut, mais en montrant qu'il s'investit totalement, au point décisif, dans la personne du Christ, Luc a noué solidement la pneumatologie à la christologie. En faisant de l'Esprit donné au peuple messianique une puissance pour le témoignage jusqu'aux extrémités de la terre, il a fondé une ecclésiologie dynamique.

CHAPITRE V

Épîtres incontestées
de Paul

Sans prendre parti ici sur les questions d'authenticité paulinienne, il est nécessaire de distinguer entre plusieurs groupes d'épîtres d'après leurs caractéristiques théologiques. Et il est commode de considérer d'abord pour elles-mêmes celles qui sont indiscutablement l'expression de la pensée de l'apôtre : Rm, 1 et 2 Co, Ga, Ph, 1 Th et Phm.

1. La foi dans l'Esprit avant Paul

Esquissons ce qu'a dû être la foi dans la présence et l'action de l'Esprit au sein des communautés chrétiennes avant Paul. Il faut pour cela utiliser, non sans une part d'hypothèse, des textes pris dans les épîtres mêmes de Paul, mais que certains indices semblent désigner comme l'expression d'idées reçues avant lui.

Comme la christologie dont elle dépend largement, la pneumatologie primitive naît d'un va-et-vient entre l'expérience et l'Ecriture. L'Esprit dont il est question est l'Esprit du Dieu de l'AT, du Dieu qui intervient dans l'histoire personnelle et collective des hommes, en vue de conduire au salut. L'Esprit était plus particulièrement promis pour les temps messianiques maintenant inaugurés par la résurrection du Christ et ceci va être déterminant.

En effet, l'Eglise a la certitude d'être habitée par l'Esprit selon les prophéties, en tant qu'elle est le peuple eschatologique des croyants. « Ne savez-vous pas cela ? » dit Paul (1 Co 3, 16). Cette assurance colore évidemment l'expérience publique ou secrète que la première génération chrétienne fait de la réalité de l'Esprit, si bien qu'il est impossible de dissocier les faits de leur interprétation. Il semble qu'on puisse distinguer trois aspects sous lesquels est vécue cette intervention. D'abord l'expérience étonnante d'une prédication missionnaire qui suscite la foi ; c'est l'Esprit qui donne à l'évangile prêché sa puissance (le mot revient régulièrement : 1 Th 1, 5 ; 1 Co 2, 4-5 ; Rm

15, 18-19 (cf. 2 Co 3, 3). On note le recoupement avec le témoignage des Actes où l'Esprit-puissance anime la prédication missionnaire (Ac 1, 8, etc.). En deuxième lieu, il y a le culte de la communauté rassemblée en présence du Seigneur vivant. L'Esprit y est vécu comme l'agent de la communication avec Dieu. Pour atteindre les hommes Dieu inspire par exemple la prophétie (1 Co 14, 1. 3, 24-25). A l'adresse de Dieu, l'Esprit inspire aux hommes la prière (1 Co 14, 15-17) et l'acclamation de la foi (1 Co 12, 3. 9). Il y a ici aussi un recoupement avec les Actes (2, 1 ss ; 13, 2). Mais, et c'est le troisième aspect, en dehors même du culte communautaire, le croyant fait aussi l'expérience individuelle de la prière suscitée par l'Esprit (Ga 4, 6 ; Rm 8, 15. 26-27) ; et d'une façon plus constante, il se sait habité par lui (1 Co 6, 19 parallèle à 1 Co 3, 16).

La question de savoir comment et quand le croyant reçoit l'Esprit de Dieu ne se pose pas ; c'est évidemment au moment où il est agrégé au peuple eschatologique par le baptême. Tous sont baptisés et tous sont baignés, abreuvés de l'unique Esprit (1 Co 12, 13 ; cf. 1 Co 6, 11 et 2 Co 1, 22). C'est d'ailleurs aussi ce qu'attestent Ac 2, 38 ; 19, 2-3, etc. L'effusion de l'Esprit dès l'acceptation de la prédication par l'auditeur et sans que soit mentionné le baptême (Ga 3, 2.5, cf. Ac 10, 44) n'est pas un thème concurrent, c'est seulement un autre point de vue sur l'entrée dans le peuple messianique.

2. Le Seigneur et l'Esprit

L'axe autour duquel a pivoté toute l'existence de Paul et autour duquel s'est organisée toute sa réflexion fut la révélation que Jésus le crucifié était le Seigneur vivant. C'est pourquoi nous examinons avant tout la relation que Paul établit entre le Seigneur et l'Esprit.

a) L'Esprit de Dieu en relation avec la résurrection du Christ

Dans Rm 1, 3-4 on reconnaît généralement une formule prépaulinienne (judéo-chrétienne ?) que l'apôtre prend à son compte, mais l'explication en reste controversée. Les deux propositions symétriques ne sont pas antithétiques, mais signalent deux étapes de la gloire messianique, Fils de David puis Fils de Dieu, et le titre de Fils de Dieu est lié à l'expression de saveur juive « selon l'Esprit de sainteté ». Nous avons ici, pensons-nous, un écho de la tradition repérée dans les Synoptiques à propos du baptême de Jésus (et déjà de sa naissance selon Luc) et remontant à Es 11, 1-2 : l'Esprit qualifie « puissamment » le Messie comme Fils de Dieu. Mais pourquoi le texte précise-t-il que l'origine en a été la résurrection des morts, la préposition utilisée (« par suite de ») pouvant avoir la nuance de temps, de cause ou d'instrument ? Peut-être par allusion à Ez 37, 1-14 où la résurrection du peuple est le fait de l'Esprit de Dieu. On pourrait traduire : « issu de la lignée de David en vertu de la nature (pour la traduction par « en vertu de », voir He 7, 16), établi Fils de Dieu revêtu de puissance en vertu de l'Esprit saint, par le moyen de la résurrection des morts. » L'Esprit qui a, selon la promesse messianique, établi Jésus Fils de Dieu a été l'Esprit de résurrection.

Dans Rm 8, 11, alors que la résurrection des croyants est donnée comme l'œuvre de l'Esprit, celle du Christ est l'œuvre de Dieu lui-même. Il ressort cependant du raisonnement que la puissance de résurrection de l'Esprit est garantie par la résurrection du Christ.

Selon 1 Co 15, 45, « le dernier Adam », c'est-à-dire le Christ, est « un souffle qui fait vivre ». Etrange formule qui a été souvent utilisée pour identifier le Christ glorieux avec l'Esprit. Le contexte depuis le v. 20 oppose en réalité deux économies. Adam a introduit la mort ; le Christ, par sa résurrection, a introduit la vie (v. 22). Certes, selon Gn 2, 7 (Septante), Adam était « un être doué de vie », mais, déclare Paul en démarquant la formule, le Christ, lui, était « un souffle (Esprit) créateur de vie », allusion manifeste à la création d'Adam selon le même verset. On retrouve l'association entre le Christ, sa résurrection, l'Esprit et la vie, mais la formule à l'emporte-pièce ne permet pas de préciser la relation envisagée entre le Christ et l'Esprit.

Bilan des trois textes : Paul connaît le rapport scripturaire entre résurrection et Esprit, mais il évite de subordonner la résurrection du Christ à l'Esprit et fonde au contraire la résurrection des croyants par l'Esprit dans la résurrection du Christ. Pneumatologie et christologie sont liées, mais dans l'histoire du salut, c'est la christologie qui est déterminante.

b) Le don de l'Esprit aux croyants

Le don de l'Esprit est toujours chez Paul le fait de Dieu lui-même (2 Co 1, 22 ; 5, 5 ; Ga 4, 6 ; 1 Th 4, 8). En contraste avec la tradition attribuant au Messie l'effusion eschatologique de l'Esprit, tradition attestée dans certains passages de Luc (Ac 2, 33, etc.) et Jean (voir ci-après chap. VI. A, 1), cela souligne chez Paul que la pneumatologie, bien que déterminée par la christologie, conserve une signification distincte (cf. Ga 4, 4. 6).

c) L'Esprit du Christ

Paul dit habituellement l'Esprit de Dieu, l'Esprit saint ou surtout l'Esprit tout court. Trois ou quatre fois cependant, il construit les expressions suivantes : « l'Esprit du Christ » (Rm 8, 9), « l'Esprit de son Fils » (Ga 4, 6), « l'Esprit de Jésus-Christ » (Ph 1, 19), enfin « l'Esprit du Seigneur » où le Seigneur désigne sans doute le Christ (2 Co 3, 17, voir ci-après § e). On observe que, chaque fois, une expression différente résulte des besoins d'une argumentation particulière. Une telle qualification apparaît donc à Paul christologiquement fondée, bien qu'elle ne soit pas courante.

d) Action du Christ et action de l'Esprit

Paul semble attribuer les mêmes actions tantôt au Christ et tantôt à l'Esprit, à tel point qu'on a pu parler d'une équivalence dynamique, voire d'une identité. Ainsi, l'existence chrétienne en général est définie par la présence du « Christ en nous » (2 Co 13, 5 ; Ga 2, 20) ou de « l'Esprit en nous » (1 Th 4, 8 ; 1 Co 6, 19) ; les deux formulations peuvent se juxtaposer (Rm 8, 9-10). Mais des effets plus précis peuvent être assignés concurremment aux deux, comme la vie (2 Co 3, 6 et 4, 10-11). Surtout, l'expression « en Christ » paraît interchangeable avec « dans l'Esprit » (1 Co 1, 30 et Rm 8, 9 ; Ga 2, 17 et 1 Co 6, 11, etc.).

A y regarder de plus près, on découvre des nuances d'emploi. Les deux évoquent la façon dont le fidèle reçoit le bénéfice de l'action de Dieu ; cependant, les références au Christ contiennent un accent mis sur son œuvre historique ; celles à l'Esprit insistent sur l'appropriation par le croyant (voir aussi ci-après § 4 a).

e) « Le Seigneur, c'est l'Esprit »

Cette formule de 2 Co 3, 17 est fameuse par sa difficulté, ce qui n'empêche pas des utilisations souvent abusives : le Seigneur désigne-t-il ici Dieu ou le Christ et quel est le sens à donner au verbe être ? Nous ne pouvons que faire une proposition.

Le contexte consiste en une interprétation libre d'Ex 34. Le v. 16 se réfère à Ex 34, 34 (texte des Septante retouché), ce qui pourrait faire penser que *kyrios* désigne Dieu, mais à cause du v. 14 qui vient de dire expressément que le Christ est celui qui fait disparaître le voile, *kyrios* doit désigner ici le Christ ; Paul est coutumier de ce transfert de sens de *kyrios*. Reprenant alors, au v. 17, l'antithèse de l'Écrit et de l'Esprit qu'il a développée dans les vv. 6-8, mais en l'appliquant cette fois au thème de la gloire voilée ou révélée, il énonce que la conversion au Christ (v. 16) procure le libre accès à la gloire de Dieu (fin du v. 17 et v. 18) parce que « le Seigneur, c'est aussi l'Esprit du Seigneur » qui est un Esprit de « liberté ». Paul se fonderait sur la foi de l'Église naissante (voir ci-dessus 1) selon laquelle la conversion au Christ entraîne le don de l'Esprit, ici désigné comme « son » Esprit pour les besoins de l'argumentation (voir ci-dessus § *c*). Le verbe être aurait un sens explicatif, ce qui justifierait une irrégularité grammaticale du grec (attribut pourvu d'un article).

D'autres interprètent : celui qui tient le rôle libérateur qu'Ex 34 attribue au Seigneur, c'est-à-dire à Yahvé, c'est aujourd'hui l'Esprit. Mais il faut alors établir la cohérence avec la fin du v. 14.

Quoi qu'il en soit, on ne cherche plus guère dans ce texte l'affirmation d'une identité ontologique entre Jésus glorifié et l'Esprit.

f) Formules trinaires

En 2 Co 1, 21-22 et Ga 4, 4-6, Paul, évoquant l'œuvre du salut, cite tout naturellement côte à côte Dieu, le Christ (ou « son Fils ») et l'Esprit. Le goût attesté de la formule, et plus particulièrement de la formule à trois éléments, a conduit à une mise en symétrie trinaire comme en 1 Co 12, 4-6 et en 2 Co 13, 13. Il est clair que les trois agents sont associés par leur action en faveur des hommes ; on est en deçà de la réflexion ultérieure sur les relations internes entre Dieu, le Fils et l'Esprit considérés comme une Trinité.

g) Conclusion

Il y a association intime entre le Christ et l'Esprit dans l'œuvre de Dieu pour le salut, mais l'Esprit ne saurait être identifié chez Paul, comme on l'a fait parfois, ni à l'être ni à la puissance du Seigneur glorifié.

3. L'Esprit et l'Église

a) Le don de l'Esprit à l'Église

Paul ne fait ici que commenter la conviction de l'Église naissante selon laquelle l'Église est dotée de l'Esprit en tant que peuple messianique. Pointe d'une argumentation typiquement paulinienne, Ga 3, 14 montre comment il fait sienne cette foi. Dans 1 Co 3, 16 il combine cette assurance avec le thème du Temple eschatologique (identité que les gens de Qumrân avaient déjà donnée à leur communauté). Dans 1 Co 12, 12-13 il la combine aussi avec l'image (encore peu approfondie) du corps du Christ, pour une réfutation de l'individualisme des inspirés corinthiens ; l'Esprit auquel le baptême rend participant est, leur dit-il, un unique Esprit qui scelle l'unité de tous dans le corps unique du Christ.

L'Eglise est donc le lieu de l'Esprit. Mais comment l'apôtre se représente-t-il ce qu'on pourrait appeler l'avènement de l'Esprit ? Il évoque dans Ga 4, 4-6, en utilisant le passé historique, un envoi de l'Esprit par Dieu symétrique de l'envoi du Fils, mais, pas plus là qu'ailleurs, il n'y a d'allusion précise à quelque chose comme la scène lucanienne de la Pentecôte. Jamais non plus, lui qui insiste tant sur l'efficacité donnée par l'Esprit à la prédication missionnaire (1 Th 1, 5, 1 Co 2, 4 ; 2 Co 3, 3), il n'a fait mention d'une effusion particulière sur les Douze ; et ce qui lui donne une autorité apostolique à l'égal de Pierre, ce n'est pas l'Esprit, mais le mandat reçu du Ressuscité (Ga 2, 7-9, cf. 1, 15-19). Est-ce à dire que les récits lucanien et johannique, d'ailleurs différents entre eux, reposent sur des traditions marginales ou ultérieures que Paul ignore, ou bien Paul n'a-t-il tout simplement pas eu l'occasion ou le désir d'en faire état ?

Quant à la communication de l'Esprit à chaque croyant, Paul a adhéré au credo formulé avant lui (cf. *supra* § 1). Il n'a apparemment pas jugé nécessaire de choisir entre les deux occasions que sont l'accueil fait à la prédication et le baptême, les deux étant inclus dans ce qui pour lui est seul décisif, l'acte de foi (Ga 3, 14 fin). Après que le croyant est entré dans l'Eglise, Paul ne met d'ailleurs plus jamais en question la présence de l'Esprit en lui. Nous verrons plus loin (§ 4) qu'il s'appuie volontiers dans ses exhortations sur ce qu'il considère comme un fait acquis ; c'est un des ressorts de l'épître aux Galates (3, 3 ; 5, 17-18. 25 ; voir aussi Rm 8, 4-5, etc.). Tout cela caractérise une communication de l'Esprit qui n'est individuelle que parce qu'elle est générale à l'intérieur du peuple messianique.

b) L'Eglise et les ministères

L'Eglise, avons-nous lu dans 1 Co 3, 16, est le Temple eschatologique de l'Esprit. La rencontre cultuelle avec Dieu n'a plus besoin d'une médiation extérieure. Aux observances juives se substitue l'immédiateté du « culte par l'Esprit de Dieu » (Ph 3, 3) et les croyants-sanctuaires peuvent être collectivement appelés « les saints », cette consécration étant l'œuvre de l'Esprit (1 Co 3, 16-17 ; 1 Th 4, 7-8 ; Rm 15, 16).

C'est dans cette perspective cultuelle que 1 Co 12-14 examine les ministères utiles à la communauté. Rm 12 aussi d'ailleurs, mais dans un sens élargi à toute l'existence (cf. § 1). Le mot grec *charisma* signifie strictement don de la grâce et Paul l'utilise pour mettre en valeur la générosité et la liberté de Dieu (Rm 12) ou de l'Esprit (1 Co 12, 4-11) dans la distribution des qualifications et donc des fonctions dans l'assemblée (l'emploi des mots charisme et charismatique marqué aujourd'hui à la fois par une élaboration dogmatique, par un usage sociologique dérivé de Max Weber et par la vague néo-pentecôtiste, risque de fausser la lecture de ces textes). Comment expliquer cette dualité de référence, à Dieu et à l'Esprit, dans deux épîtres écrites à quelques mois d'intervalle ? On ne peut pas dire que l'Esprit joue dans Rm un moindre rôle que dans 1 Co (cf. Rm 8 !), mais il joue un rôle différent. Dans Rm l'accent est sur la vie nouvelle de tout croyant (ci-après § 4) ; dans 1 Co, sans doute en accord avec les problèmes qui se posaient à Corinthe, l'accent est sur les manifestations communautaires. Certains commentateurs diront que ces deux points de vue sont complémentaires et que 1 Co 12, 4-11 explicite en nommant l'Esprit ce qui est implicite dans Rm 12, 6-8, à savoir que l'assemblée cultuelle est le lieu où Dieu intervient spécialement par son Esprit (cf. § 1). D'autres feront observer que, dans 1 Co, Paul est conditionné par les façons de parler corinthiennes et que, dans Rm où il se sent plus libre d'exprimer sa pensée personnelle, il réfère plutôt les dispensations communautaires, même la prophétie et les autres fonctions cultuelles qu'il mentionne, non à l'Esprit, mais à Dieu lui-même. En tout état de cause, cette coexistence des deux formulations invite à ne pas systématiser abusivement et à se rappeler, comme le souligne d'ailleurs 1 Co 12, 6 dans un ajout qui rompt la symétrie du propos, que Dieu est la source de tout.

Dans 1 Co 12-14 Paul se préoccupe surtout du fait que les Corinthiens surévaluent la prophétie et le parler en langues ou glossolalie. La prophétie est à prendre dans un sens très englobant (1 Co 14, 3. 24-25. 31) et équivaut presque à notre prédication ; Paul ne lui donne jamais le sens de prédiction. La glossolalie est une louange adressée à Dieu en un langage extatique mystérieux qui est expression de ce qui est rationnellement indicible (1 Co 14, 2.14-17.28). Prophétie et glossolalie sont pour Paul d'authentiques dispensations de l'Esprit. Encore ne faut-il ni les isoler ni en mésuser ; de façon significative, dans 1 Co 12, 7-11, il les range toutes deux en queue d'une liste riche de manifestations très diverses et il prend soin d'adjoindre à la prophétie le discernement des inspirations et au parler en langues l'interprétation en langage rationnel pour que l'assemblée puisse en tirer profit (cf. 1 Co 14). Dans 1 Th 5, 19-22, l'apôtre ne recommandait-il pas déjà d'un côté l'ouverture à l'inspiration, d'un autre la prudence devant ses ambiguïtés ?

Plus précisément encore, il faut noter comment les dispensations diverses de l'Esprit signalées au début de 1 Co 12 sont selon Paul destinées à être ordonnées *par Dieu* (12, 18. 24 débouchant sur 12, 28) comme des fonctions différenciées, solidaires et hiérarchisées (vv.29-30) au service d'un unique corps. Il y a une tension à maintenir entre la liberté de l'Esprit suscitant les dons, proclamée au v. 11, et leur mise en place dans l'Eglise selon un ordre précis voulu de Dieu, exposée aux vv. 28 ss. Quand on oppose, comme ce fut longtemps l'usage dans l'interprétation de Paul, le charisme (au sens de Max Weber ?) à l'institution, on se trompe totalement, pervertissant et son vocabulaire et son argumentation.

4. L'Esprit et le croyant

a) La communion eschatologique entre Dieu et l'homme

Paul utilise diverses descriptions de la présence de l'Esprit dans la vie du croyant. Il habite en l'homme comme Dieu dans un Temple (1 Co 6, 19 reprenant 3, 16 ; Rm 8, 9. 11). Il est dans les cœurs, c'est-à-dire selon l'acception biblique, au plus profond, au centre de décision de l'homme (Ga 4, 6 ; 2 Co 1, 22 et aussi 3, 3, allusion à Ez 36, 26-28 associé à Jr 31, 31-33 où l'on peut lire selon les Septante : « J'écrirai mes lois sur leurs cœurs »). Cependant l'expression ramassée « l'Esprit en vous » est rare (1 Co 6, 19 ; cf. 1 Th 4, 8) tandis que la formule pour ainsi dire inverse « vous dans l'Esprit » est fréquente (1 Co 12, 3. 9 où l'on notera le jeu des prépositions différentes, Rm 9, 1 ; 14, 17, etc. ; voir § 2*d*). La réversibilité même de l'inclusion est significative ; Rm 8, 9 juxtapose sans problème les deux représentations apparemment contradictoires (cf. 1 Co 12, 13). C'est la preuve que l'imagerie spatiale, certes facilitée par le sens premier de *pneuma*, ne saurait être interprétée dans le sens du substantialisme hellénistique, comme si l'Esprit était une matière subtile qui tantôt remplirait et tantôt baignerait le fidèle. Dans l'AT déjà alternaient les descriptions d'interventions de la *ruah* sur l'homme et dans l'homme ; ces variations sur le thème spatial, qui confinent à l'incohérence logique, se veulent indicatives de la relation très étroite établie entre l'Esprit et le croyant.

L'Esprit exerce ainsi sur le croyant son autorité, non dans le face à face, mais dans une association existentielle. Paul semble ici dépendre d'Ez 36, 26 s. : tout en restant distinct, l'Esprit de Dieu est vécu comme un esprit humain nouveau (cf. 1 Co 14, 14-16. 32). Il y a comme une immanence de la transcendance. C'est ce qui permet à Paul de concéder aux Corinthiens, malgré les malentendus qu'il redoute, la désignation des croyants comme des « spirituels » (1 Co 2, 13-15). Pourtant, les corps qu'habite l'Esprit restent de nature charnelle ; c'est seulement par la résurrection qu'ils deviendront spirituels (1 Co 15, 42-46). D'ici là, la chair est une puissance maligne qui résiste à l'Esprit (Ga 5, 16-17). Mais il ne faut pas sous-estimer la nouveauté — par quoi il faut comprendre la novation eschatologique — que constitue la présence de l'Esprit (Rm 7, 6 développé dans Rm 8) ; l'Esprit est réellement les prémices (Rm 8, 23), les arrhes (2 Co 1, 22 ; 5, 5) du monde à venir. Le chrétien est ainsi placé dans une tension singulière dont il aspire à être délivré (Rm 8, 23-25 ; 2 Co 5, 4-5), tension dont nous verrons plus loin les aspects éthiques (§ 4c).

b) L'Esprit et la vocation cultuelle du croyant

L'Esprit transforme le corps des croyants en sanctuaire (1 Co 6, 16, voir ci-dessus § 3b). Le corps, selon la Bible, exprime l'existence concrète de l'homme dans le monde. C'est avec le corps (Rm 12, 1) qu'il y a lieu de rendre à Dieu le culte que suscite son Esprit, en contraste avec les observances rituelles (Ph 3, 3). Les conséquences éthiques d'une telle conviction sont secondes par rapport à sa portée religieuse : la conversion est d'abord une « consécration à Dieu dans l'Esprit saint » sur le modèle sacrificiel (Rm 15, 16).

L'expression privilégiée de la nouvelle relation cultuelle est la prière au Père que l'Esprit du Fils suscite dans les cœurs (noter les *quatre* partenaires Ga 4, 6 ; cf. Rm 8, 15-16). Dans Rm 8, 26-27, Paul affirme l'incapacité de l'homme à prier comme il faut, l'intervention de l'Esprit qui suscite la prière et le fait que cette prière s'inscrit dans le cœur de tout croyant ; mais il caractérise aussi cette prière comme étant autre chose qu'un discours rationnel : c'est l'expression non verbalisable d'une aspiration aiguë à la délivrance eschatologique. Loin d'être une évasion religieuse, la prière solidarise ainsi non seulement avec tous les « saints » (v. 27), mais avec la création souffrante tout entière (v. 22).

Née comme un appel en deçà ou au-delà du discours, la prière doit néanmoins, pour Paul, trouver à se formuler de façon intelligente et intelligible. C'est ce qu'il plaide ardemment face aux complaisances des Corinthiens pour l'enthousiasme glossolalique (1 Co 14, 2.6.19.23).

c) L'Esprit et le comportement eschatologique du croyant

Animé «déjà» par l'Esprit, mais «pas encore» délivré de la chair par la résurrection (voir ci-dessus § *a*, fin), le croyant est invité à vivre une vie «nouvelle» de caractère eschatologique. C'est à la fois une grâce et un ordre.

Une grâce communiquée par l'Esprit. L'œuvre de l'Esprit pour susciter une vie nouvelle résulte de l'initiative de Dieu (noter le passé ou le présent des verbes, Rm 8, 2.5.9-11, etc.). Par l'Esprit, Dieu réalise une adoption (Ga 4, 4-7) ; il substitue la loi de l'Esprit à celle du péché et de la mort (Rm 8, 14-17). Paul décrit aussi les croyants comme conduits, menés par l'Esprit (Ga 5, 18 ; Rm 8, 14 ; cf. 8, 4). Tout cela signifie que la vie nouvelle est une grâce communiquée, la grâce des temps messianiques.

La présence de l'Esprit dans les cœurs et dans les corps (les deux mots étant pris au sens biblique) crée une condition nouvelle que Paul caractérise par les termes traditionnels de sainteté (comprise maintenant sous son aspect éthique, comme 1 Th 4, 7-8, où l'on observera que la sainteté est d'abord un don ; de même 1 Co 6, 11.19), justice (1 Co 6, 11) et vie (Rm 8, 2.6.10). D'autres passages attribuent d'ailleurs les mêmes trois effets à l'action du Christ (association constante du Christ et de l'Esprit dans le domaine de la sotériologie, que nous devons renoncer à indiquer chaque fois qu'elle se produit).

Mais l'apôtre fait aussi valoir avec une certaine précision la manière dont l'Esprit anime la vie nouvelle. Opposant dans une formule paradoxale «la loi de l'Esprit» à la loi du péché et de la mort, il fait ressortir que l'Esprit exerce sur le croyant une réelle autorité (Rm 8, 2). L'Esprit suscite dans les cœurs des dispositions de caractère eschatologique : la paix (*shalom*, Rm 8, 6), la joie (1 Th 1, 6), l'espérance (Rm 15, 13). La liste des neuf termes difficiles à classer qui est fournie en Ga 5, 22-23 comme production (fruit au singulier) de l'Esprit est dans le style de l'époque ; c'est un catologue de vertus opposées aux vices (vv. 19 ss.), d'ordre plus indicatif que descriptif. Il semble que le mot clé soit le premier : *agapè*, amour, la suite correspondant à 1 Co 13, 4-7.

Une obéissance à l'Esprit. L'opposition de la chair et de l'Esprit rappelle évidemment le dualisme hellénistique, mais la référence à l'œuvre historique du Christ en spécifie la signification. L'homme est soumis en tant que «chair» à la loi du péché (Rm 7, 25), plus concrètement à ses passions et à ses désirs (Ga 5, 24), à la mort (Rm 7, 5) ; la chair est révolte contre Dieu (Rm 8, 7). C'est l'intervention du

Fils de Dieu « dans la chair » qui a été décisive (Rm 8, 3) et qui a rendu possible pour le croyant une émancipation de l'esclavage de la chair (Ga 2, 20, d'où la formule plus radicale de Rm 8, 9). Dorénavant le croyant est sous l'autorité de l'Esprit (Rm 8, 5-10).

Paul caractérise cette situation par le mot de liberté. Une liberté qui est d'abord un acte de libération exprimé par des verbes au passé (Rm 7, 6 ; 8, 2). Ainsi s'ouvre une issue dans une situation de conflit décrite en Ga 5, 17 comme annihilant l'autonomie du sujet : on ne peut qu'obéir soit à la chair soit à l'Esprit. La liberté par rapport à la loi du péché et de la mort (Rm 7, 7-25), c'est d'obéir à la « loi » de l'Esprit (Rm 8, 2).

La liberté d'obéir n'existerait pas sans la libération accordée du dehors par le don de l'Esprit, mais une fois libérés, les croyants demeurent sous la menace de la chair (Ga 3, 3 ; cf. 5, 16). Paul en conclut : vivant de l'impulsion de l'Esprit (indicatif), il faut délibérément s'y soumettre (impératif) (Ga 5, 25).

5. Quelques traits de la pneumatologie paulinienne

L'école de l'histoire des religions assurait au début du siècle que l'Eglise naissante situait l'Esprit de Dieu de façon privilégiée dans les manifestations extraordinaires, enthousiasme, visions, glossolalie. Paul aurait opéré une réinterprétation décisive en réduisant l'exceptionnel et en décrivant l'Esprit comme l'animateur de la vie chrétienne de tous les jours. En réalité, l'AT avait déjà discerné l'Esprit dans des manifestations fort diverses (ci-dessus chap. 1 § 2). C'est un passage de l'AT, Ez 36, 26-27, passage qui jouait un rôle important chez les rabbins et à Qumrân, que nous avons été amené à considérer comme une source possible des réflexions pauliniennes sur l'obéissance eschatologique. A l'opposé, Paul n'a pas récusé les dispensations pneumatiques spectaculaires qu'affectionnaient les Corinthiens ; il a seulement fait observer que les interventions de Dieu par son Esprit devaient avoir comme critère d'authenticité et d'importance, non point une sensibilité formée par le paganisme, mais la confession de Jésus-Christ et l'édification de l'Eglise (1 Co 12-14).

Dans la ligne de la tradition vétérotestamentaire, Paul s'intéresse non à l'essence, mais à la fonction de l'Esprit. Dans le peuple eschatologique, l'Esprit assure la présence de Dieu (1 Co 3, 16-17), scelle l'unité de tous, Juifs ou païens d'origine, et quel que soit leur statut social (1 Co 12, 13), anime la vie communautaire (1 Co 12, 4-11), suscite l'agapè (Ga 5, 22-25). Il le fait, comme souffle de Dieu pénétrant au cœur de l'homme, en instaurant la communication entre Dieu et l'homme, ou plus précisément une communication de Dieu avec l'homme qui ouvre à l'homme la communion avec Dieu (Rm 8, 16).

Face au légalisme judaïsant, Paul affirme que l'Esprit des temps messianiques instaure une obéissance immédiate qui supprime les anciennes médiations de la loi rituelle et morale. Face à l'enthousiasme individualiste des Corinthiens, Paul spécifie les aspects historiques du don de l'Esprit : son lien avec le Christ et l'œuvre du Christ, son action multiforme dans l'Eglise tout entière, la tension qu'il aiguise entre le déjà et le pas encore.

CHAPITRE VI

Le johannisme

A) LE QUATRIÈME ÉVANGILE

Le groupe johannique fait une relecture de la tradition évangélique pour en faire apparaître la signification dans son temps et dans son milieu.

1. Le Fils et l'Esprit

Tout est repensé à partir d'une affirmation de l'identité de Jésus comme le Fils envoyé pour révéler le Père, ce qui place tout homme devant une décision critique. La pneumatologie se trouve elle aussi interprétée sous l'effet de la concentration christologique.

a) Les récits

Les récits se prêtent mieux que les discours à la comparaison synoptique. Jean ne donne à l'Esprit aucun rôle dans l'incarnation du Fils, mais il a retenu, tout en la réinterprétant, la descente de l'Esprit sur Jésus à l'orée de son ministère. L'occasion du baptême est effacée ; le seul événement qui compte est précisément la venue de l'Esprit, attestée par le Baptiste (appelons-le ainsi quoique Jn évite significativement de lui donner ce nom) dans son rôle de témoin initial (1, 29-34). Le fait que l'Esprit soit non seulement descendu, mais soit resté sur lui (allusion à Es 11, 2) a en effet signalé Jésus comme le Fils de Dieu (on ne peut pas dire ici qualifié, comparer chap. III, §1 et 3 ; chap. V, § 2a) et comme celui qui baptise dans l'Esprit saint (noter le présent : c'est l'actualité vécue dans l'Eglise).

Ensuite il n'est plus question, comme c'est le cas dans la tradition synoptique, d'un rôle de l'Esprit dans l'orientation ou l'efficacité du ministère de Jésus ; d'aucune manière le Fils ne dépend de l'Esprit.

Mais à sa mort, le Fils « transmet » l'Esprit qui résidait en lui (19, 30). Que veut dire Jn en choisissant ce verbe insolite pour décrire la façon dont Jésus exhale son dernier souffle ? A la différence des parallèles, Jn a indiqué qu'il y avait là quelques fidèles, un groupe de femmes avec Marie et le disciple bien-aimé, prémices de tous ceux que va attirer le Fils élevé sur la croix (12, 32-33). C'est à ces premiers croyants dont il a fait sa propre famille (19, 26-27) qu'il donne son Esprit, conformément à 7, 39, à l'heure de sa glorification (cf. 12, 23-24. 27-28). Si Eglise était un terme johannique, on pourrait dire que Jésus transmet son Esprit à l'Eglise ; c'est là que l'Esprit va désormais demeurer (cf. 14, 16-17). Les siens ne resteront pas orphelins (14, 17-18). Ils vont pouvoir réaliser dans le « monde » l'étonnante vocation communautaire définie par les discours d'adieu (où la promesse de l'Esprit tient une place capitale) et par la prière finale de Jésus.

Dans son récit de la Pentecôte, Luc a conjoint deux thèmes, le don constitutif de l'Esprit à un groupe représentatif du peuple eschatologique et la communication de l'Esprit comme puissance en vue d'un témoignage courageux. Jean a indiqué le premier thème dans l'épisode de la croix ; rejoignant la tradition représentée par Mt 28, 16-20, il expose le deuxième, non sans contacts précis avec Lc 24, 36-49, dans le cadre d'une apparition du Ressuscité à ses disciples, 20, 19-23. Comme dans Ac 2, les disciples devront sortir de la maison dans laquelle ils sont réunis et, sous l'impulsion de l'Esprit donné par le Ressuscité (cf. Ac 2, 33), annoncer au dehors le pardon des péchés (cf. Ac 2, 38). Dans la ligne de la concentration johannique sur la personne du Fils, c'est le Fils lui-même qui communique directement son propre Esprit et qui ainsi investit les siens d'une mission prolongeant la sienne, une proclamation du pardon à double tranchant et opérant une discrimination (cf. 3, 17-18 ; 12, 44-48 et, concernant l'Esprit, 16, 7-11). Les exégètes reconnaissent généralement aujourd'hui que cette autorité pour l'annonce du pardon est assurée, par l'Esprit du Fils, à un groupe de « disciples » délibérément indistinct (c'est aussi le cas pour les discours d'adieu) ; par-delà les Douze (ici les Dix !), ce sont les disciples de Jésus en général qui sont ainsi envoyés (comparer Mt 18, 18 élargissant 16, 19).

Jean ne dit pas comme Paul « l'Esprit du Christ » (chap. v, § 2c) ni comme Luc « l'Esprit de Jésus » (Ac 16, 7), mais l'Esprit est pour lui le propre souffle du Crucifié et du Ressuscité.

b) Les discours

Les discours de Jésus sont un écho de la méditation christocentrique du groupe johannique.

L'Esprit et les paroles du Fils sont mis en rapport à deux reprises (cf. chap. ɪ, § 2 fin). 3, 34 semble vouloir dire qu'à la différence des prophètes, dont les rabbins disaient qu'il recevaient l'Esprit dans des mesures diverses, l'Envoyé reçoit l'Esprit sans mesure, ce qui qualifie ses paroles comme paroles mêmes de Dieu (cf. Lc 4, 18). 6, 63 explique que, contrairement à ce que pensent les disciples (v. 60), les paroles de Jésus apportent, dans le monde de la chair, comme le Fils lui-même, l'Esprit et la vie d'en-haut.

L'Esprit promis aux croyants par le Fils. L'interprétation de 7, 37-39 fait problème. Selon la ponctuation adoptée, l'Ecriture a annoncé que le Messie serait la source de fleuves d'eau vive, ce qui explique l'invitation à boire du verset précédent ; ou bien l'Ecriture a promis que le croyant deviendrait à son tour, et pour ainsi dire par dérivation, une telle source. Malheureusement aucun texte de l'AT ni de la littérature juive ne dit explicitement l'un ou l'autre et le v. 39a peut s'appliquer aux deux points de vue. On a cherché si d'autres passages de l'évangile pouvaient appuyer une interprétation plutôt que l'autre. Pour certains, le coup de lance de 19, 30 serait la réalisation de la mystérieuse promesse : au moment même où il est crucifié, c'est-à-dire, pour Jn, glorifié, l'eau sourd de son corps. Mais cet écoulement du côté de Jésus correspond mal à l'évocation puissante des «fleuves d'eau vive jaillissant de son ventre». Et puis il est question non d'eau seulement, mais de sang et d'eau, ce qui, surtout dans cet ordre, paraît renvoyer à Za 13, 1 (cf. Za 12, 10 cité v. 37) qui annonce «en ce jour-là une source pour le péché et pour la souillure» : pour le péché il y a le sang et pour la souillure l'eau. Il n'y a là aucune allusion à l'Esprit.

L'autre hypothèse nous paraît plus solidement étayée par une référence à 4, 14 (illustré par 4, 18-20 ?). La mystérieuse «citation» dériverait de textes comme Es 58, 11 ; Pr 18, 4 et surtout Si 24, 30-31 dans le contexte de Si 24, 25-34. Dans le présent, le Fils se propose au croyant pour étancher sa soif, mais après sa glorification se réalisera l'ancienne promesse du Siracide : l'assoiffé d'aujourd'hui deviendra lui-même une source étonnamment abondante et puissante, grâce au don de l'Esprit que lui fera le Crucifié (voir ci-dessus § *a*).

Quoi qu'il en soit d'ailleurs de l'interprétation de ce passage, il y est question, comme aussi vraisemblablement en 4, 14, d'une promesse de l'Esprit faite par Jésus dès avant sa mort, thème ignoré des Synoptiques, du moins sous cette forme. Cette originalité johannique est confirmée avec éclat dans les quatre passages des discours d'adieu où l'Esprit est appelé *paraklètos*. En effet, selon 14, 16 ; 14, 26 ; 15, 26 et 16, 7 et leur contexte, l'Esprit est promis par le Fils lui-même comme devant le remplacer, et même le remplacer avantageusement

(16, 7), d'une façon qui l'emportera sur la rupture de la mort (14, 16b). Ainsi l'Esprit ne fait rien d'autre que continuer l'œuvre du Fils (il est « un autre *paraklètos* », 14, 16), mais il n'ajoute rien, il actualise seulement la présence du Fils (comparer 14, 17 fin et 14, 20 fin) et son enseignement (14, 26 ; 16, 13-15 ; 15, 26). C'est pourquoi il ne peut intervenir qu'après sa glorification sur la croix (7, 39b). Plus encore que les autres témoins du NT, Jn lie donc étroitement la pneumatologie à la christologie. C'est au point que la venue de l'Esprit apparaît comme le retour de Jésus (14, 18.23).

Le Fils et le don de l'Esprit. On peut distinguer deux sections dans les adieux, la césure étant entre les chapitres 14 et 15. Dans la première section, l'Esprit est envoyé par le Père, comme dans la tradition vétérotestamentaire et juive, mais sur la demande ou au nom du Fils (14, 16.26). Dans la deuxième section, l'origine de l'Esprit reste du côté du Père, mais c'est le Fils lui-même qui le communique (15, 26) ; 16, 7 ne mentionne même plus le Père ; on se rapproche de la tradition du baptême messianique (1, 33). Luc témoigne, il est vrai, de la même dualité de points de vue (Ac 2, 17 s. et probablement Ac 1, 5.8 en face de Lc 24, 49 ; Ac 2, 33), mais Jean se distingue sans conteste parce que, selon lui, l'effusion est réalisée directement par le Fils, sur la croix et à la résurrection.

c) Eléments d'une réflexion trinitaire

La relation établie, pour des raisons christologiques, entre le Fils et l'Esprit et l'intrication des deux ministères constituent de forts arguments pour ceux qui voient chez Jean l'amorce d'une pneumatologie de type trinitaire. Jean en reste comme Paul à la perspective non spéculative, mais historique et pratique, de la tradition biblique. Dans les discours d'adieu, ce sont les rôles qui s'équivalent, et non point les personnes, la notion de personne étant du reste étrangère au NT autant qu'à l'AT. Seulement, il se trouve que, pour la pensée biblique, le rôle définit l'identité. Il suffira de changer de système culturel pour que se développe la réflexion trinitaire.

Quant à la fameuse assertion « Dieu est Esprit » (4, 24), il ne faut surtout pas la retirer de son contexte (4, 19-26). Ce n'est pas une définition abstraite de la nature de Dieu. Jésus oppose à la problématique religieuse du monde, qui cherche où adorer Dieu, l'affirmation de style très johannique que « maintenant », c'est-à-dire à la suite de l'œuvre du Fils, le Père se donne à connaître ici-bas comme un Dieu « d'en-haut ». L'Esprit, on le voit bien dans l'entretien avec Nicodème (3, 5-13), est la façon dont Dieu lui-même intervient parmi les hommes, se rend mystérieusement présent, comme le souffle du vent. C'est une représentation non pas métaphysique, mais plutôt dramatique : c'est ainsi que Dieu se communique. D'où la réversibilité du propos : Dieu est Esprit et c'est dans l'Esprit que le croyant le rencontre. « En Esprit et vérité » parce que Dieu s'est donné à connaître, non théoriquement, mais dans l'œuvre du Fils comme Esprit et comme vérité (cf. « l'Esprit de vérité »). Certains vont jusqu'à transcrire « dans l'Esprit saint et dans le Fils-vérité » et y voient un équivalent des formules pauliniennes « en Esprit » et « en Christ ». Même si l'on ne va pas jusque là, on pressent comment ces expressions johanniques de la révélation d'en haut pourront servir, dans un autre registre culturel, à la gnose, et dans un autre encore, à une élaboration trinitaire.

2. L'Esprit et les croyants

a) La communication de l'Esprit aux croyants

Initialement le Fils a transmis son Esprit aux disciples. Mais qu'en est-il ensuite pour les nouveaux croyants ? Avec le reste du NT, Jean considère le baptême comme l'occasion habituelle de communication de l'Esprit ; c'est ce qu'indique 3, 5, dans un contexte où apparaît la polémique du groupe johannique revendiquant comme une pratique chrétienne l'usage « baptiste » du baptême d'eau (3, 22-30 ; 4, 1-2). C'est vraisemblablement aussi la pointe de 4, 13-14. Jean sait bien du reste que c'est non le rite, mais la foi au Fils qui est décisive (7, 39). Et peut-être 6, 63 est-il une variante de la tradition selon laquelle l'Esprit est communiqué à travers la prédication de l'évangile ; ce serait aussi, selon certains, le sens de 3, 34 (Cf. § 1*b*, début). Ces diverses représentations restent dans la ligne générale du christianisme naissant (chap. v, 1 fin et 3*a*).

b) L'œuvre de l'Esprit

Ici éclate de nouveau l'originalité de Jean. L'Esprit, envoyé comme le Fils dans le monde (14, 16.26 ; 15, 26), y apporte la révélation d'en-haut et provoque comme lui une discrimination eschatologique (*krisis*) entre ceux qui y trouvent la vie et ceux qui y trouvent la condamnation.

La vérité et la vie. Il est remarquable que Jean ne mentionne même pas certaines dispensations considérées comme caractéristiques par d'autres témoins du NT : ne sont attribuées à l'Esprit ni manifestations d'enthousiasme, ni puissance d'exorcisme ou de guérison, ni inspiration prophétique, et l'impulsion éthique n'est indiquée que de façon générale en 3, 8. Tout se concentre chez Jean dans un double effet : l'Esprit, comme le Fils, communique la vérité et la vie.

Il est l'Esprit de vérité (14, 17 ; 15, 26 ; 16, 13). La vérité qu'il révèle tout entière (16, 13) n'est autre que la révélation du Fils (15, 26) ou de ses paroles (14, 26) et, à travers lui, du Père (16, 13-15). Un tel enseignement n'a donc rien à voir avec une gnose, c'est l'initiation à une relation confiante. Et, bien que relative à l'œuvre historique de l'Envoyé, cette connaissance éclaire « ce qui est en train d'advenir » (16, 13) ; l'évangéliste lui-même donne un bon exemple de cette prospective tout au long des discours d'adieu.

Au demeurant, la communication de la vérité n'est qu'une voie par laquelle l'Esprit apporte la vie, directement et souverainement (3, 5.8 ; cf. 6, 63a) ou par les paroles du Fils (6, 63b) ou encore par le témoignage des croyants (4, 14 ; 7, 38-39). Jean a comme affûté ici le thème traditionnel de l'Esprit créateur de vie, parce que la vie (ou vie éternelle) est pour lui la meilleure expression possible pour désigner le salut.

Le procès. Dans 16, 8-11 l'Esprit intervient comme un procurateur dans le procès en cours entre Dieu et le monde (thème johannique). L'Esprit révèle aux hommes de ce monde la gravité dernière de l'enjeu : leur faute est de ne pas croire au Fils alors qu'il assure le triomphe du droit et la condamnation du tyran. L'action de l'Esprit est donc, ici encore, au service de l'œuvre du Fils (cf. 3, 18-20). 15, 26-27 et 20, 23 permettent de préciser que ce ministère de l'Esprit s'exerce à travers le témoignage des disciples.

3. Dénominations johanniques de l'Esprit

Quelques observations sur les dénominations diverses que Jean utilise peuvent tenir lieu de réflexion finale sur les originalités de la pneumatologie johannique.

La distribution du vocabulaire mérite tout d'abord l'attention. Absent du prologue, l'Esprit est, pour commencer, appelé simplement *pneuma*, quatorze fois jusqu'au chap. 12 et une fois, avec un double sens, en 19, 30. L'expression Esprit saint n'est utilisée que trois fois, dans des cas où il est opportun de donner une référence traditionnelle (1, 33 ; 14, 26 ; 20, 22). Mais quand, au moment des adieux, Jésus évoque la vie future de la communauté chrétienne, apparaît pratiquement seul un tout nouveau vocabulaire (l'exception de 14, 26 étant pour les besoins de l'identification) : trois fois Esprit de vérité et quatre fois *paraklètos*. Ces deux désignations caractérisent l'Esprit dans sa fonction de remplaçant du Fils. Le sens de la première, empruntée au judaïsme et notamment à Qumrân, a été suffisamment indiqué plus haut (§ 2*b*). Qu'en est-il de *paraklètos* ?

De nombreuses études n'ont pas réussi à percer le secret de ses origines. L'étymologie, qui fonde des traductions comme *consolateur*, est probablement trompeuse ; il faudrait plutôt savoir quel usage était fait du terme dans les milieux où Jean l'a pris. On dispose de références au grec hellénistique et à Philon avec le sens de défenseur d'une cause. Sous une forme hébraïsée, les rabbins usaient du mot pour désigner un intercesseur. Jean l'emploie quant à lui pour qualifier celui qui, dans un procès, intervient pour faire éclater la vérité (cf. 15, 26) aussi bien dans la défense que dans l'accusation et qui conforte ainsi ceux qui pourraient être démunis (14, 16 ; 16, 7-11). Il semble qu'il a tout simplement adapté à ses perspectives propres une tradition bien enracinée dans le christianisme naissant : la promesse faite par Jésus que l'Esprit inspirerait le témoignage des croyants au milieu d'un monde hostile (cf. 15, 26-27 et ci-dessus chap. iii, 4 et 5 ; chap. iv, 2*b*). On hésite pour la traduction entre différentes approximations : avocat, conseiller, aide, auxiliaire, assistant, tuteur, défenseur… Mieux vaut, croyons-nous, risquer une traduction insuffisante que de conserver en français Paraclet qui ne veut rien dire du tout.

B) LA PREMIÈRE ÉPÎTRE DE JEAN

Il n'y a pas de référence à l'Esprit dans 2 et 3 Jn. Dans la première épître on retrouve divers traits caractéristiques de l'évangile, comme l'accent mis sur le rôle de l'Esprit de vérité pour la connaissance de Dieu (4, 6 ; 5, 6). Plus encore que dans l'évangile, cette connaissance est focalisée sur le Fils et même sur le Fils incarné (4, 2) et sur son œuvre historique (5, 6-8) ; c'est d'ailleurs le Fils seul qui porte le titre de *paraklètos* (2, 1). Il s'agit de s'opposer à des enseignements qui relèvent d'inspirations perverses (4, 1-3 et 6, avec le thème juif de la lutte entre les deux esprits, cf. chap. ii, 3) et non comme en 1 Co 12, 1-3 des aberrations de l'enthousiasme.

La perspective est celle de la vie de l'Eglise après la glorification du Fils. Plus question de l'habitation de l'Esprit dans le Fils. Maintenant l'Esprit est donné aux croyants par Dieu lui-même (3, 24 ; 4, 14), probablement au moment du baptême vu les références baptismales de l'épître. Il est vraisemblable que l'onction de 2, 20.27 évoque cette effusion baptismale de l'Esprit (le Saint serait-il ici le Christ ? cf.Jn 1, 33) ; en revanche, la semence de Dieu de 3, 9 est plutôt la parole que l'Esprit (cf. chap. I, 2 fin).

L'épître précise en 3, 23-24 et 4, 12-13 un point esquissé en Jn 14, 23-26, le thème également paulinien de l'habitation de l'Esprit dans le croyant, et peut-être faut-il comprendre que l'amour fraternel en est, ici comme en Ga 5, 22, la manifestation. Manque par contre l'insistance de l'évangile sur la communication de la vie, sauf éventuellement en 3, 9.

C) L'APOCALYPSE

Nous plaçons ici par commodité le témoignage particulier de l'Apocalypse de Jean, mais la pneumatologie est l'un des points où apparaît le mieux la différence avec le quatrième évangile (sauf peut-être Ap 22, 17b à rapprocher de Jn 7, 37-39).

L'Apocalypse utilise la notion juive de l'Esprit de prophétie (chap. II, 2), en l'appliquant aux prophètes chrétiens (19, 10 ; cf. 22, 6 et peut-être 11, 8) qui n'ont d'ailleurs — un peu comme dans l'évangile — rien d'autre à révéler que « le témoignage de Jésus » (19, 10). Le visionnaire lui-même se dit « en Esprit » (1, 10 ; 4, 2 ; cf.17, 3 ; 21, 10). Chacune des sept Eglises doit être attentive à ce que le Christ (2, 1, etc.) lui dit par cet Esprit de prophétie (2, 7, etc.). Grâce à lui, il est possible d'acquiescer explicitement à la révélation du dessein de Dieu (14, 13 ; 22, 17) et d'entraîner ainsi liturgiquement l'Eglise entière (22, 17).

Les sept esprits de 1, 4-5 ; 3, 1 ; 4, 5 et 5, 6 sont probablement une description de l'Esprit de Dieu en rapport avec Es 11, 2 et Za 4, 2. 10b.

CHAPITRE VII

Le deutéro-paulinisme

Nous usons ici du terme deutéro-paulinisme dans un sens très large ; nous y incluons des épîtres placées sous le nom de Paul et que certains considèrent comme authentiques, mais que d'autres contestent à divers degrés (Ep, Col, 2Th, 1 et 2Tm, Tt) ; et puis deux épîtres reconnues pour être dans sa mouvance, He et 1P. Plus encore que dans ce qui précède, la brièveté nous contraint ici à des regroupements sacrifiant les nuances.

Un certain nombre des thèmes de la pneumatologie des épîtres incontestées subsistent plus ou moins distinctement.

Il y a un lien étroit entre la résurrection du Christ et l'Esprit (1Tm 3, 16 ; 1P 3, 18) et plus généralement entre le Christ et l'Esprit (He 9, 14). Les expressions trinaires restent librement développées (2Th 2, 13-14 ; Tt 3, 4-6 ; He 2, 3-4 ; cf. en dehors du courant paulinien Jude 20-21) ; elles sont parfois formulées de façon plus stricte (Ep 4, 4-6 ; 1P 1, 2).

La présence de l'Esprit est assurée à l'Eglise en tant que Temple (Ep 2, 22 ; trace dans 1P 2, 5 ?) ou en tant que corps (Ep 4, 3-4). Il est garant de son unité (Ep 2, 18 ; 4, 4). Il y anime la vie cultuelle (Ep 5, 18-19 ; cf. 1P 2, 5.9) et conduit la communauté notamment par la prophétie (2Th 2, 2 ; 1Tm 4, 1). Comme en Rm 12, 6-8, les dons de la grâce utiles à la vie ecclésiale (*charismata*) peuvent ne pas être attribués à l'Esprit (1P 4, 10), mais He 2, 4 semble associer dans ces dispensations Dieu et l'Esprit.

Le don de l'Esprit au croyant est le fait de Dieu lui-même (2Tm 1, 7 ; He 2, 4) à l'occasion du baptême (Tt 3, 5 et probablement He 6, 4 ; 1P 1, 2). C'est un acompte eschatologique (Ep 1, 13-14 ; 4, 30 ; Tt 3, 6-7 ; He 6, 4-5). L'Esprit illumine l'intelligence de la foi (Ep 1, 17) et, en habitant le croyant (2Tm 1, 14), il anime la vie du chrétien (Ep 3, 16 ; 4, 23. 30 ; 2Tm 1, 7 ?, et, dans son contexte, He 10, 29), en particulier la prière (Ep 6, 18 ; cf. 2, 18 ; voir aussi Jude 20). Le rôle sanctificateur de l'Esprit est mis en évidence (2Th 2, 13 ; 1P 1, 2). C'est aussi la puissance de vie divine par-delà la mort (1P 4, 6).

Toutefois, on observe, par rapport aux épîtres pauliniennes incontestées, de notables infléchissements de la pneumatologie. En particulier, la crainte de l'illuminisme, certaines élucubrations annonçant les gnostiques, on tout simplement la menace des particularismes ruineux pour l'unité du « corps du Christ », conduisent à réduire ou à canaliser le rôle de l'Esprit dans la vie de l'Eglise, même si l'assurance d'une effusion générale sur le peuple messianique se maintient avec la conviction d'une communication baptismale.

La concentration christologique s'accompagne ainsi, dans l'épître aux Colossiens, d'une frappante raréfaction des références à l'Esprit de Dieu (1, 8.9 ; 3, 16), en contraste notamment avec les développements parallèles de l'épître aux Ephésiens (comparer Col 3, 16-17 et Ep 5, 18-20 ; Col 4, 2-4 et Ep 6, 18-20). Cela rappelle la façon qu'avait Paul, dans la 1er épître aux Corinthiens, de placer la pneumatologie sous le contrôle de la christologie (de même, à leur manière, Luc et Jean), mais ici le champ de la pneumatologie est, en plus, singulièrement rétréci.

Ailleurs, la crainte des déviations ou des ruptures conduit à une démarche bien différente : l'action de l'Esprit n'est pas récusée, mais on fait valoir qu'elle s'exerce d'une façon privilégiée dans des institutions socio-religieuses qui en garantissent la qualité. Ces institutions sont héritées du judaïsme ; il y a l'Ecriture (Ep 6, 17 ; 2 Tm 3, 16 ; cf. aussi 2 P 1, 20-21) et il y a les ministères reconnus, apôtres et prophètes (Ep 3, 5 ; cf. 4, 7.11), prédicateurs en général (1 P 1, 11-12), si bien qu'on en arrive à parler d'une communication de l'Esprit par une sorte d'ordination (2 Tm 1, 6-7.14). Certains exégètes estiment qu'on atteint ainsi un bon équilibre dans l'accueil à faire aux interventions de l'Esprit dans l'Eglise ; d'autres pensent que c'est dénaturer, ou du moins mettre en péril, la caractéristique même de l'effusion messianique de l'Esprit, qui est sa généralité.

Reparaissent enfin çà et là des traits de la pneumatologie primitive ignorés des grandes épîtres de Paul, comme le don de l'Esprit par le Christ en personne (Tt 3, 6) et l'assistance spéciale de l'Esprit aux fidèles persécutés (1 P 4, 14).

CONCLUSION

Etudier le thème de l'Esprit, même lorsqu'on a pour unique intention de rendre compte des données scripturaires, est particulièrement difficile. La réalité à cerner est si mystérieuse et la conceptualité disponible si peu adaptée qu'on a de la peine à éviter le flou, sinon en forçant les témoignages divers à entrer dans tel ou tel système d'interprétation. L'histoire de l'exégèse est édifiante à cet égard. Nous en avons dit un mot à propos de l'école moderne de l'histoire des religions. Mais rappelons que, dès les origines, les textes furent lus çà et là sous l'influence du panthéisme stoïcien qui était un pan-pneumatisme, et aussi, plus généralement, du dualisme hellénistique, ce qui a conditionné des développements et des débats théologiques, parmi les plus anciens et les plus déterminants pour l'histoire de l'Eglise.

Aujourd'hui même, certains éprouvent le besoin de donner à l'Esprit une identité plus accusée et mettent l'accent à cette fin sur les liens indiscutables que la pneumatologie du NT entretient avec la christologie (l'Esprit représente la présence actualisée du Kyrios Jésus), ou avec l'ecclésiologie (l'Esprit s'exprime selon les uns dans les ministères institués, selon les autres dans l'assemblée des fidèles. Certains autres ne se préoccupent pas d'identité, mais valorisent l'expérience ; c'est pour eux dans la piété commune et privée que se manifeste l'Esprit. Il y a là des simplifications du témoignage complexe du NT qui peuvent être théologiquement et pratiquement inquiétantes.

Et que dire de ceux qui, plus ou moins consciemment, contournent les données ? Il se trouve qu'aucun texte de la nouvelle alliance ne reconnaît une action de l'Esprit de Dieu dans l'humanité non croyante ; ressentant cela comme un insupportable orgueil spirituel, au lieu de se demander comment s'explique théologiquement ce fait, on invoque de façon fort problématique (mais il est vrai, avec l'appui de traditions vénérables) des passages de l'AT comme Gn 1, 2 et 6, 4 ou Sg 1, 7 et 7, 22 ss., pour induire dans le NT, par exemple Ac 17, 28, ce qui n'y est pas.

Ainsi va l'exégèse ! Alors comment oser une synthèse finale ?

Nous essaierons pourtant, dans un souci de clarification, de rapprocher les uns des autres les enseignements dominants de Luc, de Paul et de Jean, et de proposer un axe commun.

Esprit de prophétie proclamant le Christ selon Luc, Esprit animateur d'une vie nouvelle en Christ selon Paul, Esprit de vérité ouvrant à la connaissance actuelle du Fils selon Jean, les accents sont en effet différents, mais il y a une indiscutable cohérence entre les présentations de l'Esprit et de son rôle chez ces trois témoins essentiels. Tous trois font valoir à leur manière que l'effusion générale de l'Esprit est une grâce eschatologique, qu'elle dépend de l'œuvre messianique accomplie par le Christ et ne cesse d'y renvoyer et qu'elle a, par définition, une dimension ecclésiologique. On retrouve ces mêmes traits, avec plus ou moins de netteté, dans les milieux anonymes d'où est issu le témoignage synoptique et, avec des oblitérations et des déformations, dans l'éventail des écrits deutéro-pauliniens.

Pour tous, l'Esprit est la présence mystérieuse de Dieu par son «souffle», jamais décrite autrement que dans ses effets, jamais contrôlable par l'homme, mais atteignant l'homme. Risquant une formulation plus moderne, on pourrait peut-être dire que l'Esprit, selon le NT, c'est Dieu lui-même en tant qu'il entre dans l'existence de la communauté tout entière et dans celle des individus comme un sujet distinct, disons même comme *le sujet,* celui qui parle ou fait parler comme chez Luc, celui qui conduit comme chez Paul, celui qui convainc comme chez Jean.

Paul et Luc (non point Jean) font, il est vrai, état de circonstances où, momentanément, l'Esprit-sujet occupe dans le croyant toute la place, submergeant pour ainsi dire la conscience ; ce sont les moments d'enthousiasme qu'il ne faut ni refuser ni suspecter, mais qu'il ne faut pas non plus isoler et idolâtrer. Habituellement Dieu intervient sans obnubiler la conscience, constituant au contraire l'homme qu'il touche comme un autre sujet responsable en relation avec lui, le dotant d'une liberté originale dans la soumission même à sa présence.

Au reste, après cette mise au point indispensable sur les interventions de l'Esprit-sujet dans le croyant, il faut nous souvenir par-dessus tout que l'effusion dont parle le NT a une dimension collective, une fonction historique et une finalité universelle. Le paradoxe eschatologique, c'est que l'action de l'Esprit dans les croyants et dans l'Eglise rend sensible au cœur même de l'humanité et de son histoire la présence d'un sujet caché.

BIBLIOGRAPHIE

Dans chaque section, les titres sont cités selon la date de parution : l'indication (bibliogr.) signale les travaux fournissant des listes bibliographiques *récentes*.

I. BIBLIOGRAPHIE

Les ouvrages et articles publiés de 1956 au début de 1978 sont recensés dans *TWNT* t. X/2, 1979, pp. 1238-1244.

II. ENSEMBLE DE LA BIBLE

G. JOHNSTON, art. «Spirit, Holy Spirit», in *A Theological Wordbook of The Bible* (A. Richardson *ed.*), SCM Press, Londres, 1950, pp. 233-247.

G. GERLEMANN et E. KÄSEMANN, art. «Geist», in RGG, 3ᵉ éd., t. II, 1958, col. 1270-1279.

J. GUILLET, article «Esprit saint», in *Dictionnaire de Spiritualité*, Beauchesne, Paris, t. IV, 1960, col. 1246-1257.

G. W. H. LAMPE, article «Holy Spirit», in *The Interpreter's Dictionary of the Bible*, t. II, Abingdon Press, New York, 1962, pp. 626-639.

V. HAMP, J. SCHMID et F. MUSSNER, article «Pneuma», in *LThK*, 2ᵉ éd., t. VIII, 1963, col. 568-576.

M. RAMSEY, *Holy Spirit. A Biblical Study*, SPCK, Londres, 1977.

E. SCHWEIZER, *Heiliger Geist*, Kreuz V., Berlin, 1978 (aussi en trad. anglaise).

Y. CONGAR, *Je crois en l'Esprit Saint, I. L'expérience de l'Esprit*, 1ʳᵉ partie : «les Ecritures canoniques», Cerf, Paris, 1979, pp. 19-91 (bibliogr.).
En outre, la plupart des travaux consacrés au NT (ci-après § 5) comprennent une introduction exposant le témoignage de l'AT.

G.T. MONTAGUE, *The Holy Spirit : Growth of a Biblical Tradition*, Paulist Press, New York, 1976.

III. AT DANS SON ENSEMBLE

P. van IMSCHOOT, *Théologie de l'AT*, t. I, Desclée, Paris-Tournai, 1954, pp. 183-200.

E. JACOB, *Théologie de l'AT*, Delachaux, Neuchâtel-Paris, 2ᵉ éd., 1968 (1ʳᵉ éd. 1955), pp. 98-103.

D. Lys, « *Rûach* ». *Le souffle dans l'AT*, PUF, Paris, 1962.

E. Haulotte, « L'Esprit de Yahvé dans l'AT », in *l'Homme devant Dieu. Mélanges H. de Lubac*, t. I, Aubier, Paris, 1963, pp. 25-36.

R. Albertz-C. Westermann, art. « *ruah, Geist* », in *Theol. Handwörterbuch zum AT*, t. II, Kaiser, Munich, 1976, col. 726-753.

H. Cazelles, « l'Esprit Saint dans l'AT », in *les Quatre Fleuves*, n° 9, 1979, pp. 4-22.

IV. PERIODE INTERTESTAMENTAIRE

1. Hellénisme

G. Verbeke, *l'Évolution de la doctrine du pneuma du stoïcisme à saint Augustin. Etude philosophique*, Desclée De Brouwer, Paris-Louvain, 1945.

J. Dupont, *Gnosis*, Gabalda, Paris-Louvain, 1949, pp. 155-172.

2. Judaïsme de langue grecque

H. A. Wolfson, *Philo*, t. II, Harvard Univ. Press, Cambridge, USA, 3ᵉ éd. 1972 (1ʳᵉ éd. 1917), pp. 3-72.

A. Laurentin, « le Pneuma dans la doctrine de Philon », in *ETL*, t. 27, 1951, pp. 390-437.

C. Larcher, *Etudes sur le Livre de la Sagesse*, Gabalda, Paris, 1969, pp. 329-414 : « la Sagesse et l'Esprit. »

M. E. Isaacs, *The Concept of Spirit : A Study of Pneuma in Hellenistic Judaism and Its Bearing on The NT*, Heythrop College, Univ. of London, Londres, 1976.

3. Judaïsme de culture sémitique

W. Foerster, « Der heilige Geist im Spätjudentum », in *NTS*, t. 8, 1961-62, pp. 117-134.

P. Schäfer, *Die Vorstellung vom heiligen Geist in der rabbinischen Literatur*, Kösel, Munich, 1972.

4. Qumrân

A. Jaubert, *la Notion d'Alliance dans le Judaïsme aux abords de l'ère chrétienne*, Seuil, Paris, 1963, pp. 238-245.

J. Schreiner, « Geistbegabung in der Gemeinde von Qumrân », in *BZ*, t. 9, 1965, pp. 161-180 (bibliogr.).

H.W. Kuhn, *Enderwartung und gegenwärtiges Heil*, Vandenhoeck u.R., Göttingen, 1966, pp. 117-139 : § 8 « Das Problem der Gegenwart des Geistes ».

F. F. Bruce, « Holy Spirit in The Qumran Texts », in J. Macdonald (ed.), *Dead Sea Scroll Studies*, Brill, Leyde, 1969.

5. NT DANS SON ENSEMBLE

F. Büchsel, *Der Geist Gottes im NT*, Bertelsmann, Gütersloh, 1926.

E. Schweizer et al., *Esprit*, Labor et Fides, Genève, 1971 (trad. de l'article
« pneuma » du *TWNT*, t. VI, 1959).

D. Hill, *Greek Words and Hebrew Meanings*, University Press, Cambridge,
1967, pp. 202-293 (chapitre consacré à *pneuma*).

M.-A. Chevallier, *Souffle de Dieu. Le Saint-Esprit dans le NT*, t. I,
Beauchesne, Paris, 1978 (bibliogr.). T. II en préparation.

B. Gilliéron, *le Saint-Esprit, actualité du Christ*, Labor et Fides, Genève,
1978.

VI. EVANGILES SYNOPTIQUES

1. En général

R. Bultmann, *l'Histoire de la tradition synoptique*, trad. fr. d'après l'éd.
allem. de 1971, Seuil, Paris, 1973, *passim* (bibliogr.).

C. K. Barrett, *The Holy Spirit and The Gospel Tradition*, SPCK, Londres,
1947.

M.-A. Chevallier, *l'Esprit et le Messie dans le Bas-Judaïsme et le NT*, PUF,
Paris, 1958, pp. 53-96.

J. Jeremias, *Théologie du NT*, t. I : *la Prédication de Jésus*, trad. fr. d'après
l'éd. allem. de 1971, Cerf, Paris, 1973, pp. 66-74, 99-111, 295 (bibliogr.).

P. Benoit et M.-E. Boismard, *Synopse des quatre évangiles en français*, t. II :
Commentaire, Cerf, Paris, *passim*.

2. La naissance de Jésus selon Mt et Lc

R. Laurentin, *Structure et Théologie de Luc 1-2*, Gabalda, Paris, 1957.

P. Benoit, « l'Annonciation », in *Assemblées du Seigneur*, n° 8, 1972,
pp. 39-50.

R.E. Brown, *The Birth of The Messiah*, Chapman, Londres, 1977 (bibliogr.).

R.E. Brown, art. « Virgin Birth », in *The Interpreter's Dictionary of the Bible.
Supplementary Volume*, Abingdon, Nashville, 1976, pp. 940-941.

3. « Lui vous baptisera d'Esprit saint »

J.D.G. Dunn, *Baptism in the Holy Spirit*, SCM Press, Londres, 1970,
pp. 8-22 (bibliogr.).

4. Baptême de Jésus

F. Lentzen-Deis, *Die Taufe Jesu nach den Synoptikern*, J. Knecht,
Francfort, 1970 (bibliogr.).

VII. LES ACTES DES APÔTRES

1. En général

H. von Baer, *Der heilige Geist in den Lukasschriften*, Kohlhammer, Stuttgart, 1926.

G. W. Lampe, « The Holy Spirit in The Writings of St. Luke », in *Studies in The Gospels. Mélanges R.H. Lightfoot*, Blackwell, Oxford, 1955, pp. 150-200.

G. Haya-Prats, *l'Esprit, force de l'Eglise. Sa nature et son activité d'après les Actes des Apôtres*, Cerf, Paris, 1975 (bibliogr.).

F. Bovon, *Luc le théologien. 25 ans de recherches (1950-1975)*, Delachaux et Niestlé, Neuchâtel, 1978, pp. 211-254 (bibliogr.).

A. George, « l'Esprit saint dans l'œuvre de Luc », in *RB*, t. 85, 1978, pp. 500-542.

2. La Pentecôte

J. Kremer, *Pfingstbericht und Pfingstgeschehen*, Verlag Katholisches Bibelwerk, Stuttgart, 1973 (bibliogr.).

M.-A. Chevallier, « "Pentecôtes" lucaniennes et "Pentecôtes" johanniques », in *la Parole de grâce. Etudes lucaniennes. Mélanges A. George*, in *RSR* t. 69, Paris, 1981, pp. 301-314.

3. Le baptême dans l'eau et l'Esprit

J.D.G. Dunn, *Baptism in The Holy Spirit*, SCM Press, Londres, 1970, pp. 38-102.

VIII. LES EPÎTRES INCONTESTEES DE PAUL

1. En général

W.D. Davies, *Paul and Rabbinic Judaism*, SPCK, Londres, 3e éd. 1970 (1re éd. 1948), chap. 8, pp. 177-226.

O. Kuss, *Der Römerbrief*, Pustet, Ratisbonne, 2e éd. 1963 (1re éd. 1957), 8e éd. 1979, pp. 540-595 (excursus : « Der Geist »).

R. Bultmann, *Theologie des Neuen Testaments*, Mohr, Tübingen, 1re éd. 1958, 8e éd. 1979, paragraphe 14 (bibliogr.). L'ouvrage existe aussi en anglais.

J.S. Vos, *Traditionsgeschichtliche Untersuchungen zur paulinischen Pneumatologie*, van Gorcum, Assen, 1973.

O. Knock, *Der Geist Gottes und der neue Mensch... nach dem Zeugnis des Apostels Paulus*, Verlag Kathol. Bibelwerk, Stuttgart, 1975 (bibliogr.).

TOB : annotations à Rm 1, 9 (note *o*) et 1, 3 (note *g*, point III).

2. Le Seigneur et l'Esprit

L. Cerfaux, *le Christ dans la théologie de saint Paul*, Cerf, Paris, 2e éd. 1954, pp. 209-223, 234-236.

I. Hermann, *Kyrios und Pneuma*, Kösel, Munich, 1961.
M. Bouttier, *En Christ*, PUF, Paris, 1962, pp. 61-69.
R. Penna, *Lo Spirito di Cristo*, Paideìa, Brescia, 1976 (bibliogr.).
F.F. Bruce, «Christ and Spirit in Paul», in *BJRL*, t. 59, 1977, pp. 259-285.

3. L'Esprit et l'Eglise

P.A. Harlé, «le Saint Esprit et l'Eglise chez saint Paul», in *Verbum Caro*, t. 19, 1965, pp. 13-29.
E. Schweizer, «Esprit et communauté chez Paul et ses disciples», in *l'Esprit saint et l'Eglise*, Fayard, Paris, 1969, pp. 45-70, avec une discussion, pp. 71-84.
M.-A. Chevallier, *Esprit de Dieu, paroles d'hommes*, Delachaux et Niestlé, Neuchâtel-Paris, 1966 (bibliogr.).
E. Cothenet, art. «Prophétisme dans le NT», in *DBS* t. VIII, 1971, col. 1287-1303 (bibliogr.).
«*charisma*» : bibliographie de 1965 à début 1978, in *TWNT*, t. X/2, p. 1291.

4. L'Esprit et le croyant

H.D. Wendland, «Das Wirken des Geistes in den Glaübigen nach Paulus», in *TLZ*, 77, 1952, col. 457-470.
N.Q. Hamilton, *The Holy Spirit and Eschatology in Paul*, Scottish Journal of Theology, Occasional Papers 6, Edimbourg, 1957.
R. Bultmann, *Theologie des NT* (v. ci-dessus), paragraphe 38 (bibliogr. ; voir aussi compléments en fin de volume).
L. Cerfaux, *le Chrétien dans la théologie paulinienne*, Cerf, Paris, 1962, pp. 240-286, 406-428.
K. Stalder, *Das Werk des Geistes in der Heiligung bei Paulus*, Evang Verlag, Zurich, 1962.
W. Pfister, *Das Leben im Geiste nach Paulus*, Universitätsverlag, Fribourg, 1963.

IX. LE JOHANNISME

1. Dans le 4ᵉ évangile en général

C. K. Barrett, «The Holy Spirit in the Fourth Gospel», in *JTS*, NS t. 1, 1950, pp. 9-15.
H. Schlier, *Essais sur le NT*, Cerf, Paris, 1968, pp. 307-316 : «L'Esprit selon l'évangile de saint Jean» (article de 1963).
G. Johnston, *The Spirit-Paraclete in the Gospel of John*, University Press, Cambridge, 1970.
F. Porsch, *Pneuma und Wort. Ein exegetischer Beitrag zur Pneumatologie des Johannesevangeliums*, J. Knecht, Francfort, 1974 (bibliogr.).
M. E. Boismard, et A. Lamouille, *l'Evangile de Jean (Synopse des quatre évangiles en français*, t. III), Cerf, Paris, 1977, *passim* et pp. 382-386 : «Synthèse sur l'Esprit.»

R. Schnackenburg, « Die johanneische Gemeinde und ihre Geist-erfahrung », in *Die Kirche des Anfangs. Mélanges H. Schürmann*, St. Benno, Leipzig, s.d. (1978 ?), pp. 277-306 (bibliogr.).

2. Parakletos

Excursus des commentaires du quatrième évangile, notamment ceux de R. E. Brown. *The Gospel According to John*, Doubleday, New York, t. II, 1970, pp. 1135-1144 (bibliogr.) et de R. Schnackenburg, *Das Johannes-evangelium*, Herder, Fribourg, t. III. 1975, pp. 156-173 (bibliogr.).

J. Behm, art. « *paraklètos* », in *TWNT*, t. VI, 1954, pp. 798-812 (ou trad. en anglais ou italien), et complément bibliogr., *TWNT*, t. X/2 pp. 1215-1217.

U.B. Müller, « Die Parakletenvorstellung im Johannesevangelium », *ZThK*, t. 71, 1974, pp. 31-77 (bibliogr.).

I. de la Potterie, *la Vérité dans saint Jean*, Institut Biblique Pontifical, Rome, 1977, t. I, pp. 329-471 : « Le Paraclet, l'Esprit de la vérité » (bibliogr. p. 330, n.1) ; voir aussi t. II, pp. 673-706 : « Adorer le Père dans l'Esprit et la Vérité. »

3. La première épître de Jean

R. Schnackenburg, *Die Johannesbriefe*, Herder, Fribourg, 2ᵉ éd. revue 1963, pp. 209-215 : « Zur Vorstellung vom Geist in 1 Joh. »

X. L'APOCALYPSE

F.F. Bruce, « The Spirit in The Apocalypse », in *Christ and Spirit in The New Testament. Mélanges C.F.D. Moule*, University Press, Cambridge, 1973, pp. 333-344.

R. Bauckham, « The Role of The Spirit in The Apocalypse », in *The Evangelical Quarterly*, t. 52, 1980, pp. 66-83.

XI. LE DEUTERO-PAULINISME

E. Percy, *Die Probleme der Kolosser- und Epheserbriefe*, Gleerup, Lund, 1946, pp. 121-123 (Col), 308-309 et 317-324 (Ep).

R. Schnackenburg, « Christus, Geist und Gemeinde (Eph. 4 : 1-16) », in *Christ and Spirit in The NT* (= ci-dessus § 10), pp. 279-296.

E. Schweizer, « Christus und Geist im Kolosserbrief », *ibidem*, pp. 297-313.

W. Bieder, « Pneumatologische Aspekte im Hebräerbrief », in *Neues Testament und Geschichte. Mélanges O. Cullmann*, Theol. V, Zurich, 1972, pp. 251-259.

E.G. Selwyn, *The First Epistle of St. Peter*, Mac Millan, Londres, 1947, pp. 222-224, 247-250, 286-291.

L. Goppelt, *Der erste Petrusbrief*, Vandenhoeck, Göttingen, 1978, pp. 305-307.

II. PNEUMATOLOGIE DOGMATIQUE

par YVES CONGAR

CHAPITRE PREMIER

Le témoignage
sur l'Esprit Saint

Nous n'avons pas de révélation de la troisième Personne comme nous en avons une du Fils en Jésus-Christ. L'Esprit [1] s'est cependant manifesté et il se manifeste par ce qu'il opère. C'est pourquoi nous devons interroger les témoignages, soit de l'Ecriture, soit des célébrations liturgiques, soit de l'expérience chrétienne personnelle. L'organisation que nous faisons ici de ces témoignages a surtout une valeur *pratique*. On ne peut tout dire en même temps, même de ce qui est simultané et lié. *L'Esprit inspire la poursuite de l'œuvre de Dieu.*

Le plus constant de nos témoignages, car il se trouve abondamment déjà dans l'Ancien Testament, est que le Souffle de Dieu suscite et conduit des hommes et des femmes pour accomplir le dessein de Dieu : serviteurs du culte, prophètes, guerriers charismatiques, par-dessus tout le roi davidique et messianique au sujet duquel Isaïe a écrit : « Un rameau sortira de la souche de Jessé, un rejeton jaillira de ses racines. Sur lui reposera l'Esprit du Seigneur : esprit de sagesse et de discernement, esprit de conseil et de vaillance, esprit de connaissance et de crainte du Seigneur » (11, 1 s.). Le même sentiment d'être habité et conduit est aussi attribué à la Sagesse : il n'est pas étonnant que des Pères anténicéens aient envisagé ensemble Esprit et Sagesse. Evidemment cette conduite par le Souffle de Dieu intéresse principalement le temps *constitutif* du peuple de Dieu : prophètes, hagiographes, apôtres, Pères, premiers conciles. Mais l'économie salutaire continue après la période constitutive. Toutes les époques ont eu leurs fondateurs, leurs prophètes, la nôtre autant que les autres. « Je suis lié à l'Esprit et ce n'est pas moi, mais le Seigneur, qui m'a demandé de venir » (en Irlande), confesse S. Patrick († 460).

---

1. Sous le sigle *ES* nous renvoyons à Y. CONGAR, *Je crois en l'Esprit Saint*, 3 vol., Cerf, Paris, 1979 et 1980.

1. L'Esprit de communion

« Quand vint la plénitude des temps » Dieu (le Père) a envoyé son Fils afin de nous conférer l'adoption filiale et a envoyé dans nos cœurs l'Esprit de son Fils (Ga 4, 4-6). « Ceux qu'anime l'Esprit de Dieu sont fils de Dieu » (Rm 8, 14). Nous sommes fils dans le Fils unique, en devenant son corps, en étant mystiquement identifiés à lui. Il y a un lien profond entre unité du corps et unité, ou plutôt unicité de l'Esprit : 1 Co 12, 13 ; Tt 3, 5-6. L'Esprit fera en nous ce qu'il a fait pour le Christ (Rm 8, 11), c'est le même, c'est l'Esprit *du Christ* (Rm 8, 9). L'Esprit s'affirme ainsi comme principe de communion (2 Co 13, 13 ; Ph 2, 1). Lui, le même et unique, peut être en beaucoup, créant en eux une unité sans fusion ni confusion des personnes. Les théologiens et les spirituels ont célébré ce mystère d'unité : cf. le lien mis par saint Augustin entre Esprit du Christ et Corps du Christ : quand l'Esprit est en nous, nous sommes dans le Christ. Le grand spirituel que fut Guillaume de Saint-Thierry († 1148), commentant la parole de Jésus, « afin que l'amour dont tu m'as aimé soit en eux, et moi en eux » (Jn 17, 26), arrive à faire cette prière : « Ainsi nous t'aimons ou mieux tu t'aimes en nous, nous d'affection, toi d'efficace, nous effectuant *un* en toi par ta propre unité, je veux dire par ton propre Esprit Saint que tu nous as donné. » Cette conscience d'être uni à Dieu et de l'aimer par son propre amour demanderait théologiquement des précisions mais, comme sentiment, elle répond à une expérience et se trouve chez plus d'un mystique [2]. L'Esprit serait donc Celui qui est le principe de la plus grande intériorité et d'une présence mutuelle, non seulement entre nous et Dieu, mais entre nous, les fidèles.

---

2. Ainsi S. Jean de la Croix : « L'âme alors aime Dieu non par elle, mais par Dieu même, parce qu'elle aime ainsi par l'Esprit Saint, comme le Père et le Fils s'aiment, selon que le Fils lui-même le dit en S. Jean : "afin que l'amour dont tu m'as aimé soit en eux, et moi aussi en eux." » (*Vive flamme d'amour*, str. 3.) ; « L'âme aime Dieu avec la volonté de Dieu, qui est aussi sa volonté à elle ; et elle peut l'aimer autant qu'elle est aimée de lui, puisqu'elle l'aime par la volonté de Dieu même, en le même amour dont il l'aime, qui est le Saint-Esprit, selon le mot de l'Apôtre : Rm 5, 5 » (*Cantique spirituel*, str. 37). Ste Thérèse de l'Enfant Jésus : « Pour vous aimer comme vous m'aimez, il me faut emprunter votre propre amour » (*Histoire d'une âme*, Lisieux, 1924, p. 201) ; S. Maxime le Confesseur : « Une seule énergie œuvre en Dieu et dans les déifiés » (PG 91, 33).

2. L'expérience des fidèles

Les fidèles en ont conscience et en font l'expérience au moins de deux façons :

1° Dans leur sens de la « communion des saints », où « saints, *sanctorum* » est entendu, non de la communion aux sacrements, mais de l'union avec les saints, avec les martyrs, ce qui est peut-être le sens premier de l'expression (Nicétas de Remesiana, Fauste de Riez). Les chrétiens ont, depuis les origines, la certitude de former, dans le Christ et dans l'Esprit, un corps dont les membres se soutiennent, se portent les uns les autres, et cela dans un domaine de vie qui, étant celui du Seigneur et de l'Esprit, englobe le siècle à venir avec ce siècle-ci. Nous pouvons croire au-delà de ce monde et aimer jusque dans le monde de Dieu, jusque dans Son cœur : « ni la mort, ni la vie, ni le présent, ni l'avenir, ni aucune créature, rien ne pourra nous séparer de l'amour de Dieu manifesté en Jésus-Christ Notre Seigneur » (Rm 8, 28).

2° Il existe une présence et une influence du Christ et du Saint-Esprit, qui sont liées à la participation à la communauté comme telle. C'est attesté par nos classiques de l'âge des martyrs : saint Ignace d'Antioche, *Eph.* 5, 3 ; saint Irénée, « là où est l'*ecclesia* (l'assemblée des fidèles), là est aussi l'Esprit de Dieu ; et là où est l'Esprit de Dieu, là est l'*ecclesia* et toute grâce »[3] ; S. Hippolyte, « On sera empressé d'aller à l'*ecclesia* (l'assemblée des fidèles), là où fleurit l'Esprit »[4]. L'expérience de tous les temps, mais plus particulièrement celle du nôtre, illustre ces témoignages anciens. C'est un fait, il se fait une expérience originale de l'Esprit dans des assemblées priantes comme celles du « renouveau » dit parfois « charismatique » aujourd'hui. Des vies sont changées, des voiles tombent, des hommes et des femmes sont convertis au Seigneur vivant (comp. 2 Co 3, 16-18).

3. Prophétie, parrèsia, Tradition

L'Esprit parle par les prophètes : cf. 1 P 1, 11-12 ; Ep 3, 5. Cette mention, qui le caractérise dans le Symbole, est attestée chez S. Justin, S. Irénée, S. Cyrille de Jérusalem, etc. L'Esprit n'est pas lui-même

---

3. *Adv. haer.* III, 24, 1, SC, n° 211 bis, p. 475.
4. *Tradition Apost.*, 35. Cf. P.-M. GY, in *la Maison-Dieu*, n° 130, 1977, pp. 27-34. Voir aussi He 10, 25.

parole, il n'est pas le Verbe, mais il fait parler, il est le Souffle qui fait sortir la parole et la porte au loin. C'est l'expérience et l'attestation de tous les « missionnaires » à travers les siècles. Au niveau du Nouveau Testament c'est la promesse du « Paraclet » (cf. *supra* pp. 467 s. et *ES* I, p. 81-91). L'Esprit de vérité enseignera les disciples et leur rappellera l'enseignement de Jésus (Jn 14, 26), il témoignera pour Jésus (15, 26-27), il conduira les disciples dans la plénitude de la vérité (16, 13-15). La réalisation de ces promesses se marque, dans toute l'histoire et à notre époque même, dans les faits suivants :

a) Comme le montre G. Haya-Prats[5] (*l'Esprit force de l'Eglise. Sa mesure et son activité d'après les Actes des Apôtres*, Cerf, Paris, 1975), le Saint-Esprit, dans les Actes, est essentiellement le principe dynamique du témoignage qui assure l'expansion de l'Eglise. L'Apocalypse fait une grande place à l'esprit de prophétie, qui anime le témoignage que les fidèles donnent à Jésus (19, 10), ce qui répond à Jn 15, 26 et 1 Jn 4, 3. L'Esprit est celui qui porte en avant l'Evangile et l'action du Seigneur Jésus, dans les espaces et les temps ouverts à eux. Le témoignage ainsi porté est marqué par une note d'assurance, *parrèsia* : cf. Ac 4, 31 ; 2, 29 ; 4, 13.29 ; 14, 3 ; Clément de Rome, *Cor.* XLII, 3. Comparer, dans saint Paul, la foi comme « charisme », 1 Co 12, 9. L'Evangile est toujours contesté, le procès de Jésus se poursuit à travers les siècles : l'Esprit est promis aux disciples pour les conforter et leur faire réaliser que le monde a tort, Jn 16, 7-11.

b) Le témoignage apostolique n'est pas une pure répétition matérielle des faits. Il incorpore une pénétration et une expression du sens de ces faits. Le quatrième évangile atteste plusieurs fois que les disciples n'ont compris que plus tard et dans la lumière de Pâques le sens de gestes ou de paroles du Christ[6]. Il apporte aussi la promesse de Jésus que l'Esprit conduira les disciples dans toute la vérité et leur dévoilera tout ce qui doit venir (Jn 16, 13). Cela ne signifie pas une prédiction de l'avenir, mais la promesse d'une assistance pour que la fidélité à la parole de Jésus s'accompagne, dans l'inédit de l'histoire, de réponses nouvelles. C'est le rôle de la Tradition vivante, dont le Saint-Esprit est le Sujet transcendant, garant de sa fidélité[7]. Le sujet

---

5. *L'Esprit force de l'Eglise. Sa nature et son activité d'après les Actes des Apôtres*, Cerf, Paris, 1975.

6. Cf. Jn 2, 22 ; 12, 16 ; 13, 7 ; 16, 12 s. F. MUSSNER, *le Langage de Jésus et le Jésus de l'histoire*, DDB, Paris, 1969 ; A.M. HUNTER, *S. Jean, témoin du Jésus de l'histoire*, Cerf, Paris, 1970 ; O. CULLMANN, *le Milieu johannique. Etude sur l'origine de l'Evangile de Jean*, Neuchâtel-Paris, 1976, pp. 33 s. ; notre *Je crois en l'Esprit Saint* I, pp. 81-91 (bibliographies) ; II, pp. 42 s.

7. Cf. notre *la Tradition et les traditions*, II. *Essai théologique*, Paris, 1963.

historique en est le Peuple de Dieu tout entier, organiquement structuré, dont les membres sont animés par l'Esprit selon leur rôle dans le plan de salut de Dieu. 2 Tm 1, 14 parle de « garder le dépôt avec l'aide de l'Esprit Saint qui habite en nous ». Nous touchons là ce que les Orthodoxes appellent « sobornost » et dont nous parlerons sous le nom de pneumatologie.

c) L'Eglise a l'expérience que l'Esprit ne cesse de l'édifier par la « prophétie ». Les « prophètes » jouent un grand rôle à l'époque instituante [8]. Nous pouvons comprendre leur rôle dans nos « fondations » quand nous comparons les affirmations *sur* le Christ contenues dans les épîtres et l'Apocalypse (« evangelium de Christo ») avec les écrits des synoptiques (« evangelium Christi »). Il y a eu passage à une compréhension du mystère et du plan de salut définitif dont Jésus a été le centre. Il ne s'agit qu'exceptionnellement de prédiction. Il s'agit de dévoiler les intentions de Dieu. L'Eglise, étant *peregrinans*, en itinérance, a son équilibre en avant ; elle marche dans le temps vers son terme. Les « prophètes » ouvrent la voie. En ce sens, la « prophétie » n'a pas cessé dans l'Eglise [9]. Pour notre époque, on peut penser à Lebbe, Cardijn, Jean XXIII, à certains partages d'Evangile, aux réunions du renouveau, aux pionniers du mouvement oecuménique, à toutes celles et à tous ceux qui ouvrent et dévoilent les voies de Dieu. C'est l'œuvre de l'Esprit, « l'Inconnu au-delà du Verbe » (H. Urs von Balthasar).

---

8. Cf. Ep 2, 20 ; 3, 5 ; les listes de Rm 12, 6 ; 1 Co 12, 28 ; Ep 4, 11 ; le rôle dans Ac 11, 27 ; 13, 1 puis, dans les assemblées ordinaires de fidèles, 1 Co 11, 4-5 ; 12, 10 ; 14, 26-40 ; 1 Th 5, 19-20.

9. Pour l'Eglise antique, références à la *Didachè*, Clément de Rome, Justin, Hermas, Miltiade, dans *ES* I, pp. 95-96. Et voir notre *Vraie et fausse réforme dans l'Eglise*, Paris, 1950, pp. 196-228 ; 2ᵉ éd. 1969, pp. 179-207.

CHAPITRE II

L'Esprit dans la prière
et dans la vie chrétienne
personnelles

1. Le salut et l'eschatologie messianique

C'est un fait : les prières au Saint-Esprit commencent par le cri
« Viens ! » Ainsi l'hymne *Veni Creator* (IXᵉ s.), l'antienne et la séquence
Veni, Sancte Spiritus (XIIᵉ s. ; la séquence : Etienne Langton), la
grande prière lyrique de Syméon le Nouveau théologien mise en tête
de ses hymnes, telle prière de Jean de Fécamp, en 1060 (cf. *ES* II,
pp. 147 et 148 n. 2). Ce n'est pas que l'Esprit ne soit déjà là, mais on
l'implore pour que, par une nouvelle venue, il apporte ce dont nous
manquons. On lui demande très précisément ce que nous n'avons pas,
et même d'apporter le contraire de ce qui existe présentement :
redresser ce qui est tordu, réchauffer ce qui est glacé, laver ce qui est
souillé, etc. Bibliquement, c'est là une opération de salut et
d'eschatologie messianiques, des anticipations du Royaume, ce que la
Bible exprime en termes de : vallées comblées, montagnes abaissées,
routes construites là où il n'y en avait pas, aveugles qui voient,
prisonniers rendus libres, etc. [10]. Retenons ce trait.

2. Une liberté jugée à ses fruits

Plus largement, l'Esprit est le principe de notre vie d'enfant de
Dieu : « tous ceux qu'anime l'Esprit de Dieu sont fils de Dieu » (Rm 8,
14 ; S. Paul dit *hyioi*, S. Jean emploie *tékna*). La vie d'un enfant de
Dieu est, depuis le baptême qui l'inaugure, une vie sainte sous le
régime de l'Esprit : Rm 7, 6 ; 8, 2 ; Ga 5, 16 s. « Dieu vous a choisis

---

10. Voir références dans notre *Un peuple messianique*, Paris, 1975,
pp. 142-143. Is 40, 3 s. ; 58, 6 ; Mt 3, 3 ; Mc 1, 3 ; Lc 3, 4 s. ; etc.

pour être sauvés par l'Esprit qui sanctifie et par la foi en la vérité » [11]. Ce processus de sanctification comporte un combat contre la « chair » : 1 Th 4, 8 ; Rm 8, 5 s. et 13 ; Ga 5. L'Esprit apporte la liberté, « là où est l'Esprit du Seigneur, là est la liberté » (2 Co 3, 17[b]), car il est intériorité, il habite le dedans du « cœur », de sorte que la prière et les mouvements qu'il suscite en nous sont conjointement et presque indiscernablement de lui et de nous. Mais cette liberté est autre chose qu'un spontanéisme qui demeurerait psychique et même charnel. « Personne ne sonde le mystère de la liberté sinon dans la discipline » (D. Bonhoeffer). Telle est l'expérience des saints et de tous ceux qui entreprennent de prendre la vie spirituelle au sérieux. On a parfois craint que, dans le « renouveau », l'insistance fréquente sur une immédiateté de la conversion et de l'expérience ne fasse oublier que, « pour l'ordinaire », Dieu donne l'Esprit « après beaucoup de sueurs dans son service et de fidélité à sa grâce » (Marie de l'Incarnation. Et voir *ES* II, pp. 216-217). Dans le renouveau comme dans n'importe quelle vie personnelle, l'action de l'Esprit se manifeste dans ses fruits : cf. Ga 5, 22, où le mot « fruit » est au singulier, de sorte que L. Cerfaux traduit « la récolte de l'Esprit (*ES* II, p. 181). Saint Paul trace le portrait idéal d'une disponibilité paisible et joyeuse à accueillir autrui et à l'aimer effectivement dans la patience et le calme, tandis que le fruit de la « chair » est violence, affirmation agressive de soi, non-disponibilité aux autres.

3. Les dons de l'Esprit

Saint Paul parle de se laisser conduire par l'Esprit (Ga 5, 16. 18. 22. 25 ; Rm 8, 14). C'est aussi l'expérience des hommes et des femmes spirituels. Elle a été systématisée à partir de 1235 et en particulier par saint Thomas d'Aquin dans une théologie des dons du Saint-Esprit distingués des vertus : cf. *ES* I, p. 167 s. ; II, p. 175 s. L'idée est que Dieu seul, en personne, peut consommer l'agir d'un enfant de Dieu et le porter au niveau qu'appelle sa pleine qualité divine. Il s'agit de mettre en œuvre les principes de vie reçus de la grâce de Dieu, même les vertus théologales, selon une mesure et un mode qui dépassent ceux de *notre* esprit. Les « excès » des saints relèvent de cette conduite

---

11. 2 Th 2, 13 ; 1 Th 4, 7-8 et cf. 5, 23. — Le lien entre Esprit et foi est fréquemment exprimé : cf. *ES* II, p. 135. Nous ne pouvons répéter ici toute la deuxième partie d'*ES* II, qui expose « le Souffle de Dieu dans nos vies personnelles » : voir surtout les chap. IV, la vie dans l'Esprit et selon l'Esprit, et VI, Esprit et lutte contre la chair. Esprit et liberté.

de l'Esprit, du moins en ce qui en est le plus incontestable, car il n'est pas exclu qu'il ne s'y mêle de l'humain et des comportements relevant de leur idiosyncrasie... Mais les inspirations, les appels à l'absolu font partie de toute vie normale dans l'Esprit. De même une expérience de joie dans les épreuves, ce dont témoigne si souvent l'Apôtre (*ES* II, p. 161). Et enfin l'expérience de liberté, car les exigences les plus onéreuses sont intériorisées et vécues comme des exigences de l'amour. Le chrétien, dit saint Augustin, n'est pas sans loi, mais il n'est plus *sous* la loi : cf. saint Paul, Ga 5, 13 et 18 ; *ES* II, p. 165.

Une pneumatologie ecclésiologique

1. L'Eglise, Temple du Saint-Esprit

A deux reprises le Concile Vatican II parle de l'Eglise en termes trinitaires de «peuple de Dieu, corps du Christ, temple du Saint-Esprit». Chez saint Paul l'affirmation répétée de l'habitation en nous de l'Esprit comme dans son sanctuaire (*naos Théou*) s'applique en même temps aux personnes et à la communauté comme telle : 1 Co 3, 16-17 ; 6, 19 ; 2 Co 6, 16 ; Rm 8, 9 ; Ep 2, 19-22. La Tradition patristique, spirituelle et médiévale n'a cessé de dire que toute âme est l'Eglise : les valeurs spirituelles de celle-ci, comme Temple, Epouse, se réalisent aussi en chaque âme fidèle. S'il s'agit de l'Eglise comme telle, l'idée de temple s'accompagne volontiers d'une nuance dynamique : thème de la construction. S'il s'agit de la personne sanctifiée (saint Paul ne parle pas seulement d'âme, mais de corps), il se pose, en théologie, des questions sur le mode d'habitation, sur son appropriation, ou plus qu'une simple «appropriation» à la Personne du Saint-Esprit. Il existe à ce sujet des différences, à tout le moins des nuances, entre les auteurs et même dans leur interprétation des «autorités» [12]. Un accord se dessine cependant sur ces positions : a) Dans la ligne descendante de causalité efficiente, tout est opéré par les trois Personnes ensemble. b) Cependant la nature qui leur est commune n'existe qu'hypostasiée dans les Personnes, à partir de la «monarchie» du Père, Principe sans principe. L'action simultanée des Personnes s'opère selon leur ordre et leur propriété hyspostatique. c) Le don que Dieu fait de lui-même à sa créature spirituelle s'opère du

---

12. Voir les encyclopédies : A. MICHEL, *DTC*, t. XV/2, 1950, col. 1841-1855 ; R. MORETTI, *Dict. de spirit. chrét.*, t. VII, 1971, col. 1745-1757 ; notre *ES* II, pp. 112-126. L. BOUYER, *le Consolateur*, Paris, 1979, tient pour l'habitation *propre* du Saint-Esprit.

Père par le Fils dans l'Esprit. *En nous* l'Esprit est le premier don par lequel et avec lequel nous sont donnés inséparablement le Père et le Fils. d) Dans notre retour à Dieu nous sommes assimilés au Fils par l'Esprit, qui joue le rôle de cause formelle exemplaire. Dans cet ordre de l'exemplarité, comme dans celui de la priorité logique du don, il y a quelque chose de propre au Saint-Esprit.

Il est regrettable que nos traités classiques de la grâce (créée) n'explicitent pas les rapports de celle-ci avec la Trinité et l'Esprit. Depuis la systématisation du *De gratia Capitis* (seconde moitié du XIIᵉ siècle), le traité serait plutôt christologique. Mais, dans la *Somme* de saint Thomas, il ne l'est même pas puisqu'il vient avant la IIIᵃ pars qui développe la christologie ! Des exposés récents comme ceux de K. Rahner, G. Philips[13] et surtout L. Bouyer[14] sont attentifs à développer la continuité entre l'Esprit donné et la vie de grâce ou vie «spirituelle».

Dans le temple, le Saint-Esprit permet d'offrir un culte spirituel : Ph 3, 3 ; Jn 4, 23-24. C'est la consécration de la vie par la foi : Rm 15, 16 ; c'est la prière inspirée par l'Esprit : Ep 5, 19 ; 6, 18 ; Col 3, 16, et surtout Rm 8, 26-27. Ce dernier texte est particulièrement prégnant et il exprime l'expérience d'innombrables âmes, pas seulement, même si c'est surtout, dans le «renouveau». L'Esprit prie en nous. Il nous est si intime, il est si donné «dans les cœurs»[15] qu'on peut lui attribuer aussi bien qu'à nous l'invocation : Abba, Père (Ga 4, 6 ; Rm 8, 15). Il vient en aide à notre faiblesse, car nous ne savons pas prier comme il faut (Rm 8, 26). Il est, lui, le Désir de Dieu, et il peut nous faire désirer selon Dieu. Il anime la célébration du mystère du Christ que l'Eglise fait dans sa liturgie ; il concélèbre avec elle et lance avec elle le cri «Viens, Seigneur Jésus !» (Ap 22, 17 et 20). Don A. Vonier, prié d'écrire un livre sur le Saint-Esprit, n'a pu le faire qu'en le célébrant à l'œuvre dans l'Eglise : *l'Esprit et l'Epouse*,[16]. A la limite, il suscite en nous une prière étrangère à nos idées et à notre vocabulaire, la prière ou le chant en langues qui se rencontre surtout dans les mouvements de Pentecôte et le «renouveau», mais aussi, occasionnellement, à travers l'histoire[17].

---

13. *L'union personnelle avec le Dieu vivant*, Gembloux 1974.
14. *Le Consolateur*, Cerf, Paris, 1980.
15. Ga 4, 6 ; 2 Co 1, 22 ; Rm 5, 5 ; 2, 29 ; Ep 5, 19 et 3, 17 ; Col 3, 16.
16. Paris, 1947 (éd. originale, 1939).
17. Indications et bibliographie dans *ES* II, pp. 221-227. Contrairement à K. NIEDERWIMMER (ThZ, n° 20, 1964, pp. 252-265), O. CULLMANN pense que les «gémissements» de Rm 8, 26 visent la prière en langues : «la Prière selon les épîtres pauliniennes», in *THZ*, t. 35, 1979, pp. 89-101 (95 s.).

L'Esprit est à l'œuvre dans la vie liturgique de l'Eglise. Toute la liturgie est animée par la louange au Père, par le Fils, dans l'Esprit ; elle est une grande doxologie [18]. L'échange qui ouvre la célébration renvoie à sa présence et au charisme du célébrant (cf. ES I, p. 62). Tant en Occident qu'en Orient, on attribue au Saint-Esprit l'efficacité des sacrements et même la conversion des dons eucharistiques au corps et au sang du Christ : cf. ES III, p. 320-329. La question de l'épiclèse dans l'Eucharistie sera traitée plus loin (voir ES III, p. 294-315). Il est important de noter ici que toutes les opérations saintes appellent une épiclèse : cf. ES III, pp. 343-351.

2. Une Eglise qui est d'abord communion

Tout se joue dans le choix du concept par lequel on entrera dans l'ecclésiologie, c'est-à-dire le discours sur la réalité « Eglise ». Sera-ce « société » ou « communion » ? L'ecclésiologie issue de la Contre-Réforme, de la restauration antirévolutionnaire du xixᵉ siècle, communiquée par nombre de discours officiels et de manuels a privilégié « société » [19], et même « société inégale, hiérarchique » et *societas perfecta,* société complète, ayant tous les moyens d'une telle société, en particulier le pouvoir législatif et coactif [20]. Une telle option engage dans la vue de l'Eglise 1° fondée par le Christ, en les jours de sa chair. En cette qualité, le Christ est essentiellement *fondateur* ; 2° de type pyramidal, tout descendant du sommet à la base ; 3° dans une perspective toute christologique, avec le danger de « christo-monisme » : voir *infra.* Le rôle de l'Esprit, bref la christologie pneumatologique, est remplacé par une théologie de la *grâce créée* et de la « gratia capitis ». Noter que *l'expression* « gratia creata » apparaît seulement en 1245. Une ecclésiologie pneumatologique suppose, par contre, une christologie pneumatologique [21], c'est-à-dire la perception

---

18. C. Vagaggini, *Initiation théologique à la liturgie,* 2 vol., Paris, 1959 s., et, pour la doxologie qui termine toutes les prières eucharistiques, *ES* II, pp. 271-291.

19. Voir nos études « l'Ecclésiologie de la Révolution française au concile du Vatican sous le signe de l'affirmation de l'autorité », in *l'Ecclésiologie au xixᵉ siècle* (coll. « Unam Sanctam », n° 34), Paris, 1960, pp. 77-114 ; Situation ecclésiologique au moment de *Ecclesiam suam* et passage à une Eglise en marche dans l'itinéraire des hommes : Colloque romain d'octobre 1980 sur *Ecclesiam suam* ; E. Germain, « A travers les catéchismes des cent cinquante dernières années », in *Recherches et Débats,* t. 71, 1971, pp. 107-131.

20. K. Walf, « Die katholische Kirche — eine "societas perfecta" ? », in *ThQ,* n° 157, 1977, pp. 107-118 ; P. Granfield, « The Church as Societas Perfecta in The Schemata of Vatican I », in *Church History,* n° 48, 1979, pp. 431-446.

21. Voir notre *ES* III, pp. 219-228 (bibliogr.).

du rôle de l'Esprit dans la vie messianique de Jésus, dans la résurrection et la glorification qui l'ont fait Seigneur et ont fait passer son humanité hypostatiquement unie au Fils éternel de la *forma servi* à la *forma Dei* : ce qui a donné une humanité toute pénétrée d'Esprit, pneumatisée, capable de communiquer l'Esprit et d'agir comme Esprit : cf. Ac 10, 38 ; Rm 1, 4 ; 1 Co 15, 45 ; 2 Co 3, 17.

Un autre concept que « société » est préférable pour entrer dans la théologie de l'Eglise : celui de « communion ». Il a été utilisé par Möhler, dans *Die Einheit* (1825), et par F. Pilgram, dans *Physiologie der Kirche* (1860 ; curieusement, il parle très peu du Saint-Esprit). Le concile Vatican II, sans développer le concept de communion — sauf un peu en œcuménisme —, en a fait réellement son idée fondamentale et sa clef d'entrée, en montrant avant tout l'Eglise suspendue au mystère trinitaire et en la traitant elle-même d'abord comme mystère. Sa nature sociale et sa structure hiérarchique viennent après.

Avec la christologie pneumatologique, il n'y a plus seulement le Christ-fondateur historique, il y a le Christ fondement par la foi des fidèles dont l'Eglise est le « nous » ; il y a le Christ glorieux agissant sans cesse comme Esprit pour former son Corps, et envoyant son Esprit. Mieux : l'Eglise, même en ses origines comme institution et société, est faite par deux « missions », celle du Fils-Verbe et celle de l'Esprit-Souffle. L'Esprit est « co-instituant » en un sens plus large que nous ne l'avons dit dans *ES* II, pp. 13-24. Avec bien des théologiens aujourd'hui, nous reconnaissons que Jésus avait posé des fondements mais que la pleine institution de l'Eglise a été le fait des apôtres après la Pentecôte. Jésus n'avait-il pas dit, au futur, « Je construirai mon Eglise » [22] ? L'inspiration a joué dans toute la période instituante ; après quoi a joué cette « assistance » pour laquelle les Pères, les conciles, les médiévaux ont utilisé les mots *revelare, inspirare, illuminare,* qui expriment une action constante et toujours actuelle de l'Esprit [23].

L'Esprit est promis et donné à l'*ecclesia*. Jésus dit : le Père *vous* donnera l'Esprit, *vous* l'enverra ; l'Esprit *vous* enseignera, *vous* conduira, *vous* fera connaître... (Jn 14 et 16) ; Rm 5, 1-11 est tout à la première personne du pluriel, « l'amour de Dieu a été répandu dans

---

22. Il y a eu, dans les années 45-60, une discussion sur ce point : l'Eglise est-elle née à la croix (S. Tromp, F. Grivec) ou à la Pentecôte (T. Zapelena) ? Il est clair qu'elle a été spirituellement fondée à la croix, et a été mise au monde à la Pentecôte. Ceux qui tenaient pour la croix disaient que le Christ y avait donné l'Esprit...

23. Cf. notre *la Tradition et les traditions*, I. *Essai historique*, Paris, 1960, pp. 127 s., 151-166 (les notes pp. 178-182), à compléter par *ES* II, pp. 44 s.

nos cœurs par le Saint-Esprit qui *nous* a été donné»... Le jour de Pentecôte, l'Esprit est donné à tous, environ 120 (Ac 1, 15 ; comp. Lc 24, 33, «les onze et ceux avec eux») ; et cependant il vient *sur chacun* (Ac 2, 3). En 1 Co 12, 4 s., il y a un seul corps parce qu'un même Esprit a été donné, diversement, à plusieurs. Le don d'unité est fait à beaucoup, en un seul, et il les constitue membres du même «corps», qui est le corps terrestre *du Christ* glorieux. Comme l'écrit Möhler :

> Lorsqu'ils reçurent la force et la lumière d'en haut, les chefs et les membres de l'Eglise naissante n'étaient pas dispersés en différents endroits, mais réunis en un même lieu et un même cœur, ne formant qu'une assemblée de frères (...) Ainsi chaque disciple ne fut rempli des dons d'en haut que parce qu'il formait une unité morale avec tous les autres disciples[24].

Deux expressions significatives traduisent ces idées : *épi to auto,* réunis ensemble (dans le même lieu)[25], *homothumadon,* unanimement[26]. On peut s'étonner qu'il faille déjà être d'accord pour recevoir l'Esprit d'unité. Il existe en effet une nécessaire disposition d'esprit fraternel et non schismatique, déjà suscitée secrètement par le Saint-Esprit, pour recevoir ce même Esprit comme principe divin de communion (cf. *ES* II, p. 26). Mais ce que l'Esprit procure quand il est donné ainsi dépasse toute entente simplement humaine.

Le Nouveau Testament n'utilise pas le mot *koinônia,* communion, pour désigner le corps uni des fidèles, Corps (mystique), Eglise. Le terme est, par contre, d'un grand usage aujourd'hui[27]. Dans le Nouveau Testament, le terme comporte plusieurs usages. Celui qui nous intéresse le plus est très proche du sens de *métochè,* participation : les fidèles participent à, ont communion à des biens qui viennent de Dieu, ou à Dieu lui-même[28]. Et c'est parce qu'ils ont, les

---

24. *La Symbolique,* § 37 ; comp. *L'unité,* § 63.
25. Ac 1, 15 ; 2, 1 ; ensuite 2, 47 et 1 Co 11, 20. Rôle de ce terme dans l'idéal d'unité de l'Eglise antique : P.S. ZANETTI, *Enôsis - epi to auto,* I. *Un «dossier» preliminare per lo studio dell'unità cristiana all inizio del 2° secolo,* Bologne, 1969 (sur *epi to auto,* pp. 154 s.) ; E. DELEBECQUE, «Trois simples mots chargés d'une lumière neuve (Actes II, 47[b])», in *RThom,* t. 80, 1980, pp. 75-85.
26. Ac 1, 14 ; 2, 1 ; 2, 46 ; ultérieurement 4, 24 ; 5, 12 ; 15, 25 ; Rm 15, 6.
27. W. ELERT, *Abendmahl und Kirchengemeinschaft in der alten Kirche, hauptsächlich des Ostens,* Berlin, 1954 ; M.-J. LE GUILLOU, «Eglise et "Communion"», in *Istina,* 6, 1959, pp. 33-82 ; J. HAMER, «L'Eglise est une communion», Cerf, coll. «Unam Sanctam», n° 40, Paris, 1962 ; P.C. BORI, *Koinônia. L'idea della comunione nell'ecclesiologia recente e nel Nuovo Testamento,* Brescia, 1972.
28. Koinônia, participation au même Evangile (Ph 1, 5), à la même foi (Ph 6), à Dieu (1 Jn 1, 6), au Christ (1 Co 1, 9 ; Ph 3, 10 ; 1 Co 10, 16 : par l'Eucharistie) ; à l'Esprit (2 Co 13, 13 ; Ph 2, 1).

uns et les autres et tous ensemble et semblablement, participation à ces biens, qu'ils ont communion entre eux, qu'ils sont une communion : cf. 1 Jn 1, 3.6.7 ; et cf. Ga 2, 9. L'Esprit est plus explicitement mis en rapport avec *koinônia* dans le Nouveau Testament : en 2 Co 13, 13, pour nous si important, *koinônia tou hagiou Pneumatos*, le génitif est un génitif d'objet, non d'auteur : ce n'est pas la communion (ecclésiale) produite par l'Esprit, c'est la participation au Saint-Esprit [29]. Quelques exégètes (H. Seesemann, M. Manzarene) entendent le *koinônia* d'Ac 2, 42 de la mise en commun des ressources matérielles, mais la persévérance dans la *koinônia* y est liée avec l'assiduité à l'enseignement des apôtres, à la fraction du pain et aux prières, valeurs profondes de la communion ecclésiale (J. Dupont). De toute façon, l'ecclésiologie du Nouveau Testament et le rapport entre l'Esprit et l'Eglise dépassent, au point de vue réel, l'emploi du mot *koinônia* et ce qui est dit de l'Esprit en rapport avec ce mot. C.H. Dodd dit justement : « La vie de l'Eglise est la vie divine manifestée... dans le Christ incarné et communiquée par son Esprit » (cité par Hamer [30] qui dit, pour sa part, « *koinônia* qualifie dans le Nouveau Testament... une relation avec Dieu et avec les hommes caractéristique de la communauté chrétienne »). Or cette relation — où l'horizontal, entre les fidèles, découle du vertical, avec Dieu — est toute liée à l'action du Saint-Esprit. C'est lui qui est le principe de la communion, lui qui, *unique*, est pour les animer saintement, dans le Christ d'abord, dans les fidèles et dans son corps ecclésial ensuite [31]. Prodigieux principe d'unité et de vie !

Saint Basile a, plus que tout autre, magnifié l'unité que l'Eglise, qui célèbre l'Eucharistie, reçoit par la communion (*koinônia*) du Saint-Esprit [32].

L'Esprit est donc *dans les cœurs* : Ga 4, 6. Il est donné aux personnes selon la plus grande intériorité, d'une façon si spirituelle est si intime qu'on distingue à peine son action de la leur propre : est-ce lui, est-ce nous qui disons Abba, Père (cf. Ga 4, 6 ; Rm 8, 15) ? Il peut ainsi être principe d'une communion sans fusion ni confusion, tant entre nous et Dieu qu'entre les fidèles. Nous sommes « membres les uns des autres » (Ep 4, 25). C'est pourquoi il est le principe transcendant de la

---

29. F. Hauck, dans Kittel-Friedrich III, p. 807.

30. *Op. cit.*, p. 177.

31. Sur l'Esprit « unus numero in Christo et in omnibus » cf. S. Thomas, III *Sent*. d. 13 q. 2 a. 1 ad 2 ; *De verit*. q. 29 a. 4 ; *In Ioan*. c. 1 lect. 9 et 10 ; *S. Theol*. IIa IIae q. 183 a. 3 ad 3 ; Pie XII, enc. *Mystici Corporis*, nos 54 et 77 (AAS 35, 1943, 219 et 230) ; Vatican II, *Lumen gentium*, no 7 § 7.

32. Cf. B. Bobrinskoy, « Liturgie et ecclésiologie trinitaire de saint Basile », in *Eucharisties d'Orient et d'Occident*. II, Cerf, coll. « Lex orandi », no 47, Paris, 1970, pp. 197-240.

communion des saints [33] : c'est un échange, une sorte d'être l'un pour l'autre, grâce à la charité. C'est lui qui opère cette assez étonnante communication en vertu de laquelle le bébé baptisé croit dans et par la foi de ses parents, de ses parrains et de « l'Eglise » alors que, chez lui, il n'y a pas encore la charité [34].

L'Esprit pénètre tout sans violenter ni blesser. Les Pères et la liturgie lui appliquent ce que l'Ecriture dit de la Sagesse : « en elle est un esprit intelligent, saint, unique, multiple, subtil, agile, pénétrant... qui pénètre tous les esprits » [35] ; « l'Esprit du Seigneur remplit l'univers, et lui, qui tient unies toutes choses, sait tout ce qui se dit » (Sg 1, 7). Cette nature de l'Esprit lui permet, lui unique et souverain, de transcender l'espace et le temps, ce qui divise et sépare. L'espace : le sens de la xénoglossie du jour de Pentecôte est de répondre à Babel [36]. Les louanges du Dieu unique seront, grâce au même Esprit, entendues et chantées par chaque peuple en *sa* langue. L'Esprit distribue la variété des talents et des charismes, mais « pour l'utilité commune » (1 Co 12, 7) ; il harmonise le particulier et le tout, réalisant cet idéal d'unipluralité, autre nom de la catholicité, qui est la réalité du Corps. On lira le merveilleux opuscule *Dominus vobiscum* de S. Pierre Damien († 1072) [37]. Unique et souverain, l'Esprit domine le temps. Arrhes de notre héritage éternel et incorruptible (c'est-à-dire présence partielle de notre avenir), il est le principe de ce qu'on a appelé le « temps sacramentel », celui des mystères du salut en vertu duquel ce qui est passé nous est encore présent, et ce qui est futur est déjà là. Parce que l'Esprit opère en eux, les sacrements relèvent d'une durée originale dans laquelle le passé, le présent et le futur ne sont pas étrangers et mortels l'un à l'autre comme ils le sont dans la succession chronologique humaine. Le temps de l'histoire du salut et de l'Eglise est un temps qui permet la communion des hommes qui se succèdent, avec un fait unique historiquement daté et lointain : et cela pas seulement par une référence du souvenir et de la pensée, mais par une

---

33. S. Basile, *De Spir. S.*, c. 26, n. 61 (*PG* 32, 18) ; *SC*, n° 17 bis, pp. 470-471 ; *Epist.* 90 (32, 473) ; S. Thomas, *S. Theol.* III^a q. 82 a. 6 ad 3 ; P. Bernard, in *DTC*, III, col. 440, 442 (Augustin).

34. S. Augustin, *De pecc. mer. et remiss.* I, 25, 38 (PL 44, 131) ; S. Thomas, *S. Th.* III^a q. 68 a. 9 ad 2, q. 73 a. 3.

35. Sg 7, 22-23 et cf. 9, 11 ; 12, 1.

36. Vatican II, décret *Ad Gentes divinitus*, n° 4 ; H. Legrand, « Inverser Babel, mission de l'Eglise », in *Spiritus*, n° 63, 1970, pp. 323-346. Cela, sans effacer ce qu'a de positif la division des langues (cf. *supra*, sur les Actes des Apôtres, M.-A. Chevallier).

37. *PL* 145, 231-252 ; traduction (partielle) in *la Maison-Dieu*, n° 21, 1950/1, pp. 174-181.

présence et une action du mystère du salut (sens biblique de
« mémorial »)[38].

3. Une communion qui s'organise en société

Pilgram disait que l'Eglise est une communion qui s'organise en
société. On verra plus loin comment un droit découle des principes
mêmes de la communion : il les sert et les protège. Il nous faut ici
montrer comment une ecclésiologie pneumatologique, ecclésiologie de
communion, évitera le juridisme, l'uniformité, une logique purement
pyramidale, donc cléricale et paternaliste. Alors qu'un monothéisme
prétrinitaire favorise, et même engendre ces malfaçons, et qu'une
logique purement christologique donne une Eglise d'autorité sacerdotale, une Eglise à référence trinitaire et pneumatologique reconnaît,
soit aux personnes, soit aux communautés particulières, une qualité de
sujets[39] : sujets de leur activité, ayant une part dans la détermination
de leurs règles de vie ; sujets de leur histoire propre, mettant en œuvre
leurs propres dons et charismes. Cela signifie beaucoup de choses dans
le vécu ecclésial. Un régime de conseils, de décision commune, et où
les femmes aient leur place, pour les décisions pratiques[40] ; une vie
conciliaire qui culmine dans des conciles « œcuméniques » formulant
éventuellement des « dogmes ». Les Pères qui s'y assemblent n'y sont
pas des « délégués » de leurs fidèles, mais ils représentent leur Eglise
locale ou particulière et sont portés par sa communion ; les conciles se
disent assemblés « dans le Saint-Esprit », ils l'invoquent, ils sont
assistés par lui[41]. Leurs décisions, approuvées par l'évêque de Rome,
valent « ex sese », mais elles doivent être « reçues » par l'*ecclesia* qui est
tout entière le sujet historique porteur de la Tradition ; la « réception »
est le processus par lequel l'*ecclesia* reconnaît son bien dans la décision
prise[42]. « L'infaillibilité de l'Eglise dépend toute de son double don :

---

38. Références dans notre *la Tradition et les traditions*, II. *Essai théologique*,
Paris, 1963, pp. 272 s., n. 88 et 89.

39. On peut lire H. Legrand, « Grâce et institution dans l'Eglise : les
fondements théologiques du droit canonique », in *l'Eglise : institution et foi*,
Bruxelles, 1979, pp. 139-172 ; nos articles « la Tri-unité de Dieu et l'Eglise », in
la Vie spirituelle, sept.-oct. 1974, pp. 687-703 et « le Monothéisme politique et le
Dieu Trinité, in *NRT*, janv. 1981, pp. 3-17.

40. Notre étude « Quod omnes tangit ab omnibus tractari et approbari
debet », in *Rev. histor. de Droit français et étranger*, 1958, pp. 210-259 ;
H.-M. Legrand, « Synodes et conseils de l'après-concile », in *NRT* t. 98, 1976,
pp. 193-216.

41. Innombrables références. Cf. par ex. notre *la Tradition et les traditions*, I,
pp. 151 s., 220 ; II, pp. 108 s.

42. Notre article « La "réception" comme réalité ecclésiologique », in *RSPT*,
t. 56, 1973, pp. 369-403.

la présence continuée du Christ comme chef de tout le corps dans ses envoyés, en qui, comme il l'a promis, il est présent, comme le Père était présent en lui-même pour y autoriser ou authentifier la vérité, sa vérité — et la présence en tout le corps de l'Esprit qui garde cette vérité vivante. Encore faut-il souligner que ce que nous appelons l'assistance spéciale de l'Esprit qui préserve le pape formulant une définition *ex cathedra*, ou les évêques tous ensemble, d'altérer le dépôt de la foi n'aurait même pas d'objet à son exercice si ce dépôt n'était gardé vivant dans toute la conscience catholique, dont la lucidité surnaturelle dépend d'abord de la sainteté effective de ses membres [43]. Cette dernière évocation de la sainteté est très importante. Le charisme de vérité est lié au don de la sainteté par le Saint-Esprit.

S'il s'agit des ministères, le fait qu'on soit passé du singulier au pluriel est déjà significatif. Avec les ministères ordonnés, des services ou ministères variés contribuent à ce que l'Eglise existe et vive. Les ministères ordonnés eux-mêmes le sont, non au-dessus de la communauté, mais en elle. Elle intervient pour susciter, éventuellement désigner les vocations, pour témoigner de la foi et de l'idonéité, pour accompagner par la prière la consécration des élus [44]. Ce n'est pas une descente purement verticale, comme le voudrait une logique purement christologique, par succession « valide » depuis les apôtres : il y a une opération de tout le corps dans lequel habite et agit l'Esprit. La « succession » est fidélité à l'enseignement des apôtres en même temps que transmission « valide » d'une charge : les deux appartiennent ensemble à la nature sacramentelle de l'Eglise [45]. En vertu de cette qualité profonde, toute l'Eglise est célébrante de sa liturgie et de ses sacrements. La Tradition en ce sens est très ferme [46]. Si l'on se met dans cette perspective corporative-sacramentelle d'une communion de personnes où habite et agit l'Esprit, on aura des comportements pastoraux dont saint Augustin a formulé comme la devise dans ses déclarations : « Vobis sum episcopus, vobiscum christianus, je suis votre évêque, mais d'abord un chrétien avec vous ; je vous enseigne, mais je suis d'abord un disciple avec vous ; je vous absous et vous

43. L. Bouyer, *le Consolateur*, Cerf, Paris, 1980, p. 419.

44. H.-M. Legrand, « le Sens théologique des élections épiscopales d'après leur déroulement dans l'Eglise ancienne », in *Concilium*, n° 77, 1972, pp. 41-50.

45. Notre étude in *Ministères et Communion ecclésiale*, Paris, 1971, pp. 51-74 ; J. Meyendorff, « Autorité doctrinale dans la tradition de l'Eglise orthodoxe », in *Concilium*, n° 117, 1976, pp. 49-54.

46. Notre étude « l'Ecclesia ou communauté des chrétiens, sujet intégral de l'action liturgique », in *la Liturgie après Vatican II*, Cerf, coll. « Unam Sanctam », n° 66, Paris, 1967, pp. 241-282.

bénis, mais je suis d'abord un pécheur et un pénitent avec vous... [47] »
A un Mgr Fragoso demandant « Comment pouvons-nous, prêtres et
évêques, pratiquer la paternité de Dieu dans la gratuité de la
diaconie ? », la réponse est, théologiquement : par la fraternité du
Christ et la pleine pneumatologie d'une Eglise-communion de
personnes.

4. Pas de pneumatocentrisme

Le reproche de manquer de pneumatologie est adressé à l'Eglise
catholique par les autres chrétiens ; celui de « christomonisme »
particulièrement par les Orthodoxes [48]. Nous prenons ces avertissements en très sérieuse considération. Mais nous pouvons mettre en
garde contre un « pneumatocentrisme » qui a pu être un danger dans
une communauté comme Corinthe à l'époque apostolique, contre
lequel l'Eglise primitive a victorieusement réagi, mais qui a menacé les
Eglises à plusieurs moments de leur histoire. Le Saint-Esprit ne fait
pas une autre œuvre que l'œuvre du Christ, pas un autre corps que le
corps *du Christ* : 1 Co 12, 12-13 ; Ep 4, 13. Pneumatologie et
christologie sont principe de santé l'une pour l'autre. Relire Ac 2, 42
dans cette perspective, et aussi 1 Co 12, 4 s., où la diversité des dons
n'est pas uniquement pneumatologique. Il faut insiter sur l'union et la
complémentarité du Verbe-Fils et du Souffle-Esprit.

---

47. Références dans les études sur la hiérarchie comme service, in *l'Episcopat
et l'Eglise universelle*, Cerf, coll. « Unam sanctam », n° 39, Paris, 1962, pp. 67-132
(94). — FRAGOSO, *Concilium*, n° 163, 1981, p. 169.
48. Références dans notre étude citée *infra* n. 57. Exposés Orthodoxes de
N. Nissiotis, Paul Evdokimov, B. Bobrinskoy, N. Afanasieff, etc. Vue d'ensemble dans W. HRYNIEWICZ, « Der pneumatologische Aspekt der Kirche aus
orthodoxer Sicht », in *Catholica*, 31, 1977, pp. 122-150.

CHAPITRE IV

L'Esprit est le Souffle *du Verbe* et l'Esprit *du Fils*

Malgré ce que pourrait faire entendre ce titre, nous demeurons ici dans l'économie. Il ne s'agit pas des processions éternelles mais de l'œuvre accomplie pour notre salut.

1. Le don de l'Esprit accomplit la communication de Dieu

Le don de l'Esprit est le terme, le *télos*, la perfection de l'autocommunication de Dieu à ceux qui croient. Il est lié à la mission et au don du Verbe-Fils au monde : Ga 4, 4-7. Les deux « missions », les deux dons sont liés. Ceux de l'Esprit supposent ceux du Fils-Verbe. La mission et le don de l'Esprit visent à faire de nous des fils de Dieu : l'Esprit est celui du Fils et il fait des fils, des membres et cohéritiers du Fils : Rm 8, 14-17 ; Jn 1, 12 ; 1 Jn 3, 1-3. « Pendant la mission terrestre du Christ, la relation des hommes à l'Esprit Saint ne s'opérait que par et en Christ. Par contre, après la Pentecôte, c'est la relation au Christ qui ne s'opère que par et en l'Esprit Saint » : cette affirmation de Paul Evdokimov est juste, moyennant quelques précisions. C'est ici qu'intervient une christologie pneumatologique [49].

2. Une christologie pneumatologique

Si l'Esprit est Esprit du Fils, il a constitué Jésus de Nazareth « Fils de Dieu » et cela à plusieurs moments, s'agissant, non de l'union hypostatique, qui n'est pas en cause (cf. Jn 1, 14), mais de l'économie de grâce, du rôle du Christ à notre égard. Le Nouveau Testament est ici très ferme. Il nous indique trois moments :

---

49. Voir *ES* III, pp. 219-228 ; J.D.G. Dunn, *Jesus and The Spirit...* Londres, 1975 (nous ne suivons pas ses conclusions théologiques).

« On l'appellera Fils du Très Haut ». — « Comment cela se fera-t-il ? » — « L'Esprit Saint viendra sur toi, c'est pourquoi l'enfant sera saint et sera appelé Fils de Dieu » (Lc 1, 35).

Puis c'est l'onction du baptême, onction d'Esprit Saint et de puissance, onction messianique (Ac 4, 27 ; 10, 38). « L'Esprit Saint descendit sur lui sous une forme corporelle, tel une colombe. Et du ciel vint une voix : Tu es mon Fils bien aimé ; tu as toute ma faveur » (Lc 3, 32 ; Mc 1, 10-11). Il y a là une citation du Ps 2, 7, « Tu es mon Fils, moi aujourd'hui je t'ai engendré ». Jésus, à son baptême, est engendré par l'Esprit à sa qualité de Christ, de Fils de Dieu-*Messie*, mais en la condition de Serviteur et de ce que saint Augustin appelle sa « forma servi ». Sa voie sera essentiellement celle de l'obéissance au Père, voie filiale, jusqu'à la croix [50].

Dieu (le Père) l'a ressuscité. Il l'a ainsi « établi selon l'Esprit Saint Fils de Dieu avec puissance » (Rm 1, 4). C'est un nouvel engendrement, et le Nouveau Testament applique de nouveau au Christ ressuscitant le texte du Ps 2, 7 « Tu es mon Fils, moi aujourd'hui je t'ai engendré » : Ac 13, 32-33 ; He 1, 5-6. Cf. *ES* III, p. 224. Il s'agit du même Fils incarné, du même Jésus-Christ, mais engendré à la condition du monde de Dieu, « in forma Dei », en qualité de Seigneur, pénétré de l'Esprit, don eschatologique, Adam eschatologique, « être spirituel donnant la vie » (1 Co 15, 45), prêtre selon l'ordre de Melchisédec entré pour nous dans le Saint des Saints céleste. Du Christ ressuscité, on peut dire que c'est un homme « sans père ni mère, sans généalogie », car sa résurrection a été un nouvel engendrement de sa nature humaine, dans lequel ne sont intervenus ni père humain ni mère humaine et qui fait de lui un « premier né » (He 1, 6) sans génération. Si saint Pierre peut dire des chrétiens qu'ils ont été « engendrés par la résurrection de Jésus-Christ » (1 P 1, 3), la même affirmation vaut à plus forte raison pour le Ressuscité lui-même » [51].

Cet enchaînement des trois moments est exprimé, en théologie johannique, sous la figure de l'Agneau. Comme il s'agit, non de l'ontologie du Verbe incarné, dont on sait cependant qu'il a été engendré de Dieu, non de vouloir de chair et d'homme (Jn 1, 13), cette figure commence au baptême où, après l'avoir désigné comme l'Agneau de Dieu qui ôte le péché du monde, Jean a vu l'Esprit descendre et demeurer sur celui qui devait baptiser dans l'Esprit (Jn 1, 29-34). Ce sera l'Agneau immolé (Ap 5, 6 et 9), « in forma servi, in

50. *ES* II, p. 139s., sur l'âme filiale de Jésus.
51. A. VANHOYE, *Prêtres anciens, prêtres nouveau selon le N.T.*, Paris, 1980, p. 178.

forma agni paschalis », mais qui deviendra « le premier né d'entre les morts, le Prince des rois de la terre » (Ap 1, 3 ; Col 1, 8) et, portant toujours les marques de son immolation, règnera au ciel, en dominant aussi l'histoire du monde (Ap 4, 8 - 6, 17) : c'est lui qui donne l'eau vive de l'Esprit, qui procède de son trône (Ap 21, 6 ; 22, 1). De plus, saint Jean, avec des symboles d'une grande plénitude de sens, exprime très fortement le lien du don de l'Esprit avec le Christ, et le Christ immolé, l'Agneau pascal : lire Jn 4, 10 ; 7, 37-39 ; 14, 16 s. ; 26 s. ; 16, 7 s. ; 19, 34 ; 20, 19-23.

Ce lien entre le don de l'Esprit et l'œuvre du Verbe incarné ressort de son lien avec la foi en la parole. Déjà dans l'Ancien Testament *ruah* et *dabar* sont souvent liés ou mis en parallèle comme équivalents : souffle et parole sortent ensemble de la bouche[52]. Dans le Nouveau Testament, la Parole de Dieu est le glaive de l'Esprit (Ep 6, 17 ; He 4, 12). L'Esprit est actif dans la parole (1 Th 1, 5 ; 4, 8 ; 1 P 1, 12) et il est donné à la foi : cf. Ga 3, 2.5 et 14 ; Ep 1, 13 ; Jn 7, 37-39 cités *ES* II, p. 135. « Par la foi ils établissent l'Esprit de Dieu dans leur cœur » (S. Irénée, *Adv. Haer.* V, 1, 2). Actif dans cette foi elle-même, l'Esprit fait confesser Jésus comme Seigneur (1 Co 12, 3 ; 2 Co 3, 14-18 ; 1 Jn 4, 1-3). Ce lien de l'Esprit avec la foi en la parole se retrouve dans le lien entre l'Esprit et le baptême. Nous avons étudié en *ES* II pp. 242-251, les textes du Nouveau Testament. Il résulte de cette étude que le Saint-Esprit est donné à la foi professée dans le baptême d'eau. De sorte qu'on attribue à ce baptême le don de l'Esprit, bien que le Nouveau Testament, en affirmant un lien entre les deux, ne fasse pas du rite baptismal la cause instrumentale du don de l'Esprit. Cet Esprit, lié à la parole et au baptême « au nom de Jésus », fait que nous soyons membres du Corps du Christ : 1 Co 12, 12-13. Tout cela engage évidemment le ministère apostolique.

Aux deux moments de « forma servi - forma Dei » dans le Christ répond pour nous le fait que nous n'avons présentement l'Esprit qu'en arrhes, en prémices, dans les astreintes de la « chair », promesse d'une transformation en une condition de fils de Dieu pénétrés d'Esprit dans la glorieuse liberté des enfants de Dieu. Cf. Rm 8, 1-30 et les thèmes « déjà et pas encore », lutte Esprit-chair, croix et gloire, souffrance du chrétien et de l'apôtre, force de Dieu dans notre faiblesse, etc.

---

52. Cf. Is 11, 4 ; 34, 16 ; Ps 33, 6 ; 147, 18 ; Jdt 16, 14 ; Jb 15, 13. Les Pères (Irénée, Augustin) ont vu une révélation de l'Esprit dans Ps 33, 6.

3. Les rapports entre l'Esprit et le Christ

Nous pouvons, à partir de ces données de l'économie, préciser le rapport entre l'Esprit et le Christ. Nous le ferons en cinq propositions.

1° L'œuvre de Dieu s'opère par deux missions, celle du Verbe-Fils et celle du Souffle-Esprit [53], par lesquelles ce qui « procède » de la « monarchie » du Père sort en quelque sorte hors de Dieu. C'est une simple image, mais remarquablement expressive de la réalité, celle que nous propose saint Irénée : Dieu a façonné l'homme par ses deux mains, qui sont le Fils et l'Esprit, il l'a façonné ainsi à son image et l'a rendu vivant. Cf. surtout *Adv. haer.* IV, 38, 3 ; V, 1, 3 ; 28, 4. Moins poétiquement saint Thomas d'Aquin écrit : « Salus generis humani quae perficitur per Filium incarnatum et per donum Spiritus Sancti » (Ia, q. 32, 1, ad 3). Chacune de ces deux missions a une forme extérieure ou sensible et une forme spirituelle intérieure. Cependant, tandis que la forme sensible est, pour le Fils, celle de l'Incarnation, par union hypostatique, celle du Saint-Esprit est symbolique : colombe, langues de feu.

2° Deux missions, deux envoyés, mais pour une même œuvre. On peut, sans prétendre être complet, dresser une liste d'effets ou d'opérations qui sont attribués aussi bien au Christ (colonne de gauche) ou au Saint-Esprit :

Sagesse et assurance devant les tribunaux : Lc 21, 12-15	Mt 10, 18-20 ; Mc 13, 10-12
Baptême dans le Christ : Ga 3, 27	Baptisés dans l'Esprit : 1 Co 12, 13
Un seul corps en Christ : Rm 12, 5	pour former un seul corps
Le Christ en nous : Rm 8, 10 et nous dans le Christ : Rm 8, 1	L'Esprit en nous : Rm 8, 9 et nous dans l'Esprit : Rm 8, 9
Justifiés en Christ : Ga 2, 17	Justifiés au nom du Seigneur J.C. et par l'Esprit de notre Dieu : 1 Co 6, 11
Justice de Dieu dans le Christ : 2 Co 5, 21	Justice, paix et joie dans l'E.S. Rm 14, 17

---

53. Fils envoyé (par le Père) : Ga 4, 4 ; Mt 10, 40 ; Lc 9, 48 ; 10, 16 ; Jn 3, 16-17 et 34 ; 5, 37 ; 6, 57 ; 7, 16 ; 8, 42 ; 10, 36 ; 17, 18 ; 20, 21 ; 1 Jn 4, 9. — Esprit envoyé par le Père : Jn 14, 16 et 26 ; Ga 4, 5 ; par le Christ : Jn 15, 26 ; 16, 7 ; Lc 24, 49.

Réjouissez-vous dans le Seigneur : Ph 3, 1

Joie dans l'E.S. : Rm 14, 17

Amour de Dieu dans le Christ Jésus : Rm 8, 39

Votre amour dans l'Esprit : Col 1, 8

Paix en J.C. : Ph 4, 7

Paix dans l'E.S. : Rm 14, 17
dans l'Esprit : Rm 15, 16 ; comp. 2 Th 2, 13

Sanctifiés dans le Christ Jésus : 1 Co 1, 2 et 30

Parler dans le Christ : 2 Co 2, 17

Parler dans l'Esprit : 1 Co 12, 3

Remplis du Christ : Col 2, 10

Remplis de l'Esprit : Ep 5, 18

En lui (le Christ) former un temple saint dans le Seigneur : Ep 2, 21

Pour devenir une demeure de Dieu dans l'Esprit : Ep 2, 22

A cela il faut ajouter un parallèle entre ce qui, dans l'évangile de Jean, est attribué au Paraclet (colonne de gauche) et ce qui est attribué au Christ :

donné par le Père : Jn 14, 16

3, 16

est avec, auprès, dans les disciples : 14, 16 s.

3, 22 ; 13, 33 ; 14, 20 et 26

le monde ne le reçoit pas : 14, 17

1, 11 ; 5, 33 (12, 48)

il ne le connaît pas ; seuls les croyants : 14, 17

14, 19 ; 16, 16 s.

envoyé par le Père : 14, 26

Cf. supra, n. 53

enseigne : 14, 26

7, 14 s. ; 8, 20 ; 18, 37

vient (du Père dans le monde) : 15, 26 ; 16, 13. 7

5, 43 ; 16, 28 ; 18, 37

témoigne : 15, 26

5, 31 s. ; 8, 13 s. ; 7, 7 (3, 19 s. ; 9, 41 ; 15, 22)

confond le monde : 16, 8

ne parle pas de lui-même ; dit seulement ce qu'il a entendu : 16, 13

7, 17 ; 8, 26. 28. 38 ; 12, 49 s. ; 14, 10

glorifie (Jésus) : 16, 14

cf. 12, 28 ; 17, 1 et 4

dévoile (communique) : 16, 13 s.

4, 25 ; (16, 25)

conduit dans toute la vérité ; il est l'Esprit de vérité : 16, 13

cf. 1, 17 ; 5, 33 ; 18, 37 ; 14, 6

qui le boit n'aura plus jamais soif : 4, 10-15

qui le mange n'aura plus jamais faim : 6, 32-35

C'est au point que Jésus parle de l'Esprit comme d'un autre Paraclet : *allos*, non *hétéros* (Jn 14, 16) et que l'Esprit sera comme son propre retour et sa présence. Mieux : saint Paul écrit « le Seigneur est l'Esprit », avec l'article, *to Pneuma* (2 Co 3, 17). Ce n'est pas qu'il confonde le Christ et le Saint-Esprit : le texte continue en parlant de l'Esprit du Seigneur, mais sans l'article et de manière qu'on peut traduire «du Seigneur (qui est) esprit». Il existe plus de trente formules ou structures textuelles trinitaires chez saint Paul [54]. Mais il n'y a chez lui aucune spéculation sur la Tri-unité de Dieu : il parle au plan économique de ce que «Dieu», le Seigneur et l'Esprit font pour nous et en nous. A ce plan existentiel de l'économie, le Seigneur agit par mode d'Esprit, car il est «esprit qui donne la vie» (1 Co 15, 45) et l'action de l'Esprit est celle du Seigneur, qu'on ne reconnaît et confesse d'ailleurs telle que par l'Esprit (1 Co 12, 3). Le Seigneur et l'Esprit agissent dans la même sphère et font la même chose. Le Seigneur agit comme Esprit et l'Esprit fait l'œuvre du Seigneur.

3° L'Esprit fait l'œuvre du Christ/Fils. Car il s'agit de faire des fils de Dieu à l'image du Fils et par assimilation à son «corps». C'est l'Esprit qui nous fait membres du corps, 1 Co 12, 13 ; Ep 4, 4, parce qu'il est Esprit du Fils (Ga 4, 6), du Christ (Rm 8, 9) et qu'il prend ou reçoit du bien du Christ pour nous en faire part (Jn 16, 14). Quand l'Esprit a reposé sur Jésus baptisé, et l'a oint en Messie-Sauveur, la voix du Père a déclaré : «Celui-ci est mon Fils bien aimé, qui a toutes mes faveurs.» Toute l'économie de grâce est christique. Il n'y a pas d'âge du Paraclet qui succéderait à celui de Jésus-Christ, comme l'imaginait Joachim de Flore († 1202), traduisant mal le sentiment original et juste qu'il avait que l'histoire est ouverte à l'espérance, à la nouveauté, et cherche l'avènement de la liberté : cf *ES* I, p. 175-190. Le mouvement déclenché par Joachim a eu, jusqu'à nos jours, un grand retentissement dans l'histoire. Il est sécularisé dans les philosophies de la ligne Schelling ou Hegel [55].

4° Chacune des Personnes divines envoyées par le Père apporte, dans une action commune, sa marque hypostatique ou personnelle.

Le Verbe est la forme, l'Esprit est le Souffle : penser à l'analogie de notre phonation, le contenu de notre pensée doit sortir de nous grâce au souffle. Nous avons vu que l'Ecriture lie l'idée de *dunamis* à celle d'Esprit. Dans la célébration eucharistique, les dons sont transformés

---

54. Cf. J. Lebreton, *Histoire du dogme de la Trinité*, t. I. 4e éd., Paris, 1919, pp. 352-408, 565-569. — I. Hermann, *Kyrios und Pneuma. Studien zur Christologie der paulinischen Hauptbriefe*, Munich, 1961, ne s'occupe pas des énoncés trinitaires comme tels. Ceux qui se soucient de la question trinitaire, ou bien notent que «Esprit» peut avoir deux sens, soit la personne et l'action du S.E., soit la nature ou qualité divine, la sphère céleste : ce serait le sens ici (L. Cerfaux) — soit, si l'on parle dans le cadre de la doctrine trinitaire, en faisant appel à la consubstantialité et à la circuminsession.

55. Cf. H. de Lubac, *la Postérité spirituelle de Joachim de Flore*, I. *De Joachim à Schelling*, Paris, 1979.

par la « virtus Spiritus Sancti », mais c'est le récit de l'institution qui détermine *ce qu'*il s'agit d'opérer.

En Ga 4, 4-6 le Fils est envoyé dans le monde pour accomplir la rédemption, une œuvre objective, de valeur universelle, accomplie une fois pour toutes. L'Esprit, lui, est envoyé « dans les cœurs », dans l'intime des personnes. Il intériorise et personnalise le trésor de grâce acquis par le Christ. Il est communication, communion. Saint Irénée dit : « communicatio Christi ».

L'Esprit, nous l'avons vu, est caractérisé comme celui qui a parlé par les prophètes, et qui continue de le faire. Jésus dit du Paraclet qu'il conduira les disciples dans toute la vérité et leur annoncera les choses à venir (Jn 16, 13). Cela ne signifie pas des prédictions, mais le don progressif de l'intelligence vivante de l'œuvre du Christ dans l'histoire du monde. Il inspire une exégèse christologique des Ecritures (exégèse « spirituelle ») et de la vie. L'Esprit est le Souffle qui pousse en avant l'Evangile dans la nouveauté de l'histoire : voir *ES* II, p. 50 s., le texte si suggestif de Mgr Ignace Hazim et le mot de H. Urs von Balthasar, « l'Inconnu au-delà du Verbe ». L'Ecriture le désigne par des symboles qui disent un mouvement : souffle et vent, feu, eau vive, colombe qui vole, langues... Les Actes le montrent comme essentiellement prophétique et missionnaire [56].

5° L'Esprit fait l'œuvre du Christ mais il n'est pas un pur « vicaire » du Christ pour le temps de son absence corporelle. Tertullien l'a appelé « vicarius Christi » (*Adv. Valentinianos*, 16 ; *De praescr.* 13 et 28). Il a existé très tôt dans l'Eglise une tendance à moins voir sa vie sous le régime des charismes que sous celui de l'institution hiérarchique : c'est sensible dans les Pastorales, chez Clément et Ignace d'Antioche. Cette tendance, équilibrée dans l'Eglise ancienne par un sens mystérique et une influence monastique, n'a jamais empêché, elle a plutôt suscité, par réaction, des mouvements de libre inspiration. Elle a cependant dominé, surtout depuis le XVIᵉ siècle, en réaction contre la Réforme et les prétentions de l'esprit moderne à l'autonomie. C'est un fait : tous les chrétiens non catholiques-romains accusent notre Eglise de « christomonisme » [57]. Nous avons étudié la

---

56. Bien significatives, dans leur convergence, ces réactions de journalistes. M'interrogeant en 1975, un journaliste de la TV vaudoise me demandait : y aurait-il une Eglise de l'être (institution christologique) et une Eglise du devenir (œuvre de l'Esprit) ? H. Fesquet intitule un papier de Pentecôte (*le Monde* des 25-26 mai 1980) : « Dieu au futur. »

57. Notre étude « Pneumatologie ou "Christomonisme" dans la tradition latine ? » in *Ecclesia a Spiritu Sancto edocta. Mélanges G. Philips*, Gembloux, 1970, pp. 41-63 (auparavant in *ETL, t. 45, 1969, pp. 354-416*).

question en théologie des sacrements et de la « gratia Capitis », et en ecclésiologie [58]. Or les fondements christologiques de ces réalités sont essentiels et authentiques, mais ils doivent être complétés par un apport pneumatologique : les sacrements supposent une épiclèse, et leur célébration engage toute l'assemblée [59]. La sainteté et la puissance sanctificatrice du Christ doivent être vues dans le cadre d'une christologie pneumatologique, et la grâce créée en dépendance de la Grâce incréée, le Saint-Esprit. Enfin la pneumatologie est cette valeur essentielle de l'ecclésiologie que nous avons exposée et à laquelle Vatican II, suivi par tant de rénovations, a réouvert largement la porte [60]. Nous sommes activement partisans d'une riche pneumatologie, mais 1° Un pneumatonisme, du reste asez difficilement pensable, ou plus simplement une exaltation systématique de l'Esprit ne serait pas plus vrai. Certains exposés de pneumatologie, dans lesquels on sent un ressentiment anti-occidental, laissent l'impression qu'on a fait un bilan, très idéal, de tout ce qu'on affectionne, et qu'on l'a intitulé « Pneumatologie ». — 2° « Il n'y a pas de doctrine isolée du Saint-Esprit, car celle-ci renvoie toujours à la vérité du Seigneur » (J. Bosc). Il n'y a pas de Corps mystique du Saint-Esprit : il est du Christ. — 3° La santé de tout renouveau dans l'Esprit ou « renouveau charismatique » réside dans la doctrine *de Christo*, dans la régulation par le Verbe, l'Ecriture, les sacrements, l'institution pastorale apostolique. Christologie et pneumatologie sont la santé l'une et l'autre.

---

58. *ES* I, pp. 207-226.
59. Epiclèse : voir *ES* III, pp. 294-351. Assemblée : cf. *supra*, pp. 496 s.
60. Cf. *ES* I, pp. 227-235 et « Implications christologiques et pneumatologiques de Vatican II », in *Les Eglises après Vatican II. Dynamisme et perspective*, Beauchesne, Paris, 1981.

CHAPITRE V

L'Esprit, don eschatologique, consomme la « rédemption »

« Propter nostram salutem » : notre « salut » est la raison de l'autorévélation et autocommunication de Dieu qui constitue l'« économie ». C'est par celle-ci que nous pouvons avoir quelque accès à la « théologie », c'est-à-dire à la connaissance du mystère intime et éternel de Dieu. Ce que signifie le « salut » des hommes peut nous éclairer sur ce qu'est le Saint-Esprit.

La Révélation et la Tradition disent que l'homme (homme/femme) est à l'image de Dieu. Cela signifie : destiné à refléter son image, à reproduire celle-ci comme un enfant celle de son père. A cette affirmation révélée répond l'analyse de philosophes comme Pascal, Malebranche, M. Blondel, K. Rahner : ils ont montré, dans l'homme, l'ouverture à un au-delà de ce qu'il peut se procurer lui-même, l'ouverture indéfinie à une transcendance supra-mondaine et supra-historique. Cela va jusqu'au désir de communier dans la vie avec Dieu, d'atteindre à l'ordre divin, au sens où l'on parle des ordres minéral, végétal, animal, rationnel, et où Pascal a parlé des trois ordres (frag. 793). A quoi s'opposent, nous le savons, des philosophies contraires : nietzschéisme (le surhomme), psychanalystes dénonçant l'illusion infantile de la mégalomanie du désir d'être immortel et tout puissant, comme Dieu.

Dans sa condition présente, l'homme vit collectivement une histoire animée par un constant effort pour gagner l'intégrité et la réconciliation : l'intégrité, c'est-à-dire la victoire de la vie sur la maladie et la mort, de la connaissance sur l'ignorance, etc. ; la réconciliation, c'est-à-dire la paix, la communication et la communion [61]. Et, par ces deux grands biens, la libération de ce qui opprime et diminue. Cela au plan terrestre ou temporel, mais aussi dans l'ordre moral où liberté signifie pureté et intériorité.

---

61. Cf. nos *Jalons pour une théologie du Laïcat*, Paris, 1953, pp. 94, 133 s.

La rédemption, le « salut » répondent à ce désir profond de libération, intégrité, communion, et d'être assumé dans l'ordre de vie de Dieu, dans sa famille et la jouissance de ses biens, par une sorte d'héritage. Que ce « salut » soit onéreux, qu'il implique le sacrifice de l'Héritier et la croix, n'empêche pas qu'il consiste, pour ses bénéficiaires, dans la réussite des espérances que nous avons dites : libération, intégrité, communion, vie au-delà de la mort, vie jusque dans l'ordre de vie de Dieu [62].

Cela, Jésus-Christ nous l'a acquis, et il l'a acquis une fois pour toutes, pour tous les temps et tous les hommes. Mais l'Esprit en consomme la réalisation. D'abord quant à sa valeur universelle. Non seulement l'Esprit agit pour que soient efficaces, dans l'institution positive de salut qu'est l'Eglise, les médiations de grâce : Parole (Ecriture), sacrements, diaconie..., mais il agit secrètement là où ces médiations positives et cette institution n'atteignent pas, au moins visiblement. L'Esprit suscite et ramène à Dieu ce désir obscur et ces gémissements de la création que saint Paul nous dit en attente d'être libérée de la servitude de la corruption pour entrer dans la liberté de la gloire des enfants de Dieu [63]. Si, ensuite, on considère le but dernier du salut, notre assomption en la qualité de fils de Dieu, membres de sa famille, héritiers de ses biens (de sa gloire), il est clair qu'elle n'est acquise que dans le Christ — nous sommes fils dans le Fils, et ses cohéritiers —, mais aussi qu'elle est réalisée par l'Esprit : relire Rm 8, 14-17 ; Ga 4, 6 ; 1 P 4, 13-14. C'est l'Esprit qui achève notre rédemption en nous assimilant au Fils de Dieu, jusqu'à la résurrection, la rédemption de nos corps (Rm 8, 11. 23), jusqu'à notre pleine assimilation à l'Adam eschatologique, Jésus en sa condition corporelle spiritualisée (1 Co 15, 45). Alors nous-mêmes n'aurons plus à détruire

---

62. « Le christianisme nous éclaire d'abord sur nos servitudes qui sont dures et humainement invincibles puisqu'elles s'appellent la mort, la solitude, le péché ; mais ce même christianisme (et c'est exactement la Bonne Nouvelle) nous révèle que le Dieu libre est un Dieu libérateur, qui brise le faux destin de nos servitudes en nous appelant à l'éternité, à la communion, à la sainteté. » E. Borne, in *l'Eglise et la Liberté*, Semaine des intellectuels catholiques de Paris, 1952, p. 103.

63. Rm 8, 21. Et cf. *ES* II, pp. 271-289, « Dans l'unité du Saint-Esprit, tout honneur et toute gloire. » Citons, d'autre part, W. Kasper : « Dès à présent Dieu est « tout en tous » par Jésus-Christ (1 Co 15, 28). L'action continue de l'Esprit ne peut alors consister qu'à universaliser la réalité de Jésus-Christ, c'est-à-dire à intégrer en lui toute réalité de telle sorte que le réel devienne conforme à l'image de Dieu qui transparaît dans le Christ. Et tout cela advient selon la loi de l'accomplissement surabondant, de la création et de la réalisation plénière en Jésus-Christ, par l'action de l'Esprit. Le thème de la plénitude est le thème significatif de l'histoire du salut » (« Esprit-Christ-Eglise, » in *l'Expérience de l'Esprit. Mélanges Schillebeeckx*, Paris, 1976, pp. 47-69 ; p. 62).

des végétaux ou des animaux pour nourrir notre corps ; c'est l'Esprit qui, du dedans, fera vivre le corps. Certains faits miraculeux, par l'Esprit, de la vie des saints, sont comme des anticipations précaires, d'humbles paraboles de cette plénitude eschatologique.

Aussi le symbole, qui est de structure trinitaire et « économique », attribue au Saint-Esprit la réalisation d'une Eglise une, sainte, catholique et apostolique, l'efficacité du baptême pour la rémission des péchés, la résurrection des morts, la vie du siècle à venir. Des Dogmatiques protestants traitent de tout cela dans leur exposé du « troisième article » du symbole [64]. Significatifs sont les titres des trois volumes de G. Ebeling :

la Foi à Dieu le créateur du monde ;
la Foi à Dieu le réconciliateur du monde ;
la Foi à Dieu le consommateur du monde.

Conjointement avec le Verbe-Fils, qui nous a acquis l'héritage, le Souffle saint est le principe souverain de l'avenir absolu de l'homme et de la création avec laquelle l'homme est lié [65]. Dans l'Ancien Testament et presque tous les symboles de foi il est caractérisé comme celui qui a parlé par les prophètes. Il est l'agent transcendant de l'avenir et de l'espérance ; c'est à cause de lui qu'elle ne déçoit pas (Rm 5, 5 ; 15, 13). Dans l'Ancien Testament le don de l'Esprit est annoncé pour des temps nouveaux, pour un avenir neuf : cf. Jr 31, 31 s. ; Ez 36, 25 s. ; 39, 29 ; Is 32, 15 ; 44, 3 ; 59, 21 ; Jl 2, 28 s. ; 3, 1 s. Il est l'objet d'une promesse, il est « le Promis » [66]. L'économie est soumise à un régime de promesse et accomplissement. La promesse porte sur un héritage et sur le Royaume : deux termes qui désignent la même chose : « Il nous a sauvés par le bain de la régénération et de la rénovation en l'Esprit Saint. Cet Esprit, il l'a répandu sur nous avec abondance par Jésus-Christ notre Sauveur afin que, justifiés par sa grâce, nous devenions, selon l'espérance, héritiers de la vie éternelle » (Tt 3, 5-7). Vie éternelle et Royaume sont la même chose, Jn 3, 3-8, et on doit « hériter le Règne » (1 Co 6, 9-10 ; 15, 50 ; Ga 5, 2 ; Ep 5, 5 ; Jc 2, 5 ; comp. Mt 13, 29 ; Mc 10, 17 ; Lc 10, 25 ; 18, 18), thème qui s'exprime aussi en termes de « gloire » : 1 Th 2, 12 ; Ep 1, 13-14.

64. Ainsi H. THIELICKE, *Der Evangelische Glaube-Grundzüge der Dogmatik*, III. *Theologie des Geistes*, Tübingen, 1978 ; G. EBELING, *Dogmatik des christlichen Glaubens* : I. *Der Glaube an Gott den Schöpfer der Welt* ; II. *Der Glaube an Gott den Versöhner der Welt* ; III. *Der Glaube an Gott den Vollender der Welt*, Tübingen, 1979. On peut voir, pour le contenu, J. MOLTMANN, *l'Eglise dans la force de l'Esprit. Une contribution à l'ecclésiologie messianique*, Paris, 1980.

65. Comp. *Lumen gentium*, chap. VII, sur le caractère eschatologique de l'Eglise, n° 48.

66. Lc 24, 49 ; Ac 1, 4 ; 2, 31 ; Ga 3, 14 ; Ep 1, 13. En rapprochant Ga 3, 14-18 et 26-29 de Lc 1, 55 on peut le voir comme promis depuis Abraham.

17-18. Que l'Esprit soit le principe de tout cela, qu'il soit lui-même la substance du Royaume dont nous avons ici-bas les arrhes, cela ressort de Mt 12, 28 et cela est un thème cher aux Orientaux[67] : plusieurs Pères ont lu, dans le Pater, au lieu de « advienne ton règne », « que vienne ton Esprit Saint et qu'il nous purifie »[68].

On comprend que, dans ces conditions, la note de « puissance » soit habituellement attachée à l'Esprit : déjà Lc 1, 35, Rm 15, 13, « que l'espérance surabonde en vous par la *dunamis* de l'Esprit Saint » ; 1 Th 1, 5 ; 1 Co 2, 1-5 ; 12, 10 ; Rm 15, 19 ; 2 Tm 1, 7 ; Ep 3, 16 ; Ac 10, 38. Dans le symbole, l'Esprit est qualifié de « Seigneur ». On l'invoque comme « créateur ».

L'Esprit, don eschatologique (Jl 3, 1 s. = Ac 2, 17) accomplit le perfectionnement dernier. « Il perfectionne tout ce qu'il possède », écrit S. Irénée (*Adv. Haer.* V, 9, 1) ; il est *télépoios*, dit S. Grégoire de Nazianze (*PG* 36, 249 A), et S. Grégoire de Nysse, « toute action sort du Père, progresse par le Fils et s'achève dans le Saint-Esprit »[69]. Il est le Don ultime, *dôrèma téleion*, dit S. Cyrille d'Alexandrie (cf. *ES* III, p. 196). La liturgie, dans laquelle l'Eglise exerce et exprime le plus adéquatement sa vie propre, reprend en remontée à sa source ce mouvement de Don qui nous vient de la Source : elle est animée par le schéma doxologique *Au Père, par le Fils, dans l'Esprit*[70].

Sans doute pourrait-on mettre en rapport avec ces thèmes l'idée chère à quelques spirituels de l'école française, selon laquelle l'Esprit, n'ayant pas de fécondité intra-divine, puisqu'il est le terme des Processions, devient fécond hors de Dieu dans l'incarnation du Verbe et la sanctification des hommes[71].

---

67. S. Syméon le Nouveau Théologien : « Le Royaume des cieux consiste en la participation de l'Esprit Saint » (*SC*, n° 104, p. 23 ; et cf. *ES* I, p. 174) ; le récit fameux de l'entretien de Motovilov avec S. Séraphin de Sarov : Es II, p. 96 s.
68. Evagre le Pontique, *Traité de l'Oraison* (éd. J. Hausherr, 1960, p. 83) ; S. Grégoire de Nysse, *De Orat. Dom.*, 3 (*PG* 44, 1157) ; S. Maxime le Confesseur explique le début du Pater de façon trinitaire ; le Nom = le Fils ; « le Royaume de Dieu le Père qui susbsiste essentiellement est le Saint-Esprit » (*Exp. Orat. Dom.* : *PG* 90, 884) ; E. Pataq Siman, *l'Expérience de l'Esprit par l'Eglise d'après la tradition syrienne d'Antioche*, Paris, 1971, p. 249. Comp. *Tertullien, Adv. Marc.* IV, 26.
69. *Quod non sint tres dii* (PG 45, 129). Voir ES III, p. 200.
70. Voir C. Vagaggini, *Initiation théologique à la liturgie*, adapté par Ph. Rouillard, 2 vol., Paris, 1959 s. Comp. S. Irénée, *Démonstr. de la prédic. apost.*, c. 7 (*SC*, n° 62, p. 41).
71. Bérulle, *Grandeurs de Jésus*, IV, 2 (éd. Migne, p. 208) ; S. Louis-Marie Grignion de Montfort, *Traité de la vraie dévotion à la Sainte Vierge*, 1re partie, n. 17-20 (Louvain, 1927, pp. 23-26). Comp. A. Stolz, *De SS. Trinitate*, Herder, 1941, p. 88 s.

BIBLIOGRAPHIE

Pour l'ensemble

L. BOUYER, *le Consolateur. Esprit-Saint et vie de grâce*, Paris, Cerf, 1980, 471 p.

Y. CONGAR, *Je crois en l'Esprit-Saint*. I. *Révélation et Expérience de l'Esprit*. II. *Il est Seigneur et il donne la vie*. III. *Le Fleuve de vie (Ap. 22, 1) coule en Orient et en Occident*, Cerf, Paris, 1979 et 1980, 238, 296 et 338 p.

H. MÜHLEN, *l'Esprit dans l'Eglise*, 2 vol., Paris, Cerf, 1969, 470 et 354 p. (plus théorique que descriptif, parfois discutable).

« Dieu révélé dans l'Esprit », in *les Quatre Fleuves*, n° 9, Beauchesne, Paris, 1979, 147 p.

Ecclesia a Spiritu Sancto edocta. Mélanges Gérard Philips, Duculot, Gembloux, 1970, XXXVII, 600 p. (32 articles, 17 en français).

Actes du Congrès de pneumatologie de Rome, mars 1982.

Textes du Séminaire de Chambésy (CH), juin-juillet 1981.

Histoire

Outre Bouyer, Congar, F. Bolgiani, dans *les Quatre Fleuves* et les Histoires des dogmes, voir les classiques grecs : S. ATHANASE, *Lettres à Séparation*, SC, n° 15, trad. J. Lebon, 1947 ;

S. BASILE, *Traité du Saint-Esprit*, SC, n° 17, trad., introd. et notes de B. Pruche, 1947 ; 2ᵉ éd. avec texte grec. S. GRÉGOIRE de NAZIANZE, *Discours 27-31 (Discours théologiques)*, SC, n° 250.

E.-P. SIMAN, *l'Expérience de l'Esprit par l'Eglise d'après la tradition syrienne d'Antioche*, Beauchesne, coll. « Théologie historique », n° 15, Paris, 1971, 352 p.

J.N.D. KELLY, *Introduction à la doctrine des Pères de l'Eglise*, Paris, 1968.

Vie du chrétien

S. THOMAS d'AQUIN, *Somme théologique*, Iᵃ IIᵃᵉ, q. 68, sur les dons, et article correspondant pour chaque vertu ; q. 106-108 : *La loi nouvelle*, trad. J. Tonneau, Cerf, Paris, 1981.

I. de la POTTERIE et S. LYONNET, *la Vie selon l'Esprit condition du chrétien*, Cerf, coll. « Unam Sanctam », n° 55, Paris, 1965, 285 p.

G. PHILIPS, *l'Union personnelle avec le Dieu vivant. Essai sur l'origine et le sens de la grâce créée*, Duculot, Gembloux, 1976, 299 p.

Cardinal MANNING, *la Mission intérieure du Saint-Esprit*, trad. Mac-Carthy, Paris, 1887.

P.- Y. EMERY, *le Saint-Esprit présence de communion*, Taizé, 1980, 221 pp.

Vie de l'Eglise

L'Esprit-Saint et l'Eglise. L'avenir de l'Eglise et de l'Œcuménisme, Fayard, Paris, 1969, 350 p. (riche Symposium de l'Académie internationale des sciences religieuses).

N. AFANASSIEFF, *l'Eglise du Saint-Esprit*, Cerf, coll. «Cogitatio fidei», n° 83, Paris, 1975, 374 p.

Le Saint-Esprit dans la liturgie. XVIe Semaine de Saint-Serge, Rome, Edizioni liturgiche, 1977, 181 p.

J. MOLTMANN, *l'Eglise dans la force de l'Esprit. Une contribution à l'ecclésiologie moderne*, Cerf, coll. «Cogitatio fidei», n° 102, Paris, 1980, 469 p.

Orthodoxie, Filioque, Œcuménisme

P. EVDOKIMOV, *l'Esprit Saint dans la tradition orthodoxe*, Paris, Cerf, 1969 ;

Vl. LOSSKY, *Essai sur la théologie mystique de l'Eglise d'Orient*, Paris, Seuil, 1944 (un vrai classique).

M. JUGIE, *De Processione Spiritus Sancti ex Fontibus Revelationis et secundum Orientales dissidentes*, Rome, Latran, 1936, XI-418 p.

Concilium, n° 148 : «Le Saint-Esprit en rediscussion», Beauchesne, Paris, 1979.

Russie et chrétienté, 1950/2 ; *Istina*, 17, 1972.

La Théologie du Saint-Esprit dans le dialogue entre l'Orient et l'Occident, Document «Foi et Constitution», n° 103, éd. par L. Vischer, Centurion, Paris, 1981, 205 p. (conseillé).

TABLE DES MATIÈRES

PREMIÈRE PARTIE

ALLIANCE ET RÉVÉLATION :
DIEU PARLE

DEUXIÈME PARTIE

MESSIANISME ET RÉDEMPTION : DIEU SAUVE

Achevé d'imprimer en septembre 1982
sur les presses de l'imprimerie Laballery et Cie
58500 Clamecy
Dépôt légal : septembre 1982
Numéro d'impression : 20611
Numéro d'éditeur : 7584